KB174699

인체의 구조와 기능에서 본

병태생리 5 visual map

운동기질환
피부질환
여성생식기질환
안질환
이비인후질환

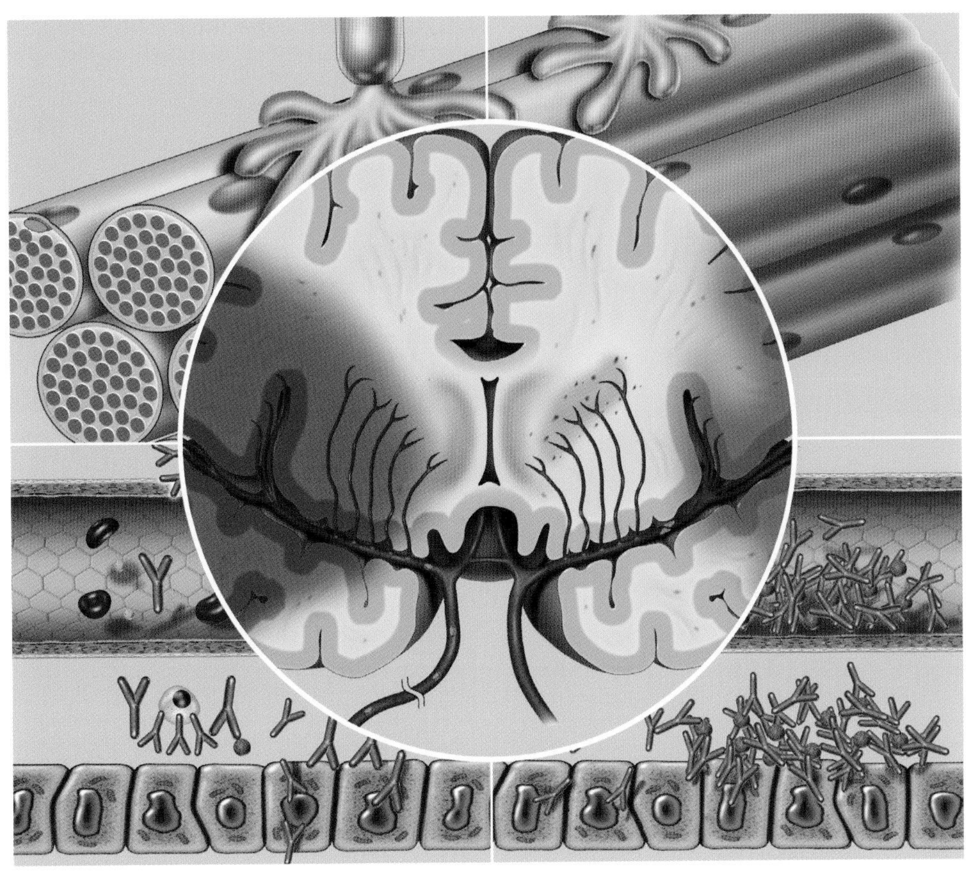

편집

佐藤千史

도쿄의과치과대학대학원 보건위생학연구과 교수·건강정보분석학

井上智子

도쿄의과치과대학대학원 보건위생학연구과 교수·첨단침습완화케어간호학

군자출판사

주의

본서에 기재되어 있는 치료법이나 환자케어에 관해서 출판시점의 최신 정보에 근거하여, 정확을 기하도록, 저자, 편집자 및 출판사는 각각 최선의 노력을 기울였습니다. 그러나 의학, 의료의 진보로 기재된 내용이 모든 점에서 정확하고 완전하다고 보증할 수는 없습니다.

따라서 활용시에는 항상 최신 데이터에 입각하여, 본서에 기재된 내용이 정확한지, 독자 스스로 세심한 주의를 기울일 것을 요청드립니다. 본서 기재의 치료법·의약품이 그 후의 의학연구 및 의료의 진보에 따라서 본서 발행 후에 변경된 경우, 그 치료법·의약품에 의한 불의의 사고에 관해서, 저자, 편집자 및 출판사는 그 책임을 지지 않습니다.

주식회사 의학서원

본서에 기술된 사회보험, 법규, 약제 등은 일본의 경우이므로 국내와 일치하지 않을 수도 있음을 참고하시기 바랍니다.

군자출판사

인체의 구조와 기능에서 본
병태생리 5 운동기질환, 피부질환 여성생식기질환, 안질환, 이비인후질환

첫째판 1쇄 인쇄 2014년 1월 5일
첫째판 1쇄 발행 2014년 1월 10일
첫째판 2쇄 발행 2015년 4월 27일

지 은 이 佐藤千史 · 井上智子
발 행 인 장주연
출판·기획 한수인
편집디자인 심현정
표지디자인 전선아
발 행 처 군자출판사
등록 제4-139호(1991.6.24)
본사 (110-717) 서울시 종로구 인의동 112-1 동원회관 BD 6층
전화 (02)762-9194/9195 팩스 (02)764-0209
홈페이지 | www.koonja.co.kr

人体の構造と機能からみた 病態生理ビジュアルマップ [5]
運動器疾患, 皮膚疾患, 女性生殖器疾患, 眼疾患, 耳鼻咽喉疾患
ISBN 978-4-260-00980-5 編集 : 佐藤 千史 · 井上 智子

published by IGAKU-SHOIN LTD., TOKYO Copyright© 2010

ISBN 978-89-6278-825-9
ISBN 978-89-6278-820-4 (세트)
정가 25,000원 / 125,000원 (세트)

서두에

여러분이 개개의 "병"에 관하여 어떤 이미지를 가지고 있는지 떠올려 보자. 예를 들어 폐암의 경우, 기도에 종양이 생기고 그것이 기침이나 호흡곤란으로 진행되는데, 이것은 비교적 이미지를 그리기 쉬운 편이다. 그렇다면 간경변, 파종성혈관내응고, 신증후군, 류마티스 관절염 등의 경우는 어떨까?

본서는 병태생리를 필두로 하여, 주요 질환의 병태·진단·치료·환자의 케어포인트를 주로 간호사·간호학생·코메디컬 스태프 대상으로 해설한 것이다.

동일한 취지의 서적이 이미 몇 가지 시중에 나와 있지만, 본서는 특히 '병태의 이미지를 전달하는 것', '병태와 증상·진단·치료·환자케어의 지식이 연결되는 것'에 역점을 두고 있다.

'병태의 이미지'에 관해서는 병태의 원인, 병변, 증상, 경과까지의 흐름을 한 눈에 알 수 있도록, 가시적인 일러스트를 사용하여 이미지화를 시도하고 있다. 그리고 그 이미지가 증상·진단·치료·환자케어의 이해에 직결되도록 구성하고 있다. 각 분야에서 두각을 나타내는 전문가들이 최신내용을 반영해서 집필해 주신 점도 본서의 큰 장점일 것이다.

병태생리란, 사람의 체내에서 어떤 변화가 일어나면서 건강이 손상되는지에 관한 "story"를 설명한 것이다. 이 스토리를 알 수 있으면, '왜 이 증상이 나타나는가', '왜 이 검사치를 주시해야 하는가', '왜 이 약을 적용하는가'에 대한 진단·치료의 의미, 인과관계를 이해할 수 있게 된다.

본서가 여러분의 일상의 학습, 임상현장에서의 관찰이나 정보수집, 케어 포인트나 치료를 이해하는 데에 도움이 된다면 크게 기쁠 것이다.

마지막으로, 본서의 간행취지에 찬성해 주시고, 각각 바쁘신 중에도 본서의 집필에 시간을 할애하여 편집자들의 의도를 상회하는 내용을 제공해 주신 집필진 선생님들께 진심으로 감사를 드리는 바이다.

2010년 12월

편집자를 대표하여 佐藤千史

편집 · 집필자 일람

편집

佐藤　千史　도쿄의과치과대학대학원 보건위생학연구과교수·건강정보분석학
井上　智子　도쿄의과치과대학대학원 보건위생학연구과교수·첨단침습완화케어간호학

집필

의학해설

大川　淳　도쿄의과치과대학대학원 의치학 종합연구과 준교수·정형외과학
大友　康裕　도쿄의과치과대학대학원 의치학 종합연구과 교수·구급화재의학
大野　京子　도쿄의과치과대학대학원 의치학 종합연구과 준교수·안과학
長内　孝之　요츠야(四谷)메디컬큐브 유선외과부장
片山　一朗　오오사카대학대학원의학계 연구과교수·내과계 임상의학전공정보통합의학강좌 피부과학
勝野　哲也　도쿄도립 오오츠카(大塚)병원 내과
加藤　卓朗　제생회 가와구치(川口)종합병원 피부과부장
金子　均　일산 후생회 다마가와(玉川)병원 산부인과부장
鴨居　功樹　도쿄의과치과대학대학원 의치학 종합연구과 조교수·안과학/영국 아바딘대학 안과
岸本　誠司　도쿄의과치과대학대학원 의치학 종합연구과 교수·두경부외과학
喜多村　健　도쿄의과치과대학대학원 의치학 종합연구과 교수·이비인후과학
清川　佑介　사이타마(埼玉)현립 암센터 두경부외과
久保田俊郎　도쿄의과치과대학대학원 의치학 종합연구과 교수·생식기능협관학
黑佐　義郎　사쿠(佐久)종합병원 정형외과 부장
桑波田悠子　오메(青梅)시립종합병원 이비인후과
神野　哲也　도쿄의과치과대학 의학부 부속병원 강사·정형외과
杉本　太郎　도쿄의과치과대학 의학부 부속병원 강사·이비인후과
角　卓郎　오메(青梅)시립 종합병원 이비인후과 부부장
關矢　一郎　도쿄의과치과대학대학원 의치학 종합연구과 준교수·연골재생학
谷口　義實　도쿄의과치과대학 의학부 부속병원 강사·주산(周産)·여성진료과
西澤　綾　도쿄의과치과대학 대학원 의치학 종합연구과 조교수·피부과학
原田　龍也　도쿄의과치과대학 대학원 의치학 종합연구과 강사·생식기능협관학
樋口　哲也　토호(東邦)대학 의료센터 좌창병원준교수·피부과
深水　眞　치바 애우회기념병원 안과부장
古井　良彦　가와구치(川口)공업종합병원 피부과부장
宗田　大　도쿄의과치과대학대학원 의치학 종합연구과 교수·운동기외과학
村上喜三雄　도쿄도립 코마고메(駒込)병원 안과부장
森田　定雄　도쿄의과치과대학 의학부 부속병원 준교수·재활의학부
安水　洸彦　소우카(草加)시립병원 부원장 (산부인과)
横關　博雄　도쿄의과치과대학 대학원 의치학 종합연구과 교수·피부과학
吉田　武史　도쿄의과치과대학 대학원 의치학 종합연구과 조교수·안과학
渡邊　建介　돗쿄(獨協)의과대학 고시가야(越谷)병원 교수·이비인후과

환자케어해설

上田稚代子　칸사이(關西)의료대학 보건간호학부 교수
大音　清香　이노우에(井上)안과병원 간호교육연구부장
國府　浩子　구마모토(雄本)대학 대학원 생명과학연구부 교수·간호학
東風平智江美　캔자스대학대학원 조교수 (Assistant Professor-Research)·간호학
小原　泉　지치(自治)의과대학대학원 간호학연구과 준교수·암간호학
佐々木吉子　도쿄의과치과대학대학원 보건위생학연구과 준교수·첨단침습완화케어간호학
茂野香おる　세이부(西武)문리대학 간호학부 간호학과 교수
瀧島　紀子　가와사키(川崎)시립 간호단기대학 준교수
竹内佐智惠　오오사카대학대학원 의학계연구과 보건학전공 준교수·간호실천개발과학
塚本　容子　홋카이도의료대학 간호복지학부 간호학과 교수·임상간호학
月田佳壽美　후쿠이(福井)대학 의학부 간호학과 강사·성인·노인간호학
永澤　規子　사이타마시립병원 간호사장
比田井理惠　치바현 구급의료센터 간호국 급성·중증환자 간호전문 간호사
松島　元子　독립행정법인 노동자건강복지기구 오오사카노재병원 간호사장
三田由美子　성마리안나의과대학병원 간호사장
山本　育子　쥰텐도(順天堂)대학 의학부 부속보안병원 간호교육과

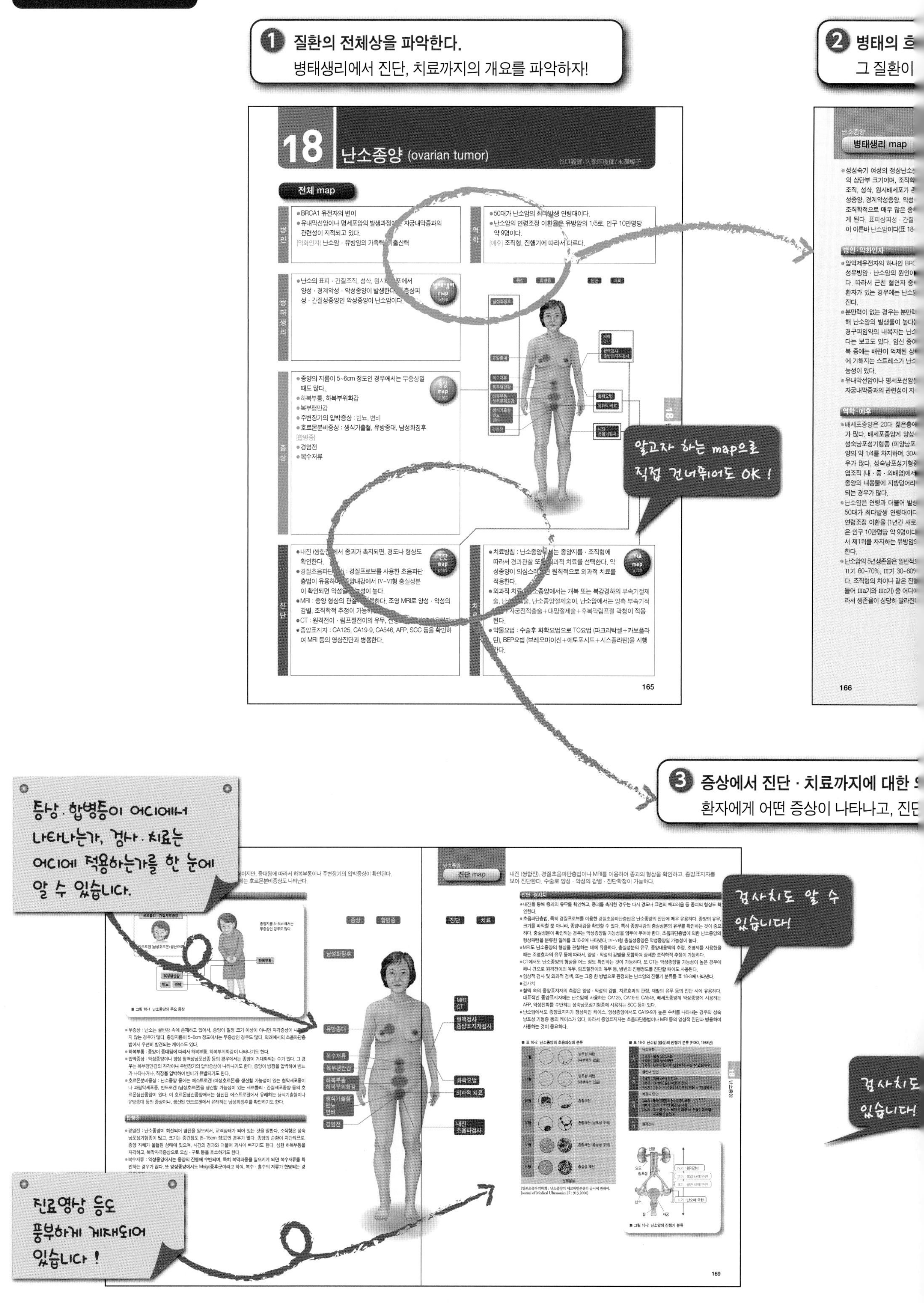

1 질환의 전체상을 파악한다.
병태생리에서 진단, 치료까지의 개요를 파악하자!
2 병태의 흐
그 질환이
18 난소종양 (ovarian tumor)
전체 map
병태생리 map
알고자 하는 map으로 직접 건너뛰어도 OK !
3 증상에서 진단 · 치료까지에 대한 !
환자에게 어떤 증상이 나타나고, 진단
증상 · 합병증이 어디에서 나타나는가, 검사 · 치료는 어디에 적용하는가를 한 눈에 알 수 있습니다.
진단 map
검사치도 알 수 있습니다!
검사치도 있습니다!
진료영상 등도 풍부하게 게재되어 있습니다 !
165
166
169

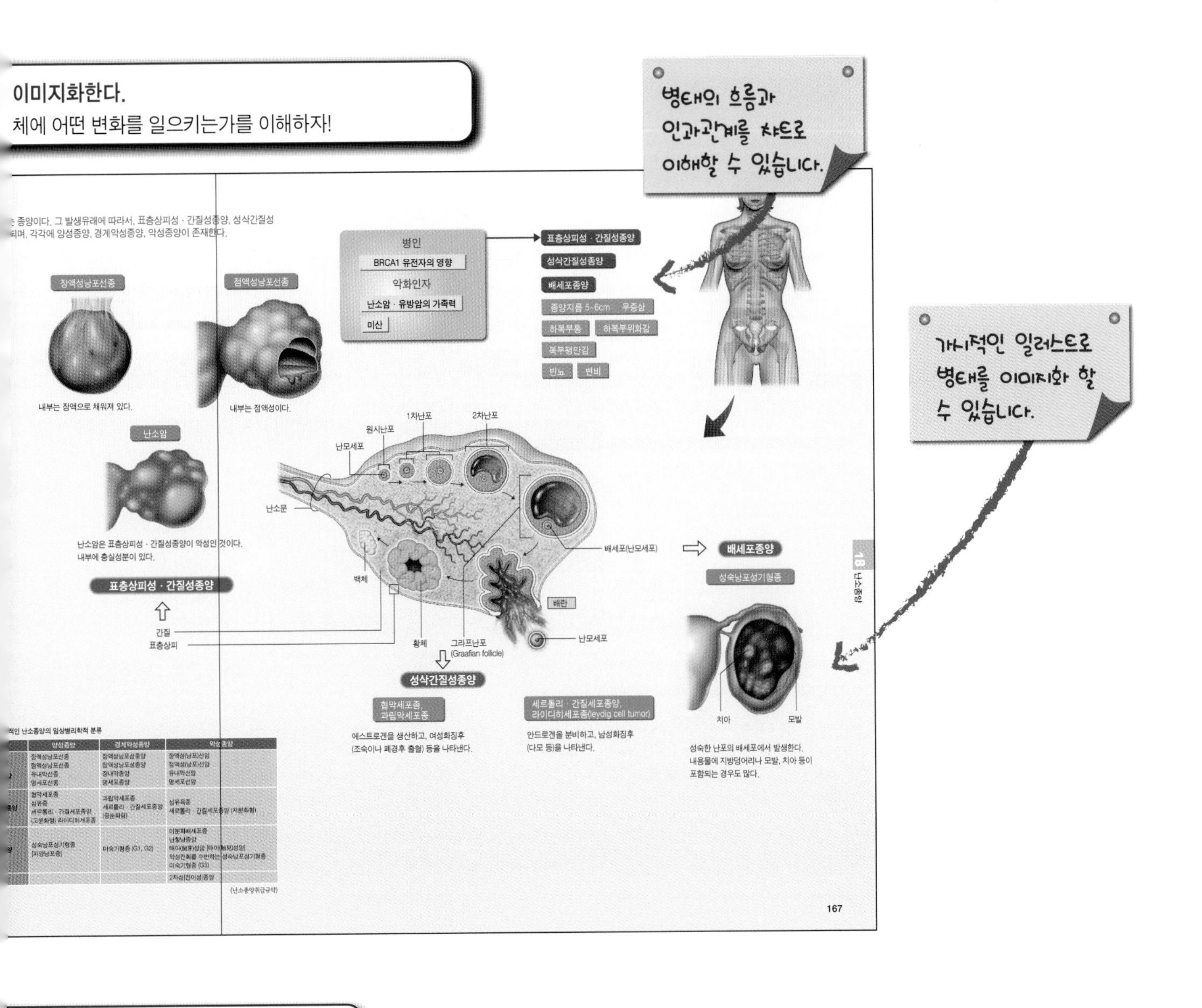

이미지화한다.
체에 어떤 변화를 일으키는가를 이해하자!
병태의 흐름과
인과관계를 챠트로
이해할 수 있습니다.
가시적인 일러스트로
병태를 이미지화 할
수 있습니다.
병인
BRCA1 유전자의 영향
악화인자
난소암 · 유방암의 가족력
미산
표층상피성 · 간질성종양
성삭간질성종양
배세포종양
종양지름 5~6cm
무증상
하복부통
하복부위화감
복부팽만감
빈뇨
변비
장액성낭포선종
점액성낭포선종
내부는 장액으로 채워져 있다.
내부는 점액성이다.
난소암
난소암은 표층상피성 · 간질성종양이 악성인 것이다.
내부에 충실성분이 있다.
표층상피성 · 간질성종양
간질
표층상피
1차난포
2차난포
원시난포
난모세포
난소문
백체
황체
그라프난포
(Graafian follicle)
배란
난모세포
배세포(난모세포)
배세포종양
성숙낭포성기형종
성삭간질성종양
협막세포종,
과립막세포종
에스트로겐을 생산하고, 여성화징후
(조숙이나 폐경후 출혈) 등을 나타낸다.
세르톨리 · 간질세포종양,
라이디히세포종(leydig cell tumor)
안드로겐을 분비하고, 남성화징후
(다모 등)을 나타낸다.
치아
모발
성숙한 난포의 배세포에서 발생한다.
내용물에 지방덩어리나 모발, 치아 등이
포함되는 경우도 많다.
18 난소종양
167

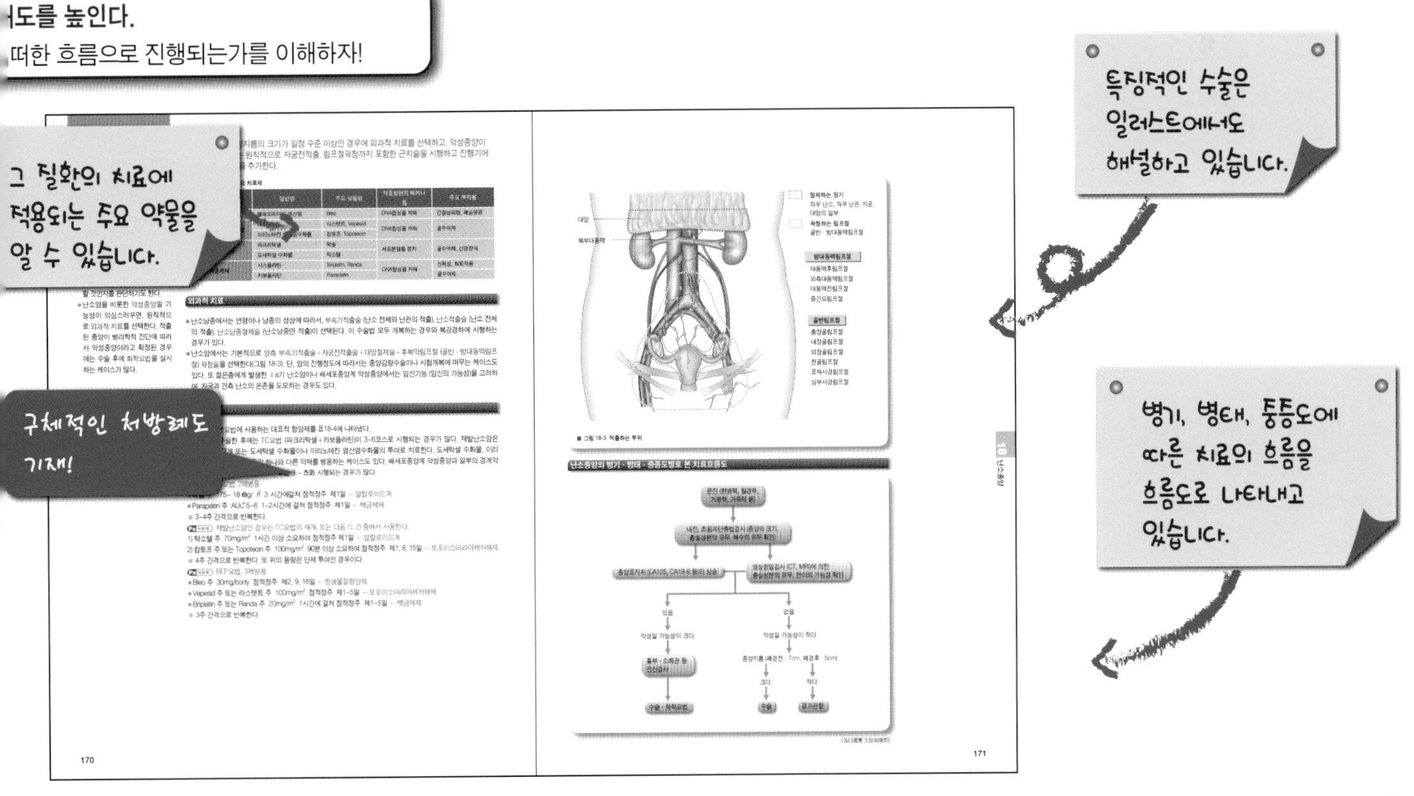

도를 높인다.
떠한 흐름으로 진행되는가를 이해하자!
그 질환의 치료에
적용되는 주요 약물을
알 수 있습니다.
구체적인 처방례도
기재!
특징적인 수술은
일러스트에서도
해설하고 있습니다.
병기, 병태, 중증도에
따른 치료의 흐름을
흐름도로 나타내고
있습니다.
외과적 치료
난소종양의 병기 · 병태 · 중증도별로 본 치료흐름도
170
171

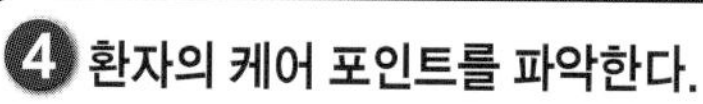

4 환자의 케어 포인트를 파악한다.

병태생리, 진단 · 치료의 흐름과 관련지어 이해하자!

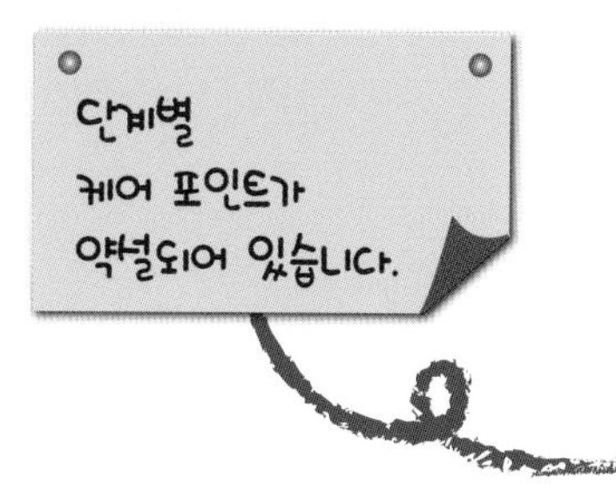

여러 곳에 도설을 마련하여 이해를 돕고 있습니다

입원 중뿐만 아니라, 퇴원 후도 확인하는 케어 포인트가 있습니다.

난소종양

환자케어

악성종양 환자에게는 예후에 대한 불안, 여성생식기 상실이나 신체상의 변화 등의 심리 · 사회적 문제에 대한 지지가 필요하다.

병기 · 병태 · 중증도에 따른 케어

【양성종양】 종양이 작은 경우에는 보존적으로 경과를 관찰하는 경우가 많다. 어느 정도 커진 경우는 경염전, 파열방지를 위해서 종양적출술을 실시한다. 양성종양에서는 외과적 치료가 근치요법이 되므로, 외과적 치료를 받는다면 이후 계속적으로 치료하는 경우는 적다. 보존적으로 경과를 관찰하는 경우는 환자가 정기적 진찰을 받을 수 있도록 지도해야 한다. 또 외과적 치료를 받는 경우에는 그에 대하여 지지를 제공해야 한다. 급격한 하복통으로 발생하는 경염전이나 파열의 경우에는 순환부전에 빠지거나, 격렬한 통증으로 신체적 고통이 매우 심하므로, 치료를 신속히 받을 수 있도록 진찰을 돕고 환자의 불안을 완화하기 위한 지지를 제공해야 한다.

【악성종양】 환자는 질환의 예후에 대한 불안감이 크다. 질환에 대한 진료 시의 지지는 양성종양일 때와 똑같이 하지만, 환자가 가지는 생명예후나 치료의 내용, 치료에 의한 신체상의 변화, 사회적 역할의 변화 등에 관한 여러 가지 불안을 완화시키기 위해서, 환자 · 가족의 심리 · 사회적 배경을 충분히 파악하여 케어하는 것이 중요하다. 또 화학요법 등의 계속적 치료를 실시하는 경우가 많아서, 그 부작용도 심한 편이다. 치료를 효과적으로 하기 위한 지지를 제공하는 것도 중요하다.

케어의 포인트

진료 · 치료 시의 케어
- 난소종양의 진단을 위한 내진, 초음파검사, CT검사, MRI검사를 지지한다.
- 외과적 치료를 실시하는 경우는 그에 맞춰 지지를 제공한다.
- 약물요법에서는 난소종양의 병태에 따라서 호르몬요법과 화학요법이 행해진다. 치료의 목적, 내용, 효과, 일어날 수 있는 부작용 (그림 18-4)에 관하여 설명하고, 중도에 치료가 중단되지 않고 효과적으로 행해지도록 지지한다.
- 방사선요법이 행해지는 경우에도 약물요법과 똑같은 지지를 제공한다.
- 치료효과가 있는지의 여부를 관찰한다.
- 약의 부작용 여부를 확인하여, 의사에게 정보를 전달한다.

통증의 완화지지
- 진통제가 투여되는 경우는 의사의 지시에 따라서 정확하게 투여한다.

셀프케어의 지지
- 셀프케어상태를 평가한다.
- 셀프케어가 부족한 경우에는 구체적인 내용을 파악하고, 그 내용에 맞는 적절한 해결법을 지도한다.

환자 · 가족의 심리 · 사회적 문제에 대한 지지
- 난소종양에 관하여 바른 정보를 제공하고, 치료에 대한 적극적인 참여를 촉구한다.
- 난소종양에 대한 환자 · 가족의 불안이 완화되도록 지지한다.

퇴원지도 · 요양지도

- 외과적 치료를 받은 후에 퇴원하면 체력회복을 위해서 균형적인 식사를 섭취하고, 퇴원후 2주 정도는 자택에서 안정을 취하도록 지도한다. 또 그 지지를 가족이 할 수 있도록 자족지도도 한다.
- 퇴원후 진찰을 받을 필요성이 있는 증상 (출혈, 감염징후 등)에 관하여 설명하고, 이상 시에는 바로 진료를 받도록 지도한다. 또 특별히 문제가 없어도 의사가 지시한 날짜에 진료 받도록 지도한다.
- 보존적으로 경과관찰하는 경우에는 급격한 하복통 등, 증[illegible]에 변화가 있다면 즉시 진료 받도록 지도한다.
- 내복, 투약이 있는 경우에는 그에 대하여 지도한다.
- 규칙적인 생활을 하도록 지도한다.

(永澤規子)

백혈구, 혈소판의 감소

빈혈

오심 · 구토

식욕저하

탈모

손발의 저림

■ 그림 18-4 화학요법 시에 발생할 수 있는 부작용

172

병태생리map에 관하여

일러스트 중에서 병인, 악화인자, 병변, 증상 등에 관하여, 그 관련성을 화살표로 나타내고 있다. 원칙적으로「병변」은 하늘색 또는 보라색 (2차적 병변 또는 장애 결과) 박스로,「증상」은 황녹색 박스로 색깔별로 나누고 있다. 붉은색 박스는 특히 중요한 병변·장애를 나타낸다.

[기재례]

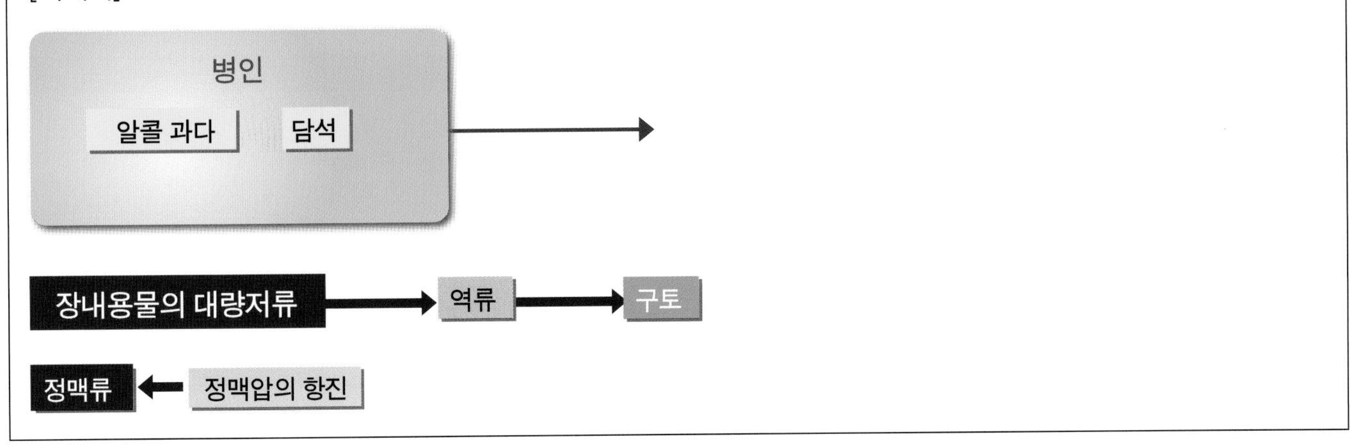

약물요법에 관하여

각 질환의 처방례를 제시하고 있다. 처방례는 원칙적으로, 약제명 (상품명), 제형, 규격단위, 투여량, 용법을 기재하고, 마지막에 화살표로 분류명을 나타내고 있다. 투여량은 1일량이며, 용법의「分○」는 1일량을 ○회로 나누어 투여(복용)한다는 의미이다.

[기재례]

지스로맥스정 (250mg) 2정 分1 3일간 ←마크롤라이드계 항균제

또 투여량에 관하여 1회투여량으로 표시하고 있는 경우도 있다. 그 경우는 1일 몇 회 투여하는가를 함께 기재하고 있다.

[기재례]

지스로맥스정 (250mg) 1회 2정 1일 1회 3일간 ←마크롤라이드계 항균제

병태생리 5

운동기질환
피부질환
여성생식기질환
안질환
이비인후질환

visual map

C O N T E N T S

1 골절 (fracture)

窪田哲朗 / 川瀬祥子

전체 map

병인

- 외력의 작용 : 항력 이상의 외력 (외상성골절)이나, 반복하여 가해지는 경미한 외력 (피로골절)에 의한다.
- 골의 취약화 : 종양, 골다공증 등 (병적골절)

[악화인자] 연령, 저골밀도

역학

- 대퇴골경부/전자부골절의 연간 발생수는 남성은 약 3만명, 여성은 약 12만명이다.
- 70세가 넘으면 발생빈도가 급격히 증가한다.

[예후] 정복위를 취하지 못하면 예후가 불량하다.

병태생리

병태생리 map p.2

- 골에 외력이 가해져서 골의 구조상 연속성이 끊어진 상태를 말한다.
- 골조직은 해면골과 피질골 (치밀골)로 형성되는데, 골조직 내에서 골형성과 골흡수가 이루어지면서, 오래된 골이 새로운 골로 치환된다(재형성;remodeling).
- 골절부는 염증기, 복원기, 재형성기의 3단계를 거쳐서 수복된다.
- 분류 : 골절은 원인에 따라서 외상성골절, 피로골절, 병적골절로 분류되며, 형태에 따라서 개방골절, 분쇄골절, 다발골절 등으로 분류된다.

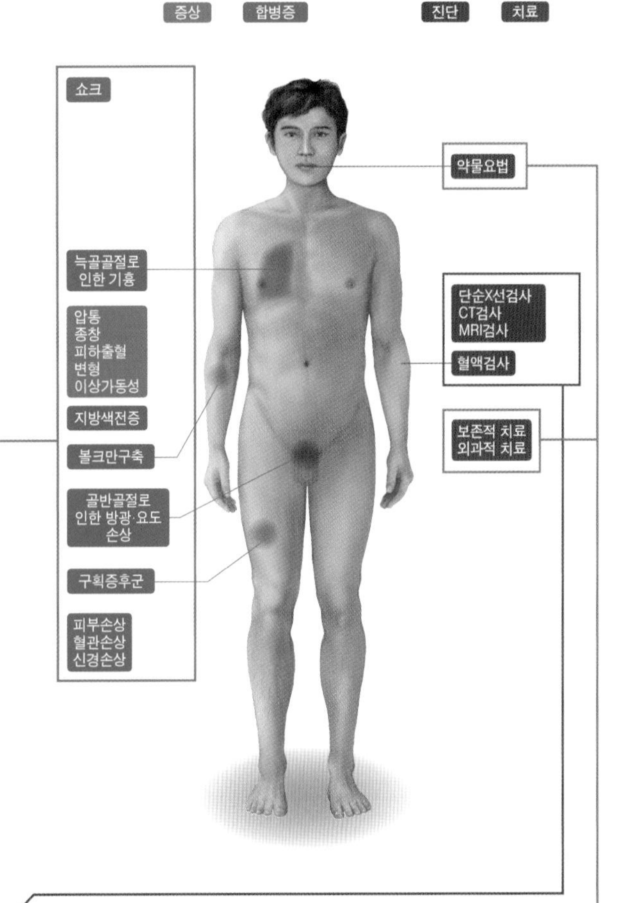

증상

증상 map p.4

- 국소적 압통
- 종창, 피하출혈
- 기능장애, 변형, 이상가동성

[합병증]

- 전신의 합병증 : 쇼크, 장기손상, 지방색전증
- 국소의 합병증 : 피부손상, 혈관손상 (구획증후군, 볼크만구축), 신경손상

진단

진단 map p.5

- 단순X선검사 : 2방향촬영이 기본이다. 소아는 양측을 촬영한다.
- CT, MRI : 단순X선검사에서 확실한 이상이 확인되지 않는 경우에 유용하다.
- 혈액검사 : 대량 출혈을 수반하는 골절 (골반골절, 다발골절, 동맥손상합병례) 에서는 빈혈이 나타난다.

치료

치료 map p.6

- 보존요법 : 전위가 있는 골절에서는 도수정복(徒手整復)을 행하고, 정복위를 취할 수 있으면 깁스, 스플린트, 고정장치, 삼각포로 외고정한다.
- 외과적 치료 : 도수정복이 어려운 경우 등에는 관혈적고정술, 대퇴골경부 내측골절에서 전위가 있으면 인공골두치환술, 개방성불안정형골절은 체외골격고정을 적용한다.
- 약물요법 : 통증이 심한 경우에는 비스테로이드성항염증제를 투여한다.

병태생리 map

골절은 골에 외력이 가해져서, 골의 구조상 연속성이 끊어진 상태를 의미한다.

- 골조직은 피질골 (치밀골)과 해면골로 분류된다. 피질골은 골의 외측을 형성하는 것으로, 단단하고 치밀한 골질을 보유한다. 해면골은 골의 내부에 위치하고, 망상의 골량으로 구성된다.
- 골조직 내에서는 끊임없이 골아세포에 의한 골형성과 파골세포에 의한 골흡수가 이루어지고 있다. 골격의 변화가 수반되지 않고, 오래된 골이 새 골로 치환되는 현상을 재형성 (remodeling)이라고 한다.
- 골절의 치유과정은 염증기, 복원기, 재형성기의 3단계로 나뉜다. 염증기에는 혈종혈성과 염증성세포의 침윤이 보인다. 복원기에는 미분화간엽계세포가 활성화되고, 연골과 섬유골로 이루어지는 가골이 형성된다. 재형성기에는 가골이 흡수됨과 동시에, 재형성에 의해 섬유골이 본래의 골조직으로 치환된다.

병인·악화인자

원인에 따라서 외상성골절, 피로골절, 병적골절로 분류된다.

- 외상성골절은 건강한 골에 항력 이상의 외력이 작용하여 발생하는 골절이다.
- 피로골절은 동일부위에 반복하여 가해지는 경미한 외력에 의해서 생기는 골절이다. 스포츠나 육체노동이 원인이며, 경골, 비골, 중족골에 호발한다.
- 병적골절은 종양, 골괴사, 골다공증, 골형성부전증 등의 원인으로 골이 취약해지며, 건강한 경우에는 골절되지 않을 수준의 경미한 외력으로 발생하는 골절이다.
- 골절부가 피부창에서 노출되어 있는 개방골절, 골절선이 복잡하게 생겨서 다수의 골절편이 있는 분쇄골절, 다수의 골절이 발생하는 다발골절 등에서는 골유합이나 후요법에 시간이 필요하다(그림 1-1).

역학·예후

- 대퇴골경부/전자부골절을 예로 들면, 일본에서 2007년의 연간 발생수는 남성은 약 3만명, 여성은 약 12만명, 합계 약 15만명이었다. 발생률은 40세부터 연령과 더불어 증가하고, 70세가 넘으면 급격히 증가한다.
- 골절 시에 골절단 사이에 이동이 생기는 수가 있다. 이것을 전위(dislocation)라고 한다(그림 1-2).
- 정복위를 유지할 수 있는 골절의 예후는 일반적으로 양호하다. 그러나 골결손이 있어서 해부학적 정복위를 취할 수 없는 경우나 골절부 주위의 피부 등의 연부조직에 장애가 생긴 경우는 예후가 불량하다.

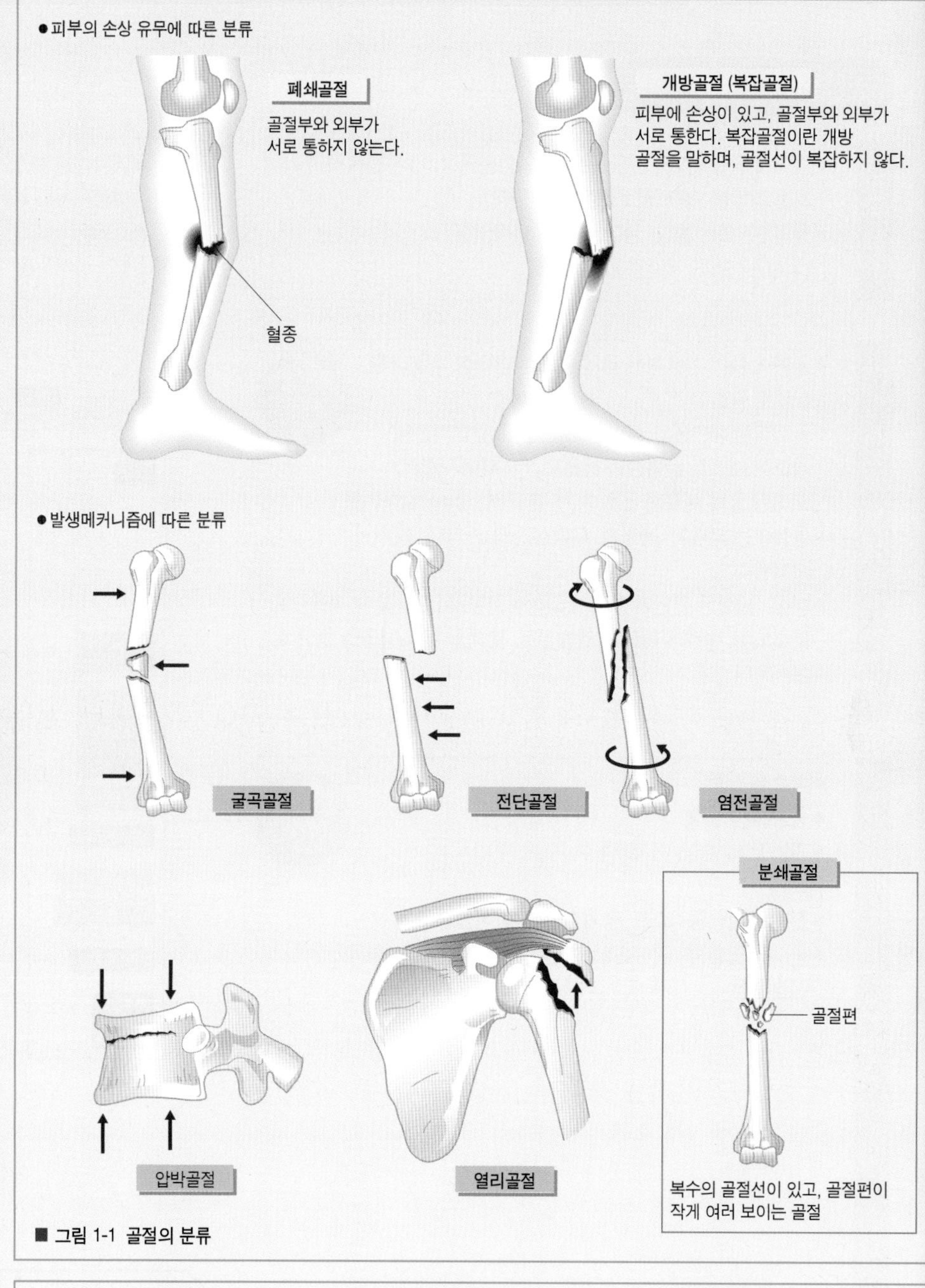

■ 그림 1-1 골절의 분류

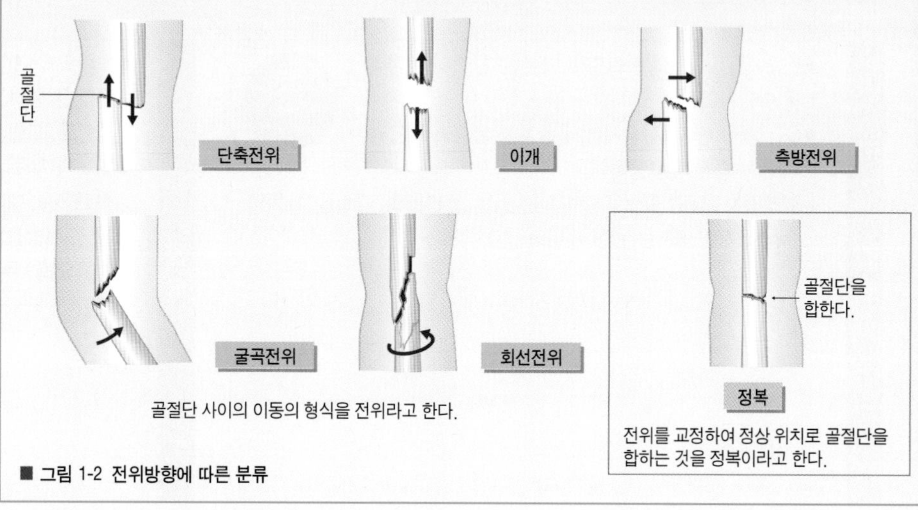

■ 그림 1-2 전위방향에 따른 분류

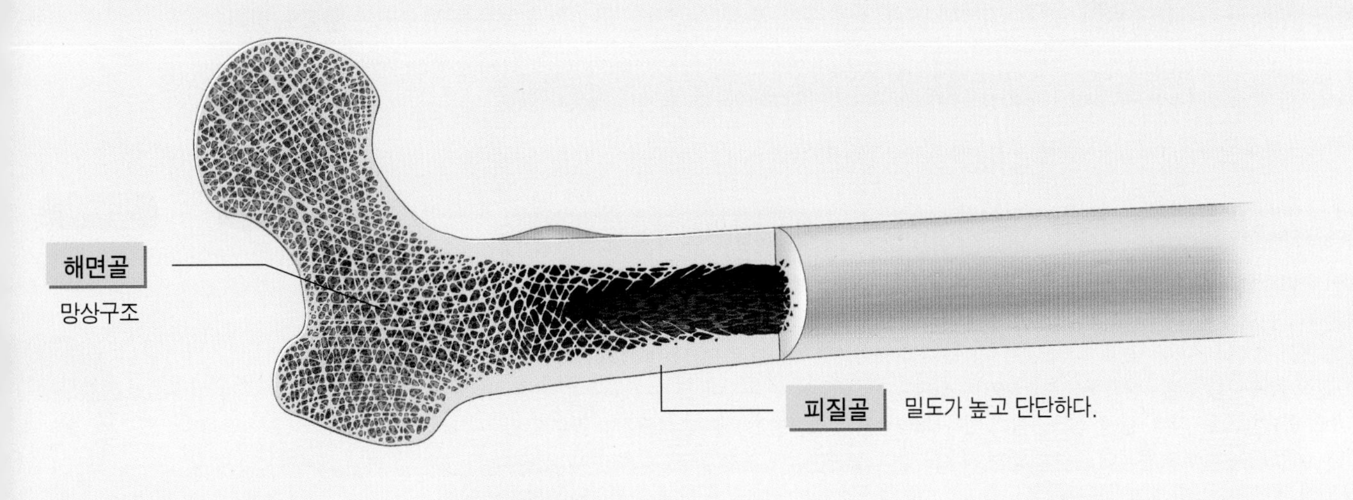

골에 대한 외력 → 골절

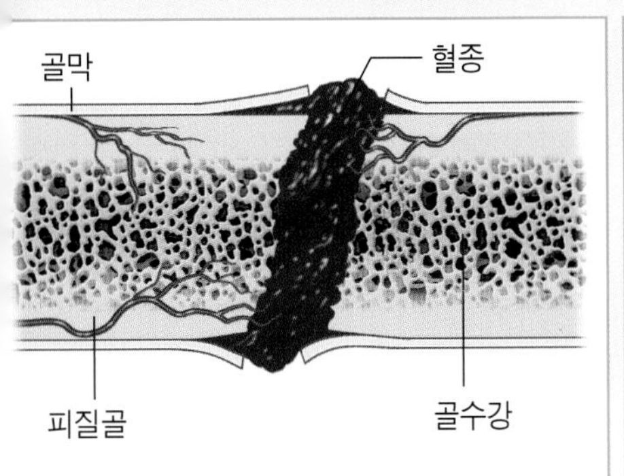

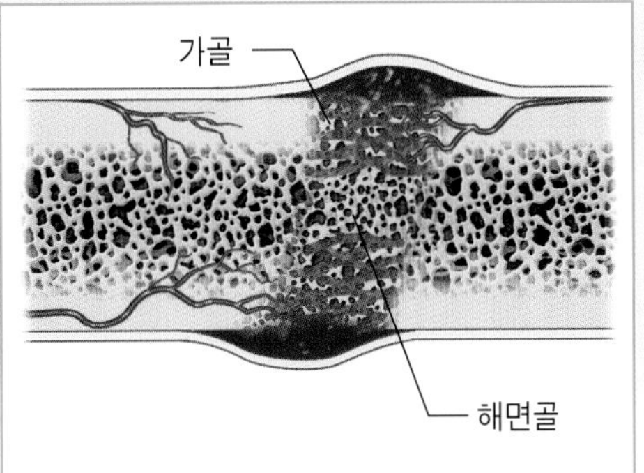

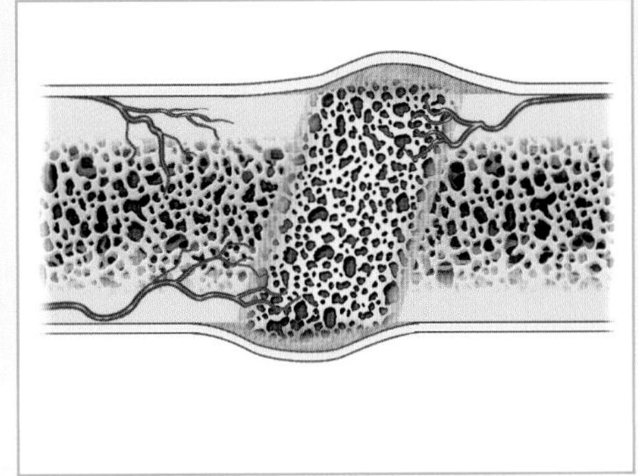

염증기

골절부에 출혈이 발생하여 혈종이 생긴다. 염증이 발생한 결과, 며칠이 지나면 혈종이 육아조직으로 변한다.

복원기

골절단부의 괴사한 골은 파골세포의 작용으로 흡수된다. 골절단 사이는 육아조직 대신에 해면골상의 가골로 치환된다. 또 연골이 형성되어 외측연을 고정한다.

재형성기

가골은 재형성으로 흡수됨과 동시에, 섬유골이 본래 골조직으로 치환된다.

● 재형성(remodeling)

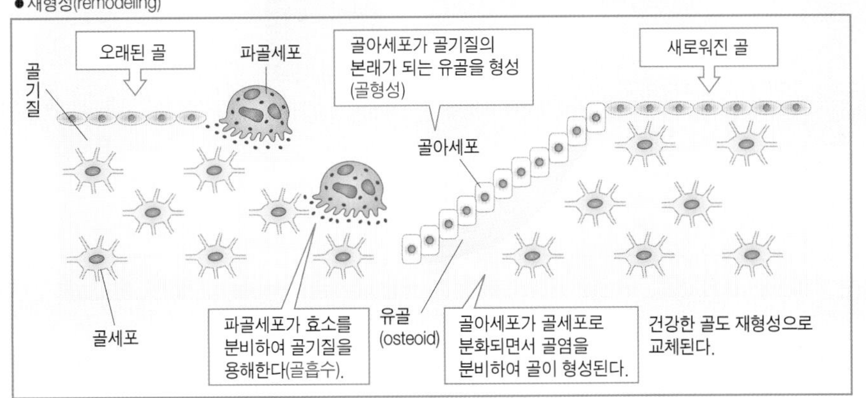

증상 map

국소적 압통, 종창, 피하출혈, 변형, 이상가동성을 주증상으로 하며, 쇼크나 장기손상 등의 전신성 합병증, 피부나 혈관, 신경 등의 손상으로 인한 국소적 합병증을 일으키는 골절도 있다.

증상

- 주증상은 국소적 압통, 종창, 피하출혈, 기능장애, 변형, 이상가동성이다.

합병증

- 전신 합병증으로 쇼크, 장기손상, 지방색전증 등이 있다. 쇼크는 출혈, 통증 · 심인성에 의한 반사성 혈관수축에 의해 발생한다. 장기손상으로 늑골골절에 의한 기흉, 골반골절에 의한 방광 · 요도손상 등이 있다. 지방색전증은 골절 후, 체내의 지방대사가 변화되고 지방으로 모세혈관이 폐색되어 뇌, 폐, 심장 등에 중증 호흡 · 신경증상을 일으키는 것이다.
- 국소의 합병증으로, 피부, 혈관, 신경손상이 있다. 피부손상은 골절편에 의한 피부천공인 경우도 있지만, 골절 시에 피부가 동시에 손상을 입는 경우도 많다. 혈관손상도 마찬가지로, 외력이나 골절편에 의해 혈관이 장애를 받는 경우가 있다. 소아의 주관절 외상에서, 국소의 종창이나 혈관의 압박으로, 전완에서부터 손에 걸쳐서 근의 저혈성변화가 나타나는 것을 볼크만구축이라고 한다. 하퇴의 근구획의 내압이 상승하고, 통증, 운동장애가 생기는 것을 구획증후군 (근구획증후군)이라고 한다(그림 1-3). 신경손상의 경우, 요골신경은 상완골골간부를 돌아가듯이 주행하므로, 상완골골절에 수반되는 요골신경손상이 많다.

증상 / 합병증

쇼크

늑골골절로 인한 기흉

압통
종창
피하출혈
변형
이상가동성

지방색전증

볼크만구축

골반골절로 인한 방광·요도 손상

구획증후군

피부손상
혈관손상
신경손상

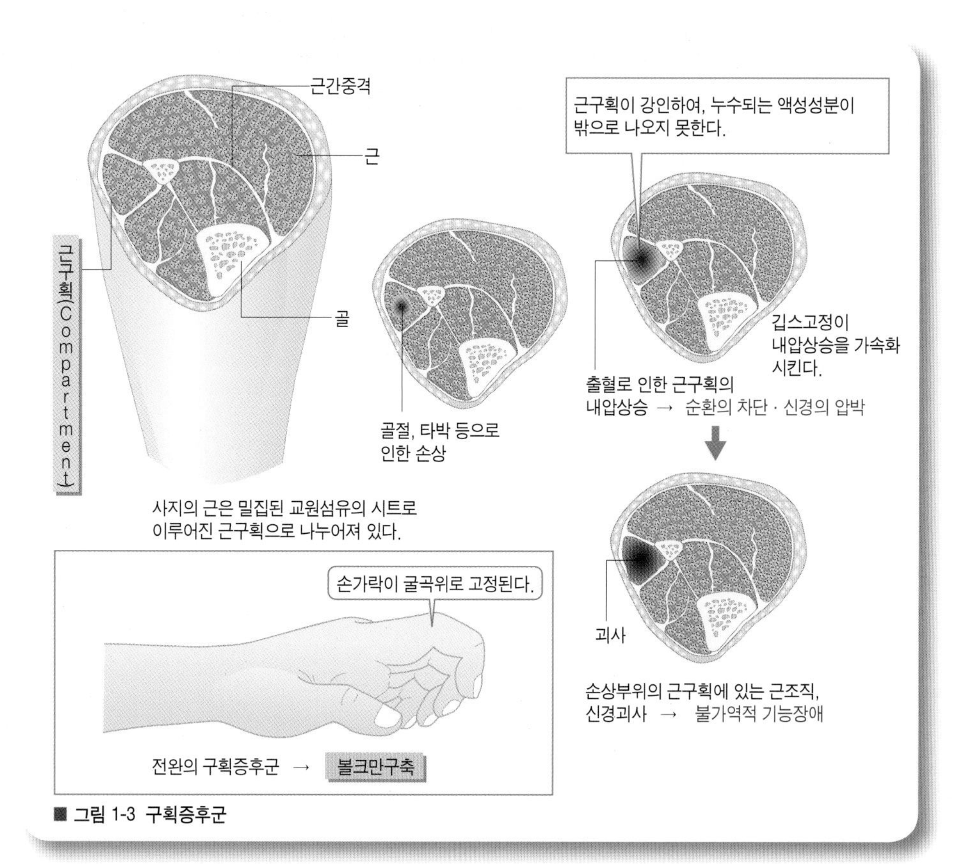

■ 그림 1-3 구획증후군

단순X선검사 또는 CT, MRI의 영상상으로 진단한다.

진단 · 검사치

- 단순X선의 2방향촬영이 기본이다. 부위에 따라서 특수한 촬영방법이 유용하기도 하다. 소아는 골단선의 감별을 요하므로, 양측을 촬영하는 것이 원칙이다(그림 1-4). 몇 주 후의 촬영에서 골절이 명백해지는 경우도 있다. 단순X선에서 확실하지 않은 경우는 CT나 MRI가 유용하다.
- 검사치
- 통상적으로 혈액검사는 골절 진단의 근거가 되지 않지만, 골반골절, 다발골절, 동맥손상합병례 등, 대량의 출혈을 수반하는 경우에는 빈혈을 나타내기에 참고한다.

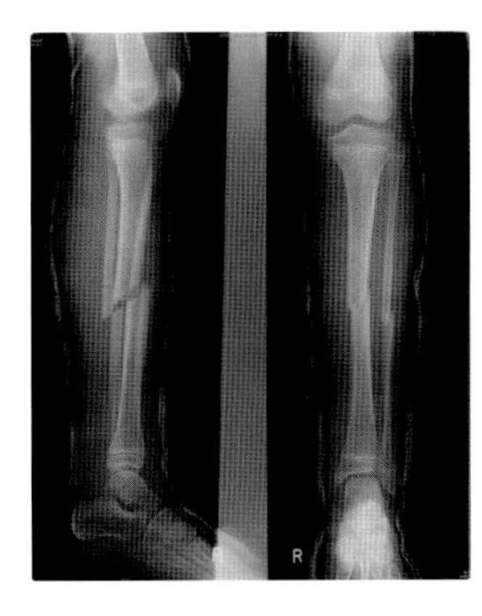

a. 소아
(측면상 · 정면상)

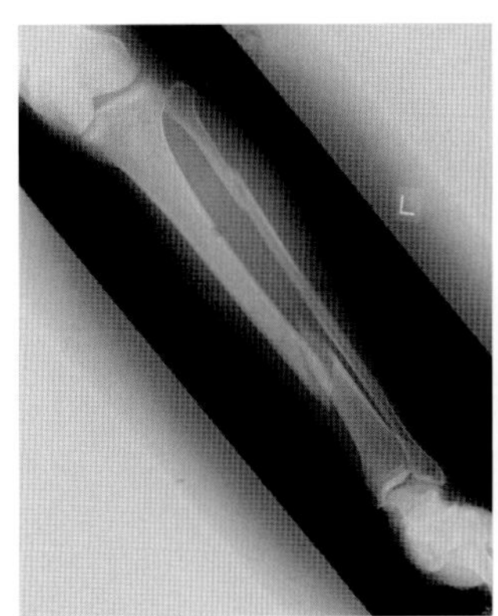

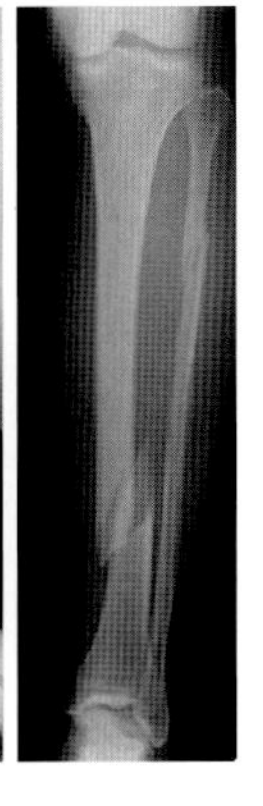

b-1. 성인
(정면상)

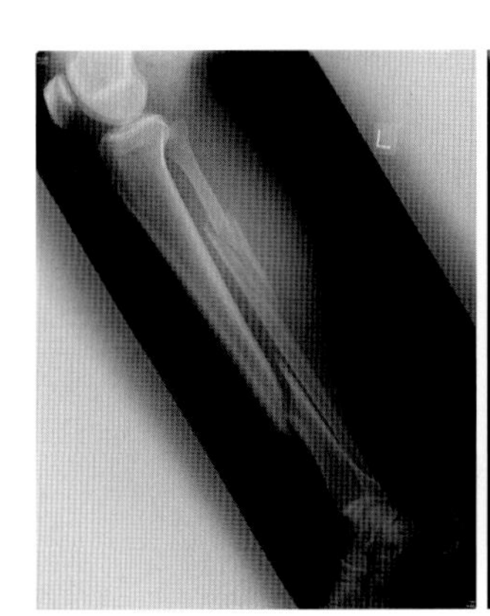

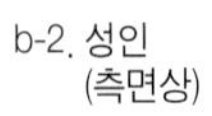

b-2. 성인
(측면상)

■ 그림 1-4 골절의 X선상
a·b 모두 경골과 비골의 골간부골절이다.

치료 map

골절의 종류에 따라서 달라진다. 비개방성에서는 도수정복 후 고정 또는 관혈적정복고정을 시행하고, 개방성인 경우는 창상을 세정하고, 손상조직을 처치한 후 고정한다.

치료방침

- 골절의 종류가 비개방성인지의 여부, 전위의 유무, 도수정복 가능의 여부 등에 따라서 치료방법을 선택한다.

보존적 치료

- 전위가 있는 골절에서는 통상적으로 도수정복을 시행한다. 정복위를 취할 수 있으면 유지를 위해서 깁스, 스플린트, 고정장치, 삼각포 등으로 외고정한다.

외과적 치료

- 도수정복이 어렵고, 정복할 수 있어도 유지할 수 없거나, 혈관 · 신경손상이 합병되어 있는 경우에는 관혈적고정술이 행해진다. 강고한 내고정으로 조기에 기능회복이 기대되는 경우에도 수술이 선택된다.
- 대퇴골경부골절은 고령자에게 많고, 전신상태가 나쁘지 않은 한 수술하여 조기부터 재활치료를 개시하는 것이 원칙이다. 대퇴골경부내측골절로 전위가 있는 것은 골유합에 시간이 걸리고, 수술후 대퇴골두 괴사의 위험이 높으므로, 인공골두치환술을 적용한다.
- 개방성 불안정형 골절에는 수술후 감염의 위험을 고려하여 체외골격고정을 적용한다(그림 1-5).

약물요법

Px 처방례 통증이 심한 경우

- 록소닌정 (60mg) 3정 分3 (식후) ←비스테로이드성항염증제

골절의 병기 · 병태 · 중증도별로 본 치료흐름도

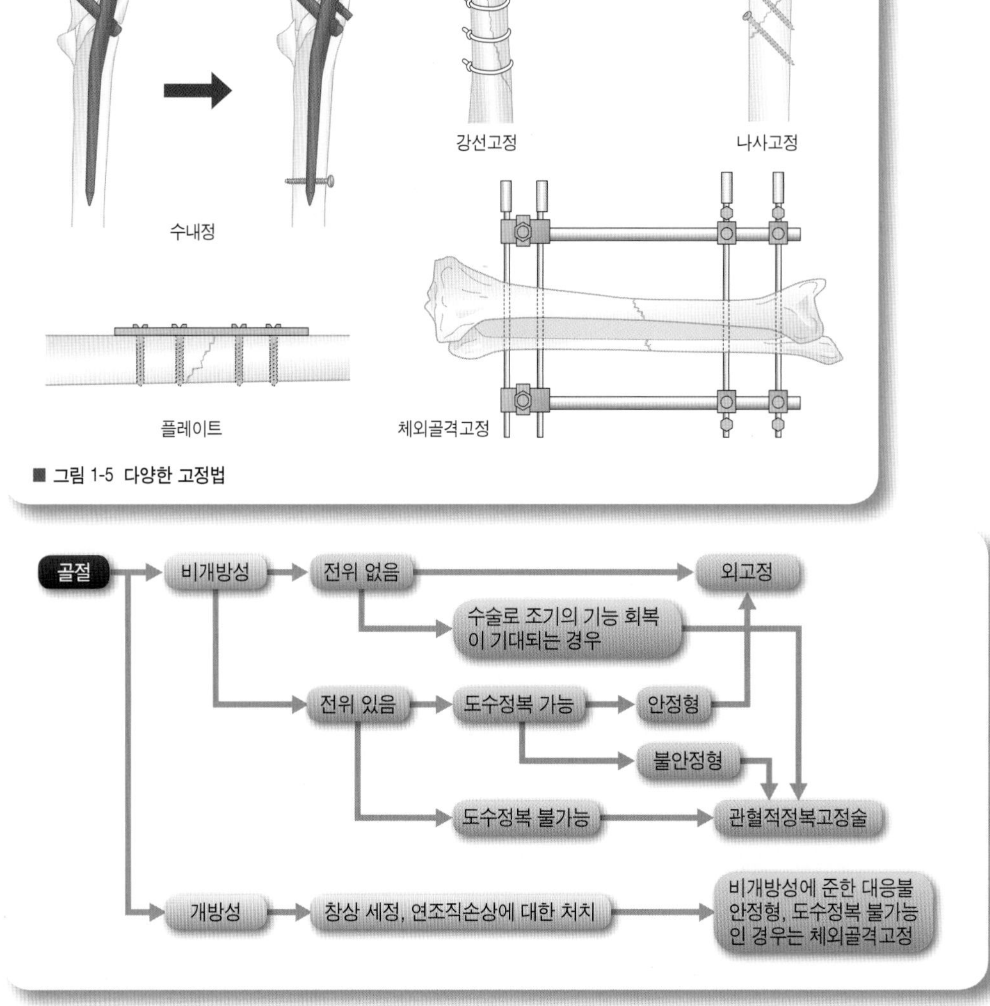

■ 그림 1-5 다양한 고정법

(関矢一郎)

환자케어

지방색전증 등의 합병증의 징후, 깁스고정에 의한 피부의 압박, 신경마비, 순환장애의 징후를 관찰하면서, 셀프케어를 지지한다.

병기·병태·중증도에 따른 케어

【손상시】 전신상태를 관찰하고, 생명의 위기를 회피・조기발견하기 위하여 합병증의 유무를 주의깊게 관찰한다. 환부를 응급 고정하지만, 개방골절에서는 피부와 골절부위가 창상으로 외부와 통하고 있으므로, 감염방지에 힘쓴다. 갑작스런 부상으로 인해 환자가 정신적 쇼크를 받거나 불안해하기 쉬우므로, 정신적인 면을 배려한다.

【정복・고정기】 치료의 중심은 골절부위의 정복과 고정으로, 여기에는 깁스 등에 의한 외고정과, 수술에 의한 골접합술 등이 있다. 고정부위를 바르게 유지하고, 압박에 의한 신경마비나 순환장애의 징후에 주의한다. 부종을 예방하기 위해서, 환부를 삼각포 등으로 거상하여 고정시키기 때문에, 일상생활에서 환자 스스로 할 수 없는 것을 지지하여야 한다.

【재활치료기】 고정 중이므로 재활치료는 등척성운동을 중심으로 적극적으로 진행한다. 기능장애가 남지 않도록 관절가동역・근력증강훈련을 한다. 이 시기는 골이 유합된 지 얼마 안되므로, 고정 기간 중에는 하중이나 스트레스가 가해지지 않았던 상태였기 때문에 동작에 수반하여 통증이나 피로가 쉽게 생긴다. 통증을 관리하면서 재활치료를 진행하여, ADL을 할 수 있도록 지지한다.

케어의 포인트

깁스고정에 수반하는 간호

- 상지에서는 요골신경, 척골신경, 정중신경의 마비가 일어나기 쉽다. 하지에서는 비골신경마비가 일어나기 쉽다. 신경의 주행과 마비증상을 확인한다.
- 장기간 깁스를 사용하므로 근력저하, 근위축, 관절구축 등이 일어나기 쉽다. 깁스장착 중에는 등척성운동을 중심으로, 근의 폐용성위축(inactive atrophy)을 일으키지 않게 하는 운동을 한다.

안정의 유지 확인

- 골절부위는 깁스에 의해서 정상 위치로 고정・유지되고 있다. 고정이 바르게 되어 있지 않으면 위관절(pseudarthrosis) 등이 생기므로, 고정을 유지하도록 삼각포 등으로 보호한다.
- 환부의 안정이 유지되고 있는가를 관찰하면서, 일상생활을 지켜본다.
- 깁스고정의 필요성에 관하여 환자가 이해할 수 있도록 설명하고, 안정 유지에 힘쓴다.

장애가 생긴 일상생활에 대한 지지

- 깁스고정으로 장애가 생긴 ADL을 환자에게 확인하고, 그 활동을 지지한다.
- 상지골절에서는 한손으로 일상생활을 해야 하므로, 배설시 의복을 올리고 내리거나 세안을 하는 등, 평상 시에 양손으로 하던 동작에서 불편을 느끼기 쉽다.
- 사용하는 손에 장애가 생기면 글자를 쓰거나 젓가락을 쥐는 동작 등이 어려워지지만, 환자가 익숙해지면 한 손으로도 일상생활을 할 수 있으므로 필요에 따라서 지지한다.
- 청결유지를 위하여 깁스부위를 비닐 등으로 덮으면 목욕이나 샤워가 가능하다. 가능한 목욕이나 샤워를 권장한다.
- 깁스 안은 습기가 차기 때문에 가려움이나 땀띠가 생기기 쉽다. 깁스 내의 피부의 가려움은 깁스 위에서 가볍게 두드리거나, 차게 함으로써 경감시킨다. 주위를 알콜이나 박하유가 들어간 따뜻한 물로 깨끗이 닦는 것도 효과적이다.

깁스장착에 수반하는 합병증의 예방과 조기발견

- 골절의 합병증인 지방색전증의 징후에 주의한다(지방색전증의 징후인 호흡곤란이나 발열, 빈맥, 점상의 출혈반점, 두통, 구토, 의식장애 등에 주의한다).
- 깁스장착에 의한 피부의 압박창이나 신경마비, 순환장애에 주의한다. 피부나 손톱의 색, 마비나 통증의 유무, 손발의 운동 상태 등에서 관찰한다.
- 장기적인 깁스사용으로, 근력저하나 근위축, 관절구축을 일으키기 쉽다. 금기시 되는 자세나 동작을 의사에게 확인하고, 건측은 물론 환측이라도 발가락 끝 등 지장이 없는 범위에서 운동하도록 촉구한다.
- 상지 깁스에서는 삼각포 등으로 환측상지를 거상하는 경우가 많다. 어깨마비 등이 생기기 쉬우므로, 환지에 영향이 없는 범위에서 어깨마사지를 하거나 온습포를 부착한다.

스트레스의 완화

- 상지는 ADL에 필요불가결하기 때문에 상지에 깁스를 장착하면 항상 불편함을 느낀다. ADL이나 사회활동을 자유롭게 할 수 없으므로, 환자에게 큰 스트레스가 된다.
- 깁스 내의 가려움이나 그에 의한 불면도 스트레스의 원인이 된다. 피부를 청결하게 유지하고, 가려움을 경감시킨다.
- 치료기간이 길어지거나 앞으로의 전망이 밝지 않은 점 등으로 환자가 불안해지기 쉽다.
- 환자의 스트레스의 원인을 찾아내어, 함께 해결하도록 고민한다.

재활치료에 대한 지지

- 고정기간 중에 주위의 근이 위축되고 관절이 구축되므로, 재활치료 시에 심한 통증이 수반되어 환자의 의욕이 저하되기도 한다.
- 회복이 가능한 점을 전달하고, 환자가 분발하고 있는 점을 인정하고 칭찬한다.

퇴원지도·요양지도

- 골절부에 무리한 하중이나 비틀림이 가해지면, 재골절을 일으키기 쉬우므로 주의를 요한다.
- 흡연은 치유를 늦추므로, 가능한 금연을 권장한다.
- 정기적으로 진찰받고, X선검사로 정복의 상태를 확인한다.
- 직장으로의 복귀나 작업 내용에 관해서는 의사와 상담한다.
- 퇴원 후 신변간호에는 가족의 협조를 구한다.

(月田佳壽美)

Memo

2 추간판탈출증 (herniation of intervertebral disc)

大川 淳/佐々木吉子

전체 map

병인

- 유전의 관여가 밝혀지고 있다.
- 역학적 부하 (노동, 스포츠, 외상)도 병인으로 작용한다.

[악화인자] 감염증

역학

- 요추추간판탈출증의 호발연령은 20~40대이고 경추추간판탈출증은 요추보다도 10세 정도 늦게 나타난다.

[예후] 팽륭형을 나타내는 요추추간판탈출증은 잘 축소되지 않아서 장기화 되기 쉽다.

병태생리

- 추간판의 변성으로 추간판의 내용 (수핵)이 후방으로 탈출하여 신경근이나 척수 · 마미(cauda equina)를 압박하면서, 통증, 저림, 마비를 일으키는 질환이다.
- 경추, 요추, 흉추에 발생한다.
- 신경증상은 탈출증에 의한 기계적 압박, 염증성 사이토카인을 통한 역학적 자극, 국소의 미세한 혈행장애로 인해 생긴다.
- 탈출증은 탈출유형에 따라서 자연히 분해 · 축소된다.

증상

- 요추추간판탈출증 : 주증상은 하지신경증상을 수반하는 요통이다. 근력저하, 탈력 (하수족), 배뇨장애, 항문괄약근의 이완도 출현한다.
- 경추추간판탈출증 : 주증상은 상지신경증상을 수반하는 경부통이다. 손가락의 정교한 운동장애, 보행장애, 빈뇨도 출현한다.

[합병증]

- 근력저하, 마비
- 방광직장장애 (자의로 배뇨가 불가능, 항문괄약근부전)이 출현한다.

증상 합병증 진단 치료

〈요추추간판탈출증〉

요통
방광직장장애
배뇨장애
항문괄약근의 이완
하지통
저림
근력저하
마비
빈뇨

단순X선검사
MRI검사
외과적 치료 (수핵제거술, 레이저수핵증산술, 후방추체간고정술)
보존적 치료 (안정 · 보조기요법, 약물요법, 물리요법, 신경블록, 운동요법)
신경학적 검사 (하지신전거상테스트, 건반사, 근력, 지각)

〈경추추간판탈출증〉

경부통
상지통
저림
근력저하
마비
빈뇨
방광직장장애
손가락의 정교한 운동장애
보행장애

신경학적 검사 (건반사, 근력, 지각)
단순X선검사
MRI검사
외과적 치료 (경추전방고정술, 경추추궁부분절제술)
보존적 치료 (안정 · 보조기요법, 약물요법, 물리요법, 신경블록, 운동요법)

진단

- 문진과 신체진찰에 의한 신경학적 이상소견에서 장애부위를 추정하고, MRI로 탈출증을 확인함으로써 진단이 확정된다.
- 단순X선검사 : 다른 척추질환의 제외 및 수술방법의 검토에 유용하다.
- 조영검사 : 필수항목이 아니다.
- 신경근블록 : 통증의 원인이 되는 신경근을 특정하기 위해서 시행한다.

치료

- 원칙은 보존적 치료이다. 그러나 근력저하나 방광직장장애가 나타나는 경우에는 외과적 치료를 실시한다.
- 보존적 치료 : 안정, 보조기요법 (소프트칼라, 요부고정대), 약물요법 (소염진통제, 근이완제), 물리요법 (온열 · 전자파치료, 저출력레이저, 전기자극치료), 신경블록 (경막외블록, 신경근블록), 운동요법
- 외과적 치료 : 요추에서는 수핵제거술, 내시경하 수핵제거술, 레이저수핵증산술, 후방추체간고정술을, 경추에서는 경추전방고정술, 경추추궁부분절제를 실시한다.

병태생리 map

추간판탈출증은 추간판의 변성으로 인해 추간판의 내용이 본래 부위보다 후방으로 탈출하여 신경근이나 척수 · 마미를 압박하여, 통증이나 저림 · 마비를 일으키는 질환이다. 경추, 요추를 불문하고, 흉추에도 발생한다.

- 탈출증에 의한 신경근이나 척수 · 마비에 대한 기계적 압박과 함께, 염증성 사이토카인을 통해서 화학적 자극이나 국소의 미세한 혈행장애가 신경증상의 원인이 된다.
- 국소의 통증과 상지 · 하지로 방산되는 통증 · 마비가 기본적인 증상이지만, 탈출증 부위와 압박하는 신경조직의 종류에 따라서, 근력저하 · 지각둔마 · 방광직장장애가 나타나기도 한다.
- 경추 · 요추를 불문하고, 탈출증은 탈출의 타입에 따라서 자연히 분해 · 축소되기도 한다. 축소의 경향은 탈출증의 탈출방향에 따라서 다르며, 섬유륜까지 나와 있는 타입이나 연골종판을 포함하는 경우에는 축소의 가능성이 낮지만, 수핵이 완전히 탈출하여 추체에까지 이른 경우에는 축소되기 쉽다. 즉, 크기가 클수록 축소되기 쉬운 경향이 있다.
- 탈출증의 축소는 치료의 유무나 내용에 상관없이, 증상발생 후 3~6개월에 걸쳐 일어난다. 그와 동시에 증상도 자연히 완화된다.
- 일부 탈출증은 축소되지 않으므로, 증상의 중증도나 지속기간에 따라서 수술이 필요할 수 있다.

병인 · 악화인자

- 추간판 변성과 탈출증 발생에는 유전적 요인이 관여하고 있음이 점차 밝혀지고 있다.
- 흡연은 추간판의 변성을 가속화한다.
- 노동이나 스포츠, 외상 등에 의한 역학적 부하에 의해서 탈출증이 발생하지만, 확실한 계기가 없는 경우도 많다.

역학 · 예후

- 요추추간판탈출증
- 남녀비는 2~3 : 1로 남성에게 많고, 호발연령은 20~40대이다.
- 탈출증이 축소되어, 증상이 자연히 완화되는 예가 많다.
- 탈출증의 유형에 따라 탈출하여 유리된 탈출증이 축소되기 쉽고, 팽륭형은 잘 축소되지 않는다.
- 탈출증의 호발부위는 하위요추 (L4/5 및 L5/S)이다.
- 경추추간판탈출증
- 발생연령은 요추보다 10세 정도 늦다.
- 자연히 소실되기도 하지만, 연골종판이 포함되는 경우가 많으며, 요추보다 그 빈도가 낮다.
- 호발부위는 중위경추 (C4/5 및 C5/6)이다.

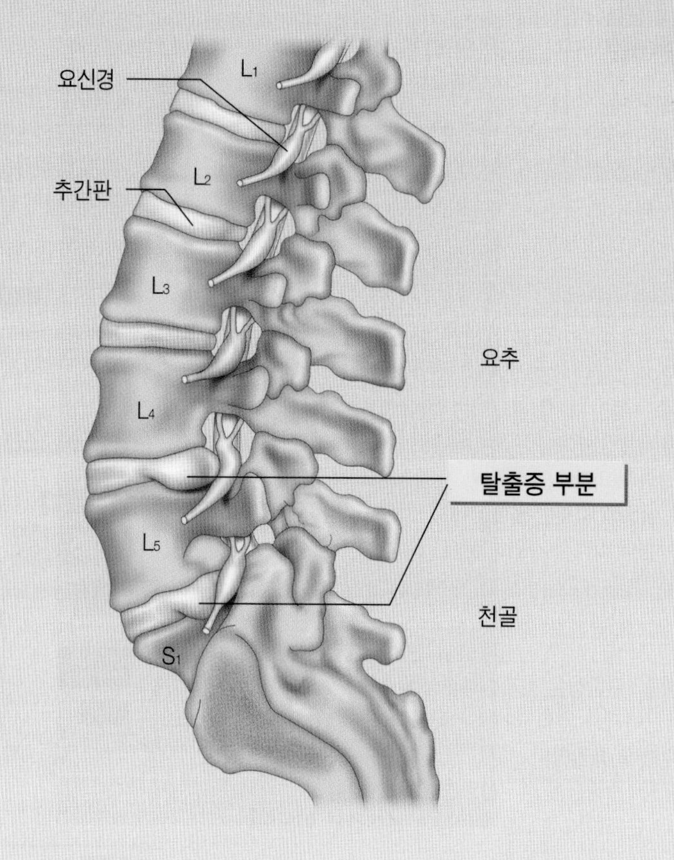

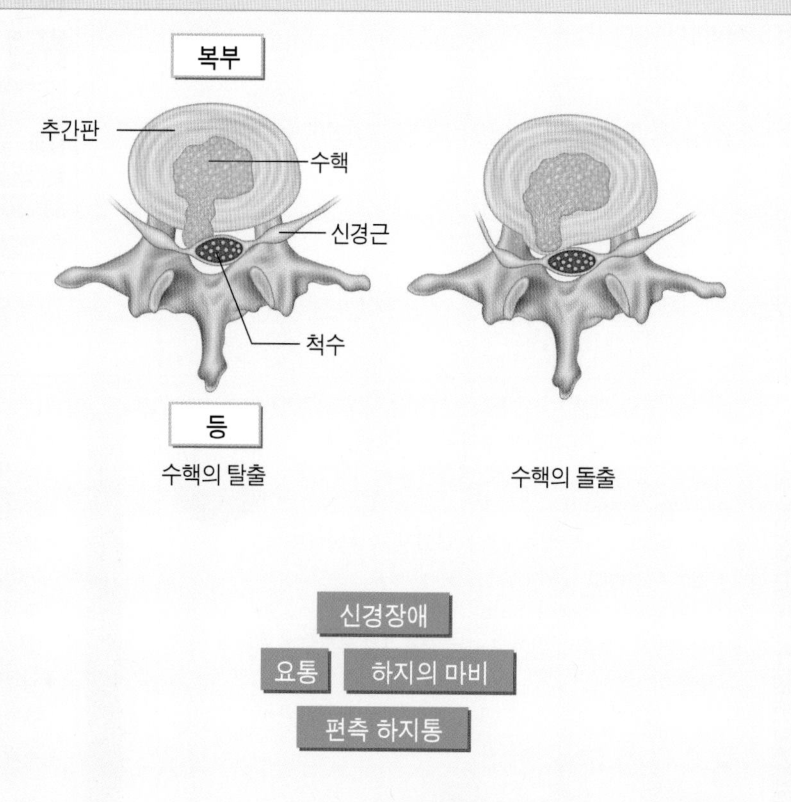

신경장애

요통 하지의 마비

편측 하지통

요추추간판탈출증

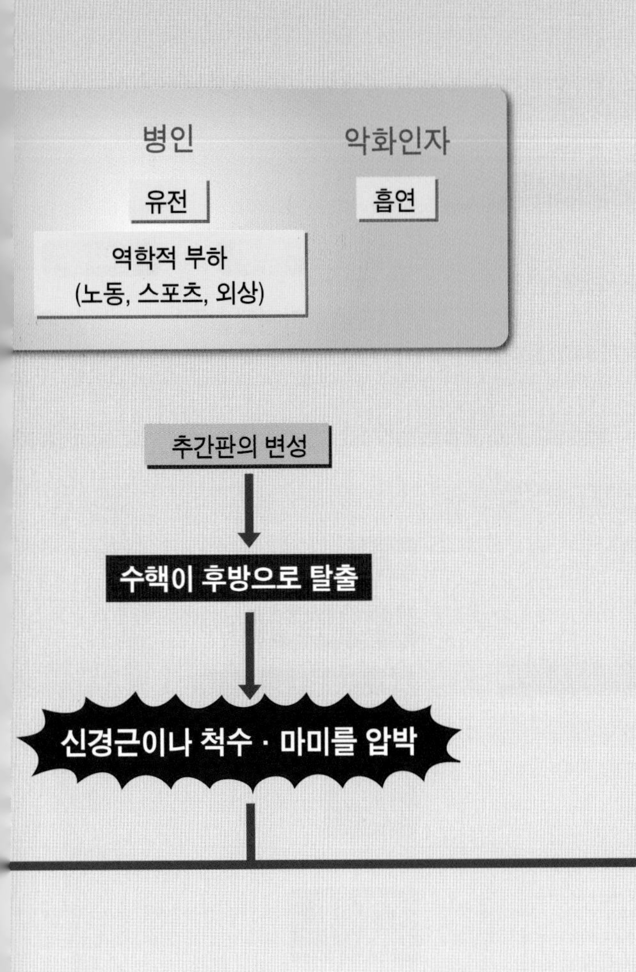
병인
악화인자
유전
흡연
역학적 부하
(노동, 스포츠, 외상)
추간판의 변성
수핵이 후방으로 탈출
신경근이나 척수 · 마미를 압박

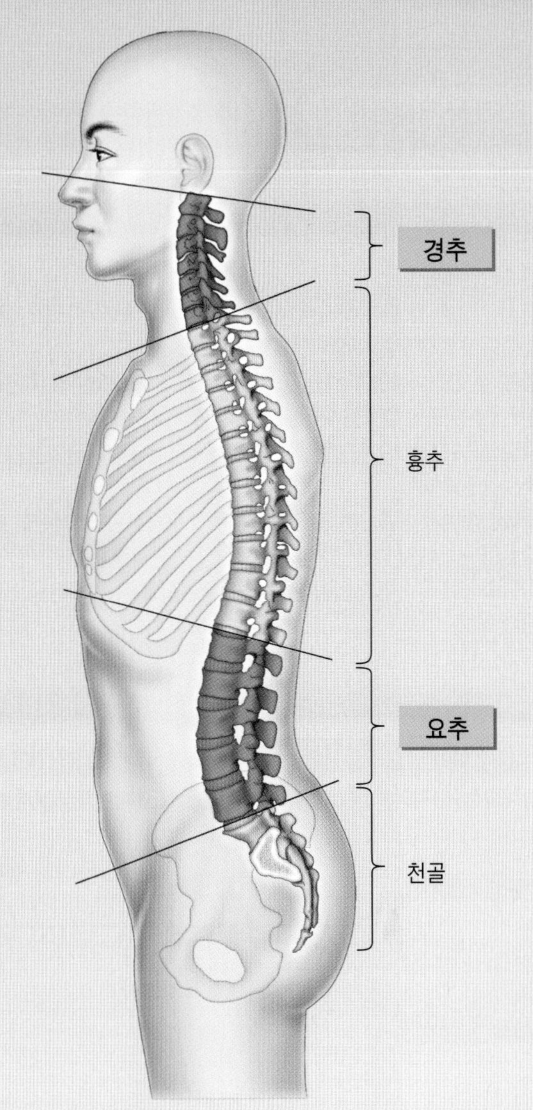
경추
흉추
요추
천골

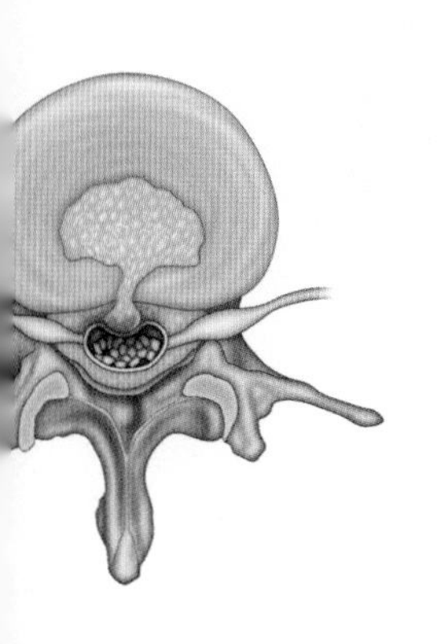
탈출증이 마미를 압박
(정중탈출증)
배뇨장애
항문괄약근의 이완

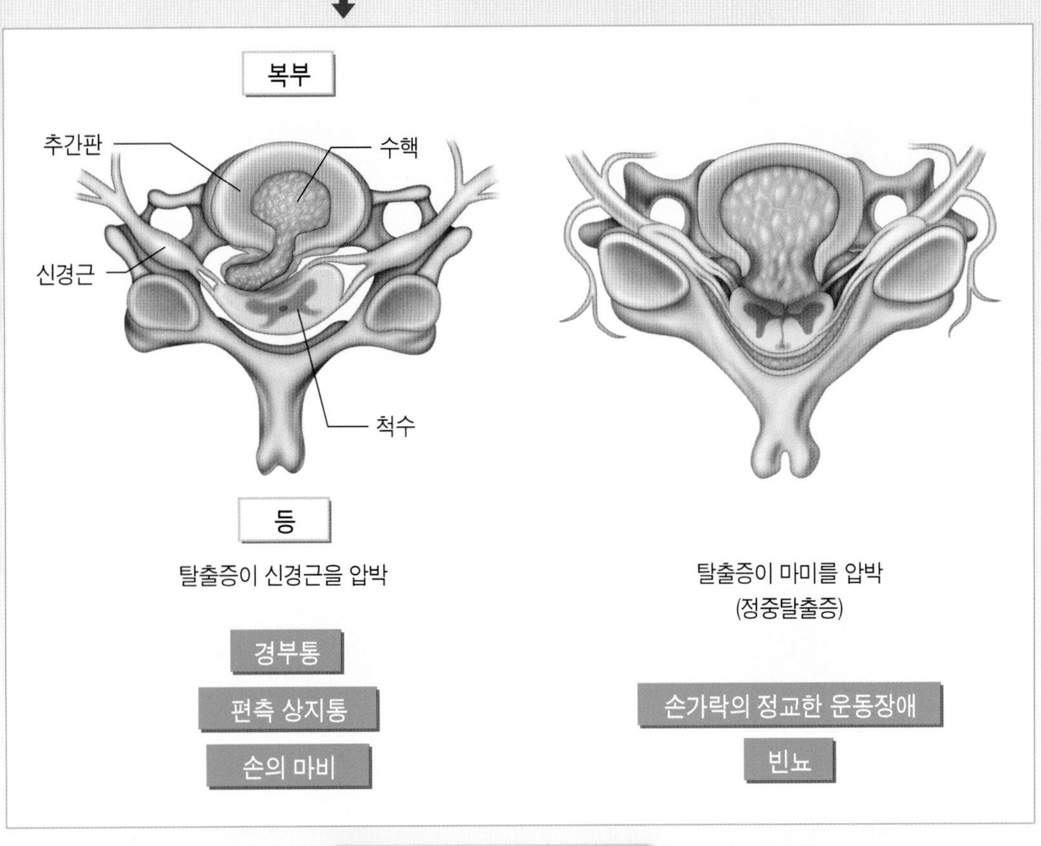
복부
추간판
수핵
신경근
척수
등
탈출증이 신경근을 압박
경부통
편측 상지통
손의 마비
탈출증이 마미를 압박
(정중탈출증)
손가락의 정교한 운동장애
빈뇨

경추추간판탈출증

증상 map

요추추간판탈출증의 주증상은 하지신경증상을 수반하는 요통이고, 경추추간판탈출증은 상지신경증상을 수반하는 경부통이다.

증상

- 요추추간판탈출증
  - 주증상은 요통 및 편측 하지통, 하지의 마비이다. 하지신경증상을 수반하지 않는 요통만으로는 추간판탈출증이라고 진단할 수 없다.
  - 신경에 강하게 영향을 미치면 근력저하를 일으키고, 하수족 (족관절이 배굴불가능 상태가 되고, 발이 하수된 상태) 등의 탈력을 나타내기도 한다.
  - 정중탈출증에서 마미가 압박을 받으면 배뇨장애나 항문괄약근의 이완이 나타나기도 한다.
- 경추추간판탈출증
  - 외측탈출증에서 신경근이 압박받는 경우의 주증상은 경부통 및 편측 상지통, 손의 마비이다. 상지신경증상을 수반하지 않는 경부통만으로는 추간판탈출증이라고 진단할 수 없다.
  - 정중탈출증에서 척수가 압박을 받으면, 손가락의 정교한 운동장애나 보행장애, 빈뇨 등의 증상이 나타난다.

합병증

- 근력저하, 마비
- 방광직장장애 (자의로 배뇨가 불가능, 항문괄약근부전 등)이 출현한다.

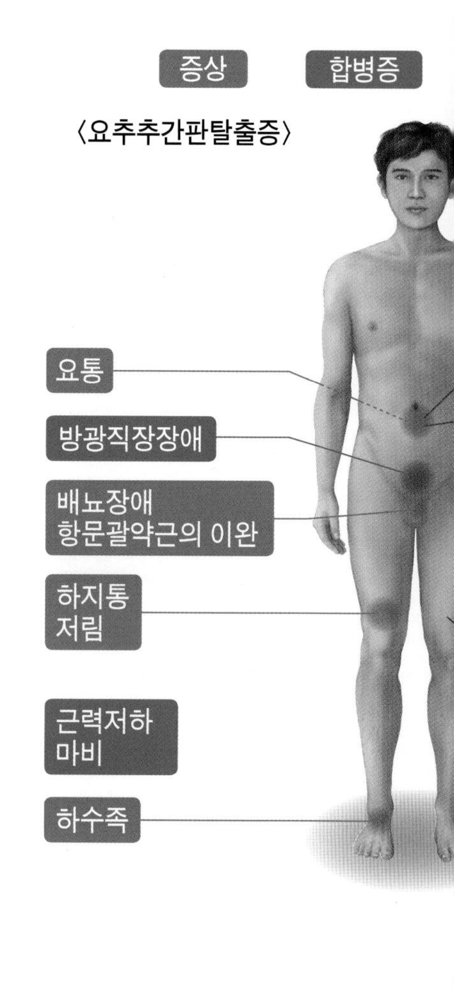

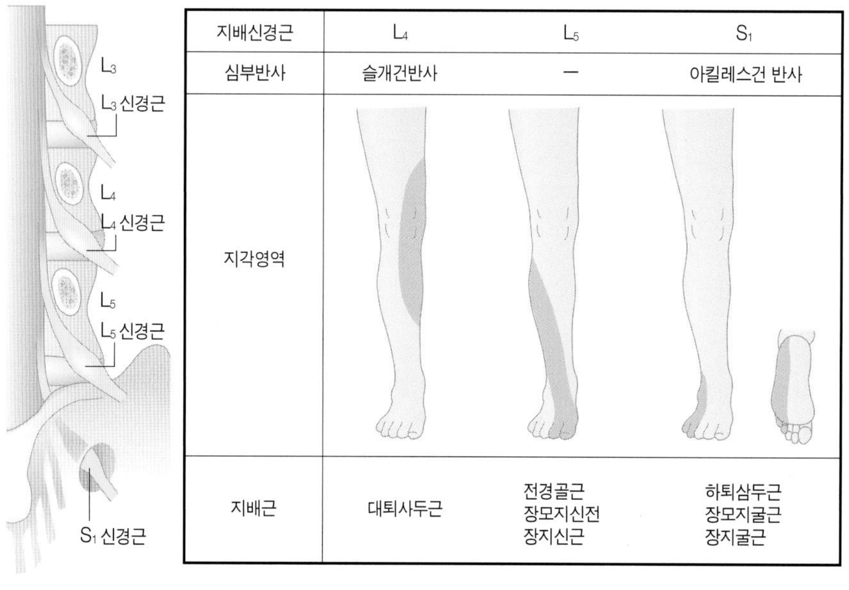

지배신경근	L_4	L_5	S_1
심부반사	슬개건반사	−	아킬레스건 반사
지각영역			
지배근	대퇴사두근	전경골근 장모지신전 장지신근	하퇴삼두근 장모지굴근 장지굴근

■ 그림 2-1 L_4~S_1의 지배영역

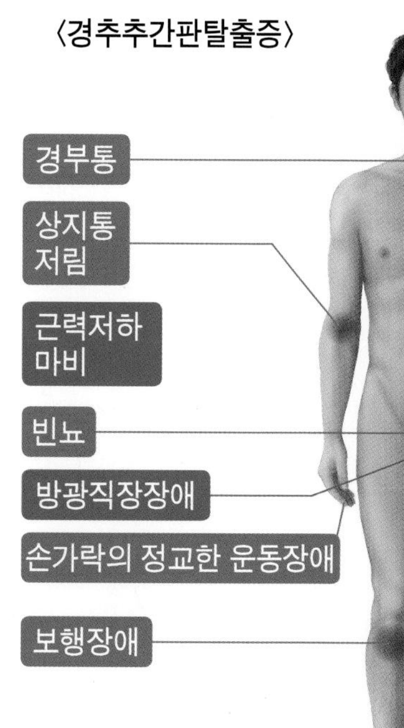

진단 map

통증이나 저림, 건반사나 근력 · 지각이상이라는 신경학적 소견에 더하여, MRI에서 탈출증이 확인되면 진단한다.

진단 | 치료

단순X선검사
MRI검사

외과적 치료
(수핵제거술,
레이저수핵증산술,
후방추체간고정술)

보존적 치료
(안정 · 보조기요법,
약물요법, 물리요법,
신경블록, 운동요법)

신경학적 검사
(하지신전거상
테스트, 건반사,
근력, 지각)

신경학적 검사
(건반사, 근력, 지각)

단순X선검사
MRI검사

외과적 치료
(경추전방고정술,
경추추궁부분절제술)

보존적 치료
(안정 · 보조기요법,
약물요법, 물리요법,
신경블록, 운동요법)

진단 · 검사치

- 요추추간판탈출증
- 문진에서는 요통과 하지통의 발생시기를 확인하고, 중증 마비나 방광직장장애가 있는 경우에는 발생시로부터의 시간을 확실히 한다.
- 신체진찰에서는 요추의 기울기 (통증성 측만)나 가동성 저하, 하지신전거상테스트의 제한 (lasegue징후 ; 앙와위에서 타동적으로 하지를 신전 · 거상하면 하지통이 일어나고, 거상제한이 나타난다)과 하지 방산통을 나타낸다. 신경학적 소견은 척수신경의 지배영역을 의식하고, 건반사 (슬개건, 아킬레스건)의 저하, 근력저하 (특히 대퇴사두근, 전경골근, 장모지신근, 배복근), 지각이상의 유무를 확인한다.
- 경추추간판탈출증
- 문진에서는 통증이나 마비 부위와 증상발생 기간과 함께, 젓가락을 사용할 수 있는지, 글씨를 쓸 수 있는지, 보행이나 계단을 오르내릴 수 있는지, 밤에 몇 번이나 소변을 보는지 등을 묻는다.
- 신체진찰에서는 경추의 후굴에 의한 상지 방산통 (jackson징후, spurling징후)의 유무를 검사하고, 신경학적 소견에서는 척수신경의 지배영역을 의식하여 건반사 · 근력 · 지각에 관하여 검사한다. 척수증이 있으면, 하지건반사의 항진과 상하지의 병적 반사가 양성으로 나타난다.
- 검사
- 신체진찰에서 신경학적 이상소견에서 장애가 발생한 신경근과 척수레벨을 추정하고, MRI에서 탈출증을 확인하는 것으로 진단이 확정된다.
- 단순X선검사만으로는 추간판탈출증이라고 진단할 수 없다. X선검사는 다른 척추질환 (전이암, 추간판염, 척주관협착증)을 제외하기 위해서나 수술방방법을 검토하기 위해서 시행한다.
- 경부통이나 요통에서 상하지의 통증이나 마비를 호소하는 경우에는 MRI를 시행한다. 단, MRI에서 증상과는 관계없는 탈출증이 발견되는 경우가 있어서, 신경학적 소견과의 일치 여부가 중요하다.
- 척수조영은 수술 전에 하는 경우도 있지만, 필수사항은 아니다. 자세에 의한 신경압박상의 변화나 조영 후의 CT를 통해서, MRI보다 상세한 정보를 얻을 수 있다. 시행 후에 수액누출성 두통이 일어나기도 하는데, 1주 정도의 점적치료와 안정으로 대부분의 경우에 자연치유된다.
- 추간판조영은 현재는 MRI로 대신하여 거의 시행하지 않는다. 드물게 통증유발검사로 이용한다.
- 신경근블록은 통증이 나타나는 신경근을 소량의 마취제로 마비시켜서 통증이 사라지는가를 보는 치료적 검사이다. MRI나 척수조영에서 복수의 신경근이 압박받고 있음이 확인되면 실제로 통증의 원인이 되는 신경근을 특정할 목적으로 한다.

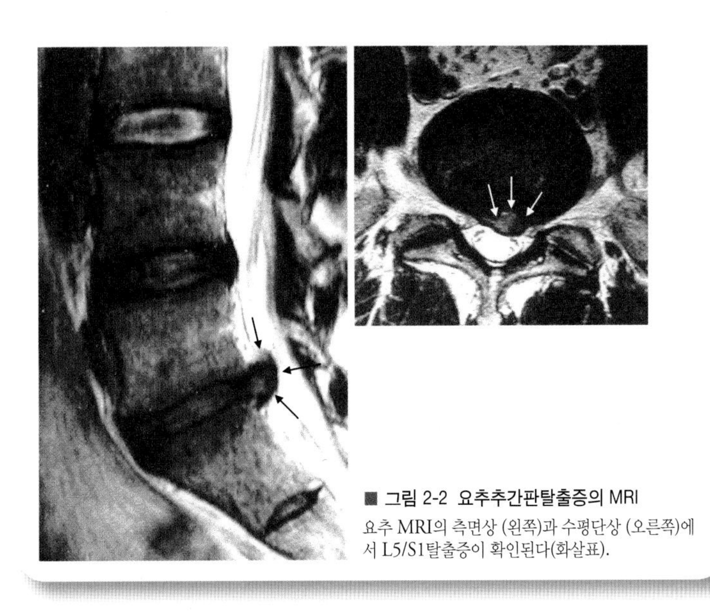

■ 그림 2-2 요추추간판탈출증의 MRI
요추 MRI의 측면상 (왼쪽)과 수평단상 (오른쪽)에서 L5/S1탈출증이 확인된다(화살표).

치료 map

안정, 소염진통제 · 근이완제, 신경블록 등에 의한 통증관리, 물리요법인 보존요법을 원칙으로 한다.

치료방침

- 원칙은 보존적 치료이며, 초기에 통증이나 마비가 심해도 사지일측에 한정된 증상이면, 수술은 삼가야 한다. 자연히 통증이 소실될 확률이 높다.
- 외과적 치료는 근력저하나 방광직장장애가 나타나는 경우에 시행한다. 근력저하나 방광직장장애가 없는 경우라도, 통증이나 마비 때문에 일상생활이 3개월 이상 제한받는 경우에는 적응한다. 단, 연일 좌약을 사용하지 않으면 수면을 취할 수 없는 심한 증상이 있는 경우에도 비교적 조기에 수술을 시행하기도 한다.

■ 표 2-1 추간판탈출증의 주요 치료제

분류	일반명	주요 상품명	약효발현의 메커니즘	주요 부작용
비스테로이드성 항염증제	록소프로펜나트륨수화물	록소닌, Ollox	시클로옥시게나제 (COX)의 활성억제로 인한 항염증작용과 해열진통작용	위장장애, 신장애, 천식, 간장애
소염진통좌약	디클로페낙나트륨	Voltaren, Rectos	항문으로 투여하여 소화기증상을 경감	급격한 해열로 인한 쇼크, 위장장애
경축 · 근긴장 치료제	에페리손염산염	미오날	척수반사의 억제로 골격근 긴장완화작용, 순환개선작용	알레르기
점액생산 · 분비 촉진제	테프레논	셀벡스	점막방어인자강화작용	드물게 간기능장애

■ 표 2-2 추간판탈출증의 물리요법

치료법	원리	특징
견인요법	추간판 내압을 내리고, 신경조직에 대한 압박 · 자극이 경감하고 된다. 긴장한 방척주근에 마사지효과가 있다.	추간판탈출증의 기본적인 치료이지만, 효과에 관한 과학적 검증이 부족하다.
핫팩	시리가겔을 목면주머니에 넣은 팩을 약 80℃로 설정한 온탕에 넣어 따뜻하게 한 후, 환부를 덮듯이 댄다.	방척주근의 긴장이 심할 때에, 운동요법의 전단계로 시행한다.
극초단파요법	전자렌지와 같은 2,450MHz의 전자파를 조사한다. 피부표면 뿐 아니라, 피부에서 3~4cm의 심부까지 온열효과가 미친다.	비교적 급성기에서도 체위를 고려하지 않고 조사할 수 있다.
초음파요법	1~3MHz의 초음파를 국소에 조사하고, 심부조직의 신속한 가열 및 기계적 진동에 의한 마이크로마사지효과를 기대한다.	체내에 금속이 존재해도 사용할 수 있다. 척수주근의 마비완화에 효과적이다.
저출력레이저	온열효과 대신에 광화학작용이나 생체자극작용으로 효과가 있다.	압통점이나 침에서 말하는 경혈에 조사한다.
간섭파	4,000Hz의 중주파를 방향을 바꾸어 흘려서 전류의 간섭작용이 생기게 하여, 통증의 경감을 도모한다.	영국에서 가장 널리 사용하는 물리치료이다.
SSP (silver spike point stimulation)	동양의학의 경혈을 전기로 자극하여 통증해소를 도모한다.	허리 · 하지통 외에도 전신의 통증에 효과가 있다.

경추

소프트칼라를 이용하여 고정

요추

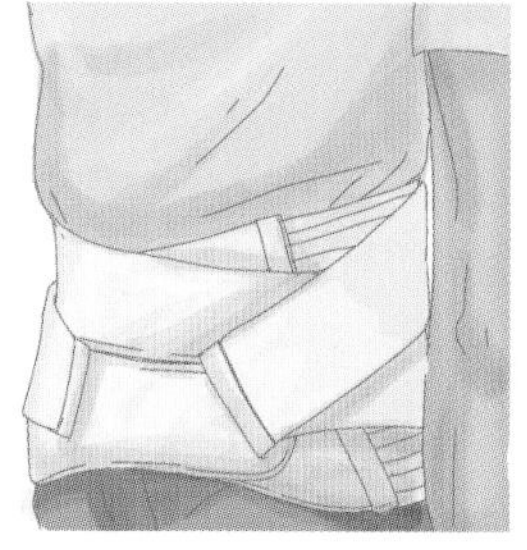

요부 고정대를 사용

■ 그림 2-3 보조기요법

보존적 치료

〈안정 및 보조기요법〉

- 통증이 완화되는 경우에는 시도해도 된다. 경추에는 소프트칼라, 요추에는 보험적용이 되는 요부고정대(일본 내)로 충분하다(그림 2-3). 보조기는 가능한 단기간 사용한다.

〈약물치료〉

- 기본적으로 사용하는 약제는 경추 · 요추 모두 소염진통제 (비스테로이드성항염증제, 소염 · 진통좌약), 근이완제 (경축 · 근긴장치료제) 이며, 위점막보호제 (점액생산 · 분비촉진제)를 병용하는 경우가 많다. 통증이 경구약으로 조절되지 않을 때에는 좌약을 사용한다.

Px 처방례

- 록소닌정 (60mg) 3정 ←비스테로이드성항염증제
- 미오날정 (50mg) 3정 ←경축 · 근긴장치료제
- 셀벡스캅셀 (50mg) 3캅셀 分3 (식후) ←점액생산 · 분비촉진제

Px 처방례 경구약으로 통증을 조절할 수 없는 경우

- Voltaren좌약 (25 · 50mg) 1일1회 직장내에 삽입 ←소염진통좌약

〈물리치료〉

- 국소환경을 변화시킴으로써 근육, 신경조직의 대사개선을 의도하는 치료법이며, 온열 · 전자파치료, 저출력레이저, 전기자극치료 등으로 나뉜다. 가격이 비싸지 않고 비침습적이라는 점에서 정형외과에서 기본적인 일상진료로 널리 이용되고 있지만, 작용메커니즘이나 유효성에 관한 과학적인 검증이 불충분하므로, 막연히 계속해서는 안된다.

〈신경블록〉

- 추간판탈출증에서도 국소의 통증에 마취제를 주사하기도 하는데, 장시간의 효과는 기대할 수 없다. 경막외에 마취제나 스테로이드를 주사하는 경막외블록이 요추 · 경추 모두 행해진다. 또 장시간 작용이 필요한 경우에는 카테터를 경막외강에 삽입하여, 지속적으로 마취제를 투여하는 지속경막외블록이 행해진다.
- 신경근통에는 신경근에 직접 바늘을 찌르는 신경근블록이 요추 · 경추 모두에 행해지기도 한다.

〈운동요법〉

- 강한 통증을 완화시킨 후에, 요추 · 경추 모두 운동을 개시한다. 움직임을 좋게 하기 위한 스트레칭체조나 방척주근의 지속적인 근력을 단련하기 위한 근력강화운동을 통증이 증가하지 않을 수준 내에서 실시한다.

외과적 치료

〈요추추간판탈출증〉

- 수핵제거술 : 전신마취하에 피부・근육을 절개하여 추궁의 일부골을 깎고, 신경을 피해서 탈출한 수핵을 제거한다(그림 2-4).
- 내시경하수핵제거술 : 피부절개와 근육의 전개를 최소화할 목적으로, 내시경을 넣은 외통 내의 조작만으로 탈출증을 제거한다. 수술 후 입원일수가 짧다.
- 레이저수핵증산술 : 수핵의 중심부에 레이저를 조사하여 조직을 분해하고, 추간판의 내압을 낮춤으로써 탈출증에 의한 하지통을 경감시킬 목적으로 한다. 보험진료가 인정되지 않아서, 적용에 신중을 요한다.
- 후방추체간고정술 : 탈출증 부위를 제거할 뿐 아니라, 변성된 추간판 그 자체를 제거하고, 임플란트와 함께 골이식을 시행하여 상하의 추체 사이를 고정한다. 요통이 심한 경우에 시행한다.

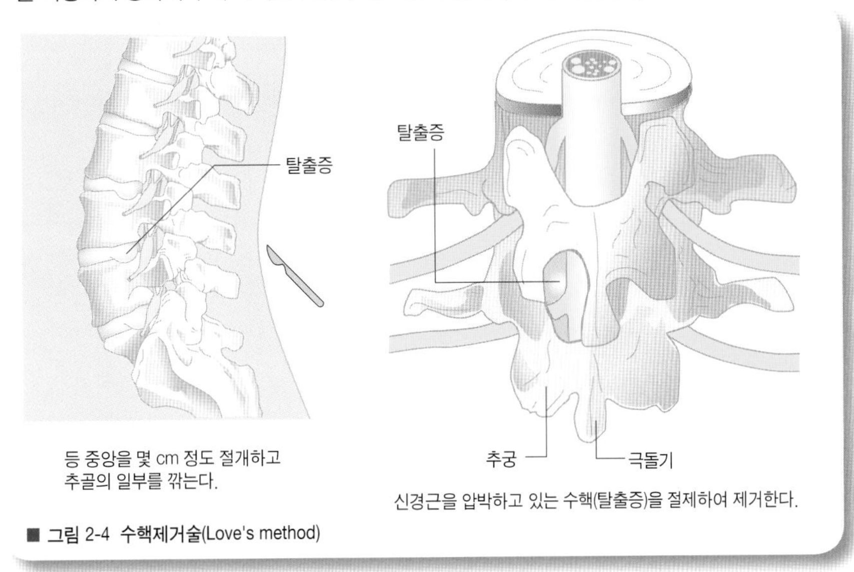

■ 그림 2-4 **수핵제거술**(Love's method)

〈경추추간판탈출증〉

- 경추전방고정술 : 추간판을 곽청한 후에 탈출증 부위를 전방에서 제거하고, 그 후 이식골이나 인공골로 상하추체를 고정한다. 보강을 위해 플레이트를 사용하기도 한다(그림 2-5).
- 경추추궁부분절제술 : 탈출증에 척주관협착증이 수반되어 있는 경우나 추간공부에 탈출증이 있는 경우에는 경추의 후방에서 필요한 부분의 뼈를 절제하여 탈출증 부위를 제거하기도 한다.

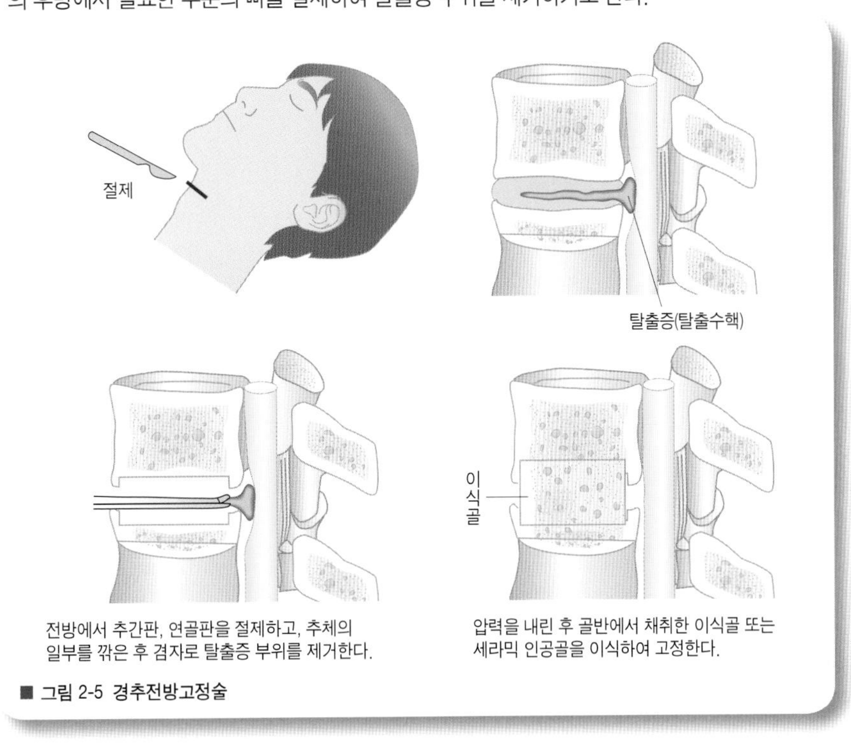

■ 그림 2-5 **경추전방고정술**

추간판탈출증의 병기 · 병태 · 중증도별로 본 치료흐름도

(大川 淳)

환자케어

환부의 안정과 부하경감이 필요한 급성기에는 환자의 안전과 안락을 목적으로 일상생활을 지지한다.

병기·병태·중증도에 따른 케어

【급성기】 보존요법으로 자연치유되는 경우가 많으므로, 급성기는 특히 환부의 안정과 부하경감을 도모하도록 환자에게 설명하고, 안전 · 안락하게 조용히 지낼 수 있도록 병상환경을 정비한다. 또 증상악화에 주의하면서 관찰을 계속한다. 신체가동역의 제한으로 셀프케어가 부족해지기 쉬우므로, ADL을 지지한다.

【주술기】 안정이나 이학요법 · 약물요법으로 증상이 치유되지 않는 경우나 마미증상이 나타나는 경우에는 수술을 적용한다. 그 경우에는 마취나 수술로 인한 전신 및 국소부위의 침습이나 창부통, 안정와상으로 인한 근력저하 등이 유발되므로, 이 증상을 관찰하여 통증완화케어, 폐용증후군(disuse syndrome)을 예방한다.

【회복기】 생활동작을 재획득하기 위한 재활치료가 중심이 된다. 질환의 원인이 직업상의 작업이나 자세의 영향인 경우가 많고, 환자 · 가족의 대부분이 직장복귀나 생활재개에 불안을 안고 있으므로, 환부에 부담을 주지 않는 동작을 습득할 수 있도록 지도나 조언을 제공한다. 필요에 따라서 작업내용이나 복귀시기에 관해서 의사, 직장관계자와 상담하도록 조정한다.

케어의 포인트

환부의 안정유지

- 침상에서 안전 · 안락하게 지낼 수 있도록, 매트리스의 선택, 적절한 침대 높이, 물품배치, 같은 병실의 환자관리 등을 고려한다.
- 지시받은 진통제를 효과적으로 투여하여, 고통의 완화를 도모한다. 진통이 충분하지 않은 경우는 다시 의사와 상담한다.
- 배변을 관리하고, 활동으로 인한 요추의 부담을 삼간다(요추추간판탈출증인 경우).
- 환자 · 가족에게 안정유지의 필요성과 근거에 관하여 설명하고, 요양 중에 지내는 법, 삼가야 할 동작에 관하여 지도한다.

ADL지지

- 신경장애나 통증 때문에 할 수 없게 된 동작과 안정유지를 위해서 제한되는 동작을 돕는다.
- 통증이나 마비를 배려한 간호방법에 관하여 환자에게 확인을 구하면서 연구한다.
- 자조구(self-help device)나 간호용품 등을 연구하여 환부에 대한 영향 없이 환자가 스스로 할 수 있는 동작에 관해서 환자 · 가족가 이해할 수 있도록 하고 물품을 구입하거나 수선하여 요양생활에 활용한다.
- 안정 유지로 인해 관절구축이나 근력저하가 일어날 가능성이 있으므로, 증상이 악화되지 않을 정도의 셀프케어나 관절운동 등은 스스로 적극적으로 하도록 지도한다.

낙상에 대한 주의

- 침대에서 일어설 때 낙상을 방지하기 위하여, 침대를 환자가 무리없이 이동할 수 있는 높이로 낮게 조절한다. 또 만일의 낙상에 대비하여 공간을 확보하고, 주위에 장애물을 놓지 않도록 한다.
- 장애의 정도나 안정도의 지시에 따라서, 휠체어나 보행기 등의 보조기를 선택 · 준비한다.
- 시력장애나 근력저하, 또는 수면제를 사용하는 환자에게는 야간만이라도 침대 옆에 소변기나 휴대용 변기를 설치할 것을 검토한다.
- 일어나기 쉬운 사고와 장면에 관해서 환자가 구체적으로 이미지할 수 있도록 설명하고, 대책에 관해서 환자와 함께 생각한다.

요양생활이나 치료 (검사 · 수술법을 포함)으로 인한 불안의 경감

- 의사소통을 하여 신뢰관계의 구축에 힘쓰고, 또 대화하기 쉬운 분위기를 조성하여 환자가 안고 있는 불안이나 의문 등 생각하고 있는 것을 표출하도록 촉구하고, 상담이나 조언을 제공한다.
- 검사 · 수술 등에 관해서 환자가 납득하고 판단할 수 있도록 의사와의 대화를 조정하고, 알게 된 사실에 대해서 환자를 대신하여 질문하거나, 의사의 설명을 알기 쉬운 표현으로 보충한다.
- 규정시간 내에 친구나 동료가 면회하러 오는 것이 어려운 경우에, 불안경감에 효과적일 수 있다고 판단되면 시간 외의 면회나 장소를 조정한다.

퇴원지도 · 요양지도

- 퇴원 후의 생활에서 무리한 자세로 무거운 물건을 들거나 나르고, 앞으로 숙여서 물건을 집는 등, 척추에 부담이 가는 자세나 행동에 관해서 구체적으로 설명하고, 삼가도록 지도한다.
- 직장복귀의 시기 및 업무내용 등에 관해서는 의사와 상담할 수 있도록 한다.
- 변비에 걸리지 않도록 생활습관을 조정하도록 지도한다.
- 약물요법이 계속되는 경우, 확실히 복용할 수 있는 방법에 관하여 환자 · 가족과 상담하고, 방법에 관하여 조언한다.
- 통증 · 마비가 악화되거나 보행장애, 배뇨장애 등의 증상이 나타나면, 신속히 진찰받도록 촉구한다.
- 수술을 받은 환자에게는 실을 제거한 후 창부의 케어방법, 목욕이나 세발 시의 주의사항, 목칼라나 코르셋의 필요장착기간 등을 설명한다.

(川瀬祥子)

Memo

3 척수손상 (spinal cord injury)

黒佐義郎/松島元子

전체 map

병인

- 젊은층에서는 교통사고, 높은 곳에서의 전락, 스포츠 외상 등이 병인이다. 고령자인 경우는 외력이 크지 않은 손상 (낙상 등)에 의해서도 일어난다.

[악화인자] 척주관협착상태, 골다공증

역학

- 발생수는 연간 5,000명 정도이다.
- 경수손상과 흉수 · 요수손상의 비는 약 3 : 1이다.
- 20세 정도와 60세 정도에 많다.

[예후] 사망에 이르는 경우도 있다.

병태생리

- 척수에 기계적 외력이 가해져서 신경조직이 으스러지고(1차손상), 이어서 장애범위가 확대 (2차손상)되어 척수의 기능이 손상된다.
- 추골의 골절 · 탈구가 있어도 마비를 수반하지 않는 것은 척추손상이라고 한다.
- 경수손상 : 부상메커니즘으로 과굴곡손상, 압박손상, 과신전손상이 중요하다.
- 흉수 · 요수손상 : 탈구골절, 파열골절에 의한 것이 많다.

증상

- 손상부 이하의 근이 완전히 이완된 상태 (척수쇼크기)에서 이탈된 후에도 감각 · 운동기능이 완전히 소실된 완전마비와 기능이 부분적으로 남아 있는 부전마비가 있다.
- 경수손상 : 사지마비
- 흉수 · 요수손상 : 대마비

[합병증]

호흡근마비, 기이성호흡, 무기폐, 폐감염증
- 저혈압, 서맥
- 요로감염증
- 욕창

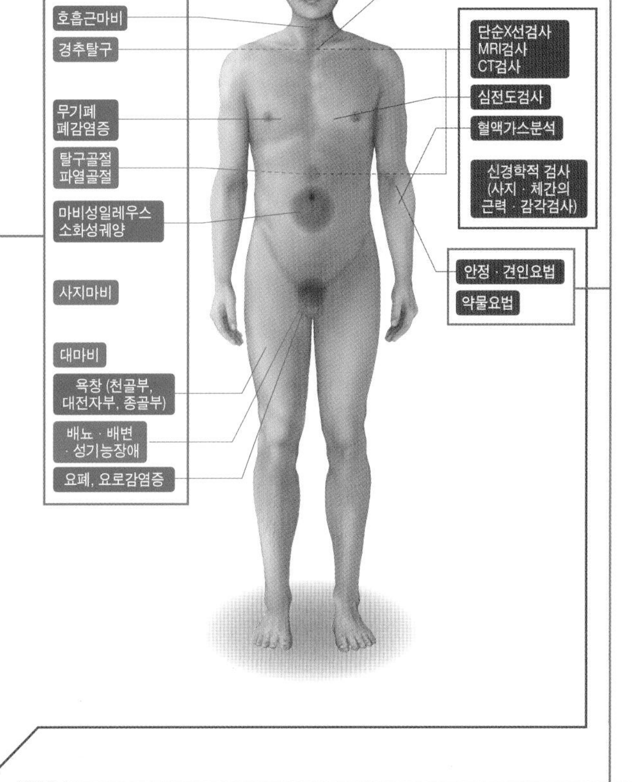

진단

- 척수쇼크기의 개인차가 커서 조기에 진단내리기 어렵다.
- Frankel평가법을 사용하여 기능의 회복을 시간의 경과에 따라 파악한다.
- 사지 · 체간의 근력검사, 감각검사 등에서 척수손상 위치를 추정하여 해당되는 부위의 영상검사 (단순X선, MRI, CT)를 진행하고, 심전도, 혈액가스분석 등을 병행한다.

치료

- 초기치료의 목적은 ①전신관리, ②2차손상에 의한 마비확대 · 악화의 방지, ③합병증의 방지, ④재활치료의 조기개시이다.
- 급성기 치료 : 안정, 견인요법, 약물요법 (메틸프레드니솔론 대량요법), 보존적 정복법, 보존적 고정법, 외과적 치료 (후방고정술, 전방고정술, 척주관확대술, 전방추체간고정술)
- 척수손상에 대한 재생의료인 세포이식요법 (신경간세포이식, 골수간질세포이식), 약물요법 (신경영양인자)은 연구 · 개발의 단계에 있다.
- 재활치료의 보조치료로 로보트 슈트에 의한 기립 · 보행획득이 실용화되었다.

병태생리 map

척수에 외력이 가해져서 기능이 손상된 것을 척수손상이라고 한다. 기계적 외력으로 신경조직이 으스러지는 1차손상과 계속해서 장애범위가 확대되는 2차손상이 발생한다. 추골의 골절이나 탈구가 있어도, 마비를 수반하지 않는 것은 척추손상이라고 한다.

● 경수손상

중·하위경추 (C3~T1)의 경수손상을 부상메커니즘에서 보면 과굴곡손상, 압박손상, 과신전손상의 3가지가 중요하다. 상위경추 (후두골~C2) 손상에서는 경수손상의 빈도가 낮지만, 축추관절돌기간골절 (Hangman's 골절 : C2의 추체와 추궁이 이개하는 골절)에서 척수에 가해지는 견인력이 강력하면 호흡마비 때문에 강력한 견인력이 가해지면 사망에 이르기도 한다.

- 과굴곡손상 (전방탈구형) : 교통사고 시, 안전벨트를 한 상태에서 정면충돌한 경우가 전형적이며, 상위의 추체가 전방으로 탈구하여 상위의 추궁과 하위추체에 끼인 척수가 으스러진다(그림 3-1-A).
- 과신전손상 (비골상성경수손상) : 앞으로 넘어져서, 안면이나 턱이 부딪히면 경추는 과도하게 신전된다. 상위의 추체가 순간적으로 후방으로 어긋나므로 척수가 손상된다. 후종인대골화증 등으로 인한 경추 전체의 가동성 감소와 척주관협착상태를 기반으로 발생한다(그림 3-1-B).
- 압박손상 (추체골절형) : 얕은 강에서 머리부터 떨어지는 등, 두정부를 강타한 경우에 발생한다. 축압에 의해서 추체의 후방에서 척주관으로 밀려난 골절편이 척수를 전방에서 압박하게 된다(그림 3-1-C).

● 흉수·요수손상

흉추에서 요추로의 이행부 (T11~L2) 는 후만에서 전만으로의 이행부이며, 흉곽이나 인대에 의한 보강이 부족하므로 골절의 발생빈도가 높다. 이 중 척수를 손상하기 쉬운 것은 탈구골절과 파열골절이다. 또 골다공증이 있는 고령자는 비교적 가벼운 축압으로도 흉요추의 압박골절이 많이 발생하는데, 압박골절에서는 척주관에는 손상이 미치지 않으므로 급성척수손상이 되는 경우는 드물다.

- 탈구골절 : 흉요추의 탈구골절은 전락 시에 등허리로 착지한 경우 등에 발생한다. 거의 모든 척주인대가 단열되어, 매우 불안정한 상태가 된다.
- 파열골절 : 전락 시에 둔부부터 착지했을 때에 흉요추에 강한 축압이 가해지면 추체에 파열골절이 일어난다. 추체 후방의 골절편이 척주관 내로 비어져 나와 척수를 압박한다(진단map의 그림 3-4).

병인·악화인자

- 부상원인 : 젊은층에서는 교통사고, 높은 곳에서의 전락이 많고, 이어서 스포츠로 인한 외상, 낙하물의 직격 등이 많다. 고령자에서는 낙상 등, 외력이 크지 않은 외상으로도 경추의 과신전손상을 일으키기도 한다.
- 1차손상과 2차손상 : 외력으로 척수·마미를 둘러싼 척주관이 변형되고, 신경조직이 으스러지거나 과견인이 일어난다(1차손상). 이어서 혈류가 두절된 부분의 조직은 저산소상태에 의해서 괴사에 이른다. 또 손상혈관 때문에 염증성세포가 척수로 침윤되고, 염증성 사이토카인의 방출 등으로 기계적 좌멸조직의 주변세포도 괴사에 빠진다(2차손상). 그 후 염증이 진정되면, 신경조직이 괴사된 후 공동의 주위에 반흔조직이 형성되어, 축삭의 재생을 억제하게 된다.

역학·예후

- 일본에서는 1년에 5,000명 정도의 척수손상 환자가 발생하고 있다. 경수손상과 흉수 이하의 손상비는 약 3 : 1 정도이다. 발생연령으로는 20대 전후와 60대 전후가 많다.

● 경수손상

- 과굴곡손상 (전방탈구형)은 경수손상 환자의 30~40%이며, 젊은층에게 호발한다. 손상위치는 C5/6이 가장 많고, 이어서 C6/7이 많다. 압박손상 (추체골절형)도 젊은층에게 많으며, 발생위치는 C5, C6이 많다. 청장년인 경우, 손상위치가 C5/6 이하의 경수손상에서는 완전마비라도 훈련으로 어느 정도 자립생활이 가능하다.
- 과신전손상 (비골상성경수손상)은 증가경향에 있어서, 최근에는 경수손상의 반수 이상을 차지한다. 손상위치는 C3/4가 약 60%이며, C5 이하는 적다. 연령층은 50~60대에 많다.

● 흉수·요수손상

- 탈구골절에 의한 척수손상의 원인은 전락사고가 가장 많으며, 이어서 바이크를 포함한 자동차사고, 중량물의 낙하가 많다. 손상위치는 T11~L1이 많고, 이어서 T3~8가 많다. 중증인 마비가 많아서, 빠른 회복이 드물다.
- 파열골절의 원인도 전락사고가 압도적으로 많다. 손상위치는 탈구골절보다 다소 아래쪽인 T12~L3의 범위에 많고, T3~11에는 매우 적다.

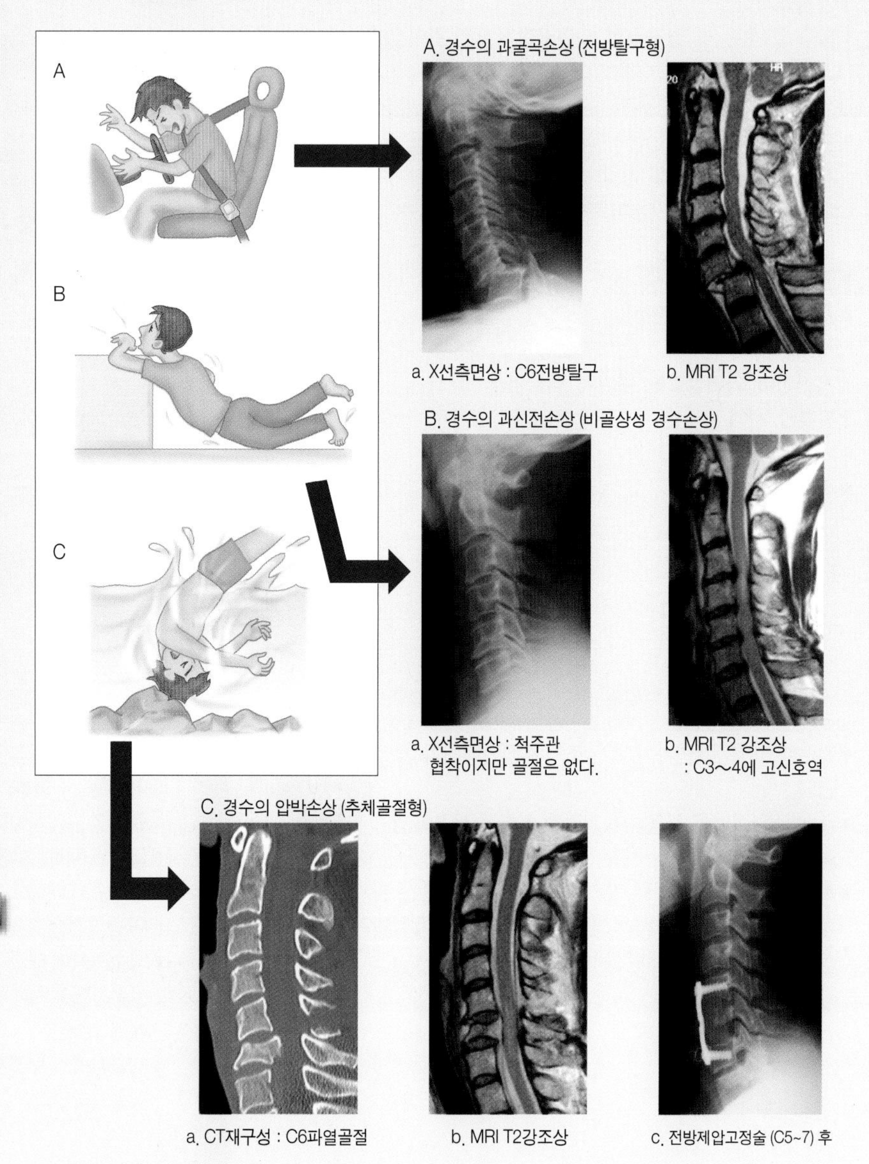

■ 그림 3-1 경수손상의 타입

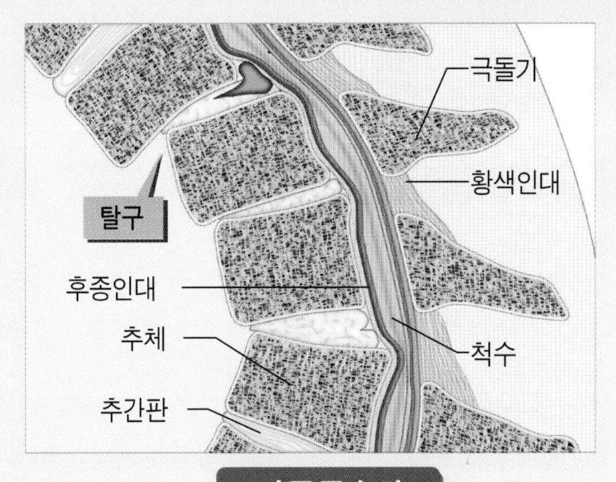

과굴곡손상

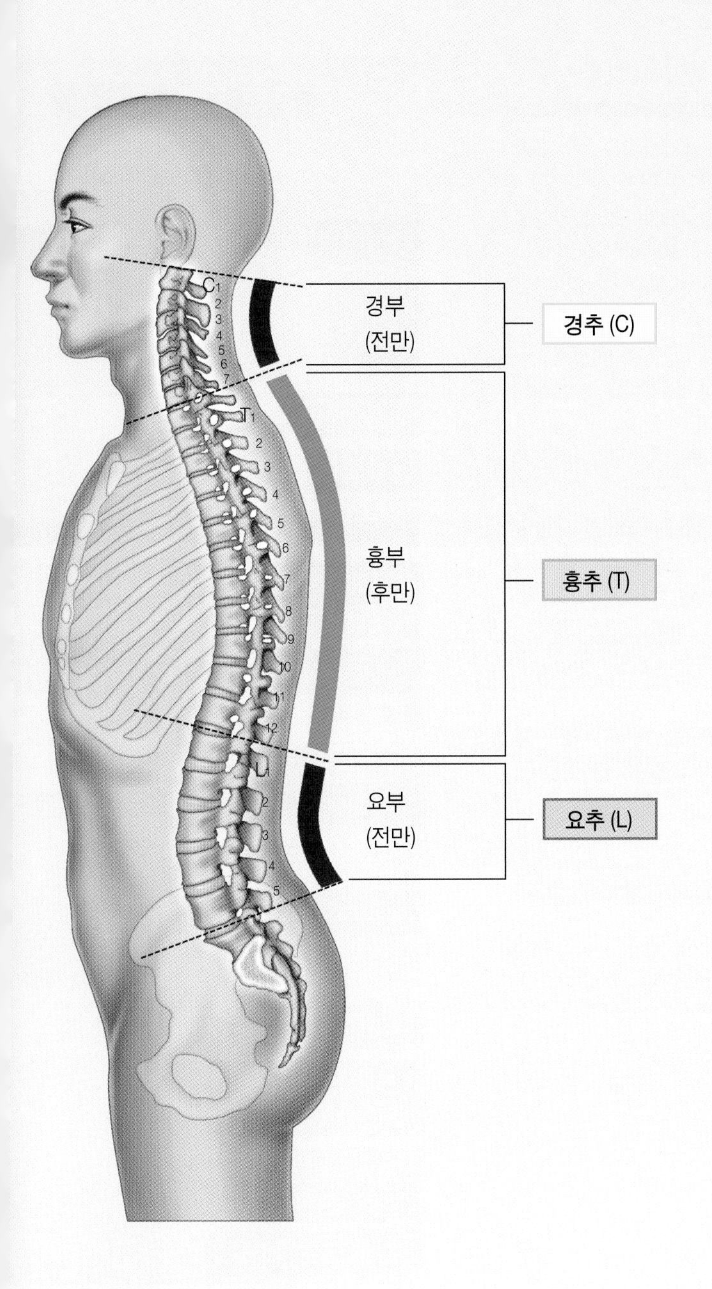

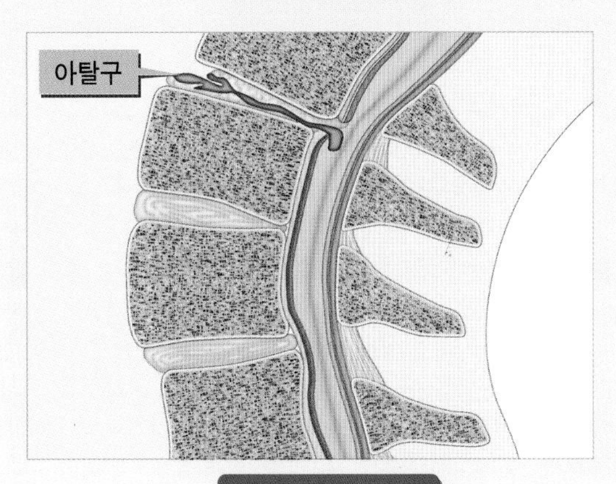

과신전손상

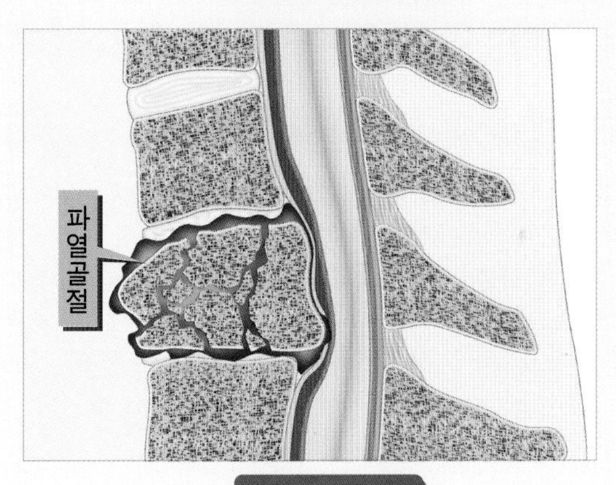

파열골절

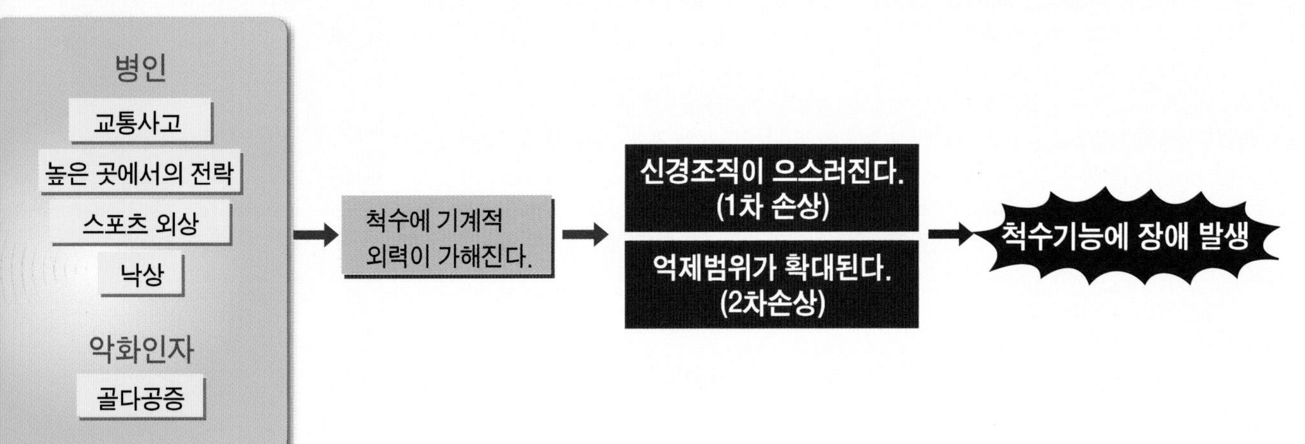

증상 map

마비의 정도에 따라서 완전마비와 부전마비로, 또 손상부위에 따라서 사지마비와 대마비로 구별된다.

증상

● 완전마비와 부전마비

- 경수・흉수손상에서는 마비가 고정된 후에는 경성마비가 되지만, 중증례에서 부상직후에 손상부 이하의 근이 완전히 이완되는 경우가 많으며, 이 상태를 척수쇼크라고 한다. 또 이완성마비를 나타내는 기간을 척수쇼크기라고 한다. 척수쇼크기가 지나면 서서히 근긴장이 증가하여 건반사의 항진이 출현하고, 경성마비로 이행된다. 척수쇼크기는 2일~6주 가량 유지되고, 평균 3주 정도이다.
- 척수쇼크에서 이탈한 후에도 감각, 운동기능이 완전히 소실된 것을 완전마비라고 한다. 한편, 손상부 이하의 감각, 운동기능이 부분적으로 남아 있는 것을 부전마비라고 한다. 사지가 완전마비로 보여도 선수영역인 항문 주위의 감각이나 항문괄약근의 수의수축이 있는 경우는 부전마비로서, 마비가 개선될 가능성이 있다.

● 사지마비

- 경수의 손상으로 사지와 체간의 지각, 운동기능이 상실된 상태를 사지마비라고 한다. 기능이 완전히 소실된 경우는 완전사지마비이며, 부분적으로 상실된 경우는 부전사지마비이다.
- 고령자에게 많은 비골상성경수손상에서는 상지의 운동장애, 감각장애가 하지보다 강하게 나타나는 중심성경수손상의 형태를 취하는 경우가 많다.

● 대마비

- 흉수, 요수, 천수 내지 마미의 손상으로 흉부 이하와 양 하지의 지각, 운동기능이 손상된 상태를 대마비라고 한다. 기능이 완전히 소실된 상태는 완전대마비, 부분적으로 상실된 상태는 부전대마비이다.
- T10보다 위쪽의 척수손상에서 양 하지는 경수손상인 경우와 마찬가지로 경성마비가 된다. L2보다 아래쪽에서는 말초신경인 마미가 손상되므로 양 하지가 이완성마비가 된다. T11~L1의 손상에서는 경성마비 부분과 이완성마비 부분이 혼재되어 있는 경우가 있다.
- 성인의 척수 종말은 L1 부근에 있으며, 종단부를 척수원추라고 한다. 척수원추에는 배뇨・배변・생식기를 지배하는 천수가 있다. 이 때문에 T12~L1의 골절에서는 하지기능은 비교적 유지되지만, 배뇨・배변・성기능에는 심각한 장애가 생기는 경우가 있다.

합병증

- **호흡** : 횡격막은 제3 및 제4경수절이 지배하고 있으며, C3/4보다 상위의 완전마비에서는 모든 호흡근이 마비되므로, 인공호흡기의 장착이 필요하다. C4 이하, T7 부근까지의 손상에서는 늑간근이 마비되어 횡격막에 의지하는 기이성호흡 (흡기 시에 늑간이 움푹 들어간다)이 되어, 환기량이 감소된다. 또 복근을 이용한 적극적인 호기나 기침을 할 수 없으므로 배담이 불충분해지고, 가래의 저류로 무기폐나 폐감염증을 일으키기 쉽다. 체위배액과 압박법 (Squeezing법) 등의 호흡물리요법을 입원 즉시 개시해야 한다.
- **순환기** : 사지마비나 고위의 대마비에서는 교감신경의 긴장이 현저히 저하된다. 한편, 부교감신경계의 대부분을 지배하는 미주신경은 뇌신경의 하나로서 척수손상의 영향을 받지 않는다. 이 때문에 부교감신경의 긴장에 길항하는 것이 없어져서 저혈압, 서맥이 발생한다.
- **요로** : 척수쇼크기에는 배뇨중추와 배뇨근반사궁과의 전도로가 끊어지므로, 방광이 이완되어 요폐가 나타난다. 이완된 방광은 과신전되면 수축력을 상실할 위험이 있으므로, 도뇨가 필요하다. 단, 순환동태가 안정되지 않고 수액을 요하는 급성기만 유치카테터법을 시행하여 신속히 간헐도뇨로 이행해야 한다. 1회도뇨량이 400mL을 넘지 않도록 도뇨횟수나 수분섭취량을 조정한다. 장기간의 카테터 유치는 배뇨기능의 회복을 방해하고, 또 요도점막을 손상시켜 난치성요로감염증의 원인이 된다.
- **소화기** : 장관의 연동은 통상적으로 3~4일간 정지한다. 장관의 움직임이 개선되기까지 위관을 유치한다. 경구섭취를 개시한 후에는 마비성일레우스에 주의한다. 또 신체적 스트레스, 정신적 스트레스 때문에 소화성궤양을 일으키기도 하며, 특히 스테로이드요법을 시행한 경우는 위장관출혈의 위험이 커진다. 척수손상 환자는 급성복증이 나타나도 복통이나 근성방어가 일어나지 않으므로, 세심한 관찰이 필요하다.
- **체온조절장애** : 발한장애와 피부혈류조절장애 때문에 체온조절이 어려워진다. 일반적으로 해열제는 효과가 없으며, 냉각기로 대처한다.
- **욕창** : 천골부, 대전자부, 종골부 등의 욕창은 3~4시간에 발생하므로, 적절한 매트리스를 사용하고 즉시 체위를 변환하며 호발부위의 압력을 경감시켜야 한다.

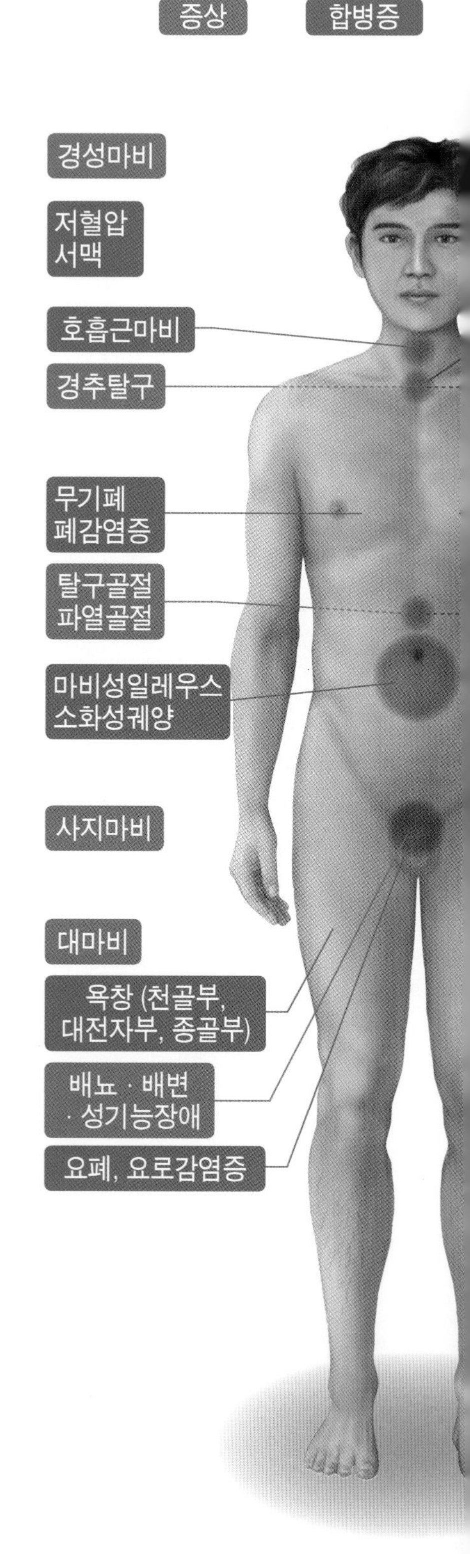

진단 map

사지・체간의 근력검사나 감각검사 등의 신경학적 소견에서 척수손상의 손상부위를 추정하고, 단순X선검사, MRI검사에서 손상의 상태, 정도를 평가한다.

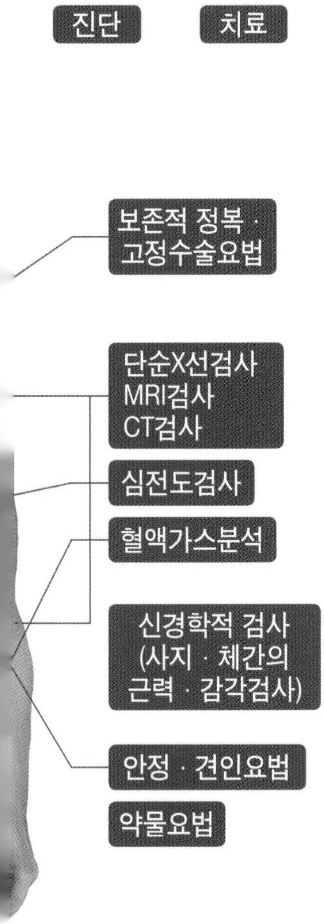

진단　치료

보존적 정복・고정수술요법

단순X선검사
MRI검사
CT검사

심전도검사

혈액가스분석

신경학적 검사 (사지・체간의 근력・감각검사)

안정・견인요법

약물요법

진단・검사치

- 완전마비와 부전마비의 구별은 예후를 판정하는데 중요하지만, 척수쇼크기의 개인차가 커서 조기에 진단내리기 어렵다. 일반적으로 마비의 정도를 5단계로 분류하는 Frankel평가법 (표 3-1)을 사용하여, 기능의 회복을 경시적으로 파악・기재하는 방법이 널리 행해지고 있다.
- 상지의 증상은 손상부위 (고위) 1추간의 차이에 따라서 기능적으로 큰 차가 생긴다. 이 잔존기능의 차이에 따라서, 어느 정도 손상부위의 추정이 가능하다(그림 3-2). 단, 손상추간에서 분기하는 신경근에 장애가 생기지 않은 경우도 있어서, 특히 부전마비에서는 신경학적 고위진단이 그다지 용이하지 않다.
- 척수신경의 근지배와 ADL의 기능을 그림 3-3에 나타냈다.

■ 표 3-1 Frankel평가법

A. complete : 운동・지각 모두 완전마비 상태이다.
B. sensory only : 지각은 어느 정도 유지되지만, 운동기능은 완전히 마비 된다.
C. motor useless : 운동기능은 어느 정도 유지되지만, 보행에는 불충분하다.
D. motor useful : 실용적인 운동기능이 유지되고, 보조보행 또는 독보가 가능하다.
E. recovery : 근력, 지각은 정상이다. 반사에 이상이 있어도 괜찮다.

흡기 (횡격막)	견관절외전 / 주관절굴곡	수관절배굴	주관절신전	손가락의 신전	손가락의 굴곡	기능이 남아 있는 관절	추정되는 손상고위
마비	마비	마비	마비	마비	마비	⇒ C1이나 C2까지	C1~2/3
약하다	마비	마비	마비	마비	마비	⇒ C3까지	C3/4
정상	마비~약하다	마비	마비	마비	마비	⇒ C4까지	C4/5
정상	정상	마비~약하다	마비	마비	마비	⇒ C5까지	C5/6
정상	정상	정상~약하다	약하다	마비~약하다	마비	⇒ C6까지	C6/7
정상	정상	정상	정상	약하다	약하다	⇒ C7까지	C7/T1
정상	정상	정상	정상	정상	정상	⇒ C8까지	T1 이하

■ 그림 3-2 상지 주요근의 기능에 근거한 경수손상 고위진단

- 검사치
- 사지・체간의 근력검사, 감각검사 등에서 척수손상의 고위를 추정하고, 해당되는 부위의 영상검사를 진행한다. 흉부X선, 심전도, 혈액가스분석 등을 병용한다.
- X선검사에서는 골절, 탈구의 유무 외에, 기존의 척주관협착증이나 후종인대골화증, 골다공증의 유무 등도 진단한다. 추정한 장애위치와 일치하는 척주관을 훼손하는 골절이나 탈구가 있으면, 위치진단은 거의 확정된다. C1~2의 손상 가능성이 있으면 개구위의 전후상을 촬영한다. C6/7은 측면상에서는 묘사되지 않는 경우가 있어서, 양 상지를 하지 방향으로 잡아당기는 방법 등이 필요하다.
- MRI에서는 손상부 척수의 변형 외에, 척수 내의 신호강도의 변화나 손상부 상하 척수의 종대상 등이 보인다(병태생리map의 그림 3-1-C-b). 비골상성경수손상은 그 이름대로 X선검사에서는 이상을 찾기 힘들지만, 손상부 척수 내의 신호강도의 이상 (그림 3-1-B-b)에 추가하여 추간판이나 전종인대의 손상이 확인되는 경우가 많아서, 척수의 추정장애 위치와 일치하면 확정된다.
- CT에서는 골절에 의한 척주관협착이나 회선손상 등 골의 손상상태를 상세히 관찰할 수 있어서, 수술계획 입안 시에 필수적이다(그림 3-4-b). 또 C1, C2 골절부의 진단에도 적합하다.
- 척수조영검사는 통상적으로 시행하지 않는다. 단, 골손상이 없는 경수손상에 대한 수술적용을 검토하기 위해서 대기적으로 시행하기도 한다.

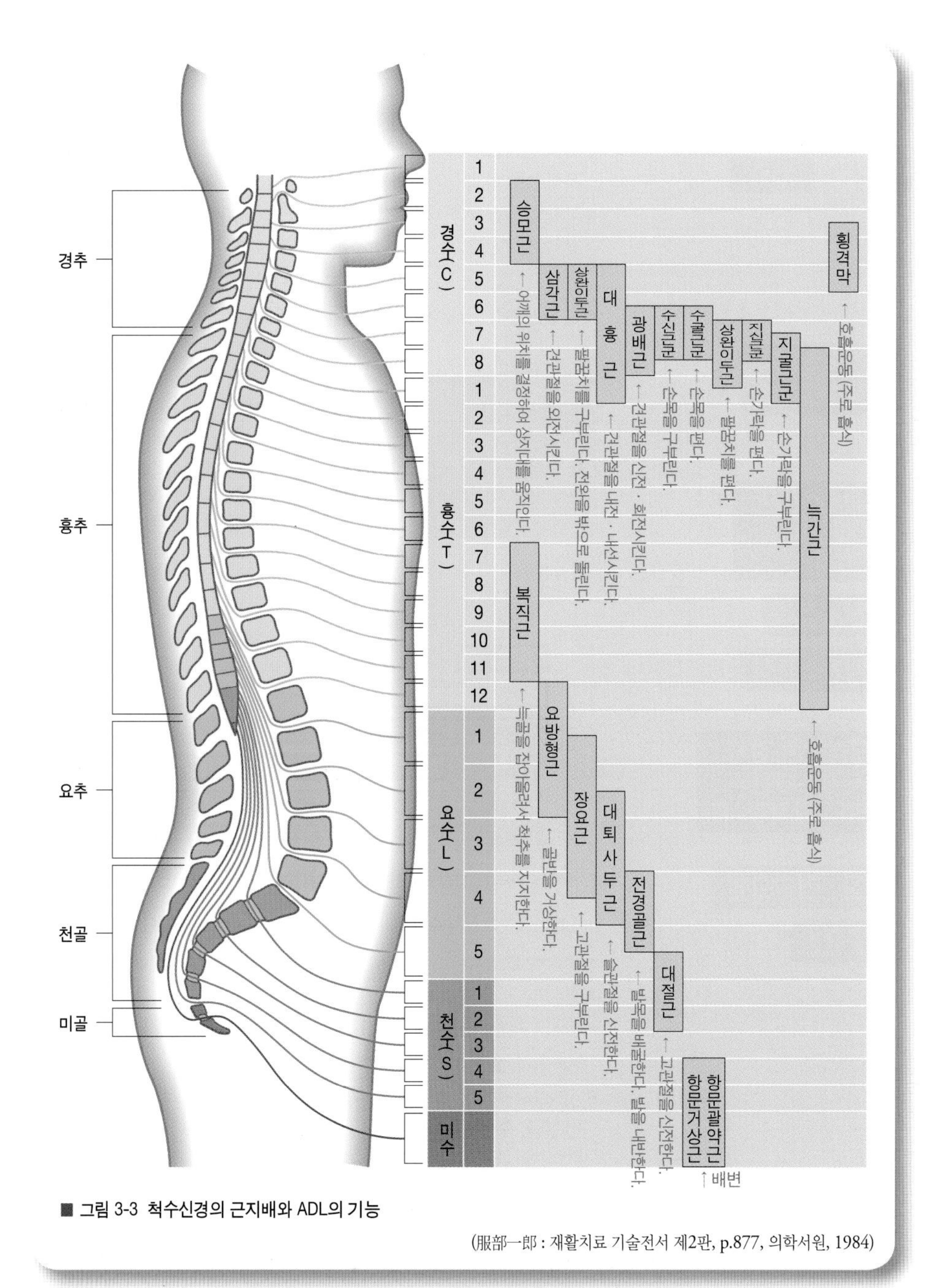

■ 그림 3-3 척수신경의 근지배와 ADL의 기능

(服部一郎 : 재활치료 기술전서 제2판, p.877, 의학서원, 1984)

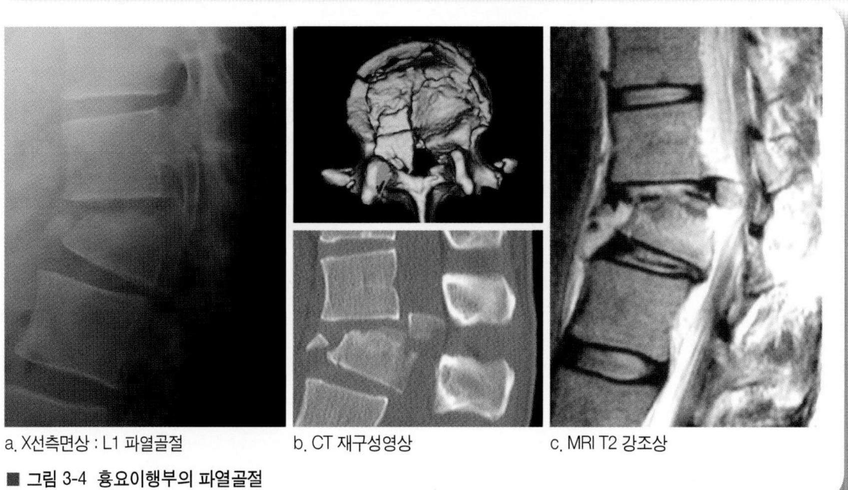

a. X선측면상 : L1 파열골절　b. CT 재구성영상　c. MRI T2 강조상

■ 그림 3-4 흉요이행부의 파열골절

치료 map

생명유지에 필요한 전신관리, 손상부위의 정복 · 고정, 합병증의 최대한 방지, 재활치료의 조기개시를 급성기 치료의 목표로 삼는다.

치료방침

- 급성기 치료의 목표는 ①급성기의 생명유지에 필요한 정확한 전신관리, ②2차손상에 의한 마비범위의 확대 또는 마비정도의 악화를 방지하기 위한 신속한 손상척추의 정복 · 고정, ③합병증의 최대한 방지, ④재활치료의 조기개시이다.
- 손상된 척수에 대한 직접적인 치료법은 아직까지 개발 중이며, 현행 약물치료나 수술치료도 적응이 명확하지 않은 점이 많은 것이 실정이다.

■ 표 3-2 척수손상의 주요 치료제

분류	일반명	주요 상품명	약효발현의 메커니즘	주요 부작용
부신피질호르몬제	메틸프레드니솔론 호박산에스텔나트륨	솔루메드롤	운동장애의 개선, 척수혈류량저하의 억제, 항염증작용	쇼크, 심정지, 순환성허탈, 부정맥

경수손상에 대한 급성기 치료

- 안정 및 견인요법 : 이송 시에는 들것을 사용하고, 경추는 중간위로 유지한다. 도착 후에는 모래주머니 또는 경추 고정장치로 경추의 안정을 유지하면서 검사를 진행한다. 과신전손상이라고 진단한 경우는 경도 굴곡위하에서 시행한다. 탈구의 정복을 도모하는 경우나 장기간 견인을 하는 경우는 두개직달견인법을 시행한다. 견인구로는 단시간에 장착할 수 있는 Gardner-Wells견인궁이 사용하기 쉽다(그림 3-5).
- 약물요법 : 메틸프레드니솔론의 대량요법이 행해지는 경우가 많다. 유효성에 관해서는 찬반양론이 있으며, 소화관출혈의 발생률을 증가시킨다. 내분비질환의 악화를 초래하는 등의 위험성도 지적되고 있다. 부전마비에서는 다소 개선되는 증례가 있는 점, 마비의 악화확대를 완화시키는 경우가 있는 점도 사실이므로, 합병증의 위험도 고려하여 결정한다.

Px 처방례 급성경수손상일 경우 신속히 (늦어도 부상 후 8시간 이내) 대량 스테로이드요법을 개시한다.

- 솔루메드롤주 첫 회량 30mg/kg을 15분 걸려서 점적정주 45분간 휴약 후, 5.4mg/kg/시를 23시간 지속점적정주 ←부신피질호르몬제
- 보존적 정복법 : 두개직달견인구에 무거운 추를 걸고, 최대 20kg 정도까지 견인력을 증가하면서 정복하는 방법이다. 마비가 악화될 가능성도 있으므로, 전신마취하가 아니라 환자가 응답할 수 있는 상태로 시행하는 것이 원칙이다.
- 보존적 고정법 : 두개직달견인구에 2~5kg의 무거운 추를 걸고 견인하여 경추의 안정화를 도모한다. 체위변환, 청결, 객담배출간호 등도 견인상태로 한다. 골손상이 있는 경수손상의 견인 · 고정기간은 12주간 정도이다. 원활히 간호스태프를 투입할 수 없는 일본의 의료환경에서는 이상적인 보존적 고정법은 시행이 어려운 편이다.
- **외과적 치료의 적부와 시기** : 종래에는 순환동태가 불안정한 급성기 수술이 위험하다는 견해도 있었지만, 와상기간 중에 폐합병증으로 전신상태가 악화되는 환자도 적어졌다. 최근에는 진단확정 후 신속히 정복고정술을 시행하는데, 객담배출간호나 체위변환에 제한이 없는 상태로 하는 편이 환자의 고통을 경감할 수 있어서 바람직하다.
- **경추후방고정술** : 전방탈구형에 대한 수술법이다. 후방에서 추궁을 전개하여 탈구를 정복한 후, 탈구부 상하의 추궁상에 자가장골이나 인공골을 놓고 와이어로 고정한다. 탈구를 확실히 정복할 수 있는 이점이 있다.
- **경추전방고정술** : 추체골절형에 대한 제1선택의 수술법이다. 척수압박물을 제거한 후, 골이식을 하여 상하의 추체간을 고정한다. 보강을 위해서 금속플레이트를 사용하는 경우가 많다(병태생리map 그림 3-1-C-c). 전방탈구형인 경우는 보존적 정복법으로 탈구를 정복한 후에 하는 것이 이상적이지만, 두개직달견인을 병용하여 수술 중에 정복하는 것도 가능하다. 강고한 고정이 가능하므로 수술후 외고정은 경추칼라로 한다.
- **경추척주관확대술** : 과신전손상 (비골상성경수손상) 중, 경추후종인대골화증 등으로 종대된 척수에 압박상태가 지속되는 경우에 시행하기도 한다. 일반적인 과신전손상에 척주관을 확대할 의의가 있는가는 아직 명확하지 않다.

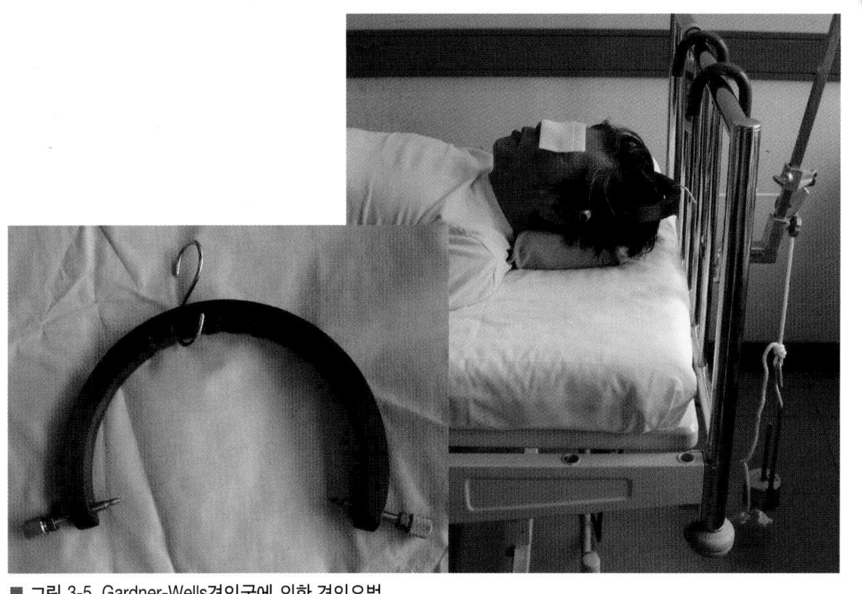

■ 그림 3-5 Gardner-Wells견인궁에 의한 견인요법

흉수 · 요수손상에 대한 급성기 치료

- 흉추 및 요추의 압박골절과 마비가 없으며 추체압궤 (압궤(crush injury)란 쉽게 말하면 「눌린 상태」 이다.)가 고도가 아닌 파열골절에는 보존적 치료를 선택한다. 탈구골절이나 파열골절에 의한 척수손상에는 척수압박물을 제거하고 척주지지성의 재건을 도모한다. 또 대량 스테로이드요법에 관해서는 경수손상과 동일한 내용이 적용된다.
- 흉 · 요추후방고정술 : 탈구골절에는 후방에서 진입하여, 탈구된 상하의 추체에 추궁근 나사 등을 삽입하고 탈구를 정복 · 고정한다. 파열골절에서도 골절편의 척주관내 돌출이 경도인 것은 추체에 상하방향의 견인력을 가하면 골절편이 추체측으로 되돌아가서 척수압박을 경감시킬 수 있다. 탈구를 확실히 정복할 수 있는 이점이 있지만, 광범위한 고정은 체간운동에 방해가 되기도 한다(그림 3-6).
- 흉 · 요추전방추체간고정술 : 골절편이 척주관 내로 심하게 돌출되어 있는 파열골절에 대한 수술법이다. 측방에서 손상추체에 이르러 척주관 내의 척수압박물을 제거한 후, 자가골이나 인공골을 사용하여 상하추체를 고정한다. 또 금속플레이트로 보강하는 경우가 많다(그림 3-7).

척수손상에 대한 재생치료

- 지금까지 손상척수는 재생이 불가능했기 때문에 종래의 척수손상에 대한 치료는 척수의 2차손상을 방지하는 것에 한정되었다. 그러나 최근에 척수수복의 가능성이 현실화되고 있다. 신경모세포이식이나 골수간질세포이식 등의 세포이식요법과 신경영양인자 등의 약물요법이 연구개발 중이며, 축삭재생을 방해하는 반흔조직의 극복방법, 이식세포를 척수손상부에 도달하게 하는 투여방법을 찾게 되면, 실용화가 가능할 것이라고 기대하고 있다.

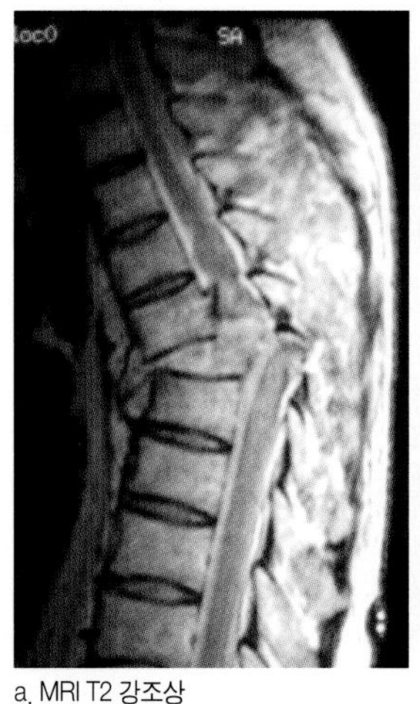

a. MRI T2 강조상

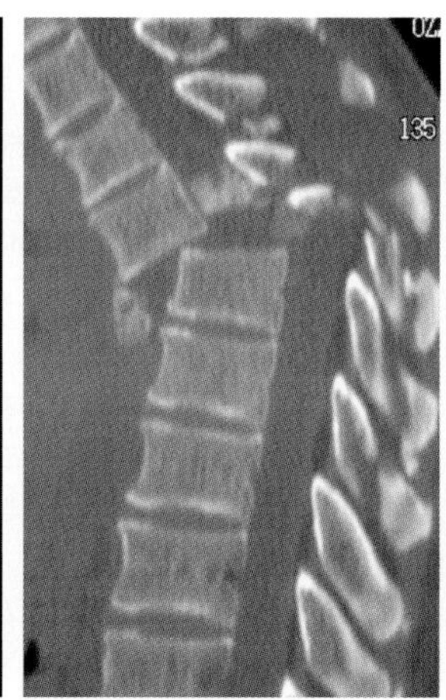

b. CT재구성 측면단층상

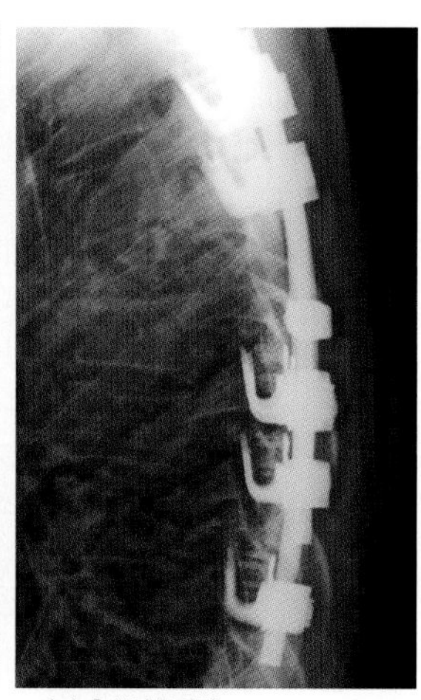

c. 수술후 X선측면상

■ 그림 3-6 T5 전방탈구와 T6 파열골절 합병례에 대한 후방고정술

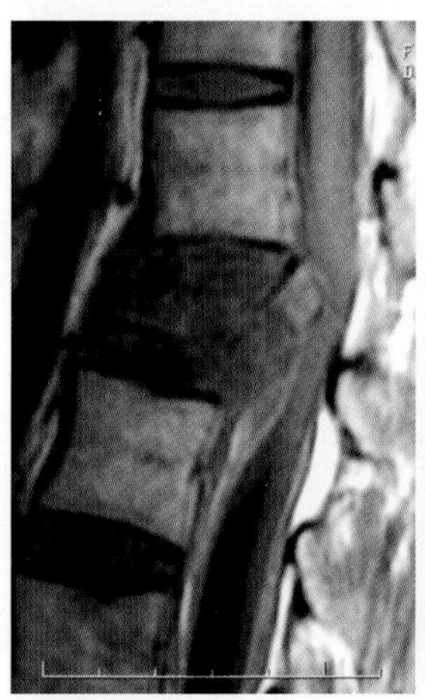

a. 진찰시 MRI T1 강조상

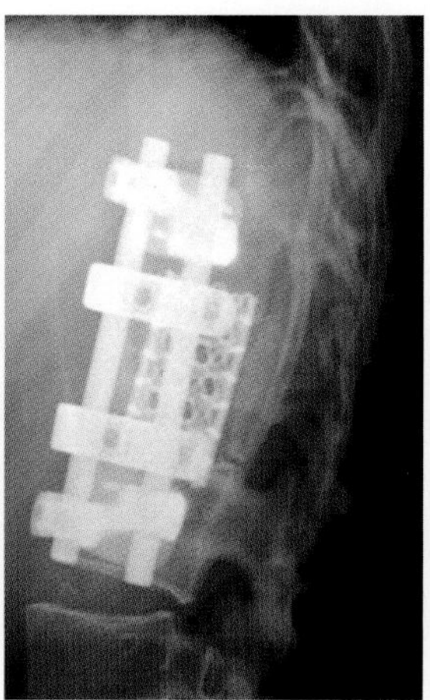

b. 수술후 X선측면상

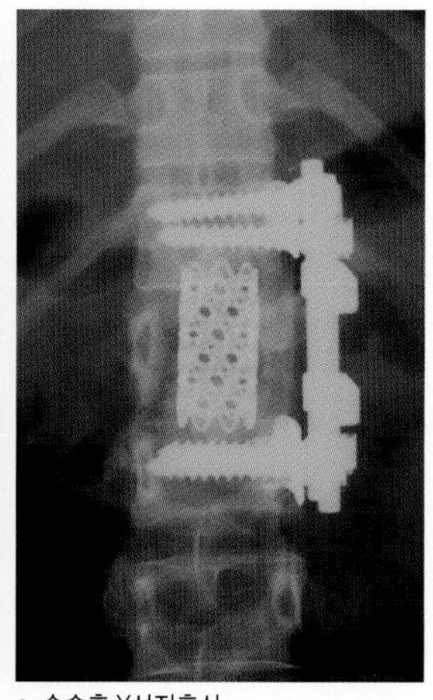

c. 수술후 X선전후상

■ 그림 3-7 인공추체와 가네다(金田)디바이스를 이용한 요추전방추체간고정술

척수손상의 병기 · 병태 · 중등도별로 본 치료흐름도

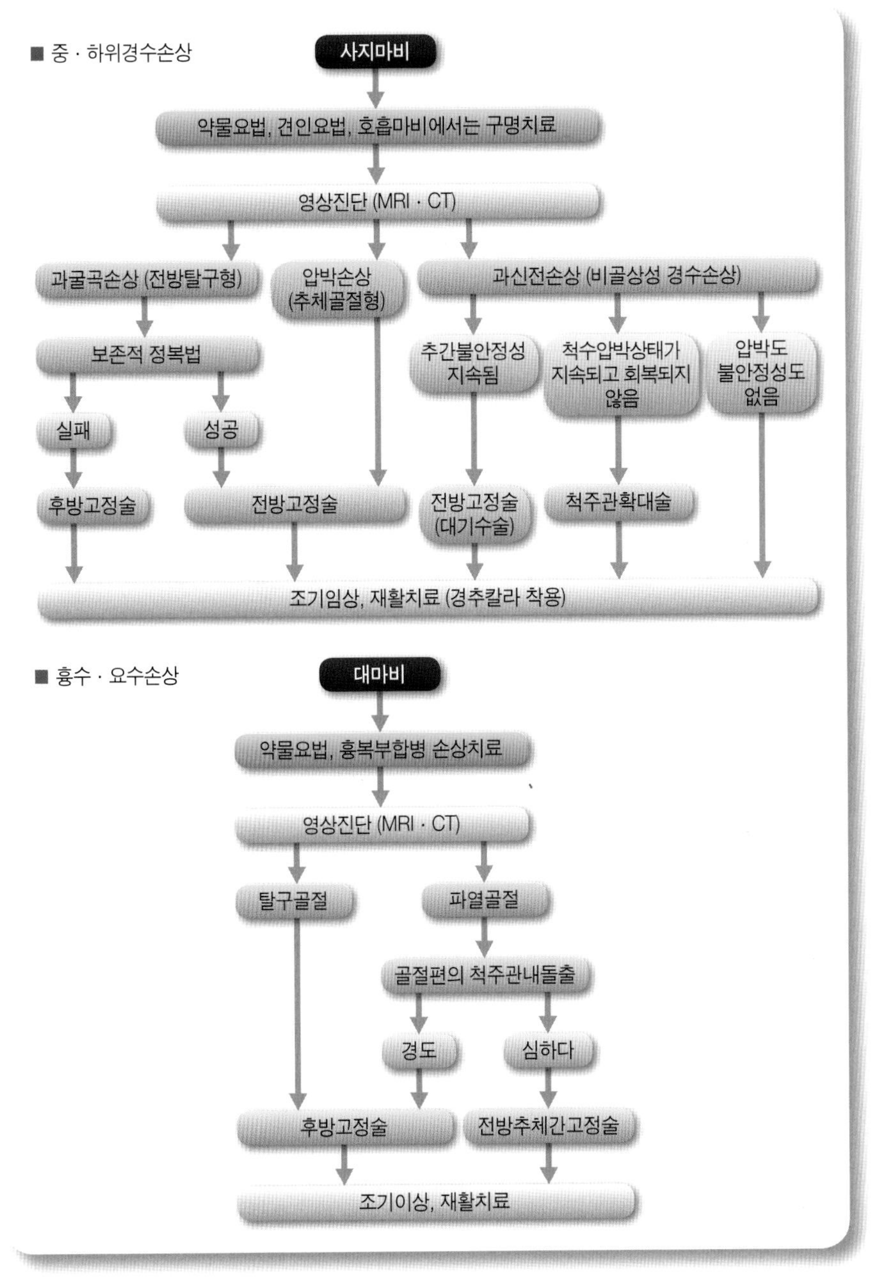

●참고문헌
芝 啓一郎편 : 척추척수손상예방-종합척수손상센터의 진단과 치료의 최전선, 남강당, 2006

(黒佐義郎)

환자케어

전신상태가 불안정한 급성기의 척수쇼크기에는 전신관리와 함께, 감염이나 욕창 등의 합병증예방에 알맞은 케어가 중요하다.

병기·병태·중증도에 따른 케어

【급성기】

- 척수손상 직후에는 척추의 지지성이 소실되어 있으므로, 척추의 안정 · 고정을 신중히 꾀하면서, 환부의 출혈이나 부종, 이송 시의 영향 등으로 신경증상이 악화되는 경우가 많으므로, 주의깊게 신경증상을 관찰하여 이상의 조기발견에 힘쓴다.
- 일반적으로 척수손상에서는 부상직후, 손상위치 이하의 모든 반사기능이 억제되고, 이완성마비를 나타내는 척수쇼크상태에 있게 된다. 통상적으로 척수쇼크의 지속시간은 수상 후 3~4일부터 6주 정도이지만 그 이상 장기화되기도 한다[1]. 척수쇼크기는 전신상태가 불안정하여, 충분한 전신관리가 필요하다. 또 이 시기에 폐렴, 요로감염, 욕창 등의 합병증을 방지하는 것이 예후에도 좋은 영향을 미친다.
- 통상적으로 부상직후는 정신적인 쇼크상태나 부인(否認) 상태가 되기 쉽다. 환자의 심리상태를 파악하고, 가족 · 의료팀이 일관되게 대응하는 것이 중요하다.

【회복기】

- 퇴원 · 사회복귀에 맞추어, 환자 · 가족 · 의료팀에서 정보를 공유하고 목적을 설정한다.
- 개별적인 상황에 맞추어 환자 · 가족교육을 실시하고, 잔존기능을 최대한으로 살리도록 지지한다.
- 환자의 심리과정을 이해하고 관여하는 것이 장애의 수용 · 재활치료에 대한 의욕에 큰 영향을 미친다.

케어의 포인트

진료 · 치료의 간호

- 급성기 환부의 안정유지 : 탈구정복이나 국소의 안정을 위해서 두개직달견인을 시행하는 경우가 있다. 또 외고정인 할로베스트(halo vest) (외부에서 두개와 체간을 고정함으로써, 경골의 안정화를 도모하고, 경추의 만곡을 유지하는 것)를 장착하기도 한다. 척수의 손상확대를 방지하기 위해서, 환자를 이동 · 체위변환할 때는 환부를 유지하고, 올바른 척주선열을 유지하도록 한다[2]. 선열(alignment)이란 신체 축위의 상대적인 위치관계 또는 배열을 말한다. 척주선열이란 추골의 배열로, 본래의 생리적인 배열구조를 정리하는 것이 중요하다.
- 수술을 하는 경우는 수술법에 맞게 관찰 · 지지를 한다.
- 중증 손상에서는 척수쇼크상태가 되는 경우가 많다. 이 시기는 전신상태가 불안정해지므로, 충분한 관찰과 이상의 조기발견에 힘쓴다.
- 경수손상인 경우, 호흡상태의 악화 위험이 높아서, 인공호흡기에 의한 관리나 기관절개가 필요한 경우도 많다. 경구섭취가 곤란한 경우는 경관영양이나 경장영양 등으로 영양관리를 한다. 또 흡인의 위험이 있어서 연하훈련이 필요한 경우는 ST (언어청각사) 와 협력하여, 연하평가 · 훈련을 한다.
- 부상 직후에는 합병증으로 쇼크상태가 나타날 위험성도 있다. 두부외상, 내장손상 등의 합병증을 염두에 두고, 세심하게 관찰한다.
- 압박스타킹의 사용이나 타동적하지관절가동역 (ROM훈련) 등에 의해서 폐혈전색전증, 심부정맥혈전증을 예방한다.
- 저나트륨혈증을 방지하기 위해서 혈중Na를 모니터링하고, 필요한 간호를 실시하여 증상의 출현방지에 힘쓴다.

낙상의 회피

- 척수손상 환자는 낙상의 위험이 높다. 환경을 정리하고, 안전을 확보하는 행동을 반복하여 훈련한다.
- 휠체어 등의 보조장비를 사용하는 경우는 사용방법, 점검방법에 관하여 충분히 이해할 때까지 지도한다.
- 보조장비를 사용하는 경우에는 자립이 가능하여 안전하다고 확인할 때까지 관찰이 필요하다.

의사소통장애에 대한 대응

- 인공호흡이 필요하거나 기관절개를 하는 경우는 의사소통방법을 검토한다.

셀프케어의 간호

- 손상위치를 파악하여 셀프케어를 지지한다.
- 자립을 목표로 하는 훈련은 많은 시간을 요하므로 끈기있게 하며, 환자의 의욕이 강할수록 성과에 영향을 미친다. 주위의 격려와 목표에 대한 달성도가 성공의 포인트가 된다.

환자 · 가족의 심리 · 사회적 문제에 대한 지지

- 불안감을 느끼는 경우에는 안심할 수 있는 환경을 조성하고, 공감적 태도로 대한다.
- 같은 장애를 가진 환자와 관계를 형성하면 감정적으로 도움이 되어서 사회복귀를 쉽게 한다.
- 사회자원에 관하여 충분히 설명하는 것이 경제적인 불안해소에 도움이 되기도 한다.
- 사회자원을 활용하여, 가족이 간호를 무리없이 할 수 있도록 계획을 세운다.

퇴원지도 · 요양지도

- 보조장비를 사용하는 상태로 퇴원하는 경우에는 일찌감치 자택을 개조할 것을 조언한다. 또 필요하면 가옥평가를 실시한다.
- 퇴원 후의 생활에 적합한 배설관리, 욕창예방, 합병증예방, 증상관리 등을 지도한다. 습득해야 할 기술이 많기 때문에 환자 · 가족이 자신감을 가지고 할 수 있을 때까지 반복하여 연습한다.
- 호흡기감염, 요로감염의 징후나 욕창발생 등을 확인하면, 조기에 진찰받도록 지도한다.
- 의료사회사업가 (MSW)와 협조하여 사회자원의 활용에 관하여 설명하고, 최선의 형태로 사회로 복귀할 수 있도록 지지한다.

● 인용문헌

1) 柴崎啓一, 田村睦弘 : 척수란 : 그 해부학, 생리학, 척수손상의 병태, 임상증상, 장래전망, 척수손상 헬스케어 편집위원회편 : 척수손상 헬스케어, NPO법인 일본척수기금, p.13-20, 2005
2) 成田弘子 : 급성기 척수손상환자의 간호. 정형외과간호 11 : 757-761, 2006

(松島元子)

4 변형성슬관절증, 변형성고관절증 (gonarthrosis, coxarthrosis)

關矢一郎·神野哲也·宗田　大/山本育子

A. 변형성슬관절증 (gonarthrosis)

병인

- 1차성변형성슬관절증 : 명확한 원인은 불분명하다.
- 2차성변형성슬관절증 : 원인질환에 속발한다.
- 유전적 배경도 고려되고 있다.

[악화인자] 비만, 무릎 주위의 근력저하

역학

- 환자수는 2,400만명이다.
- 50세 이상의 유병률은 남성 40%, 여성 70%이다.

[예후] 통증은 경감될 수 있지만, 연골의 두께는 개선되지 않는다.

병태생리

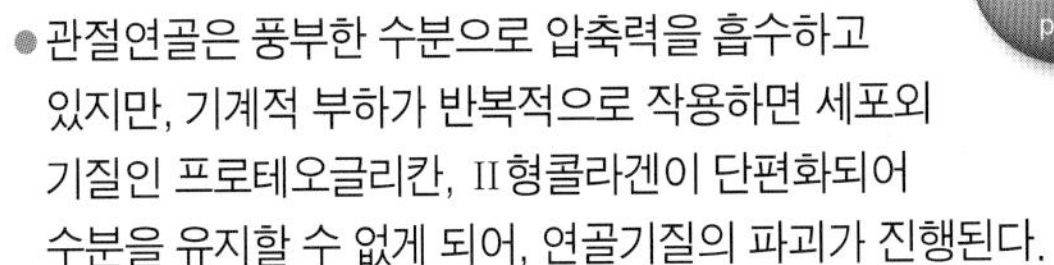

- 슬관절 연골의 마모 · 소실과 골극형성을 특징으로 하는 진행성 관절질환이다.
- 관절연골은 풍부한 수분으로 압축력을 흡수하고 있지만, 기계적 부하가 반복적으로 작용하면 세포외 기질인 프로테오글리칸, II형콜라겐이 단편화되어 수분을 유지할 수 없게 되어, 연골기질의 파괴가 진행된다.

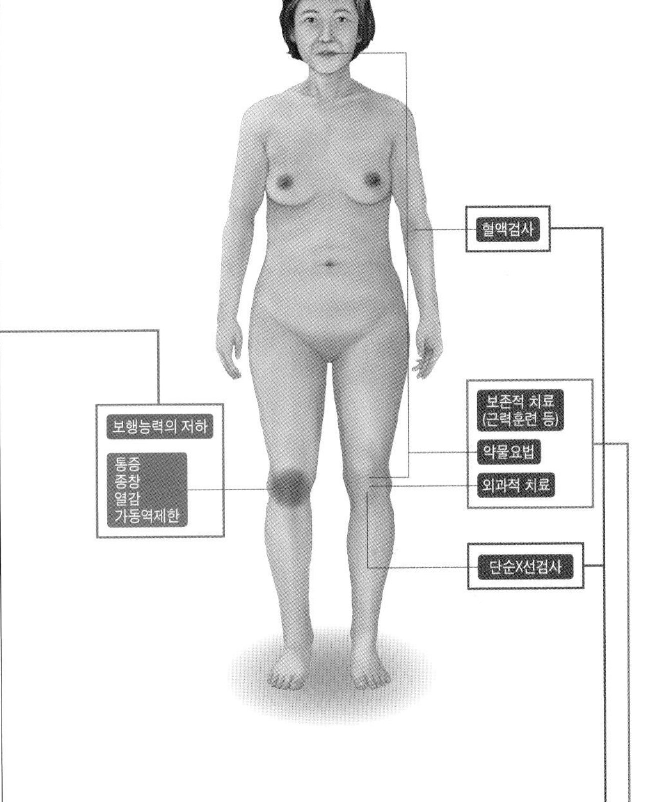

증상

- 관절포, 연골하골, 골수 부위에 통증이 나타난다.
- 관절의 염증이 수반되면, 관절의 종창, 통증의 악화, 가동역제한이 나타난다.
- 만성화되면, 관절 외에서의 통증, 비가역적 가동역 제한이 출현한다.

[합병증]

- 고령자는 보행능력의 저하로 전신상태가 악화되어, 간호가 필요하다.

진단

- 단순X선검사 : 단순X선검사가 기본적으로 시행된다. 관절열극의 협소화 · 소실, 골극형성, 연골하골의 경화, 골낭종 형성, 관절면의 변형을 확인한다.
- 혈액검사 : CRP, 적혈구침강속도, 백혈구는 정상 기준치로 나타난다.

치료

- 보존적 치료 : 관절 주위근의 근력훈련이 효과적이다.
- 약물요법 : 통증이나 염증이 심한 경우에는 비스테로이드성항염증제 (NSAIDs)를 내복 · 첩부 · 도포제하거나 히알루론산을 관절 내로 주사한다.
- 외과적 치료 : 활막염이 심하여 관절수종을 반복하는 경우는 관절경하활막절제술을, 내측 대퇴경골관절연골의 경도 변성에는 경골외반골절술을, 고도의 변형에는 인공슬관절치환술을 적용한다.

병태생리 map

슬관절 연골의 마모 · 소실과 골극형성을 특징으로 하는 진행성 관절질환이다. 여성에게 많으며, 연령증가에 비례하여 증가한다. 비만이 악화인자이다.

- 연골조직은 II형콜라겐과 프로테오글리칸으로 구성되는 풍부한 세포외기질과 대사활성이 낮은 연골세포로 이루어진다. 세포외기질은 그물망구조를 이루고, 프로테오글리칸이 전기적으로 서로 반발하여 간격을 유지하며, 그 간격에 물이 풍부히 포함된다. 기계적 부하의 반복으로 그물망구조가 파괴되고 수분이 감소되어, 연골기질의 파괴가 진행된다(그림 4-1). 그 결과, 연골 표면에 섬유화나 소균열이 생기고, 또 전층이 소실되기에 이른다. 연골변성에 속발하여 활막염이 생기는 경우도 드물지 않다.
- 관절연골의 대부분을 차지하는 중간층이나 심층은 세포외기질에 풍부하다. 이 기질은 불규칙하게 생기는 II형콜라겐의 섬유망, 브러시 모양의 프로테오글리칸 및 수분으로 이루어진다. 풍부한 프로테오글리칸이 전기적으로 수분을 끌어당김으로써, 압축력으로 수분을 유동시켜서 에너지를 흡수한다. 변형성슬관절증에서는 우선 프로테오글리칸이, 다음에 II형콜라겐이 단편화되어 틀을 유지하게 되고, 그 결과 수분을 유지할 수 없게 되어 기계적 부하에 대한 완충능이 저하된다(그림 4-1).

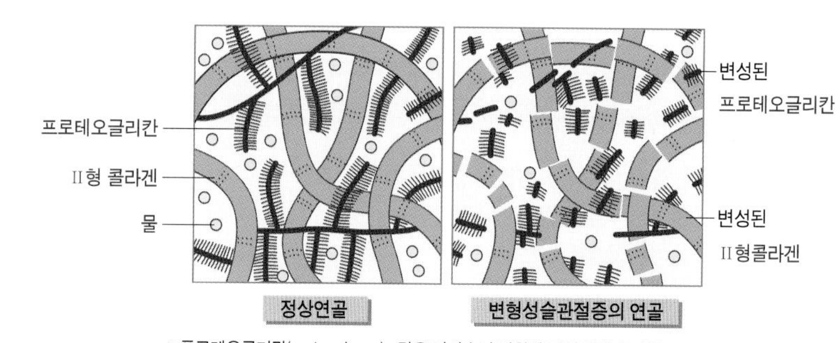

※프로테오글리칸(proteoglycan) : 많은 당사슬이 결합한 당단백질의 일종. 동물 연골의 주성분이다.

■ 그림 4-1 정상연골과 변형성슬관절증의 연골 (모식도)

병인 · 악화인자

- 상기 외에 명확한 원인이 불분명한 경우를 1차성변형성슬관절증이라고 한다. 관절내골절, 반월판손상, 전십자인대손상 등의 외상이나 하퇴만곡증 등의 선천성 해부학적 이상 등, 원인질환이 확실한 예를 2차성변형성슬관절증이라고 한다(그림 4-2).
- 연골의 취약성에는 유전적 배경이 관여한다고 추측되며, 원인유전자에 관한 연구가 현재 진행되고 있다.
- 고관절의 경우와 달리, 슬관절에서는 1차성이 변형성관절증의 대부분을 차지한다.

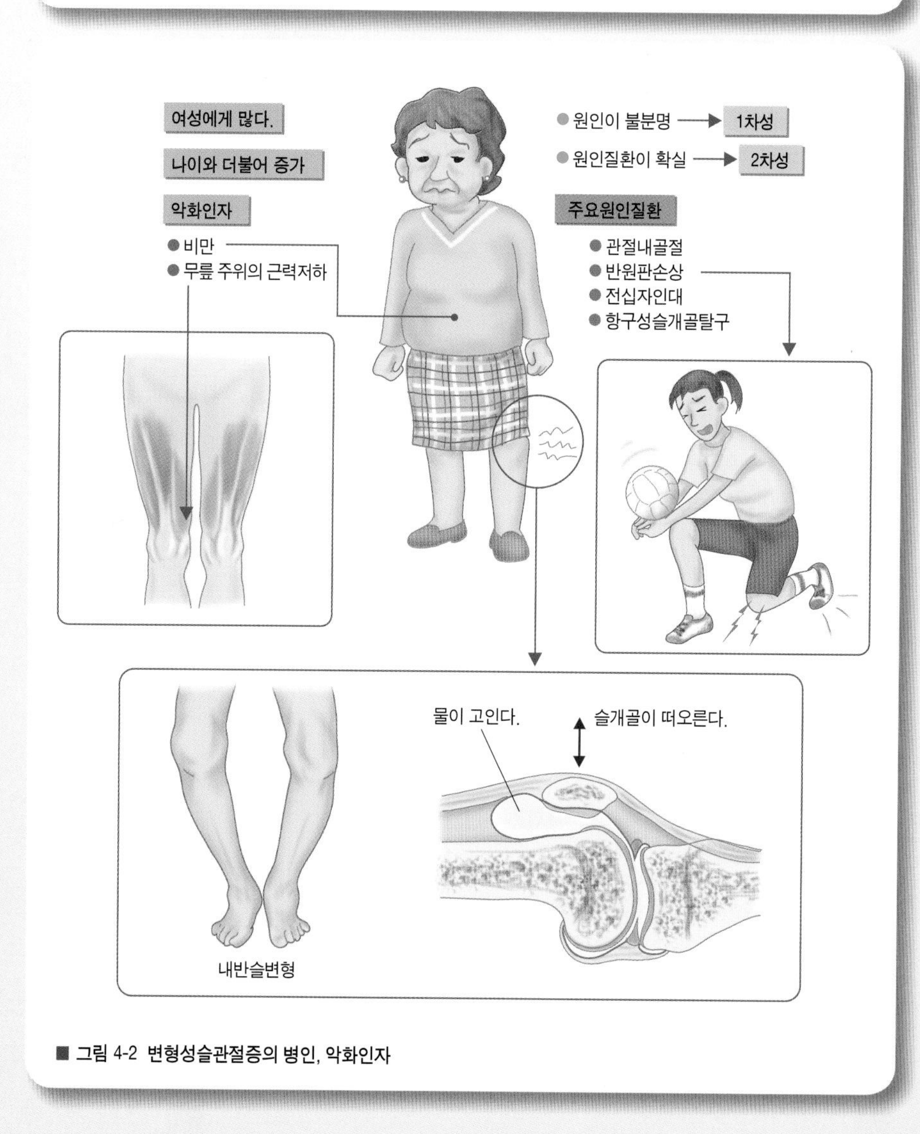

■ 그림 4-2 변형성슬관절증의 병인, 악화인자

역학 · 예후

- 도시, 산촌, 어촌의 일반주민을 대상으로 한 2005년 변형성슬관절증의 대규모조사에 의하면, X선검사에서 골극이 명확한 예를 변형성슬관절증이라고 하는 경우, 50세 이상의 유병률은 남성 약 40%, 여성 약 70%이며, 특히 산촌에 많은 것으로 나타났다. 연령별 인구를 기본으로 환자수를 계산하면, 일본의 변형성슬관절증 환자는 2,400만명이 된다.
- 통증의 부위, 강도, 메커니즘이 다양하며, X선상에 나타난 정도와 통증의 강도가 반드시 일치하는 것은 아니다. 일반적으로 보존적 치료로 통증을 경감시키는 것은 어느 정도 가능하지만, 연골의 두께를 개선할 수는 없다.

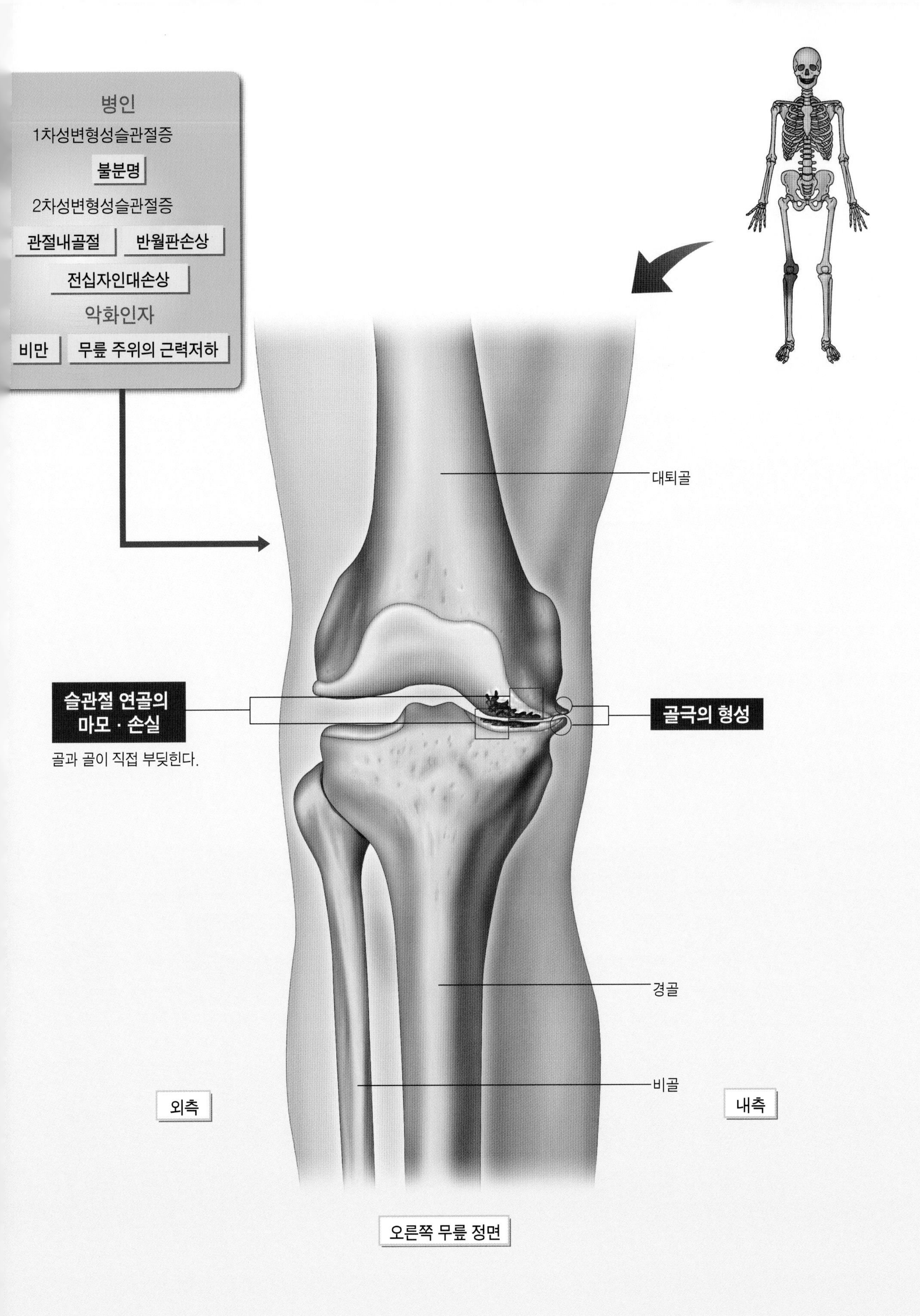
병인
1차성변형성슬관절증
불분명
2차성변형성슬관절증
관절내골절
반월판손상
전십자인대손상
악화인자
비만
무릎 주위의 근력저하
대퇴골
슬관절 연골의 마모 · 손실
골과 골이 직접 부딪힌다.
골극의 형성
경골
비골
외측
내측
오른쪽 무릎 정면

변형성슬관절증

증상 map

변형성슬관절증에서 가장 문제가 되는 증상은 통증이다.

증상

- 연골조직 자체에는 신경이 없기 때문에 통증부위는 활막을 포함한 관절강, 연골하골, 골수 등이다.
- 관절에 염증이 생기면, 활막이 생산하는 관절액이 과잉되어 관절이 종창하여 관절강을 자극하므로, 통증이 더욱 심해져서 가동역이 제한된다.
- 통증이나 종창이 장기간 계속되면, 근육 · 힘줄 등의 관절주위조직의 유연성이 저하되어, 관절 외에 통증이 생기게 된다. 가동역제한이 진행되면, 골의 증식성 변화나 근육 · 힘줄의 구축이 발생하여 비가역적이게 된다.

합병증

- 고령자인 경우, 진행되면 보행능력이 저하되어, 전신에 악영향을 미친다.
- 후생노동성의 2007년도 국민생활기초조사에 의하면, 간호가 필요하다고 인정받는 원인으로 관절질환이 가장 많고, 그 중에서도 변형성관절증의 비율이 높다. 이 때문에, 고령자의 QOL을 유지하기 위해서, 변형성관절증의 예방이 중요한 과제가 되고 있다.

변형성슬관절증

진단 map

단순X선검사가 진단의 기초가 된다.

진단 · 검사치

- 단순X선검사가 기본이다. 관절열극의 협소화 · 소실, 골극형성, 연골하골의 경화, 골낭종형성, 관절면의 변형을 확인한다.
- 검사치
- 일반적으로 변형성슬관절증에서 CRP, 적혈구침강속도, 백혈구 등은 정상 기준치로 나타난다.

관절 주위의 근력훈련을 중심으로 보존요법을 시행하며, 고도의 변형을 확인하는 경우에는 인공슬관절치환술 등의 외과적 치료를 실시한다.

진단 치료

■ 표 4-1 변형성슬관절증의 주요 치료제

분류	일반명	주요 상품명	약효발현의 메커니즘	주요 부작용
비스테로이드성항염증제 (경구제)	록소프로펜나트륨수화물	록소닌, Ollox	시클로옥시게나제 (COX)-1과 -2의 억제	위장장애
	멜록시캄	모빅	COX-2의 억제	
비스테로이드성소염외용제	디클로페낙나트륨	Voltaren, Naboal	COX-1과 COX-2의 억제	피부염
소염 · 진통파프제	플루비프로펜	Adofeed		피부염

치료방침

- 보존적 치료로는 관절 주위근의 근력훈련이 기본이며, 그 유용성이 충분히 나타나고 있다.
- 통증이나 염증이 심한 경우, 비스테로이드성항염증제 (NSAIDs)의 내복이나 첩부 · 도포가 효과적이지만, 소화기를 중심으로 하는 부작용이 문제가 되므로, 막연히 장기간 투여하는 것은 삼가야 한다.
- 히알루론산의 관절내주사도 효과가 확인되고 있다.

약물요법

- NSAIDs를 처방한다. 통증의 경감 뿐 아니라, 관절수증을 감소시키는 효과도 있다.

Px 처방례 염증이 심한 경우나 처방이 장기에 걸치는 겨우
- 모빅정 (10mg) 1정 分1 (아침식사 후) ←비스테로이드성항염증제

Px 처방례 통증이 심한 경우
- 록소닌정 (60mg) 3정 分3 (식후) ←비스테로이드성항염증제

Px 처방례 경구제로 위장장애가 생기기 쉬운 경우
- Adofeed 첩부제 1일 2회 ←소염 · 진통파프제

Px 처방례 외용제 중에서 첩부제를 좋아하지 않는 경우
- Voltaren 겔 1일 여러 차례 ←비스테로이드성소염외용제

혈액검사

외과적 치료

- 활막염이 심하고 관절수종을 반복하는 경우, 관절경하의 활막절제술을 시행하는 경우가 있다.
- 내측 대퇴경골관절 중심에 연골의 변화가 생겼지만 그 정도가 가벼운 경우, 경골의 외반골절술이 행해진다.
- 고도의 변형으로 보행능력에 현저한 장애가 생긴 경우는 인공슬관절치환술을 시행하면 통증이 상당히 개선된다 (그림 4-3).

보존적 치료 (근력훈련 등)

약물요법

외과적요법

단순X선검사

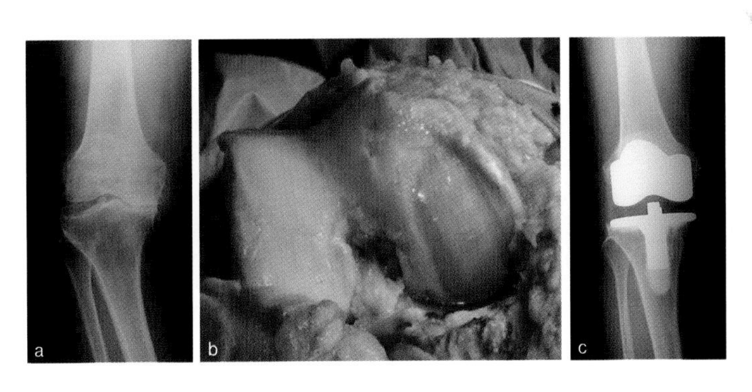

■ 그림 4-3 수술시행례

a. 말기변형성슬관절증의 X선상. 내측 대퇴경골관절의 열극이 소실되어 있다.
b. 술중 소견. 대퇴골 내과의 연골이 완전히 소실되어, 연골하골이 노출되어 있다.
c. 인공슬관절치환술 후의 X선상. 관절 표면이 임플란트로 치환되어, 무릎의 내반변형이 개선되어 있다.

변형성슬관절증의 병기 · 병태 · 중증도별로 본 치료흐름도

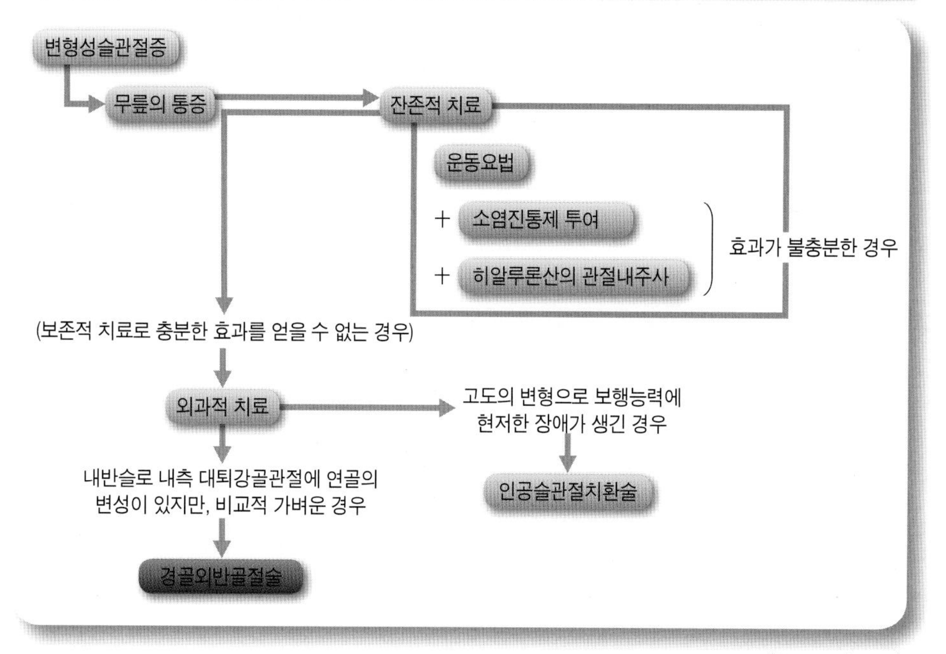

(關矢一郎·宗田 大)

B. 변형성고관절증 (coxarthrosis)

병인

- 분명한 원인을 확인할 수 없는 것 (1차성)과, 특정한 원인에 속발하는 것 (2차성)이 있다.
- 2차성의 대부분은 선천성고관절탈구나 구개형성부전에 속발한다.

[악화인자] 비만, 중노동

역학

- 유병률은 1~4%이다.
- 여성에게 많고, 가계내 발생 및 양측례도 많다.
- 청장년기에 발생하여, 만성으로 진행된다.

[예후] 고령자에게는 간호가 필요하다.

병태생리

- 고관절의 관절연골이 변성되어, 골변화나 2차성 활막염이 속발하는 만성진행성 질환이다.
- 고관절에 가해지는 부하가 증대되어 관절연골이 마모 · 소실되면서 골파괴와 골증식 (연골하골의 파괴, 골낭포형성, 골경화, 골극형성)이 발생하여 변형이 진행된다.

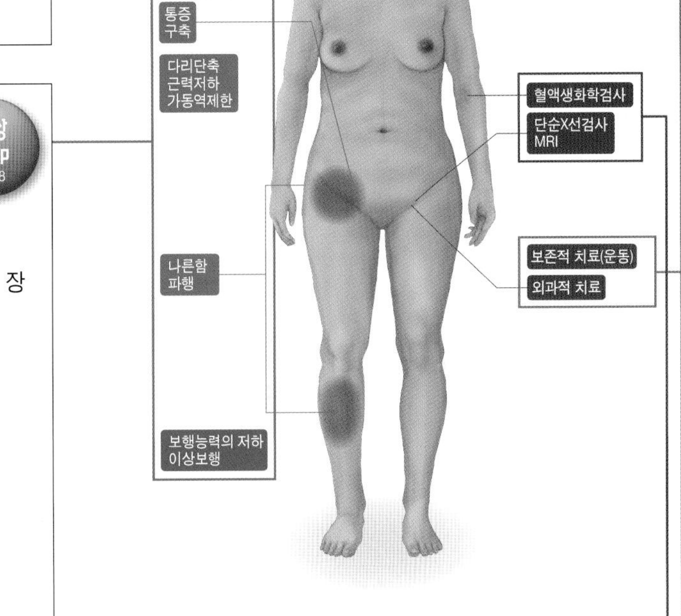

증상

- 서경부, 둔부, 대퇴부의 통증이 주증상이다.
- 진행되면 고관절의 가동역제한이 출현한다.
- 통증, 구축, 다리단축, 근력저하로 인해 파행이 발생한다.

[합병증]

- 고관절의 고도 구축으로 인하여 인접부위 (허리나 무릎 등)에 장애가 발생한다.

진단

- 신체소견에서 고관절통 등이 의심되면 단순X선검사로 진단한다.
- 단순X선검사 : 병기 (전기 고관절증, 초기 고관절증, 진행기 고관절증, 말기 고관절증)도 진단할 수 있다.
- 감별진단을 목적으로 MRI나 혈액검사를 시행하는 경우가 있지만, 비염증성 질환이므로 일반적인 혈액생화학검사에서는 이상이 확인되지 않는다.

치료

- 처음에는 보존적 치료를 실시하고, ADL · QOL의 개선이 불충분한 경우에 외과적 치료를 고려한다.
- 보존적 치료 : 고관절 주위근 강화를 목적으로 하는 수중보행 등의 운동요법과 체중조절을 실시하고, 지팡이는 건강한 측으로 든다. 통증을 완화하기 위해 비스테로이드성항염증제를 투여한다.
- 외과적 치료 : 통증 완화와 진행억제를 목적으로 하는 골절술 (관골구회전골절술, 키아리(Chiari) 골반골절술, 대퇴골외반골절술)과 진행기 · 말기 고관절증에 시행하는 인공고관절전치환술이 있다.

병태생리 map

변형성고관절증은 고관절의 관절연골이 변화되어 골변화나 2차성활막염이 속발하는 만성 진행성 질환이다.

- 변형성관절증이란 관절에 가해지는 부하나 연령 증가에 따른 변화로 관절의 변형이 생기는 만성질환이다. 류마티스 관절염와 달리, 활막염은 연골변성에 속발하는 2차성으로, 비염증성 질환이다.
- 하중관절인 고관절에는 구개형성부전이나 아탈구가 있으면 관절의 단위면적당 부하가 증대되고 (그림 4-4), 하중부의 관절연골이 마모되기 쉬워서 점차 소실된다. 하중의 집중은 연골하골의 파괴를 일으키고, 골낭포를 형성함과 동시에 주위에서는 반대로 증식성 골변화 (골경화나 골극형성)가 생겨서, 골파괴와 골증식의 결과로 변형이 진행된다.

병인·악화인자

- 확실한 병인을 확인하지 못하는 것을 1차성, 어떤 원인에 속발하는 것을 2차성이라고 한다.
- 원인에는 선천성고관절탈구 및 구개형성부전, 페르테스병(perthes disease), 대퇴골두활주증, 화농성 · 결핵성 고관절증, 대퇴골두괴사증, 류마티스 관절염, 강직성척추염, 고관절골절, 다발성골단이형성증, 종양성 질환 등을 들 수 있다.
- 일본에서는 대부분이 2차성으로, 선천성고관절탈구나 구개형성부전에 속발하는 것이 많다. 발생 · 진행의 위험인자에는 가족력, 비만, 중노동 등이 있다.

역학·예후

- 일본의 유병률은 1~4%이다. 선천성고관절탈구가 일본 여성에게 많기 때문에 여성에게 많으며, 가계내 발생이나 양측례도 많다.
- 대부분은 청장년기에 발생하여 만성으로 진행된다. 고령자에게서는 간호와 지지가 필요한 원인질환으로, 변형성슬관절증과 함께 중요한 질환으로 여겨진다.
- 주로 고령의 여성에게 발생하여 급속한 관절파괴가 진행되는 특수형은 급속파괴형고관절증으로 구별한다.

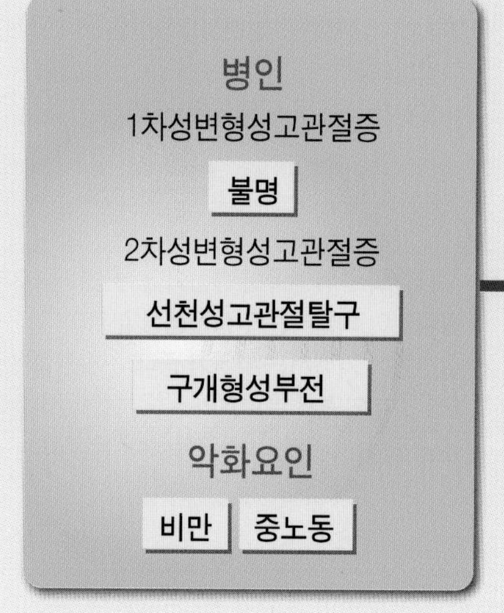

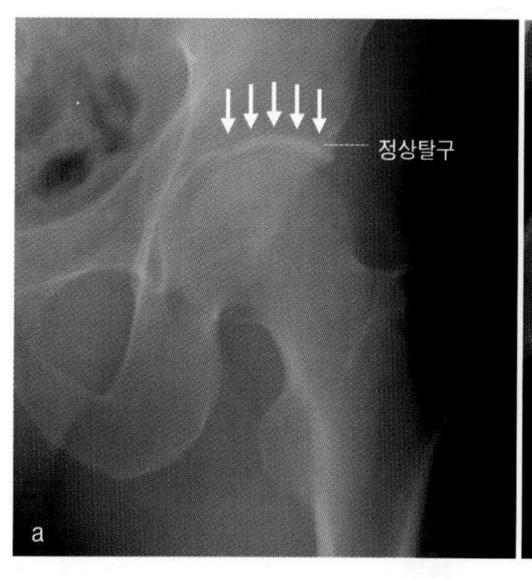

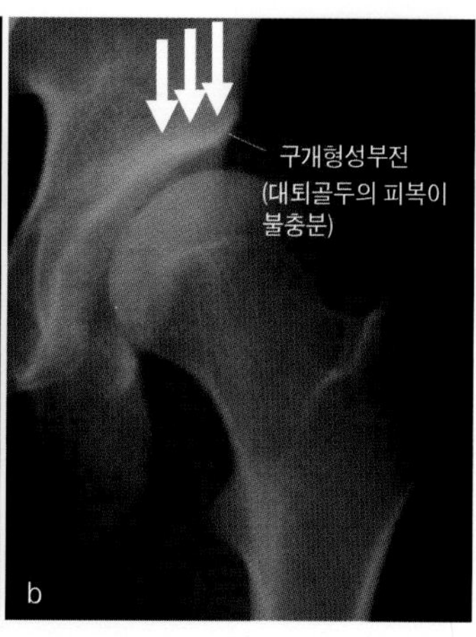

정상 고관절 (a)과 구개형성부전에 의한 전고관절증 (b)의 X선상.
구개형성부전이 있으면 하중 (↓)이 집중된다.

■ 그림 4-4 X선상에서 보는 하중부하의 차이

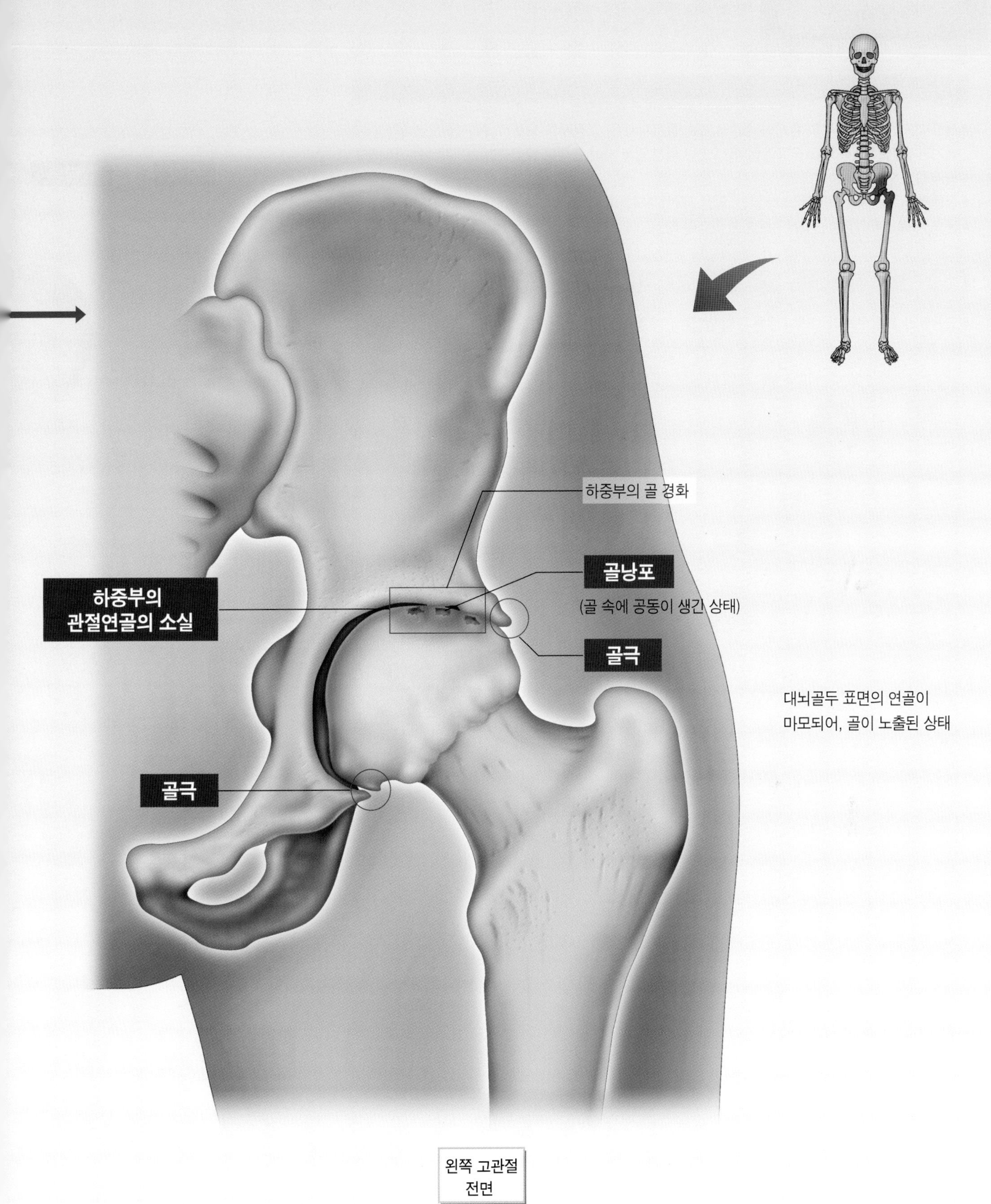
하중부의 골 경화
골낭포
(골 속에 공동이 생긴 상태)
하중부의
관절연골의 소실
골극
골극
대뇌골두 표면의 연골이
마모되어, 골이 노출된 상태
왼쪽 고관절
전면

증상 map

주증상은 고관절의 운동통이다.

증상

- 서경부나 둔부, 대퇴부의 통증이 주증상으로, 동작개시 시나 장시간 보행시, 계단을 오르내릴 때에 생기기 쉽다(그림 4-5). 고관절의 굴곡 · 외전 · 외선 강제 시에 통증이 유발되기 쉽다[Patrick Test](그림 4-6).
- 진행되면 고관절의 가동역 (특히 굴신, 외전, 내선)의 제한이 나타난다.
- 통증, 구축, 다리단축, 근력저하로 인한 파행을 확인한다.

합병증

- 고관절의 고도 구축이 허리나 무릎 등의 인접부위에 장애를 일으키는 경우가 있다.

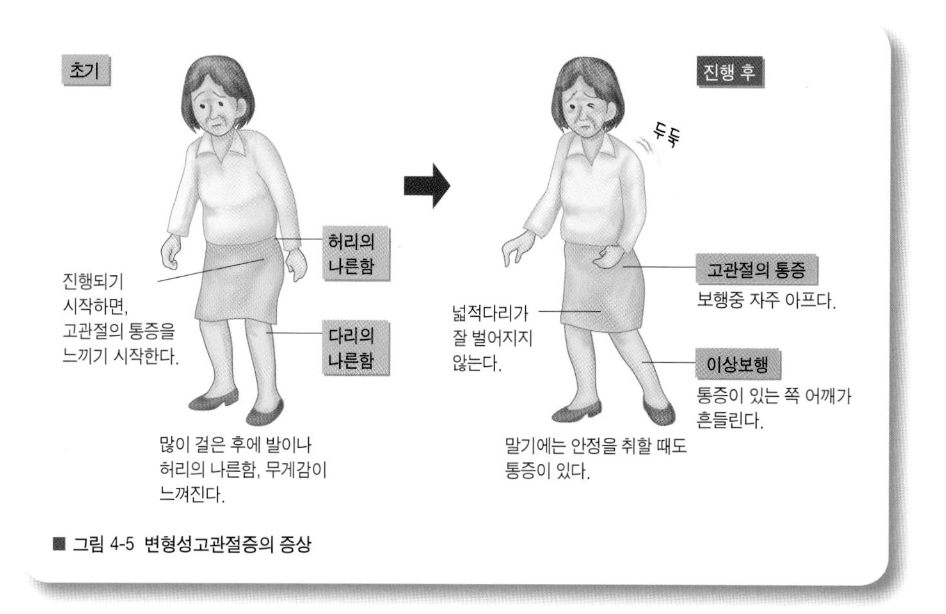

■ 그림 4-5 변형성고관절증의 증상

증상 합병증

통증
구축

다리단축
근력저하
가동역제한

나른함
파행

보행능력의 저하
이상보행

신체소견에서 고관절통증이 의심되면, 단순X선으로 진단한다.

진단 치료

약물요법

혈액생화학검사

단순X선검사
MRI

보존적 치료 (운동)

외과적 치료

진단·검사치

- 신체소견에서 고관절통증을 의심한다. Patrick Test로 통증을 확인할 수 있다(그림 4-6).
- 단순X선사진상으로 병기도 판정한다.
  1. 전기 고관절증 : 구개형성부전은 있지만, 관절열극은 정상이다.
  2. 초기 고관절증 : 관절열극의 작은 협소화
  3. 진행기 고관절증 : 관절열극의 확실한 협소화
  4. 말기 고관절증 : 관절열극의 소실
- 감별진단목적으로 MRI나 혈액검사를 시행하기도 한다.
- 검사치
- 비염증성 질환이므로, CRP나 적혈구침강속도 등이 정상이며 일반적인 혈액생화학검사에서는 이상이 확인되지 않는다.

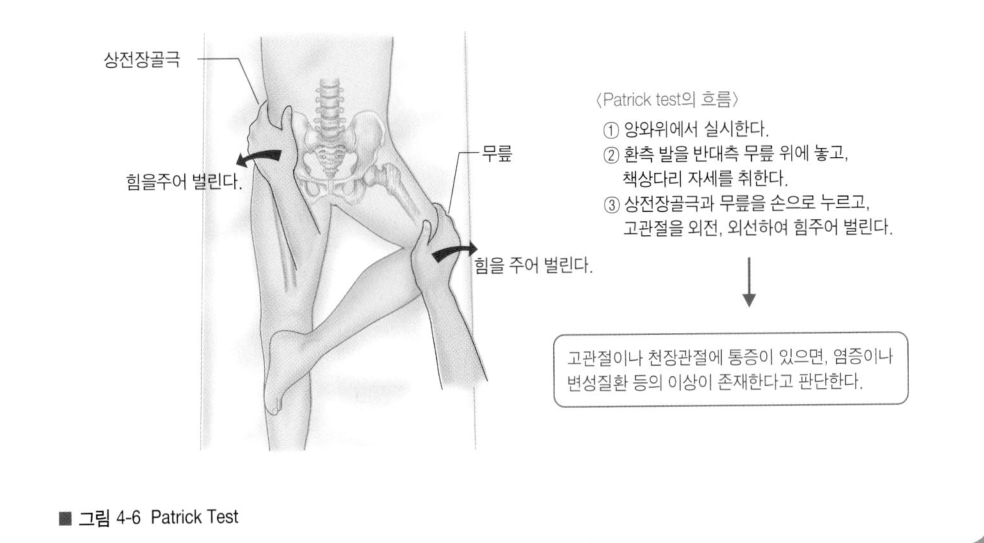

■ 그림 4-6 Patrick Test

치료 map

고관절 주위의 근력강화를 중심으로 보존적 치료를 실시하며, 체중조절을 도모한다.
진행기 · 말기상태에서는 인공고관절치환술을 적용한다.

치료방침

- 우선 보존적 치료를 실시하고, 효과 (ADL·QOL의 개선)가 불충분한 경우에 외과적 치료를 고려한다. 단, 전·초기례에서는 ADL 장애가 경도라도 관절증의 진행 억제를 목적으로 수술을 하기도 한다.

보존적 치료

- 수중보행 등 고관절 주위근 강화를 주체로 하는 운동요법이 유용하며, 아울러 체중을 조절한다. 지팡이는 건강한 측으로 든다.
- 비스테로이드성항염증제는 통증완화에 유용하지만, 대증요법이므로 부작용에 주의하고, 필요 최저한의 양 · 횟수로 사용한다.

Px 처방례 둔용인 경우
- 록소닌정 (60mg) 1회 1정 (통증시) ←비스테로이드성항염증제

Px 처방례 처방이 장기간 지속되는 경우
- 모빅정 (10mg) 1정 分1 (아침식사 후) ←비스테로이드성항염증제

외과적 치료

- 골절술과 인공관절전치환술로 크게 나누며, 연령이나 X선소견 (병기)을 기준으로 선택한다.
- 골절술 : 통증완화와 관절증 진행억제 2가지를 목적으로, 비교적 젊은 환자에게 시행한다. 관골구회전골절술 (그림 4-7), 구개형성술은 주로 전 · 초기에, 키아리 (Chiari) 골반골절술, 대퇴골외반골절술은 진행기에서도 한다.
- 인공고관절전치환술 (THA ; total hip arthroplasty) : 진행기 · 말기 고관절증에 적용한다. 골절술 후의 진행례에도 행해지며, 통증이 완전히 완화되므로 사회복귀가 빠르다. 적응연령은 상관없지만, 젊은층인 경우는 장래 재치환술이 필요할 수도 있다는 점에 유의한다(그림 4-8).
- 정맥혈전색전증 예방을 위해서 족관절의 자동운동을 장려하고, 간헐공기압박 내지 항응고제를 사용한다. 인공고관절인 경우는 탈구예방을 위하여 자세를 지도한다.

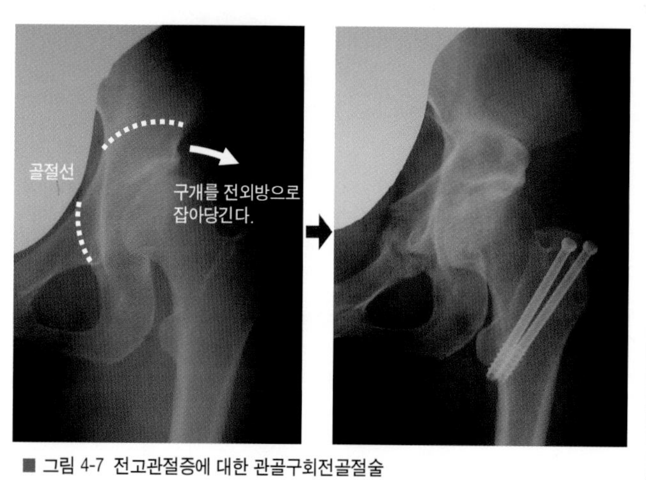

■ 그림 4-7 전고관절증에 대한 관골구회전골절술

■ 그림 4-8 THA

변형성고관절증의 병기 · 병태 · 중증도별로 본 치료흐름도

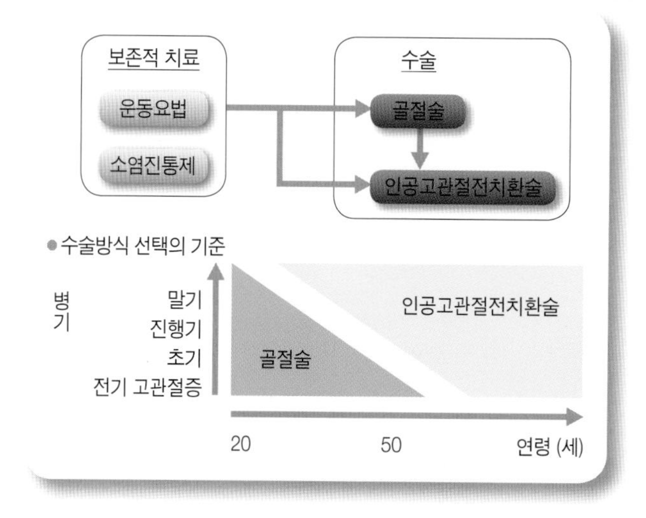

(神野哲也·宗田 大)

환자케어

체중조절, 운동요법, 소염진통제의 복용, 지팡이나 보조구의 활용으로 통증을 완화하여 일상생활에서의 불편을 경감시킬 수 있도록 지지한다.

병기·병태·중증도에 따른 케어

【만성기】 연령의 증가와 더불어 관절통이나 가동역제한이 서서히 진행되는 질환이라는 점을 이해시키고, 일상생활에서의 불편을 파악하면서, 체중을 조절하는 등의 생활조정이나 운동요법에 의한 증상진행의 예방, 생활지도에 의한 일상생활의 불편경감 등에 지지가 필요하다.

【급성기】 인공관절전치환술 직후에는 통증완화, 합병증의 예방과 조기발견, 관절기능의 재획득을 위한 지지가 필요하다. 또 안전한 이동방법을 재획득할 수 있도록 하는 지지도 요구된다.

【회복기】 인공관절전치환술을 적용한 경우 인공관절의 특징에 더하여 능숙하게 오래 사용할 수 있는 방법을 이해하게 하고, 그에 맞추어 행동할 수 있도록 지지한다.

케어의 포인트

고통의 완화

- 약물요법이나 운동요법, 운동량의 조정으로 관절통을 완화시킨다.

셀프케어의 지지

- 관절통이나 관절가동역 제한으로 어려워지는 동작이 있으므로 환경조정, 의자와 보조구의 사용으로 생활의 불편을 경감시키도록 지지한다.

환자 · 가족의 심리 · 사회적 문제에 대한 지지

- 통증을 참으면서 효율적이지 않은 동작으로 매일 가정 내에서의 역할이나 사회적 역할을 수행하는데에는 고통이 수반되므로, 환자의 생각을 사정하여 필요한 지지를 검토한다.
- 관절통으로 가정 내의 역할수행이 어려워지는 경우는 고통의 완화나 셀프케어의 지지 뿐 아니라, 가족에게도 질환의 특징을 이해할 수 있도록 설명한다.

퇴원지도·요양지도

- 증상이나 생활에 미치는 영향을 파악하고, 생활의 불편을 개선하기 위한 지팡이나 보조구의 활용, ADL을 지도한다.
- 약물요법, 운동요법, 몇 가지 수술방법이 있는 외과적 치료에는 각각 특징이 있으므로, 질환의 경과를 이해한 후에 자신의 생활, 인생에 맞는 치료를 선택할 수 있도록 지지한다.
- 관절에 대한 부담을 경감시키면서, 근력을 유지할 수 있는 생활환경이나 운동량의 조정, 체중조절, 운동요법을 지도한다. 이 지도는 수술 후에도 필요하다.
- 인공고관절의 만기합병증으로 감염이나 인공관절의 마모 및 헐거움이 있는 점을 설명하고, 정기적인 진찰의 필요성을 설명한다.

(山本育子)

인공슬관절전치환술의 경우

무릎을 쭈그리거나 구부리지 못한다.

관절에 충격이 심한 운동은 금지된다.

인공고관절전치환술의 경우

수술측을 위로 하여 옆으로 앉거나
책상다리 자세를 취하는 것은 금지된다.

수술측으로 몸을 비트는 동작은 금지된다.

■ 그림 4-9 일상생활상의 위험한 동작

Memo

5 대퇴골경부, 전자부골절
(femoral neck, trochanteric fracture)

森田定雄/山本育子

전체 map

병인

- 낙상에 의한 경우가 많다.

[악화인자] 골다공증

역학

- 65세 이상의 고령자에게 많다.
- 보행능력은 치료로 회복되지만, 부상 전에 비하면 저하되어 있다.

[예후] 고령자는 와상상태로 진행되는 경우가 많다.

병태생리

- 대퇴골의 관절강내 (대퇴골경부 내측) 골절을 대퇴골경부골절, 관절강외 (대퇴골경부 외측) 골절을 전자부골절, 소전자 하방에서의 골절을 전자하골절이라고 한다.
- 대퇴골경부골절에서는 골두에 영양을 공급하는 혈관이 손상되어, 외상성대퇴골두괴사가 일어나기도 한다.

증상

- 주증상은 하지이음부나 둔부의 통증이다.
- 골절부의 전위가 크면 하지를 움직일 수 없다.
- 대퇴골경부골절에서 골절부의 어긋남이 적으면 보행이 가능하기도 하다.

[합병증]

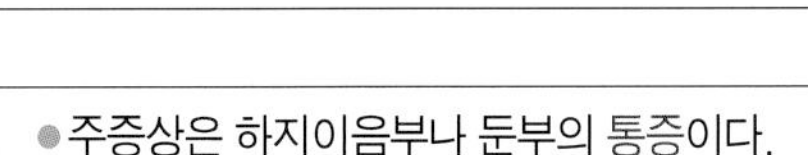

- 와상기간의 장기화는 폐용증후군 (폐렴, 요로감염증, 욕창, 관절구축, 근위축)을 초래한다.
- 외상성대퇴골두괴사
- 위관절(pseudarthrosis)

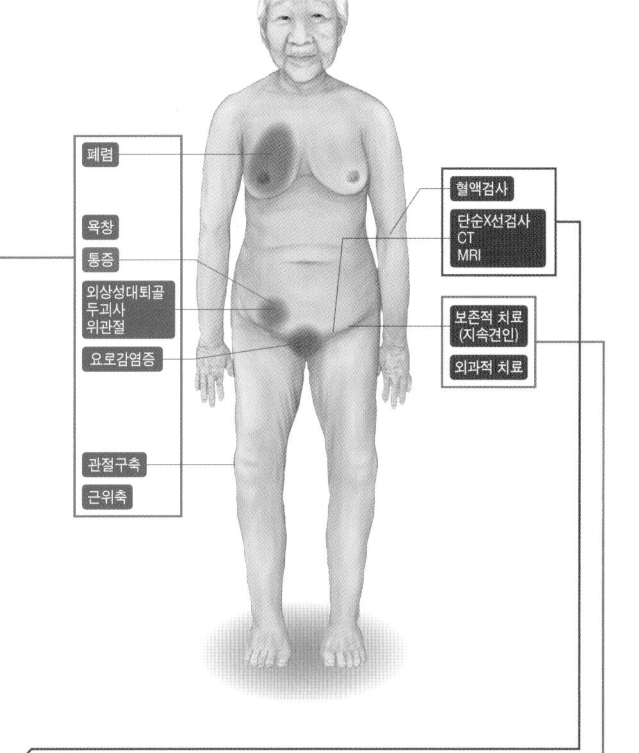

진단

- 단순X선검사 : 단순X선검사로 진단을 내리는 경우가 많다. 영상에서 진단을 확정하지 못하고, 국한된 통증이 계속되는 경우는 1주 후에 다시 촬영한다.
- CT, MRI : 전위가 없는 경우는 단순X선검사로는 진단이 어려우므로, CT나 MRI로 골상(骨傷)의 유무를 확인한다.
- 혈액검사 : 이상이 나타나지 않는다.

치료

- 조기이상, 조기보행훈련을 가능하게 하는 외과적 치료가 원칙이다. 전신상태가 좋지 않은 증례, 조기이상이 가능한 증례는 보존적 치료를 시행한다.
- 보존적 치료 : 골유합을 얻게 되기까지 침상안정, 하지의 지속견인을 실시한다.
- 외과적 치료 : 골절부위나 골절형에 따라서, Hansson핀고정술, 인공골두치환술, CHS(compression hip screw), 감마네일 등을 시행한다.

병태생리 map

대퇴골경부골절은 대퇴골의 근위부, 골두 아래부터 소전자 부근까지의 골절을 가리킨다.

- 종래, 경부내측골절이라고 불리웠던 관절낭내의 골절을 현재는 협의의 경부골절 (내측골절)이라고 한다. 경부외측골절은 전자부골절이라고 부르게 되었다. 조금 떨어져 있는 소전자 하방에서의 골절은 전자하골절이라고 한다.
- 경부골절 (내측골절)에서는 골두에 영양을 공급하는 혈관이 손상되어 있는 경우도 있어서, 외상성대퇴골두괴사를 일으키기도 한다.

병인·악화인자

- 부상은 낙상에 의한 경우가 많다. 젊은층에서도 높은 곳에서 떨어지거나 교통사고를 당해 이 부위에 골절이 생길 수 있지만, 대부분은 골다공증으로 인해 뼈가 물러진 상태인 고령자에게서 볼 수 있으며, 이 경우 가볍게 엉덩방아를 찧은 정도의 약한 외력으로도 골절이 일어난다.

역학·예후

- 65세 이상의 고령자에게 호발한다. 고령자가 보행능력을 상실하고 와상상태가 되는 원인으로 뇌혈관장애와 더불어 빈도가 높다.
- 조기수술 · 조기재활치료로 보행능력이 회복되지만, 부상 전에 비하면 보행능력이 저하되는 경우가 많다.
- 경부골절에서는 골이 유합되어도, 부상 후 반년에서 2년 정도 대퇴골두괴사에 의한 통증이 발생하기도 한다.

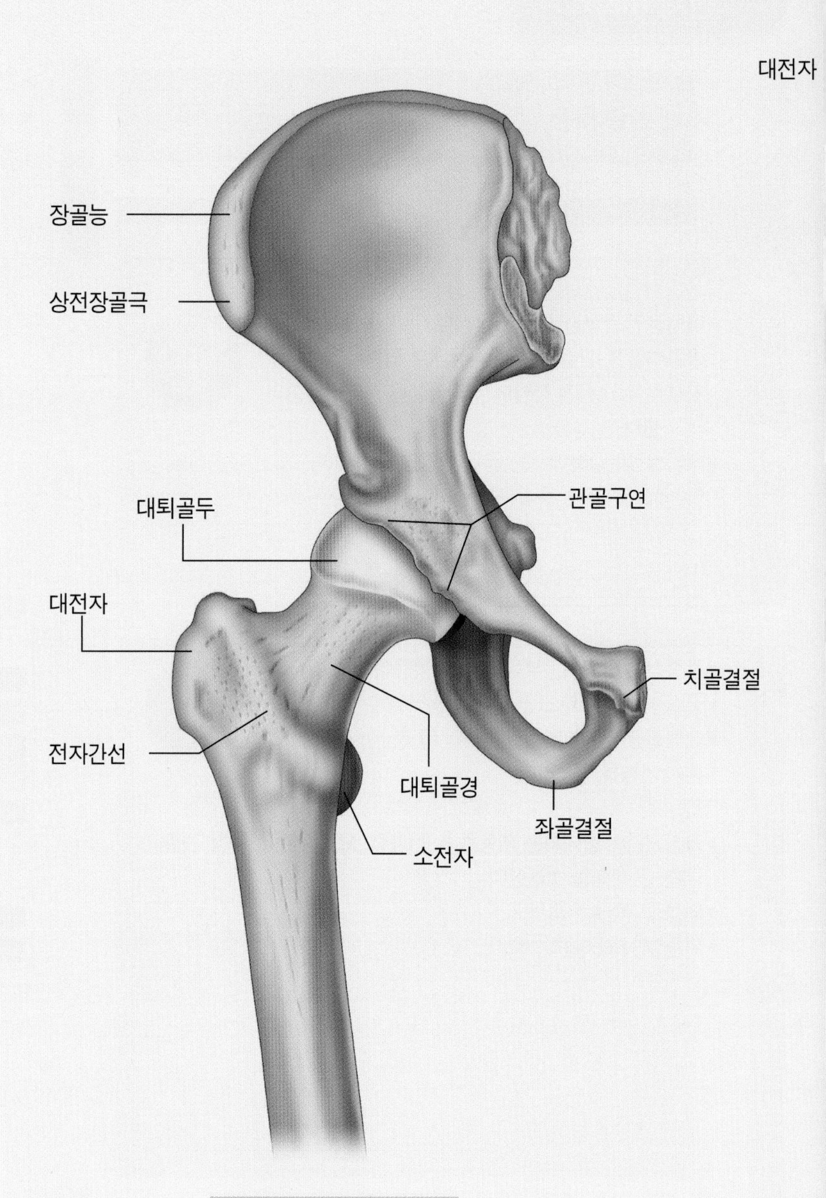

오른쪽 고관절의 전면

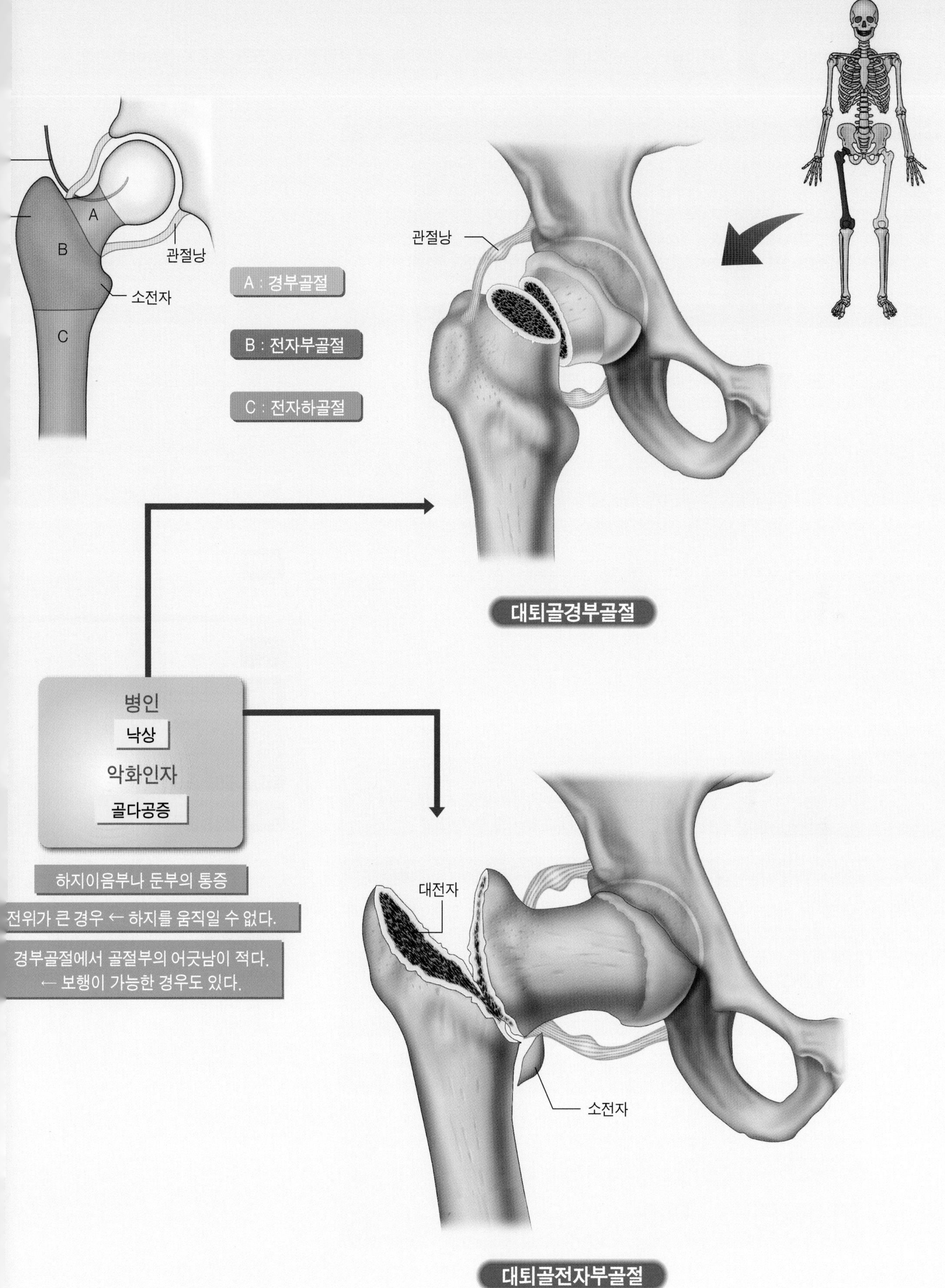
A
B
C
관절낭
소전자
A : 경부골절
B : 전자부골절
C : 전자하골절
관절낭
대퇴골경부골절
병인
낙상
악화인자
골다공증
하지이음부나 둔부의 통증
전위가 큰 경우 ← 하지를 움직일 수 없다.
경부골절에서 골절부의 어긋남이 적다.
← 보행이 가능한 경우도 있다.
대전자
소전자
대퇴골전자부골절

대퇴골경부, 전자부골절

증상 map

하지이음부나 둔부의 통증이 주증상이다. 전락 후 골절부의 전위가 크면, 통증도 심하여 하지를 움직일 수가 없다.

증상

- 골절부의 전위가 적은 경우, 특히 경부골절 (내측골절)의 경우 통증이 있지만 보행은 가능한 경우도 있다.
- 통증이 경도라도 서경부나 둔부에 1주 이상 국한적인 통증이 계속되는 경우는 골절을 의심해야 한다. 또 인지증이 중증인 경우, 확실한 통증을 호소하지 않는 경우도 있다. 낙상 전에 걸을 수 있었던 사람이 갑자기 하중곤란으로 보행이 불가능해진 경우에는 골절의 가능성을 항상 염두에 두어야 한다.

합병증

- 골절치료 중에 여러 가지 합병증이 생길 수 있다. 특히 와상기간이 길어지면 폐렴, 요로감염증, 욕창, 관절구축, 근위축 등의 이른바 폐용증후군 (disuse syndrome)이 일어난다.
- 외상성대퇴골두괴사가 나타나거나 골유합이 잘 되지 않아서 위관절이 발생하기도 한다.

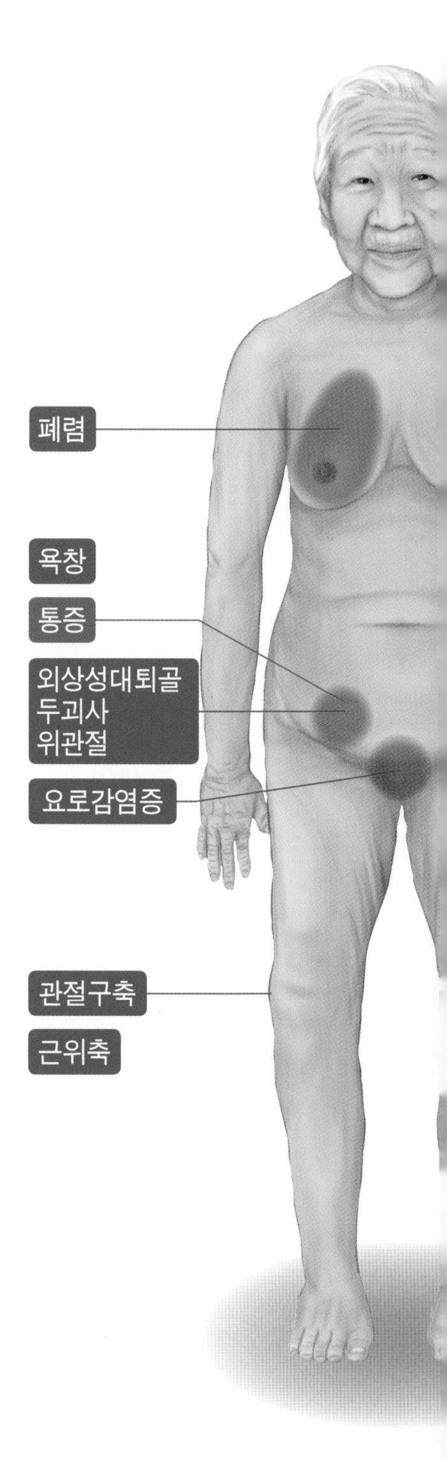

대퇴골경부 , 전자부골절

진단 map

진단에는 단순X선검사가 기본적으로 시행되는데, 진단이 어려울 때는 CT나 MRI를 추가한다.

진단·검사치

- 진단은 단순X선검사로 내리는 경우가 많다. 그러나 전위가 거의 없는 경우에는 단순X선검사만으로는 진단이 어려운 경우도 있다. 그와 같은 경우는 CT나 MRI로 골상의 유무를 진단한다.
- 영상으로 진단을 확정할 수 없었는데 국한적인 통증이 계속되는 경우에는 1주 후에 다시 X선검사를 시행하면 골절이 확실해질 수도 있다. 혈액검사 등에서는 이상이 나타나지 않는다.

치료 map

외과적 치료가 기본이며, 골절부위 · 형에 따라서 수술법을 선택한다.
와상기간을 가능한 짧게 하는 것이 중요하다.

진단 | 치료

혈액검사

단순X선검사
CT
MRI

보존적 치료
(지속견인)

외과적치료

치료방침

- 치료는 조기이상 · 조기보행훈련을 가능하게 하는 외과적 치료가 원칙이다. 전신상태가 좋지 않아서 수술을 견딜 수 없는 경우, 부전골절로 조기이상이 가능한 경우는 보존적 치료의 대상이 된다. 고령일수록, 부상 전의 보행능력이 낮은 경우일수록 수술을 하여 조기에 보행훈련을 개시하지 않으면 보행불능에 빠질 위험성이 높다.

보존적 치료

- 보존적 치료란 골유합시까지 침상안정을 취하고, 하지를 스피드트랙밴드나 강선견인으로 지속견인하는 상태로 골유합을 기다리는 것이다.
- 골절타입에 따라 다르지만, 자리에서 일어나려면 골절부의 전위가 거의 없는 것은 1개월, 전위가 보이는 것은 2개월 가까이 걸리므로 장기와상이 필요하다.

외과적 치료

- 관혈적치료 (수술)는 골절부위, 골절형에 따라서 수술법이 결정된다. 원칙은 조기이상, 조기하중을 가능하게 하는 수술법을 선택하는 것이다. 수술은 부상 후 가능한 빨리 시행하며, 수술후 침상안정기간도 짧게해야 한다.
- 분쇄골절 등과 같이 수술을 이용한 강고한 고정이 어려운 경우를 제외하고, 수술 후 2, 3일에 자리에서 일어날 수 있다. 와상기간은 수술 전후 모두 하루라도 짧게 하는 것이 중요하다. 대표적인 수술법을 그림 5-1에 나타냈다.

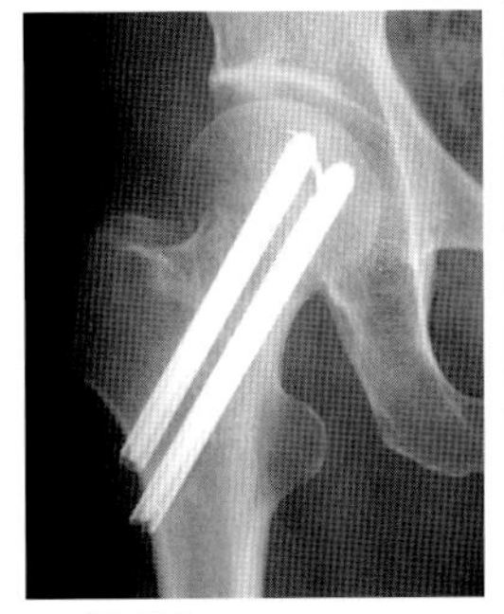

a. 내측골절 (Hansson핀고정술)

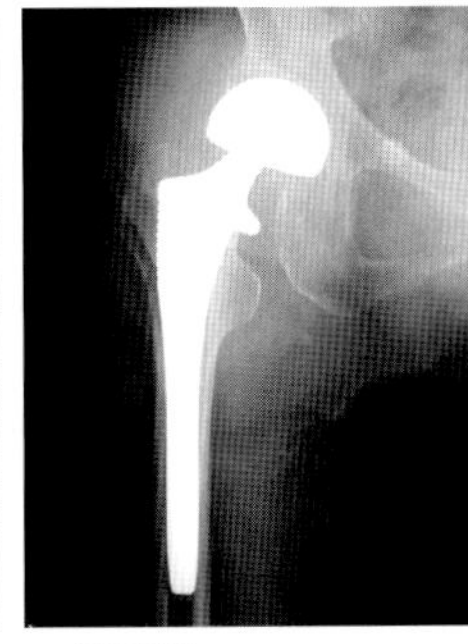
a. 내측골절 (인공골두치환술)

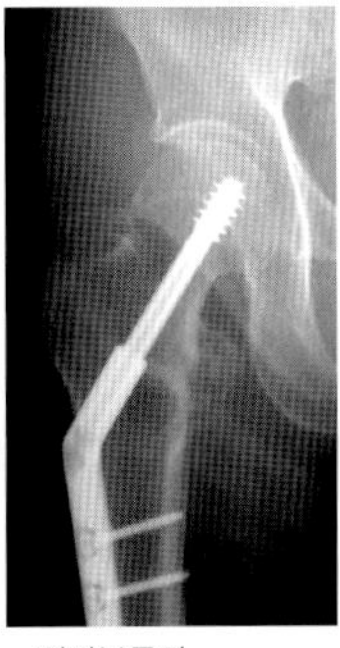
a. 전자부골절 (compression hip screw)

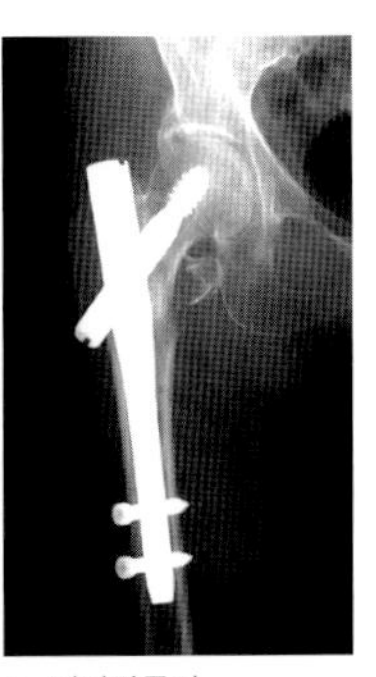
a. 전자하골절 (감마네일)

■ 그림 5-1 대퇴골경부, 전자부골절의 대표적인 수술법

대퇴골경부, 전자부골절의 병기 · 병태 · 중증도별로 본 치료흐름도

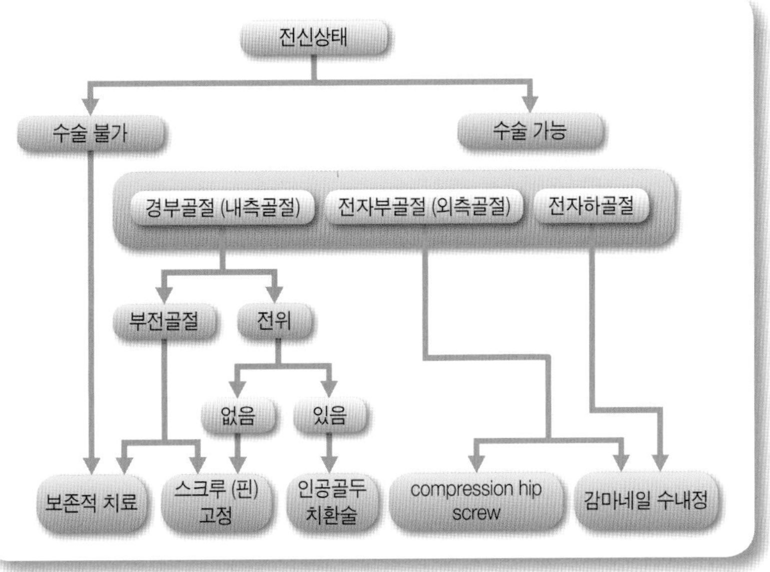

(森田定雄)

환자케어

부상 직후, 수술 직후 안정이 필요한 시기에는 통증관리, 셀프케어에 대한 지지를 제공하면서 합병증 예방을 위한 케어를 실시한다.

병기·병태·중증도에 따른 케어

【부상 직후】 통증이 발생하고 환부를 안정시키기 위해 신체가동성을 저하시키기 때문에 셀프케어의 부족해 지고 안락을 얻지 못하는 상태이다. 고통의 완화와 일상생활에 대한 지지이 필요하다.

【주술기】 신체가동성의 제한과 고통으로 인하여 환자가 주체적으로 행동하기 힘든 시기이다. 환자의 신체적 · 심리적 · 사회적 측면을 충분히 사정하면서, 합병증의 예방과 고통의 완화를 위한 지지를 제공해야 한다.

【회복기】 수술부위의 회복과정에 맞추어 퇴원 후의 생활환경에 관하여 환자 · 가족에게서 정보를 수집하며, 안전하게 이동하기 위한 방법을 찾을 수 있도록 지지한다.

케어의 포인트

장애의 확대예방과 고통완화

- 통증의 악화예방을 위한 약물요법, 사지의 위치조정 등의 대증요법을 적극적으로 시행하여, 일상생활에 미치는 영향을 적게 한다.
- 안정에 따른 근력저하, 관절구축을 적게 하기 위하여, 가능한 범위에서 운동요법을 실시한다.

셀프케어의 지지

- 부상 직후나 수술 직후에는 통증이 있어서, 허리를 조금 들어 올리려고 해도 몸을 어떻게 움직여야 할지 망설여진다. 환자가 어떻게 협력하면 좋을지를 구체적으로 설명하고, 힘을 넣는 부분이나 움직이는 부위를 손으로 받쳐주어 움직임이 보다 수월해지도록 돕는다.
- 환부의 회복과 활동의 확대, 운동요법의 진전상황에 맞추어 환경조정, 자조구 등을 사용하여 환자가 스스로 할 수 있는 부분을 늘린다.
- 기능적으로 가능한 것 뿐 아니라 활동과 휴식의 균형도 배려하면서 지지의 방법을 검토한다.
- 최종적인 목표는 자택에서 셀프케어를 할 수 있는 것이라는 점을 의식하며 돕는다.

환자 · 가족의 심리 · 사회적 문제에 대한 지지

- 질환 · 치료 · 앞으로의 경과에 관하여 환자 · 가족에게 알기 쉽게 설명한다.
- 주거환경의 정비, 사회적 자원의 활용 등에 관하여 필요한 정보를 제공한다.

퇴원지도·요양지도

- 환자 · 가족에게 주거환경이나 생활습관에 관하여 정보를 수집하고, 퇴원지도에 활용한다.
- 특히 배설, 목욕, 탈의, 취침 등 일상생활에 필수적인 행동에 관해서는 안전한 방법으로 할 수 있도록 구체적으로 지도한다.
- 퇴원이 결정된 후가 아니라 입원초기부터 정보를 수집하는데, 필요하면 퇴원조정부와 협조한다.

(山本育子)

6 골다공증 (osteoporosis)

金子　均／松島元子

전체 map

병인

- 원발성골다공증 : 성호르몬의 저하, 칼슘 · 비타민D결핍이 원인이다.
- 속발성골다공증 : 원인질환에 속발한다.

[악화인자] 칼슘의 섭취부족

역학

- 여성의 유병률은 남성의 약 3배이다.
- 60대 후반부터 증가하며, 80대 여성의 거의 절반에게서 확인된다.

[예후] 골절로 인한 QOL, ADL의 저하가 초래된다.

병태생리

- 골강도의 저하를 특징으로 하며, 골절의 위험이 증대되기 쉬운 골격질환이다.
- 골강도는 골밀도와 골질의 2가지 요인으로 이루어진다.
- 골의 재형성 빈도가 증가하면, 골흡수가 골형성을 상회하고 골량이 저하되어, 역학적인 강도가 저하된다.
- 폐경 · 무월경 · 연령 증가 이외에 원인이 없는 원발성과 원인질환으로 발생하는 속발성으로 나뉜다.

증상　합병증　진단　치료

상완골근위부골절
만성요배부통
척추골절
척추변형
요골 원위부골절 (콜리스골절)
대퇴골근위부골절

영양요법
약물요법
운동요법

단순X선검사
혈액검사 골대사표지자
문진 신체소견
골량측정 (DXA, QUS)

증상

- 일반적으로 자각증상이 없다가 골절이 일어난 후 비로소 골절부의 통증, 척주지지성의 저하, 운동기능의 장애가 표면화된다.

[합병증]

- 대퇴골경부 · 전자부골절 : 인지증, 폐렴
- 추체골절 : 척주변형, 역류성식도염, 식도열공탈출증, 복부팽만, 변비, 흉곽변형

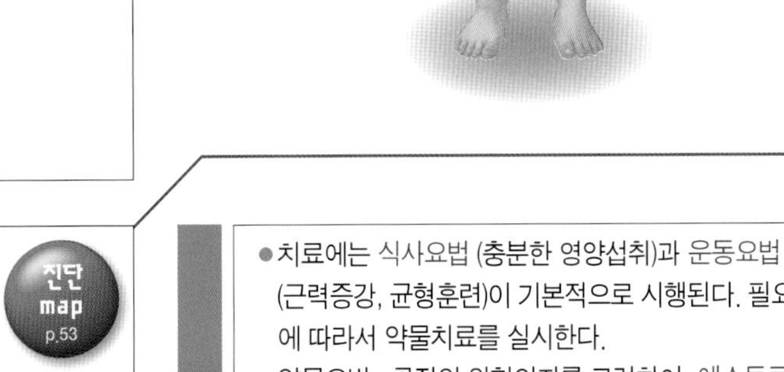

진단

- 원발성골다공증의 진단순서 : 저골량이 확인되면 제외진단 및 골평가를 시행하고, 정상인가 골량감소인가 골다공증인가를 진단한다.
- 의료면접 (문진) · 신체소견
- 골량측정 : 체간골 DXA, 말초골 DXA, RA/MD, QUS 등, 골절위험평가에 유용하다.
- 흉 · 요추의 단순X선검사 : 추체변형의 반정량적 평가, 추체골절의 판정에 사용한다.
- 골대사표지자 : 골형성표지자와 골흡수표지자가 있으며, 골대사 회전의 고저에 관한 기준이 된다.

진단 map p.53

치료

- 치료에는 식사요법 (충분한 영양섭취)과 운동요법 (근력증강, 균형훈련)이 기본적으로 시행된다. 필요에 따라서 약물치료를 실시한다.
- 약물요법 : 골절의 위험인자를 고려하여, 에스트로겐제, 프로게스테론제 (자궁이 있는 경우, 자궁내막암의 발생을 예방하기 위해서 에스트로겐을 병용한다), 활성형 비타민D_3제, 비스포스포네이트제, 선택적에스트로겐수용체조절인자 (SERM), 칼시토닌제에서 선택한다.

병태생리 map

골다공증은 골강도의 저하를 특징으로 하며, 골절의 위험이 증가하기 쉬운 골격질환이다.

- 골강도는 골밀도와 골질의 2가지 요인으로 이루어지며, 골강도의 약 70%는 골밀도, 나머지 30%는 골질로 설명된다.
- 골밀도란 단위용적당 골염량(bone mineral content)을 가리킨다.
- 골염량이란 이중에너지 X선흡수법 (DXA), 정량적 CT (QCT), 말초골 QCT (pQCT) 등의 기기로 측정하는 것으로, 골량 중의 골염 (하이드록시아파타이트)의 양을 가리킨다.
- 골질은 골의 미세구조, 골대사회전, 미세손상의 집적, 골조직의 석회화 등으로 설명된다. 골은 I형 콜라겐을 주체로 하는 골기질에 Ca와 인산으로 이루어지는 골염이 침착되어 형성된다. 골기질과 골염의 총합을 골량이라고 한다.
- 골다공증은 원발성과 속발성으로 나뉜다. 전자는 폐경, 무월경, 연령 증가 이외에 골대사에 영향을 미치는 원인질환이 없음에도 불구하고 골량감소가 발생하는 질환이며, 후자는 원인질환에 의해서 2차적으로 발생하는 질환이다.

병인·악화인자

- 병인 : 골은 항상 각 부위에서 골재형성(remodeling)을 하고 있다. 골기질의 열화(劣化) 등을 감지하여 유도된 파골세포가 몇 주간 골흡수하고, 계속해서 흡수부위에 골아세포가 유도되어 몇 개월간 골형성이 이루어져서, 새로운 골로 치환된다. 이 골의 재형성 빈도가 증가될 때, 즉 골흡수가 골형성보다 항진될 때, 골흡수가 골형성을 상회하여 골량이 저하된다. 원발성골다공증에서는 에스트로겐 등의 성호르몬의 저하와 연령의 증가에 따른 Ca·비타민D 결핍, 또 그 결과 생기는 부갑상선호르몬 (PTH)의 작용과잉에 의한 골아세포의 기능이나 분화의 영향이 증상발생에 관여하고 있다. 속발성골다공증은 원질환과 관련된 고유한 병태 메커니즘에 의해서 발생한다.
- 골은 표층의 피질골 (치밀골)과 그 내측의 망상을 나타내는 해면골로 이루어진다. 표면적이 크고, 주위에 다수의 혈관분포가 있는 해면골의 대사회전은 피질골보다 약 8배 크다.
- 폐경기 에스트로겐의 급격한 감소로 인한 골흡수의 항진은 해면골의 풍부한 척추골이나 장관골의 골간단부에 큰 영향을 미친다. 해면골의 연속성 저하, 단열이 발생하고, 역학적인 강도가 저하된다.
- 피질골의 감소는 골수강의 확대, 피질골의 비박화, 피질골 자체의 다공화로 인해 해면골의 감소보다 늦게 나타난다.
- 저골량 또는 골다공증에 수반하는 골절의 위험인자를 표 6-1에 나타냈다.

역학·예후

- 연령 증가와 더불어 남녀 모두에게서 골량이 감소하긴 하지만, 여성의 골량은 항상 남성에 비해 적다. 또는 여성의 경우 에스트로겐이 저하되는 폐경기에 골량이 급격히 감소한다.
- 골다공증 유병률 : 60대 후반부터 상승하여, 80대가 되면 여성의 거의 반수, 남성의 20~30%에게 발생한다. 여성의 유병률은 남성의 약 3배이다.
- 예후 : 골이 취약해지면서 발생하는 골절로 인하여 원배(round back)나 귀배(kyphosis) 등의 척주변형, 자세이상, 운동기·소화기·호흡기계의 기능장애, 만성요배부통 등이 일어나 QOL, ADL이 저하된다.
- 특히 대퇴골경부·전자부골절 (대퇴골경부골절)은 간호가 필요한 원인 (와상) 중 제3위를 차지하며, ADL이나 생명예후를 악화시킨다.

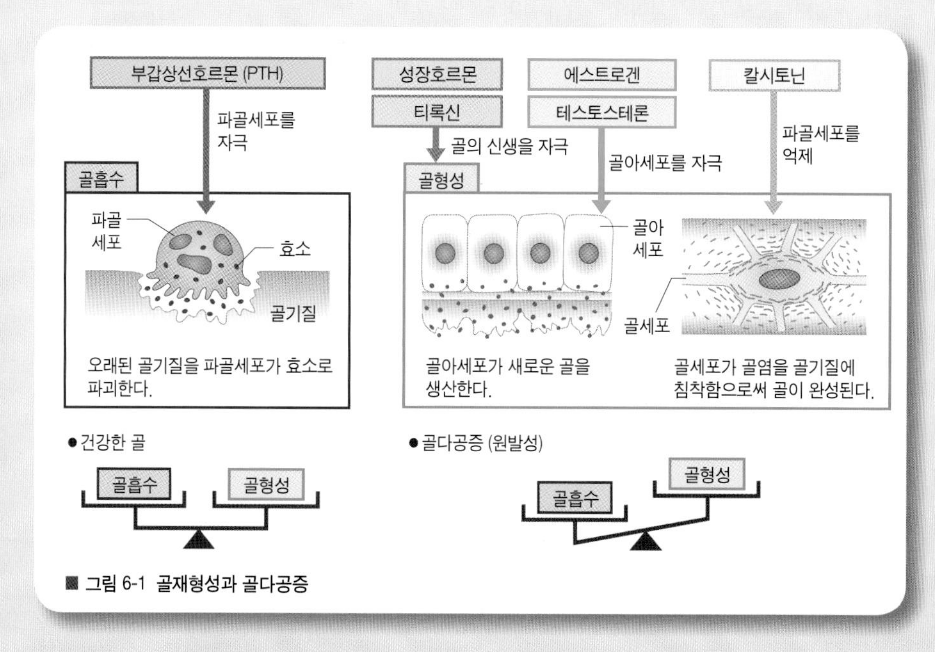

■ 그림 6-1 골재형성과 골다공증

■ 표 6-1 저골량 또는 골다공증에 수반되는 골절 위험인자

저골량의 위험인자
고연령, 여성, 인종 (아시아인, 백인), 가족력, 왜소한 체격, 저체중, 저영양, 운동부족 (부동성), 흡연, 과음, Ca섭취부족, 비타민D 부족, 비타민K 부족, 난소기능부전 (지발월경, 각종 무월경, 조기폐경), 출산력의 부재, 스테로이드 (글루코코르티코이드)의 복용, 위절제례, 각종 질환 합병례 (갑상선기능항진증, 당뇨병, 신부전, 간부전 등)
골다공증에 수반되는 골절의 위험인자
저골량, 과거의 골절력, 고연령, 저체중, 고신장, 인지증이나 뇌신경질환의 합병, 운동기능장애나 시력장애의 합병, 수면제나 혈압강하제의 복용, 종골초음파지표의 낮은 수치, 골흡수표지자의 높은 수치

(골다공증의 예방과 치료가이드라인 작성위원회편 : 골다공증의 예방과 치료가이드라인 2006년판, p.10, Life Science출판, 2006)

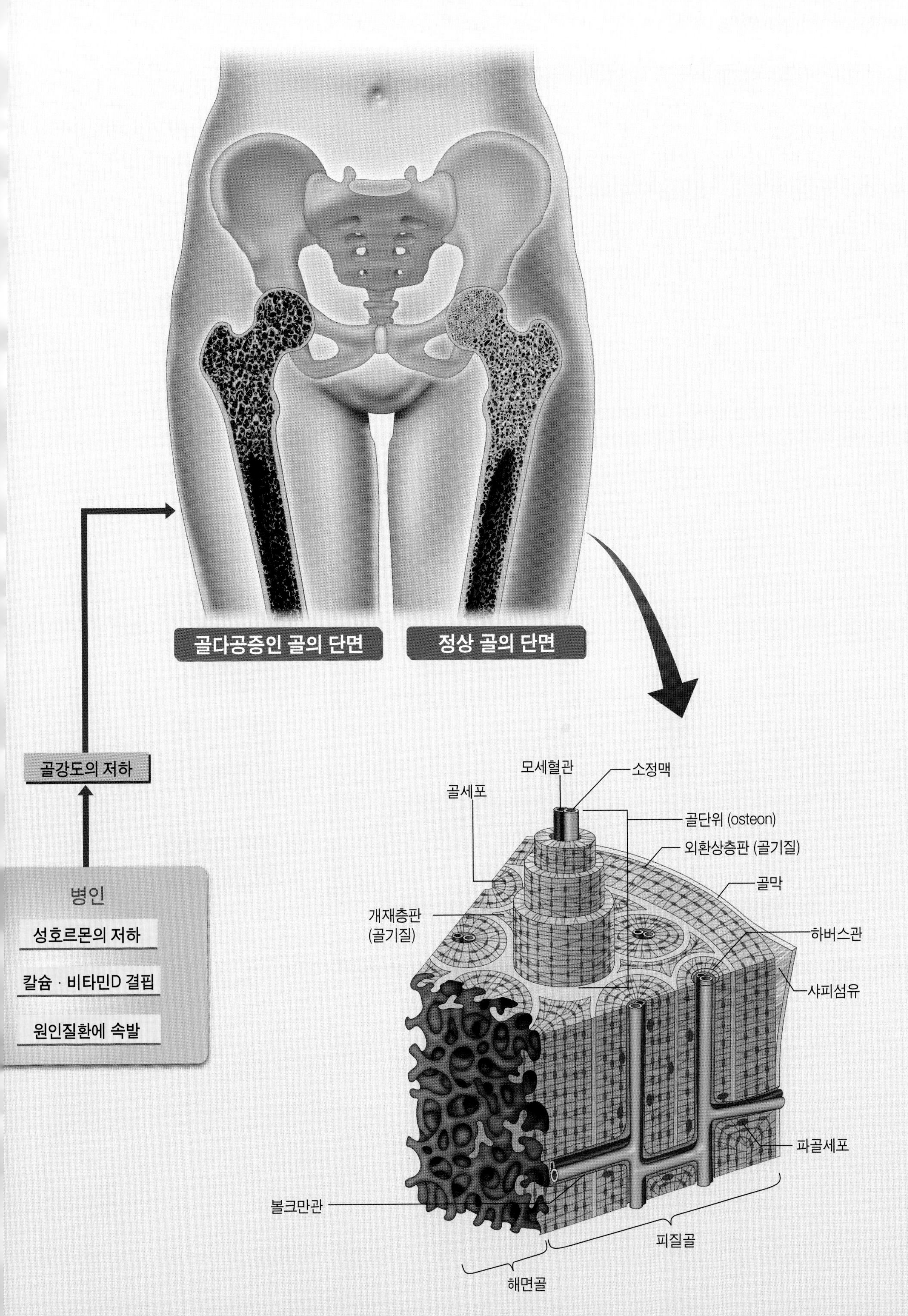

골다공증인 골의 단면
정상 골의 단면
골강도의 저하
병인
성호르몬의 저하
칼슘 · 비타민D 결핍
원인질환에 속발
모세혈관
소정맥
골세포
골단위 (osteon)
외환상층판 (골기질)
골막
개재층판
(골기질)
하버스관
샤피섬유
파골세포
볼크만관
피질골
해면골

증상 map

골절이 일어난 후 비로소 골절부의 통증, 척주지지성의 저하, 운동기능의 장애가 표면화되는 경우가 많다.

증상

- 무증상 또는 요통 · 요배부통 나타난다. 척추골절이 완만하게 일어나는 경우, 원배 외에 신장이 짧아지면서 자각되기도 한다.

합병증

- 척추골절 : 약 40%는 ADL 중에 발생한 경미한 외력에 의한 골절이다. 후만 등의 척추변형, 요배부통, 골절의 후유증에 의한 동작 시의 만성요배부통이 나타난다. 골절이 완만하게 진행되는 경우, 골절에 의한 직접적인 통증이 나타나지 않는 경우도 있다.
- 대퇴골근위부골절 : 낙상 등 비교적 경미한 외력으로 발생한다. 통증, 지지 · 보행장애를 일으킨다. 드물게 통증이 경도이므로, 파행으로 자각하는 경우도 있다.
- 요골원위부골절 : 넘어질 때 손을 짚은 경우에 발생한다. 손바닥으로 짚고 일어나는 콜리스골절(Colles fracture)이 가장 높은 빈도로 나타나며, 수관절부에 현저한 종창, 통증, 포크상변형이라 불리는 특이한 변형을 일으킨다.
- 직접적인 합병증은 골절이지만, 이로부터 파생하는 간접적 합병증도 문제가 된다.
- 대퇴골경부 · 전자부골절은 간호가 필요한 원인 (와상) 중 제3위를 차지하며, 고령자의 인지증이나 폐렴 등의 발생의 위험인자이다.
- 추체골절이 다발하면 척주변형을 일으킨다. 복강내압이 상승하여 위 · 식도역류에 의한 식도염, 식도열공탈출증, 복부팽만, 변비, 흉부변형, 호흡기능저하, 보행장애, 평형장애 등이 생길 수 있다.

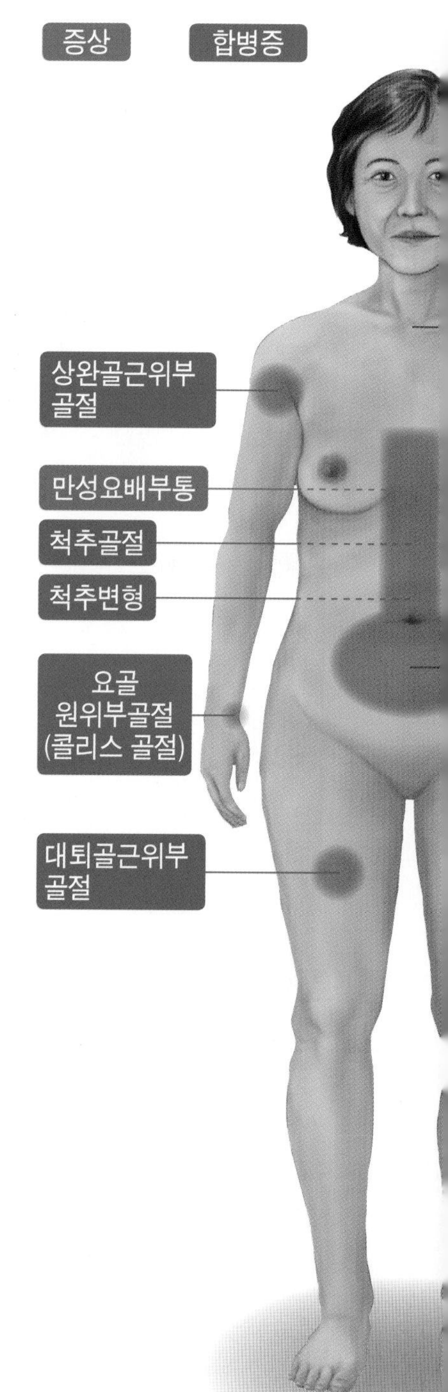

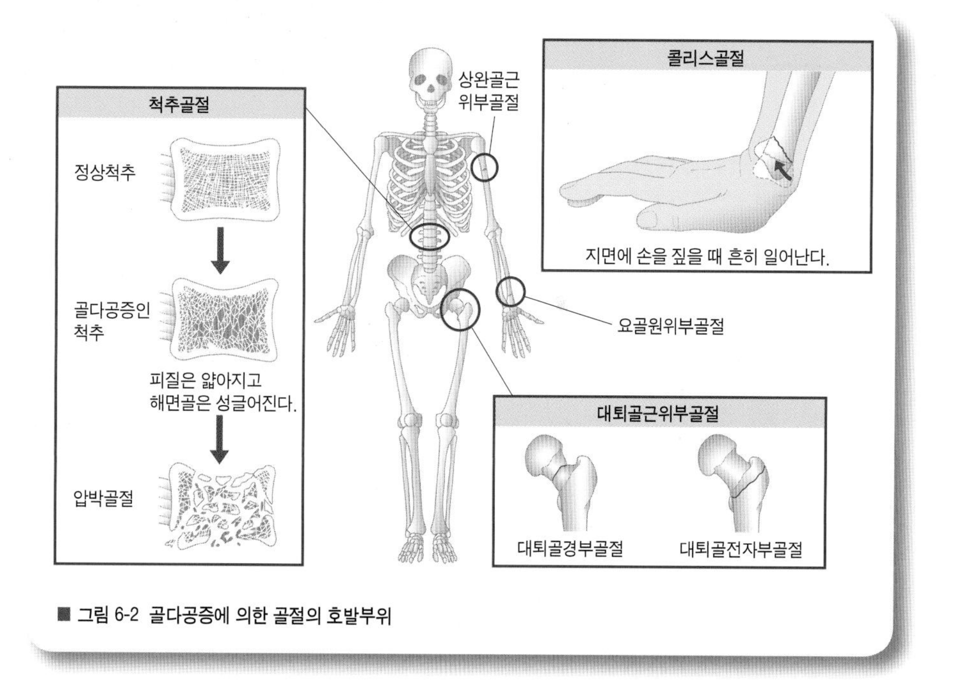

■ 그림 6-2 골다공증에 의한 골절의 호발부위

진단 map

골량의 저하, 추체의 변형, 골대사표지자의 이상 등으로 진단한다. 골염량 저하나 골대사표지자의 이상을 일으키는 다른 질환과의 감별도 필요하다.

진단·검사치

- 원발성골다공증의 진단순서를 그림 6-3에 나타냈다.
- 우선 저골량을 확인한다. 저골량상태를 지속적으로 유발하는 질환이나 속발성골다공증은 제외한다(그림 6-4). 또 취약성골절의 유무여부로 분류하여 골평가를 시행하고, 정상, 골량감소, 골다공증을 진단한다.

진단 치료

영양요법
약물요법
운동요법

단순X선검사
혈액검사
골대사표지자

문진
신체소견

골량측정
(DXA, QUS)

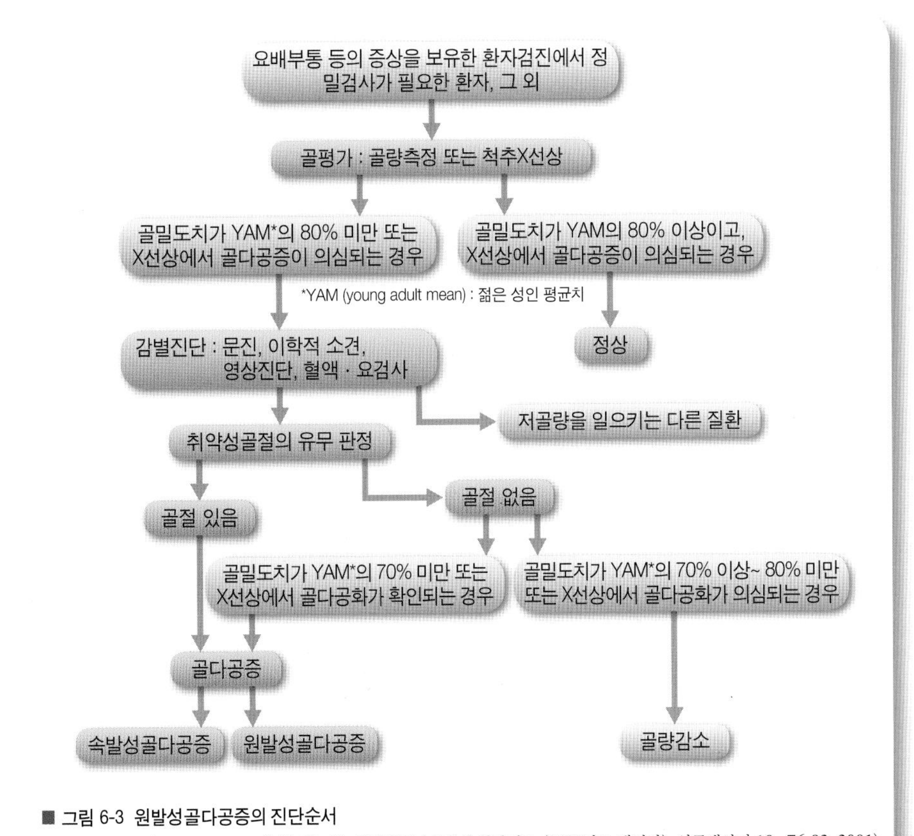

■ 그림 6-3 원발성골다공증의 진단순서

(折茂 肇, 외 : 원발성골다공증의 진단기준 (2000년도 개정판). 일골대사지 18 : 76-82, 2001)

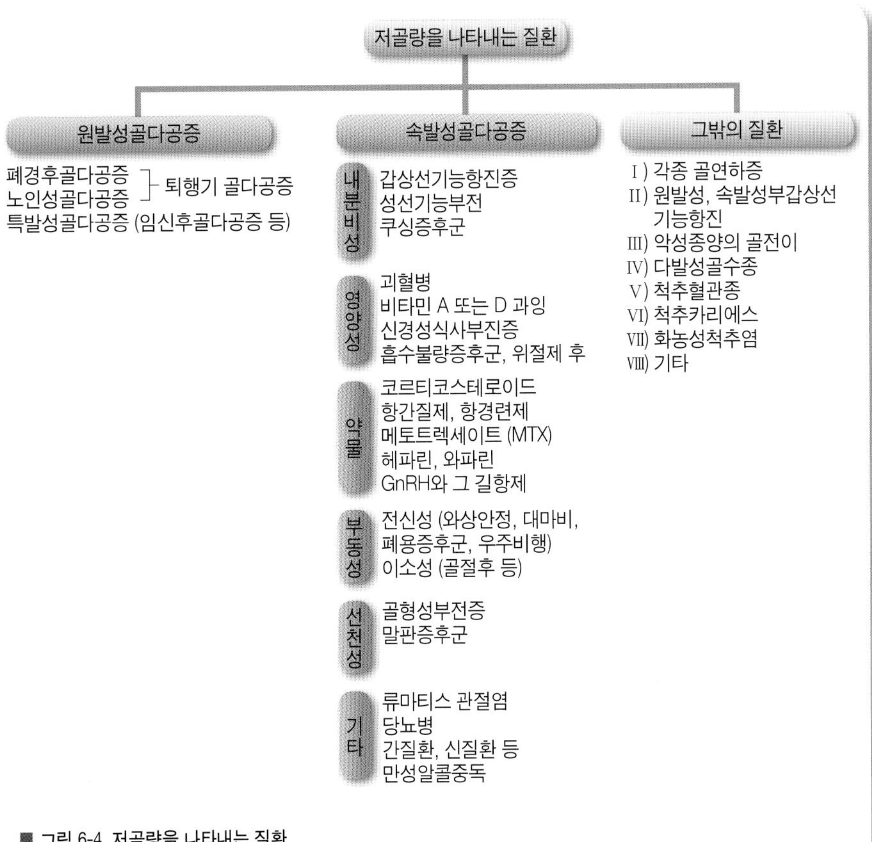

■ 그림 6-4 저골량을 나타내는 질환

(折茂 肇, 외 : 원발성골다공증의 진단기준 (2000년도 개정판). 일골대사지 18 : 76-82, 2001, 일부개편)

진단·검사치

● 진단 시의 구체적 항목

① 문진 · 신체소견 (표 6-2) : 면담으로 진료의 효율화를 꾀할 수 있다. 예방이나 치료에 적절한 선택의 실마리가 된다. 신체소견은 골절의 위험 정도를 선별하는 데에 유용하다.

② 골량측정 (표 6-3) : 65세 이상의 백인여성, 위험인자가 있는 65세 미만 여성의 골절위험평가에 유용하다. 고령의 일본여성에게도 권장된다. 취약성골절이 있는 증례는 중증도 판정을 위한 대상이 된다. 측정법으로는 구간골 DXA가 최적이지만, 말초골 DXA, RA/MD, 정량적초음파측정법 (QUS)으로도 위험평가가 가능하다.

③ 흉 · 요추의 단순X선검사 : 추체변형의 반정량적평가법 (그림 6-5A) 및 추체의 전연높이 (A), 중앙높이 (C), 후연높이 (P)를 계측 (그림 6-5B) 하여 평가하는 추체계측법 (표 6-4)으로 판정한다.

■ 표 6-2 의료면담 (문진) · 신체진찰

▫ 수진목적 ▫ 신체소견 · 저체중, 4cm 이상의 신장저하, 원배나 척주만곡 ▫ 자각증상 · ADL · 요배부통 (복부타진시 통증, 부위, 정도 등) ▫ 연령 · 월경력 · 초경시기, 폐경시기, 월경주기 ▫ 기왕력 · 수술력 · 치료 중인 병환 · 약물복용력 · 내분비질환, 신질환, 요로결석, 류마티스 관절염, 악성종양 (유방암 등), 소화관질환 등 · 수술력 (난소, 정소, 소화관, 뇌하수체, 갑상선) · 코르티코스테로이드, 항경련제, GnRH, 갑상선호르몬 등	▫ 과거 골다공증검사의 유무 · 결과 ▫ 골절의 기왕 ▫ 식사내용 · 다이어트 경험 · 칼슘 · 비타민D · 비타민K 섭취량 등 ▫ 기호품 · 음주, 흡연, 커피 등 ▫ 운동의 빈도 · 정도 (일광욕 포함) ▫ 자녀의 유무 ▫ 가족력 · 골다공증, 원발성부갑상선기능항진증, 요로결석, 골절

(折茂 肇, 외 : 다이제스트판 골다공증의 예방과 치료가이드라인 2006년판, p.9, Life Science 출판, 2006)

■ 표 6-3 각 골량측정의 특징

방법		측정부위	원리	검사시간	측정정도	피폭선량	특징
2중X선흡수법 (DXA)	구간골 DXA	요추/대퇴골/전신골	X선빔	5~10분	1~3%	1~5 mrem	2종의 다른 에너지 X선을 조사하여, 골과 연부조직의 흡수율의 차이로 골밀도를 측정한다. 어느 부위에서나 정확도가 높으며 신속히 측정할 수 있다. 골밀도를 측정하는 표준법이다.
	말초골 DXA	요골/종골					
1중X선흡수법 (SXA)		요골/종골	X선빔	5~15분	1~3%	1 mrem	단일에너지 X선을 조사하고, 조직의 흡수율에서 측정한다. 연부조직이 얇은 전완 · 종골에 적용한다. 정확도가 높고, 측정시간도 짧다.
RA(MD)		제2중수골	X선 사진	5~10분	1~2%	5 mrem	두께가 다른 알루미늄판과 손을 나란히 하여 통상적인 X선사진을 촬영하고, 사진상의 알루미늄의 광학적 농도를 기준으로 골밀도를 측정한다. 디지털영상을 컴퓨터로 해석하는 방법을 택하면 측정정도가 향상된다.
정량적 CT 측정법	QCT	요추	X선CT	10분	2~4%	50 mrem	3차원골밀도 (mg/cm³)로 산출한다. 해면골 골밀도를 선택적으로 측정할 수 있다. QCT에서는 다른 측정법에 비해 X선피폭량이 많다. 감도는 높지만 정도가 낮다.
	pQCT	요골 (경골)		5~20분	2~4%	5 mrem	
정량적초음파측정법 (QUS)		종골 (경골/지골)	초음파	1~10분	3~4%	–	초음파의 전파속도와 감쇠율로 골을 평가하는 방법이다. 골밀도를 측정하는 것이 아니다. X선을 사용하지 않으므로 방사선피폭이 없어서, 방사선관리구역 이외에서도 사용이 가능하다. 측정정도는 낮다.

CT : computed tomography, DXA : dual X-ray absorptiometry, SXA : single X-ray absorptiometry,
RA (MD) : radiographic absorptiometry (microdensitometry), QCT : quantitative CT, pQCT : peripheral QCT,
QUS : quantitative ultrasound

(골다공증의 예방과 치료가이드라인 작성위원회편 : 골다공증의 예방과 치료가이드라인 2006년판, p.19. Life Science 출판 2006)

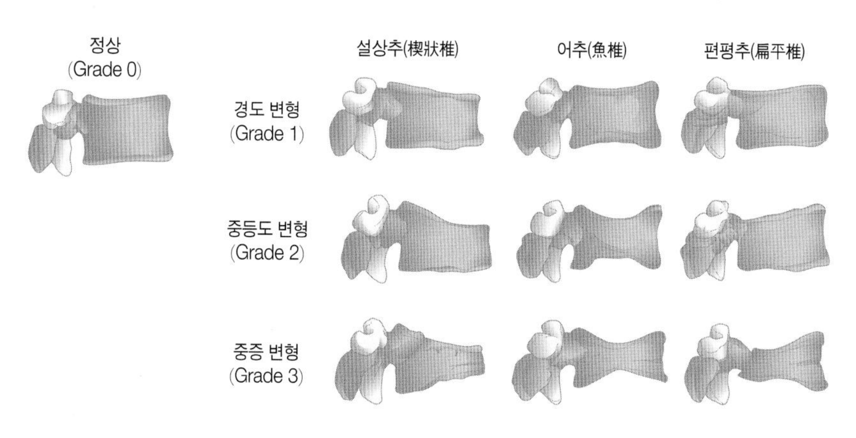

■ 그림 6-5A 추체변형의 반정량(SQ)적평가법

(Genant HK, et al : Vertebral fracture assessment using a semiquantitative technique. J Bone Miner Res 8 : 1137-1148, 1993)

- 검사치
- 혈액 · 요검사는 골밀도 감소의 정도나 골절위험을 예측하거나 골다공증을 감별하는 수단으로 이용된다(표 6-5).
- 골대사표지자는 골대사회전의 고저 기준이 되는 것으로서, 골형성표지자와 골흡수표지자가 있다.
- 골대사표지자가 이상하게 높은 수치인 경우, 원발성골다공증 외에 갑상선기능항진증, 부갑상선기능항진증, 악성종양 골전이, 신부전 등의 질환을 고려한다.
- 골흡수표지자가 높은 수치로 나타나는 경우, 즉 골흡수가 항진되어 있는 경우에는 골흡수억제제를 사용한다. 항진의 정도가 약한 경우에는 그 밖의 약제에 의한 치료도 고려한다.

■ 표 6-4 추체골절의 판정법

추체골절은 흉요추의 측면 X선사진을 이용하여 다음의 기준에 따라서 판정한다. · 원칙적으로 판정하고, C/A, C/P의 어느 하나가 0.8 미만이거나 A/P가 0.75 미만인 경우는 압박골절이라고 판정한다. · 추체의 높이가 전체적으로 감소된 경우 (편평추) 에는 판정추체의 상위 또는 하위인 A, C, P보다 각각 20% 이상 감소되어 있는 경우를 압박골절이라고 한다. · 단 임상적으로 새로운 골절례에서 X선사진상 확실히 골피질의 연속성이 끊어진 것은 위에 기술한 변형에 이르지 않아도 압박골절이라고 한다.

(折茂 肇, 외 : 원발성골다공증의 진단기준 (1996년도 개정판). 일골대사지 14 : 219-233, 1997)

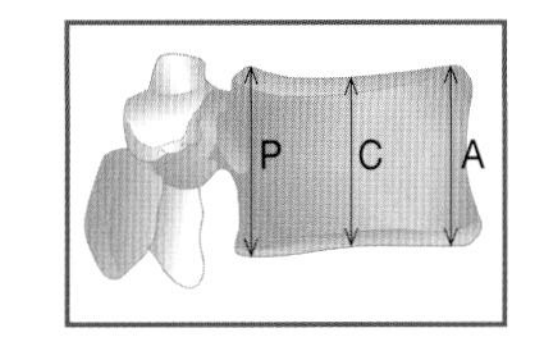

■ 그림 6-5B ACP의 계측

■ 표 6-5 골다공증의 감별진단 시 반드시 주목해야 할 검사소견

검사소견	질환
백혈구 증가	쿠싱증후군, 스테로이드 내복
빈혈	악성종양
고칼슘혈증	원발성 또는 속발성부갑상선기능항진증, 다발성골수종, 악성종양
저칼슘혈증	흡수불량증후군, 판코니증후군, 비타민D 작용부전, 신부전
저인산혈증	골연화증
알칼리포스파타아제 높은 수치	골바제트병, 골연화증 원발성 또는 속발성부갑상선기능항진증 갑상선기능항진증, 악성종양
글로불린 높은 수치	다발성골수종
고칼슘요증	원발성 또는 속발성부갑상선기능항진증 다발성골수종, 악성종양, 쿠싱증후군 신성특발성고칼슘요증

(折茂 肇 감수 : 다이제스트판 골다공증의 예방과 치료가이드라인 2006년판, p.29, Life Science 출판, 2006)

치료 map

영양요법과 운동요법이 기본이며, 상태에 따라서 에스트로겐을 투여하는 등의 약물요법을 시행한다.

치료방침

- 치료의 기본은 충분한 영양섭취와 근력증강, 균형훈련 등의 적당한 운동을 평소에 하는 것이다.
- 필요에 따라서 약물치료를 시행하는데, 개시기준은 골다공증 진단기준과는 별도로 정해져 있다.
- 일본에서는 골절위험인자인 저골밀도, 기존골절, 연령에 관한 증거가 뒷받침되고 있으며, WHO에 의하면 과도한 알콜섭취, 흡연, 대퇴골경부・전자부골절의 가족력이 위험인자로서 뒷받침되고 있으며 추정되고 있다. 골다공증의 약물요법은 이 위험인자를 고려하여 개시한다(표 6-6).

골밀도를 높이는 식사

칼슘, 비타민D, 비타민K 등, 골밀도를 높이는 영양소

운동요법

근력증강훈련, 낙상예방을 위한 균형훈련의 실시

■ 그림 6-6 치료의 기본

■ 표 6-6 취약성골절 예방을 위한 약물치료 개시기준

I 취약성기존골절이 없는 경우
1) 요추, 대퇴골, 요골 또는 중수골 BMD가 YAM 70% 미만
2) YAM 70% 이상 80% 미만의 폐경 후 여성 및 50세 이상의 남성에게서, 과도한 알콜섭취 (1일 2단위 이상), 흡연, 대퇴골경부/골절의 가족력 중 어느 하나가 있는 경우.
II 취약성기존골절이 있는 경우 (남녀 모두 50세 이상)
※과도한 알콜섭취 (1일 2단위 이상), 흡연, 대퇴골경부골절의 가족력은 골절의 위험을 약 2배로 상승시킨다.

YAM : young adult mean (젊은성인평균치), BMD : bone mineral density (골밀도)
(골다공증의 예방과 치료가이드라인 작성위원회편 : 골다공증의 예방과 치료가이드라인 2006년판, p.53, Life Science 출판, 2006)

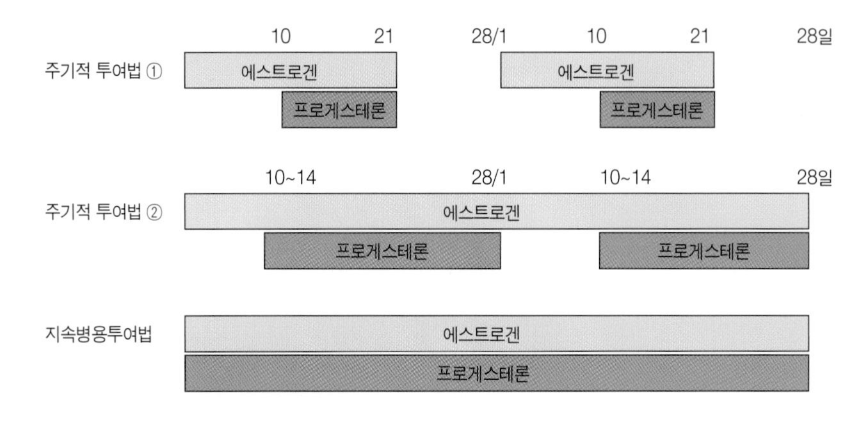

■ 그림 6-7 에스트로겐+프로게스테론 병용투여법

약물요법

〈에스트로겐제〉

- 폐경 후 비교적 젊은 연령임에도 에스트로겐 부족증상이 있는 여성에게 유용하지만, 부작용으로 자궁내막암, 유방암, 혈전증 등이 발생할 수 있다. 자궁내막암의 가능성은 프로게스테론의 병용으로 감소된다.
- 결합형 에스트로겐의 근거로 판단하면 골밀도 ; 골밀도증가효과 (Grade A), 추체골절 ; 방지효과 (Grade A), 비추체골절 ; 방지효과 (Grade A)이지만 일본에서는 보험이 적용되지 않아서, 에스트리올, 17β에스트라디올이 평가의 대상이 된다. 그러나 이 약제들은 근거가 약하기 때문에 종합평가에서는 Grade C에 머물게 된다. 자궁을 보유한 경우에는 에스트로겐과 프로게스테론을 병용하고(그림 6-7), 자궁이 없는 경우에는 프로게스테론을 제외하고 에스트로겐만을 사용한다.

Px 처방례

1) 프레마린정 (0.625mg) 1정 分1 보험적용외 ←결합형 에스트로겐
2) Estriel정 (1mg) 2정 分2 ←에스트리올
3) Femiest 첩부제 (4.33mg) 1회 1매 3~4일마다 첩부 ←에스트라디올
4) Estrana 첩부제 (0.72mg) 1회 1매 격일 첩부 ←에스트라디올

〈프로게스테론제〉

5) Hysron정 (5mg) 1정 分1 ←프로게스테론
6) 프로베라정 (2.5mg) 1정 分1 ←프로게스테론

※자궁적출례에서는 프로게스테론은 필요없다. 또 에스트리올을 짧게 사용하여 자궁내막의 두께가 증가하지 않았으면 단제 사용도 가능하다.

〈활성형 비타민D_3제〉

- 고령자에서는 Ca흡수능의 저하, 신장에서의 비타민D 활성화능의 저하 때문에 2차적으로 부갑상선호르몬의 분비가 많아지고, 골흡수가 항진되기 쉽다. 활성형 비타민D의 골밀도 증가효과는 크지 않지만, 골절억제효과가 검증되고 있다. 또 활성형 비타민D_3의 투여는 고령자의 낙상빈도를 감소시킨다(종합평가B).

Px 처방례

- 원알파정 (0.25・0.5・1.0㎍) 1회 0.5~1㎍ 分1 ←활성형 비타민D_3제
- 알파롤캅셀 (0.25・0.5・1.0㎍) 1회 0.5~1㎍ 分1 ←활성형 비타민D_3제
- 로칼트롤캅셀 (0.25・0.5㎍) 1회 0.5㎍ 1일 2회 ←활성형 비타민D_3제

■ 표 6-7 골다공증의 주요 치료제

분류	일반명	주요 상품명	약효발현의 메커니즘	주요 부작용
에스트로겐제	결합형 에스트로겐	프레마린	골흡수억제작용, 골형성촉진작용, 골염량증가작용	출혈, 발암, 혈전
	에스트리올	Estriel		
	에스트라디올	Estrana, Femiest		
프로게스테론제	메드록시프로게스테론 초산에스텔	Hysron, 프로베라	강력한 항체호르몬작용	혈전
활성형 비타민D_3제	알파칼시돌	원알파, 알파롤	Ca · 골대사개선작용이 있다.	과잉증 (고칼슘혈증, 고칼슘뇨증)
	칼시트리올	로칼트롤		
비타민K제	메나테트레논	글라케이	골형성촉진작용과 골흡수억제작용	소화기증상
비스포스포네이트제	에티드론산나트륨	Didronel	파골세포의 억제작용, 골흡수억제작용	상부 소화관장애, 간기능장애
	알렌드론산나트륨수화물	Bonalon, 포사맥스		
	리세드론산나트륨수화물	Benet, 악토넬		
선택적에스트로겐수용체조절인자 (SERM)	라록시펜염산염	에비스타	폐경에 수반되는 골흡수의 항진을 억제	정맥혈전색전증
칼시토닌제	엘카토닌	엘시토닌	골흡수억제작용, 혈중 Ca · P저하작용	쇼크
	연어칼시토닌	Salmotonin, Calcitoran		

〈비타민K제〉

- 골절예방효과가 있다(종합평가B).

Px 처방례

- 글라케이캅셀 (15mg) 1회 15mg 1일 3회 ←비타민K제

〈비스포스포네이트제〉

- 강력한 골흡수억제제이다. 특히 아미노기 함유 비스포스포네이트 (알렌드로네이트, 리세드로네이트)는 이후 서술하는 SERM과 함께 현재 골다공증 약물치료의 표준적 치료제로, 종합평가A이다.

Px 처방례

- Didronel정 (200mg) 1정 分1 (자기 전 또는 식간) 2주 내복, 10~12주 휴약을 1사이클로 한 주기적 간헐투여 ←에티드로네이트
- Bonalon정 (5mg) 또는 포사맥스정 (5mg) 5mg/일 또는 35mg/주 기상 시 ←알렌드로네이트
- Benet정 (2.5mg) 또는 악토넬정 (2.5mg) 2.5mg/일 기상 시 ←리세드로네이트

〈선택적에스트로겐수용체조절인자 (SERM)〉

- 유방이나 자궁에는 에스트로겐 같은 작용이 나타나지 않지만, 골 등에는 에스트로겐과 거의 같은 작용을 발휘한다(종합평가A).

Px 처방례

- 에비스타정 (60mg) 1정 分1 (아침식사 후) ←SERM

〈칼시토닌제〉

- 골다공증으로 인한 요배부통에 진통효과가 있다. 파골세포에 직접 작용하여, 골흡수를 억제한다(종합평가B).

Px 처방례

- 엘시토닌주 1회 10 IU 주 2회 근주 ←칼시토닌제
- Salmotonin근주 1회 10 IU 주 2회 근주 ←칼시토닌제
- Calcitoran주 1회 10 IU 주 2회 근주 ←칼시토닌제

골다공증의 병기 · 병태 · 중증도별로 본 치료흐름도

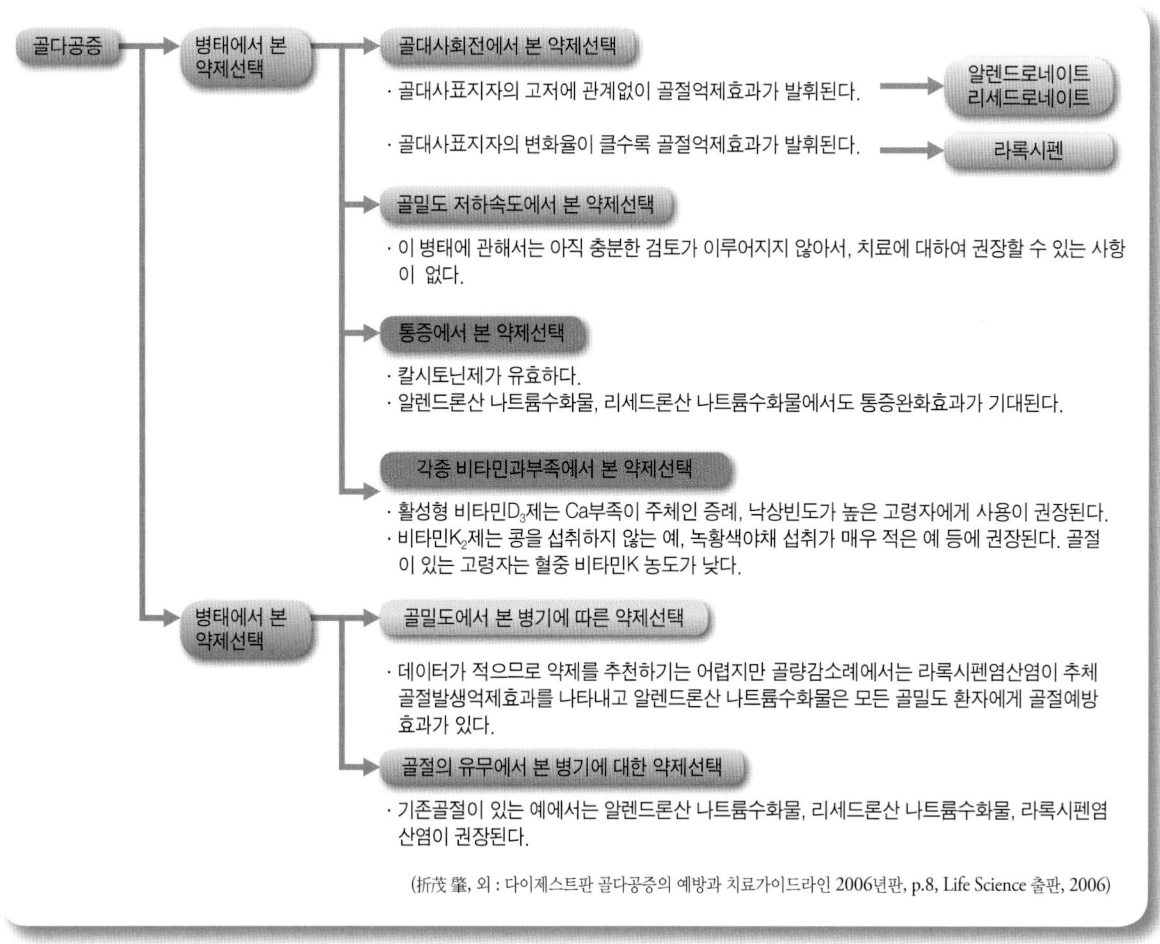

(金子　均)

환자케어

골량증가 및 골절예방에 적합한 일상생활을 지도한다.

병기·병태·중증도에 따른 케어

【통증이 없는 경우】 골절은 ADL을 현저하게 저하시키므로, 골다공증 치료의 중요성을 충분히 설명하고, 약물요법 · 운동요법 · 식사요법, 라이프스타일의 변경을 통해 골량을 높여서 골절을 예방할 수 있도록 지도하는 것이 중요하다.

【통증이 있는 경우】 골다공증이 진행되면, 압박골절을 일으켜서 척주가 변형되며 요배부통이 나타난다. 심한 통증은 ADL을 저하시키므로 통증을 관리하고, 필요에 따라서 ADL을 지지함과 동시에 재골절방지를 위한 대책을 강구한다. 가족을 포함하여 퇴원 후의 일상생활을 지도하고, 필요에 따라서 간호 지지체계를 구축하는 것이 중요하다.

1. 벽에 기대어 서서, 한쪽 손을 들고 발돋움을 한다. 좌우 교대로 실시한다.

2. 벽에서 가볍게 팔을 뻗을 정도로 떨어져 서서, 벽을 양손으로 민다.

3. 의자나 테이블 등의 끝을 잡고 가볍게 무릎을 구부렸다 폈다 한다.

4. 의자에 앉아서 허리를 편다. 의자 등받이에 등을 붙인다.

■ 그림 6-8 벽이나 의자를 이용한 운동요법

케어의 포인트

진료 · 치료의 간호

- 정해진 시간에 확실히 복용하도록 지도한다.
- 척추압박골절이 발생한 경우, 코르셋요법 (프레임형 코르셋이 많다)이 행해진다. 이 경우, 코르셋의 착용방법의 지도와 코르셋에 의한 압박증상, 피부손상 등에 대한 관찰이 필요하다. 골다공증성척추압궤인 경우, 척수나 마미를 압박하여 신경증상이 나타내는데 등통증이나 신경장애가 지속되면 수술을 적용하기도 한다. 전방척추제압재건술을 선택하는 경우가 많은데, 그 경우 수술법에 맞추어 술전 · 술후관리가 필요하다.
- 부작용의 출현 시에는 증상을 관찰하여 의사에게 보고한다.

낙상의 회피

- 낙상예방시트를 사용하여 시간을 두고 위험을 평가한다.
- 환자의 상태에 따라 환경을 안전하게 정비한다.
- 낙상예방을 위해서 상태에 적합한 근력훈련, 균형훈련을 실시한다.

셀프케어의 지지

- 환자의 통증 등 증상이나 ADL에 적합한 셀프케어를 지지한다.
- 환자의 안전을 확보하고, 필요한 보조구를 선택하며 그에 대한 지지를 제공한다.
- 환자의 자립을 격려하면서 끈기있게 지지한다.

환자 · 가족의 심리 · 사회적 문제에 대한 지지

- 환자나 치료방법, 간호방법 등을 알기 쉽게 설명하고, 불안을 해소하도록 지지한다.
- 가족의 간호부담을 경감할 수 있도록 환경이나 사회자원의 활용 등 필요한 지지를 제공한다.

퇴원지도 · 요양지도

- 환자 · 가족 모두 안정된 가정생활을 할 수 있도록, 환경정비에 관하여 지도한다.
- 통증의 원인이나 관리방법에 관하여 지도한다.
- 간호방법, 사회자원의 활용방법에 관하여 지도한다.
- 피부 모니터링의 필요성, 욕창의 호발부위, 욕창의 예방방법에 관하여 지도한다.
- 골다공증의 약물요법에 관하여 지도한다.
- 골절예방을 위한 식사요법에 관하여 지도한다.
- 골절예방, 낙상예방을 위한 운동요법에 관하여 지도한다.
- 금연, 적절한 음주, 적당한 일광욕, 정기진찰 등 퇴원 후의 일상생활에 관하여 설명한다.
- 가족 내 간호담당자의 스트레스 관리에 관하여 지도한다.

(松島元子)

Memo

7 아토피성피부염 (atopic dermatitis)

橫關博雄/瀧島紀子

전체 map

병인

● 피부장벽기능이상, 아토피소인

[악화인자] 영아기 : 식사알레르기, 발한, 물리적 자극, 유아기~성인기 : 진드기 등의 환경인자, 발한, 세제 등의 자극인자, 스트레스

역학

● 유증률은 4개월아 12.8%, 3세아 13.2%, 초등1년생 11.8%, 초등6년생 10.6%, 대학생 8.2%이다.

[예후] 양호하다.

병태생리

● 아토피성피부염은 「악화 · 완화를 반복하고 가려움이 있는 습진을 주병변으로 하는 질환으로, 환자의 대부분에게 아토피소인이 있다」고 정의된다.

● 발생 메커니즘에는 아토피소인에 수반되는 알레르기적 메커니즘과, 장벽기능장애 등의 비알레르기적 메커니즘이 있다.

증상

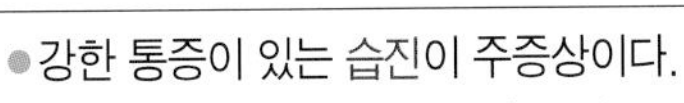

● 강한 통증이 있는 습진이 주증상이다.

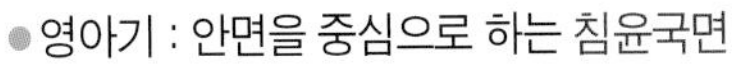

● 영아기 : 안면을 중심으로 하는 침윤국면

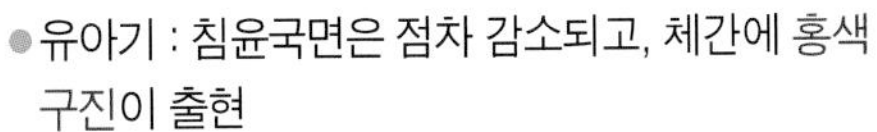

● 유아기 : 침윤국면은 점차 감소되고, 체간에 홍색 구진이 출현

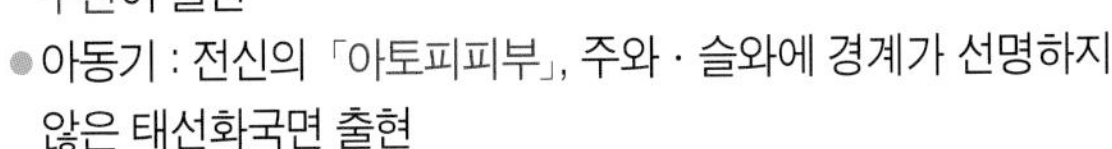

● 아동기 : 전신의 「아토피피부」, 주와 · 슬와에 경계가 선명하지 않은 태선화국면 출현

● 사춘기·성인기 : 건조피부, 태선화 국면은 체간·사지로 확대

[합병증]

● 천식, 알레르기성비염, 결막염, 음식알레르기

● 백내장, 망막박리

● 단순헤르페스, 전염성연속종, 전염성농가진

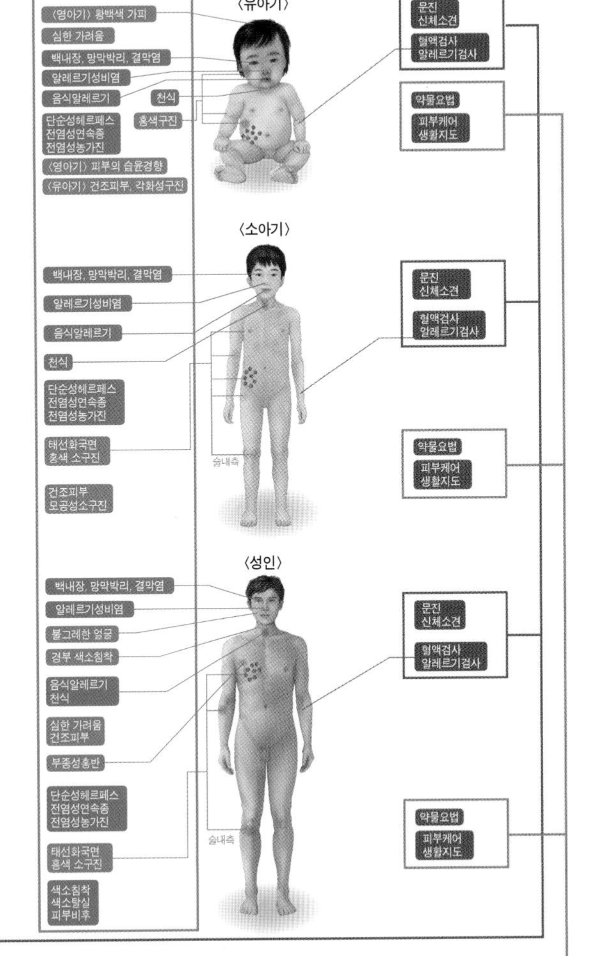

진단

● 일본 피부과학회의 아토피성피부염의 진단기준에 의한다.

● 아토피소인이 있으면 진단이 용이하지만, 부적절한 치료를 받아서 장기화된 접촉성피부염, 자극피부염도 매우 유사한 임상상을 나타내므로, 신중한 감별이 필요하다.

● 혈액검사 : 혈청 총 IgE치, 항원특이적 IgE항체가, 호산구수 상승은 보조진단에 유용하다.

● Scratch test, Patch test : 악화인자의 확인에 유용하다.

치료

● 염증을 일으키는 악화인자를 제거하고, 피부케어, 약물요법을 적절히 병용한다.

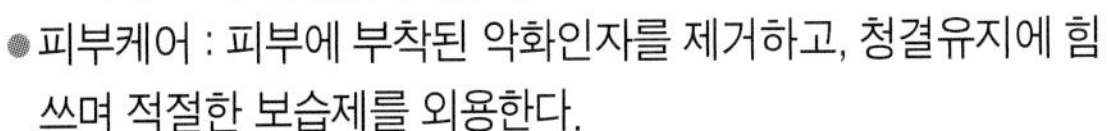

● 약물요법 : 기본적으로 항염증제를 외용한다(부신피질호르몬제). 필요에 따라서 항히스타민제, 항알레르기제로 가려움을 관리한다.

● 피부케어 : 피부에 부착된 악화인자를 제거하고, 청결유지에 힘쓰며 적절한 보습제를 외용한다.

● 생활지도 : 의류, 목욕, 침구, 주거환경에 관한 지도, 음식알레르겐의 제거가 필요하다.

병태생리 map

아토피성피부염은 「악화 · 완화를 반복하고, 가려움이 있는 습진을 주병변으로 하는 질환으로, 환자의 대부분에게 아토피소인이 있다」고 정의된다.

- 아토피성피부염의 발생 메커니즘은 아토피소인에 수반하는 알레르기적인 면과, 아토피성피부염 환자의 자극에 취약한 피부, 즉 경미한 자극으로도 쉽게 가려움을 유발되는 비알레르기적 장벽기능장애의 양면에서 논의되고 있다.

병인 · 악화인자

- 비알레르기적 메커니즘인 피부장벽기능이상이 가장 중요한 병인이다. 아토피성피부염의 피부건조 원인은 각층의 세라미드 저하라고 생각된다. 또 최근, 아토피성피부염에서 각층의 각화세포를 시멘트 같이 접착시키는 필라그린(Fillagrin)이라는 단백질의 유전자이상이 확인되고, 필라그린이 아토피성피부염에서 감소, 결손되어 있는 것이 밝혀지고 있다. 종래 필라그린 유전자는 어린선(ichthyosis)이라고 불리우는 피부가 생선비늘처럼 되는 피부질환의 원인유전자라고 생각했었는데, 지금은 아토피성피부염의 한 원인일지도 모른다고 생각되고 있다.
- 알레르기염증에 의한 원인으로서 아토피성천식 · 비염 등에 합병되는 경우가 많고, 혈중의 면역글로불린E (IgE)가 높으며, IgE양과 피부증상이 똑같이 작용하고, 랑게르한스세포라는 피부의 항원제시세포에 IgE가 결합하여 피부병을 쉽게 일으키는, 아토피 관련유전자가 검출되는 경우가 많은 점 등이 지적되고 있다.
- 연령에 따라서 악화인자가 다르다. 영아기에는 음식알레르기, 발한, 물리적 자극 등이 주요 악화인자라고 생각되며, 유아기부터 성인까지는 진드기 등의 환경인자, 발한, 세제 등의 자극인자, 스트레스 등이 고려된다.

■ 표 7-1 아토피성피부염의 병인 · 악화인자

2세 미만	2~12세	13세 이상
○음식 ○발한 ○긁기 등의 물리자극 ○담배연기 · 가스배출 · 화학물질 등의 환경인자 ○세균 · 진균감염 등	○환경인자 ○발한 ○긁기 등의 물리자극 ○세균 · 진균감염 ○접촉항원 · 음식항원 ○스트레스 등	

환자에 따라서 원인·악화인자가 다르므로, 각 환자의 인자들을 충분히 확인한 후 대책을 세워야 한다.

역학 · 예후

- 2000년~2002년도에 실시된 후생노동성 과학연구원에 의한 전국규모의 조사에서는 전국 평균유증률이 4개월아 12.8%, 3세아 13.2%, 초등1년생 11.8%, 초등6년생 10.6%, 대학생 8.2%였다.
- 성인의 유병률은 연령증가에 반비례하여 감소하는 경향을 보였다.

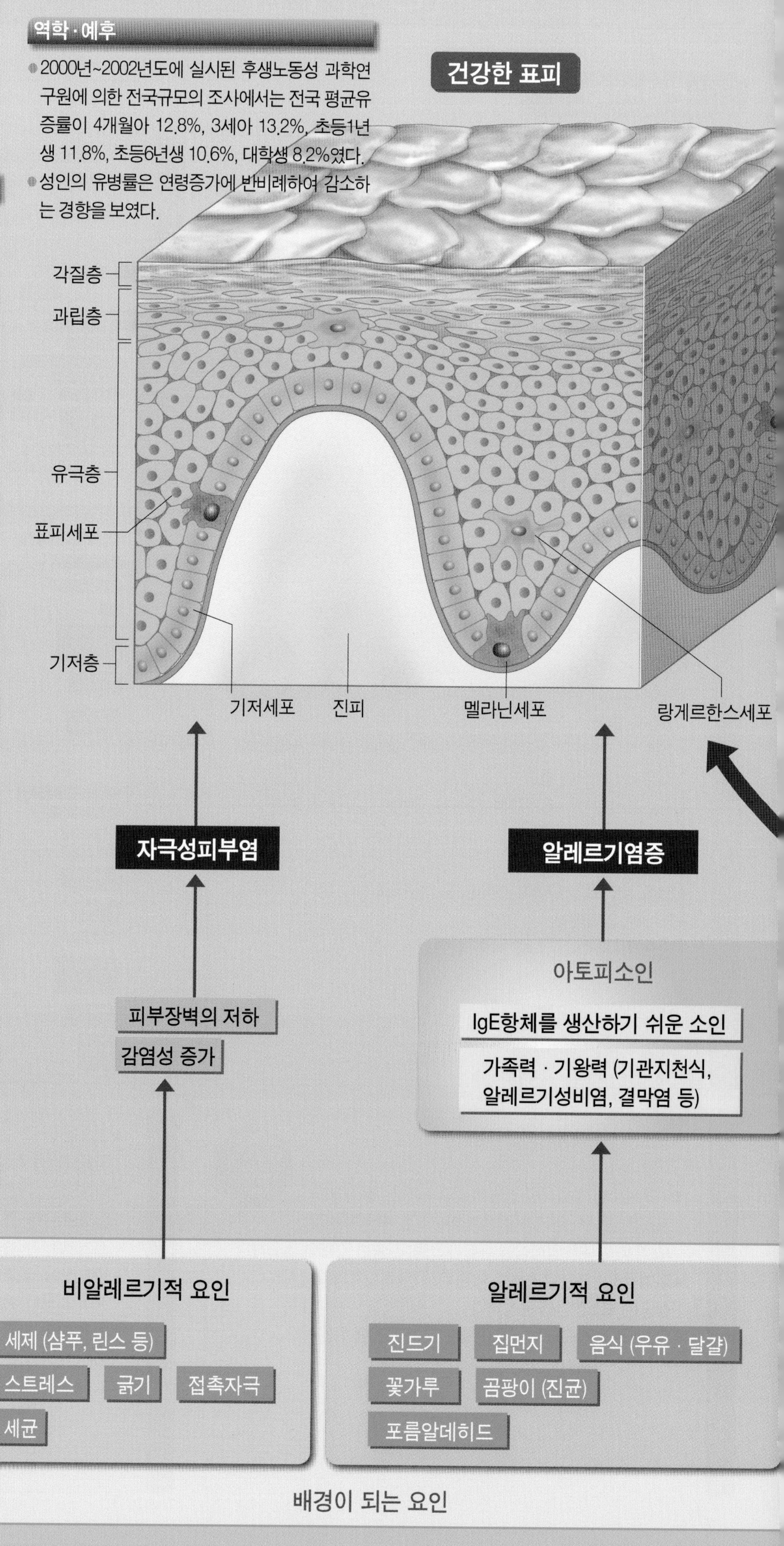

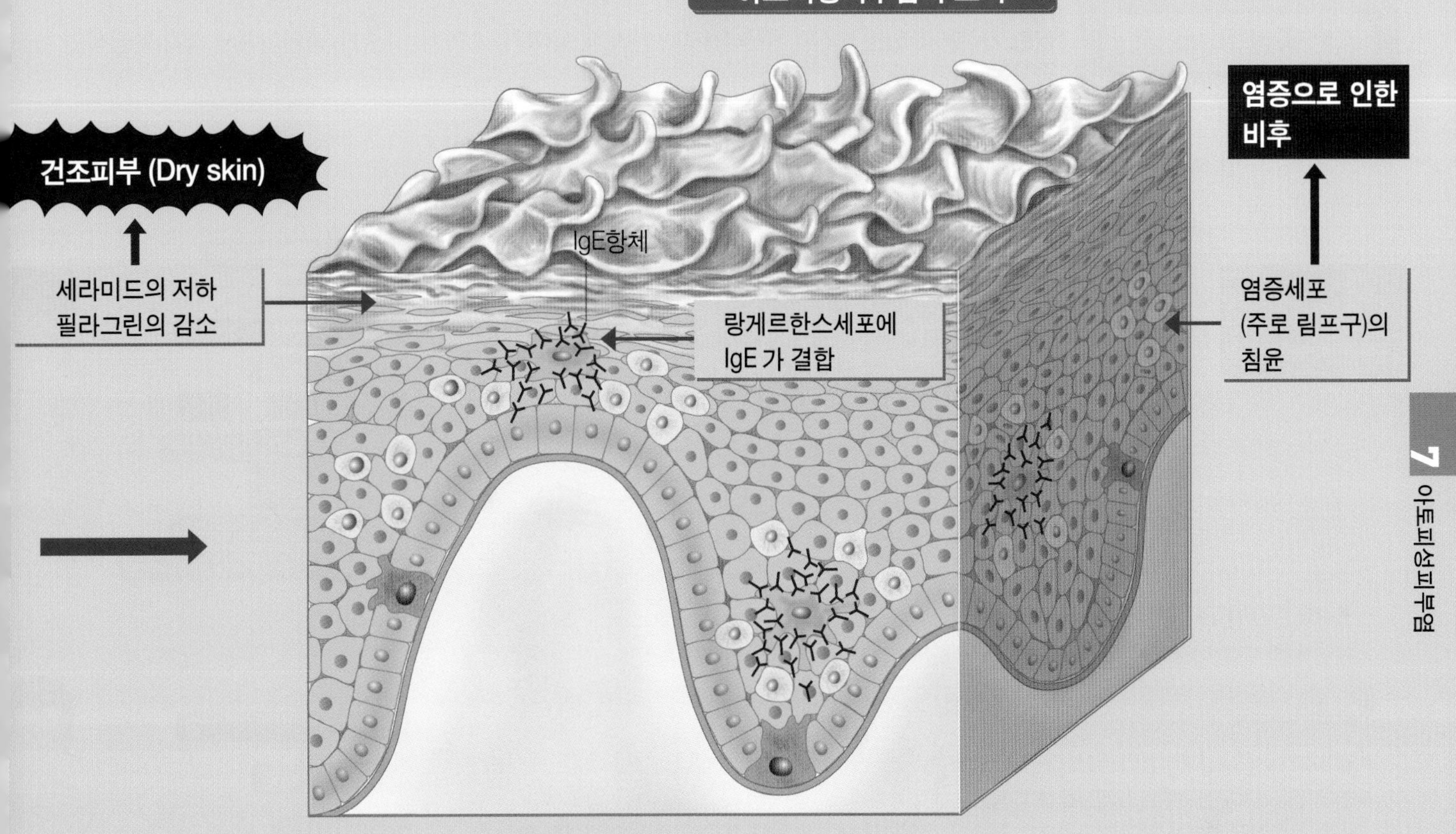
아토피성피부염의 표피
건조피부 (Dry skin)
세라미드의 저하
필라그린의 감소
IgE항체
랑게르한스세포에
IgE 가 결합
염증으로 인한
비후
염증세포
(주로 림프구)의
침윤

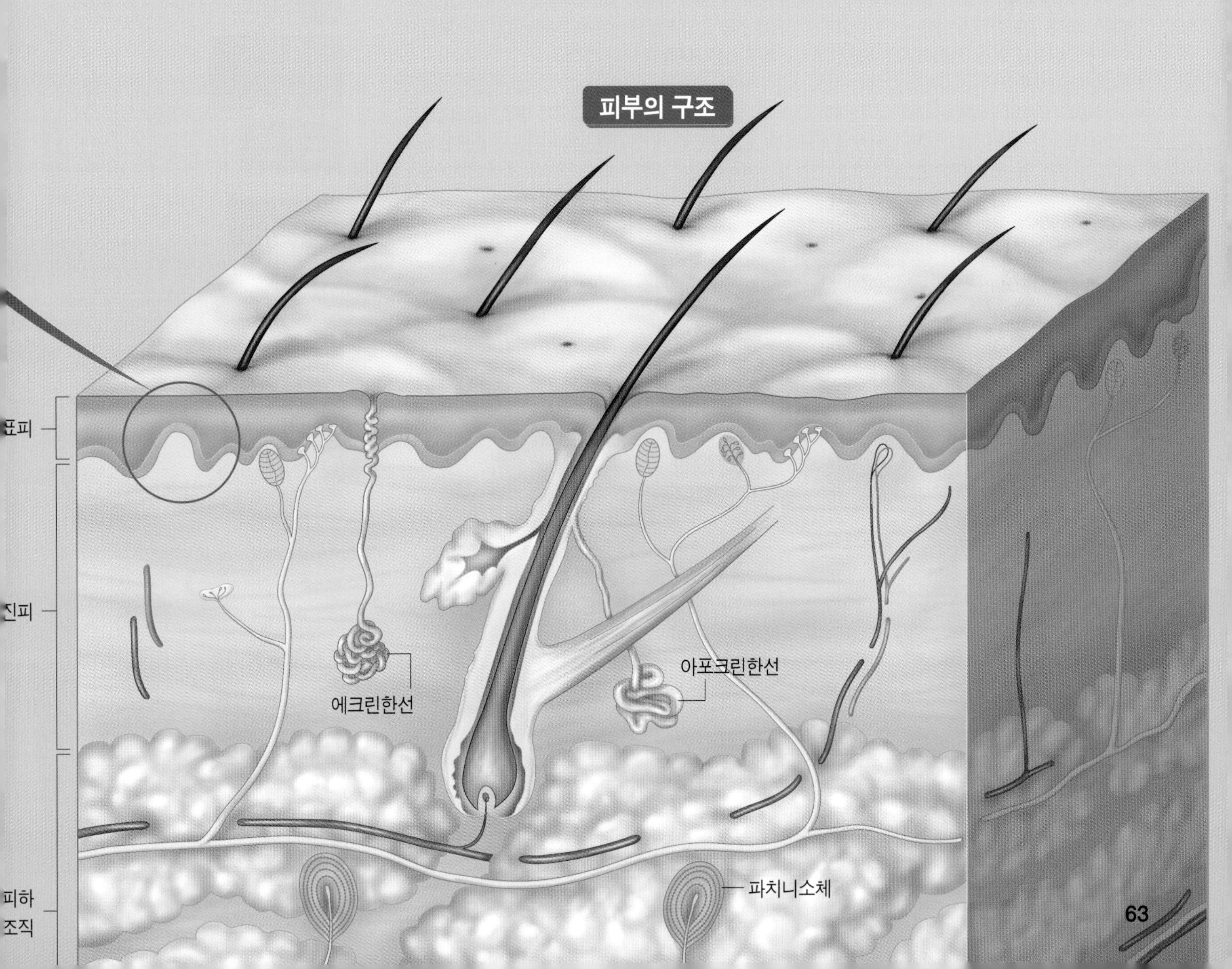
피부의 구조
에크린한선
아포크린한선
파치니소체
피하
조직

증상 map

심한 가려움이 있는 습진이 주증상이며, 영아기, 유아기, 소아기, 사춘기, 성인기에서 각각 특징적인 증상이 나타난다.

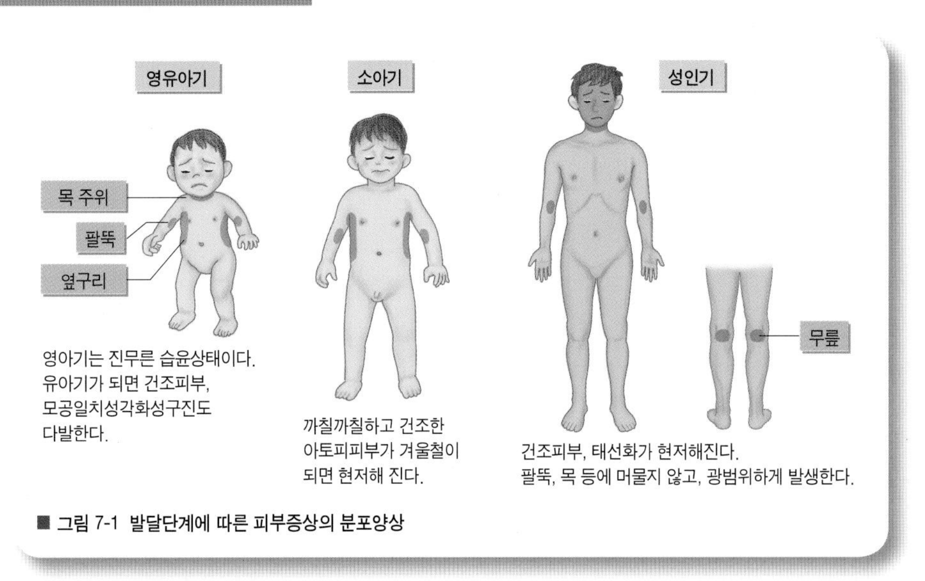

■ 그림 7-1 발달단계에 따른 피부증상의 분포양상

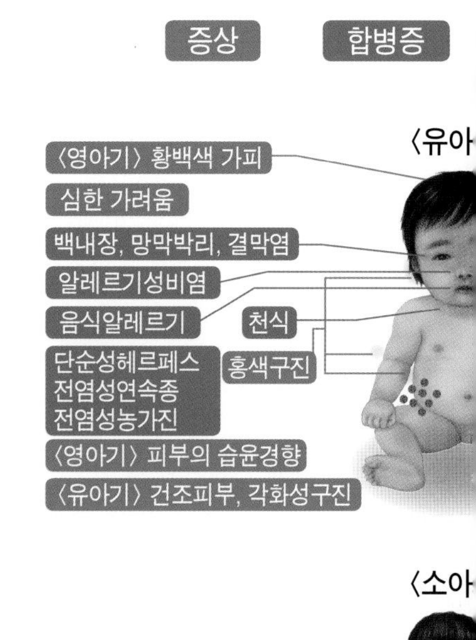

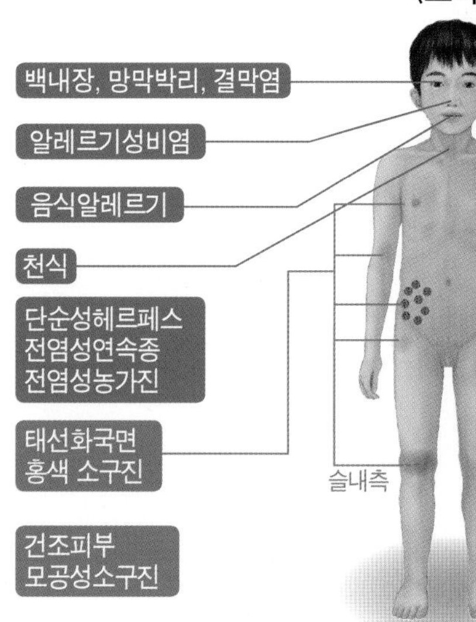

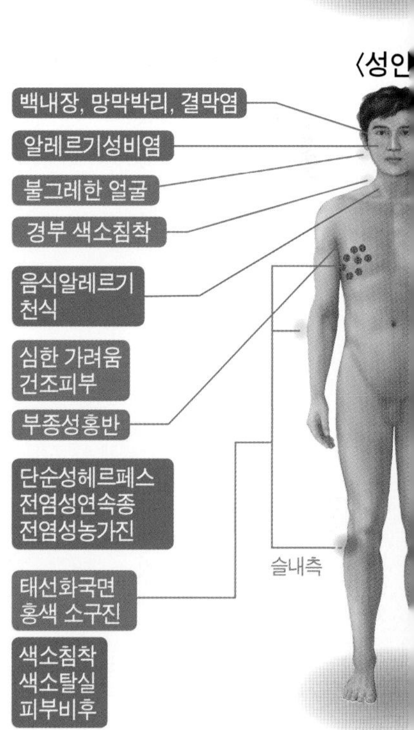

증상

- 영아기의 아토피성피부염의 증상
- 영아기의 아토피성피부염의 피부증상의 특징은 습윤경향이 있다는 점이다. 생후 1개월 정도부터 전두부, 두정부에 걸쳐서 황백색 가피 (부스럼딱지)가 피부에 생기게 된다. 이것에 전후하여 안면, 특히 협부에서 이전부(耳前部)에 걸쳐 더러워지기 쉬운 부위에, 황색 가피가 붙은 작은 홍색구진 (좁쌀형태)이 모이는 습윤상태가 나타나게 된다. 이 증상들은 생후 2~3개월 경에 완화되지만, 그 후에 체간, 사지에도 나타날 수 있다. 영아기의 특징은 까칠까칠한 습윤상태를 만드는 것이다.
- 유아기의 피부증상
- 아토피성피부염의 대부분은 영아기 후반에 경감되고, 일부 (20%) 증례가 유아기의 아토피성피부염으로 이행된다. 1세 이상이 되면 얼굴을 중심으로 하는 습윤 상태가 점차 경감되어 경도의 습윤을 남기고, 눈 주위, 볼, 입 주위에 인설이 부착된 경계가 선명하지 않은 홍반이 퍼지게 된다. 또 체간에서도 홍색 구진이 확인된다. 또 이 시기부터 점차 건조피부, 모공일치성의 각화성구진도 다발하게 된다.
- 소아기 피부증상 (그림 7-2)
- 3세 이상이 되면 전신의 건조피부, 소름 같은 형태의 모공성소구진이 눈에 띄게 된다. 이 까칠까칠한 건조피부는 아토피피부 (atopic skin)라고 속칭되고 있다.
- 아토피피부는 여름철에는 그다지 눈에 띄지 않지만, 겨울철이 되면 상태가 현저히 나빠진다.
- 팔뚝, 무릎, 둔부에는 양진(prurigo) 같은 형태의 소구진이 모인 경계가 선명하지 않은 태선화 상태 (뻣뻣한 피부)가 확인된다. 사지신측은 건조하고 까칠까칠한 피부 위에 가려움이 심한 양진 같은 형태의 홍색 소구진이 산재성 집족성으로 나타난다.
- 사춘기, 성인기의 피부증상
- 사춘기 이후의 피부증상은 유아기의 피부증상, 피진의 분포와 거의 같지만 건조피부, 태선화가 한층 더 현저해진다. 건조성태선화가 팔뚝, 무릎(슬와), 목 뿐 아니라, 체간, 사지, 둔부에도 광범위하게 생기게 된다. 건조성으로 인해 가려움이 장시간 지속되므로 2차적인 색소침착, 색소탈실, 피부비후 등이 수반하는 경우가 많다.
- 최근의 성인형 아토피성피부염에서는 위의 증상 이외에 1)급성기에 출현하는 체간부의 두드러기와 비슷한 부종성홍반, 2)안면의 주사(rosacea;딸기코)양의 피부염 (불그레한 얼굴), 3)경부의 색소침착 (dirty neck) 등이 수반되어, 본증의 임상을 더욱 복잡하게 하고 있다(그림 7-3).

합병증

- 천식, 알레르기성비염, 결막염, 음식알레르기
- 백내장, 망막박리
- 단순헤르페스, 전염성연속종, 전염성농가진

아토피성피부염 진료가이드라인의 진단기준에 의한다.

진단·검사치

- 아토피성피부염의 진단기준이 몇 가지 만들어져 있는데, 각각 조금씩 다른 부분이 있다. 공통적인 내용으로 1)특이한 분포를 나타내는 습진병변의 출현, 2)심한 가려움의 출현, 3)악화와 완화를 반복하고 만성 경과되는 습진반응이라는 3가지가 일치하고 있다. 그래서 좀 더 간단히 진단할 수 있도록 일본 피부과학회의 학술위원회에서 검토하여 만든 것이「아토피성피부염의 진단기준」(표 7-2)이다. 혈청 IgE의 높은 수치는 진단에는 필요가 없다.
- 아토피소인이 있고, 만성으로 경과하는 습진병변이 특이적인 부위에 나타날 때에는 쉽게 진단을 내릴 수 있다. 그러나 부적절한 치료를 받고 장기화된 만성접촉성피부염, 자극성피부염 등에서도 아토피성피부염과 유사한 임상을 나타내므로, 신중하게 감별해야 한다.
- 검사치
- 아토피성피부염을 진단하는 데에 검사가 반드시 필요한 것은 아니다. 그러나 아토피소인을 확인하기 위해서 혈청 총 IgE치, 항원특이적 IgE항체가, 호산구수 등이 상승한 검사결과를 진단에 보조적으로 사용할 수 있다. 그 밖에 Scratch test, Patch test 등도 악화인자를 검토하는 데에 유용하다.

■ 표 7-2 아토피성피부염의 진단기준

다음의 1), 2), 3)을 충족시키는 것을 아토피성피부염이라고 진단한다.
1) 가려움
2) 특징적인 피진과 그 분포
① 피진은 습진병변
② 좌우대칭성 분포
3) 만성 · 반복성 경과
유아에서는 2개월 이상, 그 밖에는 6개월 이상

(일본 피부과학회 아토피성피부염 치료가이드라인위원회 : 일본 피부과학회 아토피성피부염 치료가이드라인 2008, 일본 피부과학회지 118 (3) : 325-342, 2008, 개편)

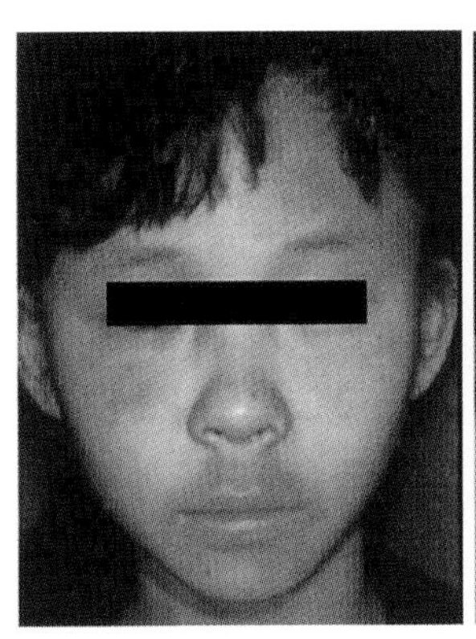
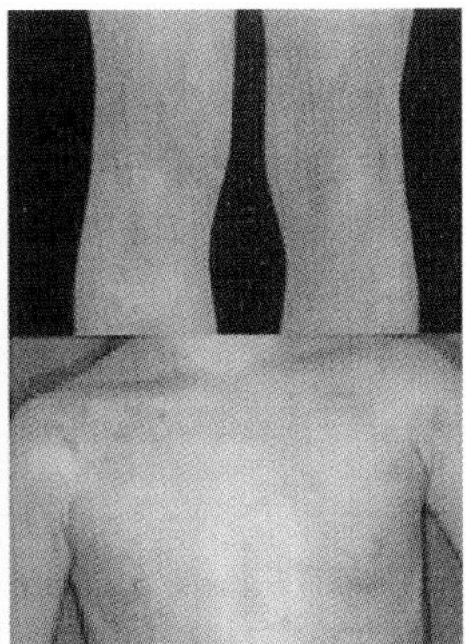

■ 그림 7-2 소아기의 아토피성피부염 임상상

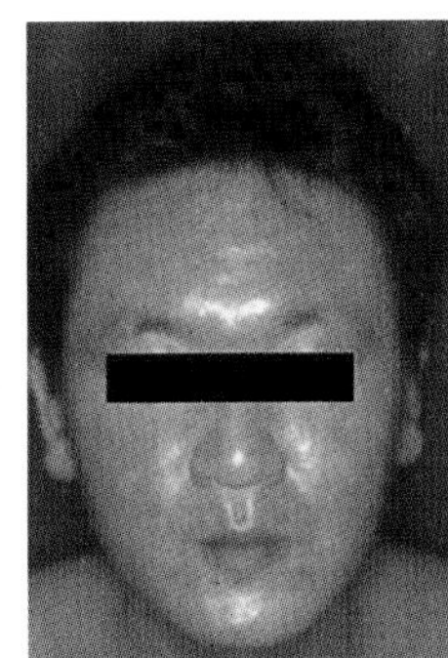
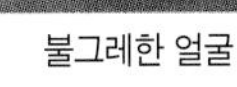
불그레한 얼굴

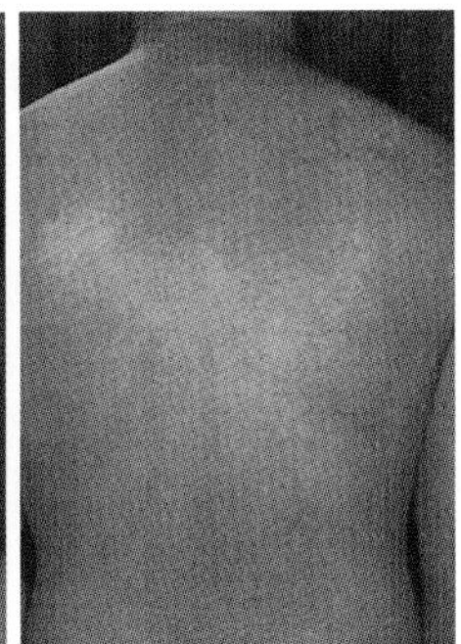
부종성홍반

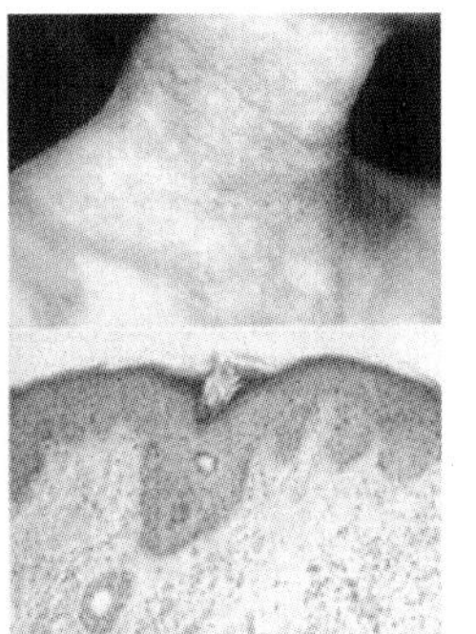
경부의 잔물결 같은 색소침착

■ 그림 7-3 성인기의 아토피성피부염 임상상

아토피성피부염

치료 map

증상을 완화시키고, 증상의 장기화와 합병증 출현을 예방하기 위하여 악화인자를 제거하고 피부케어, 약물요법을 시행한다.

치료방침

- 원칙적으로 염증을 일으키는 악화인자를 가능한 찾아내어 제거함과 동시에 피부케어, 약물요법을 적절히 병용해야 한다.
- 환자에게는 치료에 관한 정보를 충분히 전달하여 라포를 형성한다.

■ 표 7-3 아토피성피부염의 주요 치료제

분류	일반명	주요 상품명	약효발현의 메커니즘	주요 부작용
부신피질호르몬제 (스테로이드외용제)	낙산히드로코르티손	Locoid	항염증작용 · 혈관투과성억제 · 염증성 펩티드의 방출억제 · 리조팀의 방출억제 · T세포기능억제	피부위축, 자반, 모세혈관확장, 피부감염증의 유발
	길초산초산프레드니솔론	리도멕스		
	디플루코르톨론길초산에스테르	네리소나, Texmeten		
	베타메타존낙산에스테르프로피온산 에스테르	Antebate		
아토피성피부염 치료제	타크로리무스수화물	프로토픽	T세포에서 사이토카인 생산억제	피부자극성, 피부의 감염증
소염제	헤파린유사물질	Hirudoid soft	보습작용	가려움, 발적
항알레르기제	펙소페나딘염산염	알레그라	경합적으로 히스타민의 약리작용에 길항 비만세포에서의 화학전달물질유리 억제	중추신경계의 억제 (졸음)
	올로파타딘염산염	알레락		

약물요법

- 약물요법의 기본은 부신피질호르몬제 (스테로이드 외용제)를 주로 하는 항염증제의 외용이지만, 연령, 부위, 중증도를 충분히 파악하고, 적절한 강도의 스테로이드 외용제를 사용한다.
- 가려움에는 필요에 따라서 항히스타민제, 항알레르기제를 투여하여 관리한다.
- 1~2주를 목표로 중증도를 평가하고, 치료제의 변경을 검토한다.
- 면역억제제인 타크로리무스연고 (프로토픽연고)가 보급되고 있다. 2세 이상 15세 이하에는 0.03% 타크로리무스 외용제, 16세 이상에는 0.1%를 적용한다. 타크로리무스연고는 안면, 경부의 피진에 유효성이 높지만, 도포부의 자극감, 감염성 증가, 신장애, 발암위험 등에 주의해야 한다.
- 스테로이드의 전신적인 부작용에는 대량 · 장기투여에 의한 부신피질기능부전, 발육장애, 감염성 증가 등이 있다. 스테로이드 면역억제에 의해 감염증이 유발된 중증례로, 카포지수두양 발진증이라는 아토피성피부염의 단순성헤르페스의 초감염이 있다. 그 밖에 국소적인 부작용에는 피부의 비박화, 혈관벽의 취약성, 모포지선계의 이상활성화 등이 있으며, 이것은 어느 것이나 스테로이드의 약리작용이 극단적으로 나타난 것이다.

Px 처방례 경증례
- Hirudoid연고 1일 여러 차례 도포 ←보습제
- 백색바셀린 1일 여러 차례 도포 ←보습제
- Locoid연고 1일 2회 도포 ←스테로이드 외용제

Px 처방례 중등증
- Hirudoid연고 1일 여러 차례 도포 ←보습제
- 리도멕스연고 1일 2회 도포 ←스테로이드 외용제
- 알레그라정 (60mg) 2정 (아침 · 저녁식사 후) 내복 ←항알레르기제

Px 처방례 중증
- 네리소나유니버설크림 1일 2회, 도포 ←스테로이드 외용제
- Antebate연고 1일 2회 도포 ←스테로이드 외용제
- 프로토픽연고 1일 2회 도포 (안면, 경부) ←면역억제외용제
- 알레그라정 (60mg) 2정 (아침 · 저녁식사 후) 내복 ←항알레르기제

피부케어

- 피부케어에서는 피부에 부착된 진드기항원 등의 악화인자를 제거하고 청결하게 하며, 피부기능이상의 보정을 위해서 적절한 보습제를 외용한다.
- 보습제는 많은 종류가 있지만, 각 제품에 따라서 그 보습기능, 바르는 느낌이 다르며, 계절, 습도, 생활환경, 피부의 차이 등이 있기 때문에 적절히 선택해야 한다. 기본적으로 여름 등 습도가 높고 땀 등으로 피부가 습한 계절에는 친수연고, 흡수연고, 요소연고 (Urepearl) 등의 크림기제가 적당하고, 겨울의 습도가 낮을 때에는 바셀린, Azunol연고 등의 연고기제를 선택하는 경우가 많다. 단, 피부의 상태에 따라서 고려해야 하며, 미란 상태, 긁은 부위에는 요소연고, 크림기제는 자극이 생겨서 통증을 수반하기도 하므로 주의해야 한다.
- 보습제의 외용방법은 목욕 후에 피부를 청결하게 한 상태에서 손바닥에서 보습제를 따뜻하게 잘 펴서, 피부에 자극을 주지 않도록 잘 바르는 것이 가장 바람직하다. 결코 문지르거나, 손가락 끝으로 긁듯이 바르지 않도록 한다. 또 목욕후 뿐 아니라, 한기에 노출된 후나 수영 후, 운동하고 땀을 흘린 후나 진흙놀이 등으로 피부가 더러워졌을 때에는 샤워 등으로 충분히 몸을 씻은 후에 보습제를 사용해야 한다.

목욕

보습제의 도포

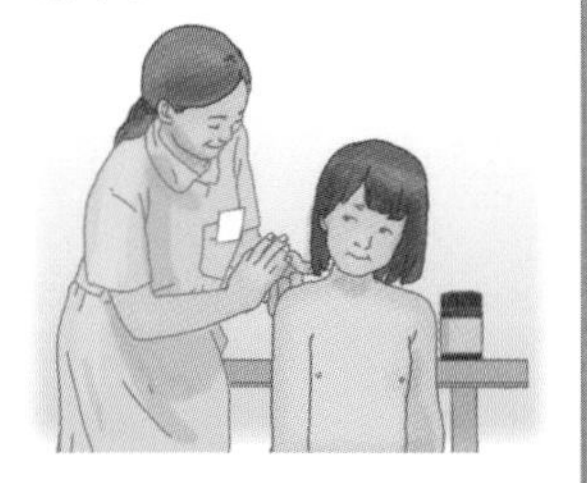

■ 그림 7-4 피부케어

생활지도

- 피부케어 시에는 보습제를 외용하기만 하면 되는 것이 아니라, 아토피피부 등의 건조피부, 자극에 취약한 피부를 지키기 위해서 자세하게 문진하고, 그 환자에게 적절한 생활지도를 실시해야 한다.
- 의복에 관해서는 특히 하의 등은 목면제품으로 부드럽고 자극성이 없는 것을 권장한다. 세제가 남아 있으면 피부를 자극하므로, 세탁할 때에는 충분히 헹구어야 한다.
- 목욕은 여러 가지 자극물, 땀, 오염을 제거하고 피부를 청결하게 하기 위해서 필요하다. 너무 뜨거운 물은 가려움을 유발하므로, 땀을 흘리지 않을 정도의 조금 따뜻한 온도로 맞춘다. 또 목욕 시에는 몸을 박박 닦지 않도록 주의한다.
- 피부를 자극하지 않도록 면 또는 마로 만들어진 침구를 선택하고, 가능한 풀을 먹이지 말고 촉감이 좋은 상태로 사용한다. 침구의 진드기가 원인이 되므로, 자주 햇볕에 쬐인 후, 청소기를 사용하여 사멸한 진드기를 흡인하여 제거해야 한다. 베개도 똑같이 해야 하며, 깃털이나 메밀겨베개는 사용하지 않도록 한다.
- 주거환경에 관해서 지도하는 것도 중요하다. 습도가 높은 계절에는 에어컨을 항상 사용하므로, 방이 밀폐된 상태가 되어 악화인자인 진드기나 진균이 번식하기 쉽다. 이와 같은 환경을 개선하기 위해서, 환기를 시키면서 청소하여 악화인자를 제거하도록 지도한다. 또 가능한 마룻바닥 상태를 유지하고, 카페트는 깔지 않도록 한다.
- 영유아의 아토피성 피부의 일부에서는 우유, 계란, 콩 등의 음식알레르겐의 관여가, 성인에서는 드물게 쌀 등에 의한 아토피성피부염의 악화가 알려져 있다. 음식알레르겐의 관여가 의심스러울 때는 음식섭취검사 등을 시행하고, 아토피성피부염의 악화와 인과관계를 밝힌 후에 음식알레르겐을 제거해야 한다. 이 때 중요한 점은 대체식품을 섭취함으로써 성장장애를 방지하는 것이다.

아토피성피부염의 병기 · 병태 · 중증도별로 본 치료흐름도

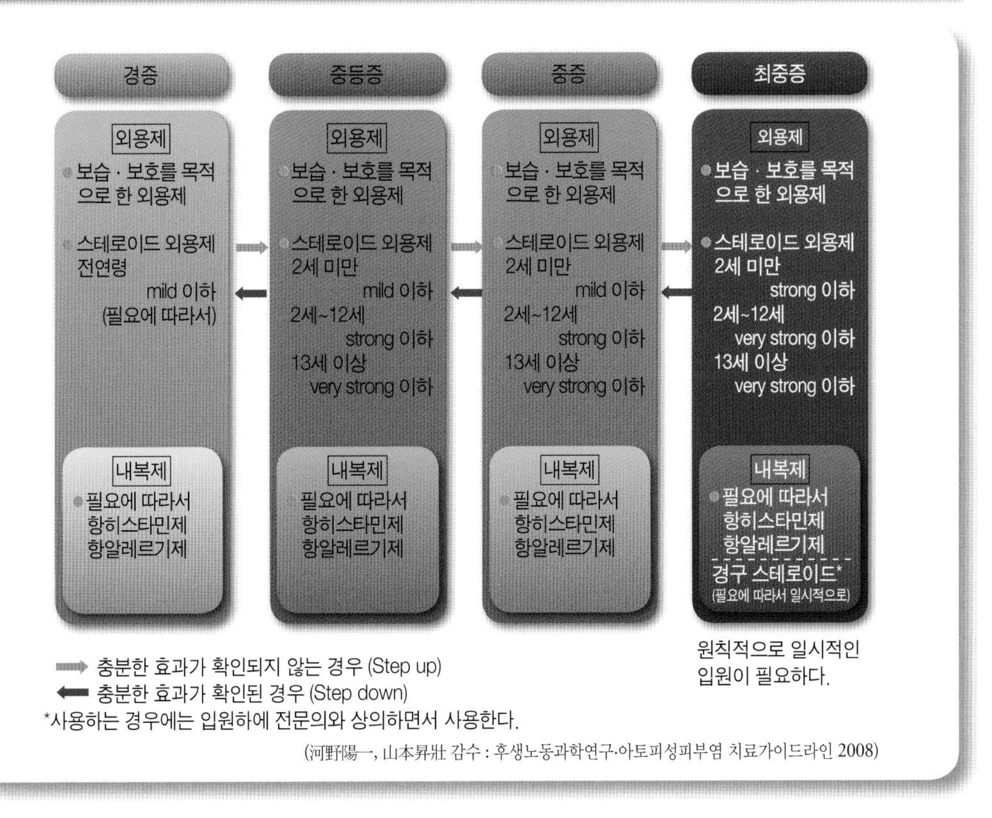

(河野陽一, 山本昇壯 감수 : 후생노동과학연구·아토피성피부염 치료가이드라인 2008)

(横關博雄)

환자케어

가려움에 대한 적절한 대처법, 스테로이드 연고의 적절한 사용방법, 피부케어의 방법, 악화인자에의 노출을 피하는 방법 등을 환자에게 맞추어 지도한다.

병기 · 병태 · 중증도에 따른 케어

가려움이나 특징적 피진에 대한 대처법이나 병태의 악화인자에의 노출을 피하는 방법, 또 적절한 약의 사용방법을 환자가 알 수 있도록 지도하는 것이 기본이지만, 영유아인 경우에는 가족에게 케어방법을 지도한다.

【급성병변】 가려움에 대한 대처법을 지도하고, 병변의 악화인자에의 노출을 삼가도록 한다. 스테로이드 외용제의 사용목적을 충분히 이해한 후에, 확실히 도포할 수 있도록 한다. 항히스타민제나 항알레르기제의 사용목적을 충분히 이해한 후에, 확실히 내복할 수 있도록 한다.

【만성병변】 필요성을 충분히 이해한 후에, 적절한 방법으로 피부케어를 실시하고, 적절한 피부케어를 지속할 수 있도록, 병변의 악화인자를 삼갈 수 있도록 한다.

케어의 포인트

치료의 지지

- 지시받은 외용제를 지시받은 부위에 적절한 방법으로 도포하도록 지도한다.
- 지시받은 내복제를 지시대로 복용하도록 지도한다.
- 스테로이드 외용제나 항히스타민제의 효과 · 부작용을 충분히 알도록 사용약물에 관해서 설명한다.

피부케어의 지지

- 몸을 청결하게 유지하도록 지도한다.
  - · 땀이 나거나 더러워지면 신속히 씻는다. 발한 후나 피부가 더러워졌을 때는 신속히 샤워 등으로 땀이나 오염을 제거한다.
  - · 병변이 습윤한 상태가 아니면, 목욕으로 청결히 해도 된다. 목욕시 탕의 온도는 미지근하게 한다. 가려움이 유발되거나 악화될 수 있으므로 탕의 온도가 높은 상태에서 목욕이나 장시간 목욕은 삼간다.
- 몸을 씻을 때에 과도하게 피부를 자극하지 않도록 지도한다. 나일론타월로 심하게 문지르지 않는다(나일론타월은 사용하지 않는 편이 좋다). 보통 비누를 사용한 후에는 비누를 충분히 씻어낸다(향료가 들어간 비누나 약용비누 등은 피부를 자극하므로 사용하지 않는다. 또 알칼리성 비누는 과도하게 피지를 제거하여 피부가 건조해지므로 사용하지 않는다).
- 피부의 보습을 지도한다. 목욕 후에는 피부의 건조를 예방하기 위해서 신속히 보습제를 도포한다.

악화인자 경감에 대한 지지

- 악화인자를 환자가 이해하도록 설명하고, 증상이 악화되지 않도록 지도한다.
  - · 악화인자 : 목욕, 온열, 발한, 의류, 정신적 스트레스, 과로, 수면부족, 음식, 음주, 감기, 피지, 긁기, 진드기, 먼지, 애완동물, 세균 · 진균, 비누 · 샴푸 등의 세정제 등.
  - · 고온에서의 목욕이나 장시간 목욕은 삼간다.
  - · 발한 후에는 신속히 땀을 제거한다.
  - · 면소재의 의복을 착용한다(화학섬유소재나 울소재의 의류는 피부를 자극한다).
  - · 정신적 스트레스를 경감한다(스트레스를 잘 발산하여 해소한다).
  - · 충분한 휴식을 취한다.
  - · 자극적인 음식 (고추, 카레 등)의 섭취는 삼간다.
  - · 진드기나 집먼지를 제거하기 위해서는 주거나 침구를 청결히 한다(예 : 주거의 먼지를 제거하기 위해서 먼지청소를 철저히 한다. 침구의 진드기를 제거하기 위해서 이불을 햇볕에 쬐어 충분히 건조시킨다).
  - · 세탁할 때는 충분히 헹구어 세탁물에 세제성분이 남지 않도록 하고, 유연제는 사용하지 않는다.

소양증에 대한 지지

- 가려움의 악화인자를 환자가 이해하도록 설명하고, 가려움을 경감시키도록 지도한다.
  - · 가려움의 악화인자 : 목욕, 뜨거운 물, 발한, 의류, 음식, 음주, 긁기, 비누 · 샴푸 등의 세정제 등.
  - · 긁으면 가려움이 더욱 심해진다고 설명한다.
  - · 실온은 살짝 낮게 한다(실온이 높으면 땀을 흘려서 가려움이 심해진다).
  - · 가려움에 대한 대처법을 지도한다(가려운 부위를 가볍게 두드리거나 차게 한다, 또는 청결하게 닦은 후에 외용제를 다시 도포한다, 기분전환을 한다).
  - · 피부의 건조를 방지한다.
  - · 야간에 무의식적으로 긁는 것을 예방한다(손톱을 짧게 자른다, 장갑을 끼고 잔다. 병변부를 포대로 보호하고 잔다).

일상생활의 지지

- 실내 공기를 청정하게 유지하기 위하여 환기를 자주 하도록 지도한다.
- 항히스타민 내복약의 부작용으로 졸음이 온다고 설명하고, 환자가 일상생활에서의 주의점을 이해하도록 한다.

심리 · 사회적 측면에 대한 지지

- 치료가 장기적이므로, 끈기있게 치료를 계속할 수 있도록 정신적 지지를 제공한다.

퇴원지도 · 요양지도

- 지시받은 약을 사용하고, 증상 · 징후를 관리할 수 있도록 지도한다(사용약제의 효과 · 부작용과 함께 적절한 약제의 사용방법을 지도한다).
- 피부케어를 실시할 수 있도록 지도한다(신체의 청결을 유지하는 방법, 피부의 보온방법을 지도한다).
- 악화인자를 관리할 수 있도록 지도한다(악화인자와 대처법을 지도한다).
- 가려움을 경감시킬 수 있도록 지도한다(가려움을 일으키는 인자와 대처법에 관하여 지도한다).

(瀧島紀子)

8 두드러기, 접촉성피부염 (urticaria, contact dermatitis)

片山一朗/瀧島紀子

A. 두드러기 (urticaria)

병인

- 비만세포과립에 저장되는 히스타민의 방출

[악화인자] 스트레스, 감기, 비스테로이드성항염증제, 식품첨가물

역학

- 일생의 두드러기의 이환율은 약 15%이다.
- 급성두드러기의 대부분은 재발없이 경과한다.

[예후] 일부는 만성화되고 그 대부분은 1년 이내에 치유되지만, 장기적인 난치례도 있다.

병태생리

- 피부의 비만세포가 탈과립되어, 히스타민 등의 화학매개체가 유리됨으로써 발생하는 일과성혈관확장과 혈관투과성 항진에 의해 팽진반응이 일어나는데, 심한 가려움이 수반된다.
- 알레르기 외에 스트레스자극으로도 탈과립되어 두드러기가 생긴다.
- 특수한 두드러기에 자가면역성두드러기, 혈관신경성부종이 있다.

증상

- 홍반을 수반하는 일과성 · 국한성피부부종
- 가려움을 수반하는 경우가 많다
- 피진은 24시간 이내에 소실되고, 색소침착 · 낙설은 수반되지 않는다.
- 긁음 등으로 인해 팽진이 나타난다.

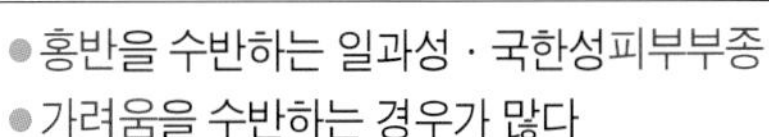
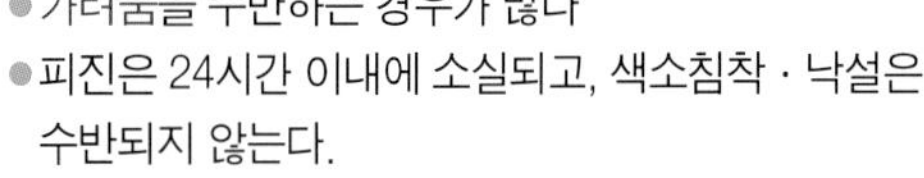

[합병증]

- 비염, 기관지천식, 설사
- 아나필락시스 (성문부종, 혈압저하)
- 관절염

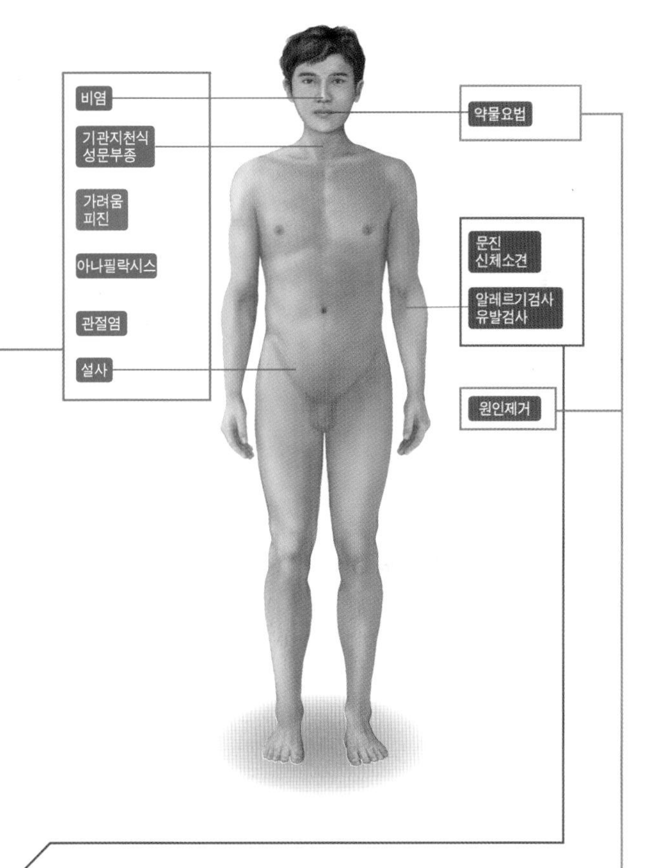

진단

- 두드러기의 병형분류 : 알레르기성, 비알레르기성, 특발성, 기타
- 4주 이내에 치유되는 것을 급성두드러기, 그 이상 지속되는 것을 만성두드러기라고 한다.
- 알레르기성두드러기 : 특이적 IgE항체검사 (CAP-RAST 등), 히스타민유리검사, Scratch test에서 IgE항체를 확인한다.
- 비알레르기성두드러기 : 자외선조사검사, 아이스큐브테스트, 피부묘기검사, 온열부하검사 등으로 원인을 특정한다.

치료

- 두드러기 · 혈관성부종의 치료가이드라인에 입각하여 치료방침을 결정한다.
- 약물요법 : 일반적으로 항히스타민작용을 하는 약제 (항히스타민제, 항알레르기제)를 처방하지만, 어떻게 선택하는가는 각 임상의의 경험이나 증례보고에 따르는 것이 현상황이다.

두드러기

병태생리 map

두드러기는 피부의 비만세포에서 특이적 또는 비특이적으로 유리되는 히스타민 등의 화학매개체가 일으키는 일과성 진피 상층의 혈관확장과 혈관투과성의 항진으로 인하여 발생하는 팽진반응으로서, 통상적으로 심한 가려움을 수반한다.

- 비만세포의 세포막 표면에 존재하는 IgE항체 수용체 (FcεRI)에 결합한 IgE항체에 대응하는 음식, 약제, 미생물 등의 알레르겐이 IgE에 결합함으로써 세포 내로 Ca이온이 유입되어, 탈과립이 발생하고, 히스타민이 유리된다. 동시에 세포막 표면의 인지질에서 아라키돈산을 거쳐서 합성되는 프로스타글란딘 (PG), 류코트리엔 (LT), 혈소판활성화인자 (PAF), 트롬복산 (Tx) 등도 두드러기의 발증에 관여할 가능성이 고려되고 있다.
- 스트레스자극으로 말초신경에서 유리되는 물질P(substance P)나 세균유래인자, 보체파편 등에 의해서도 비특이적 탈과립이 생긴다.
- 특수한 두드러기로, IgE항체수용체 등에 대한 자가항체로 생기는 자가면역성두드러기나 보체의 C1 에스테라아제억제제결손증에 의한 혈관신경성부종이 있다.

병인·악화인자

- 비만세포과립에 저장되는 히스타민에 의해서 혈관투과성 항진에 의한 팽진형성, 축삭반사에 의한 홍반반응, 신경종말자극에 의한 가려움을 수반하는 두드러기가 생긴다.
- 스트레스, 감기, 비스테로이드성항염증제, 식품첨가물 등은 악화인자로 작용하기도 한다.

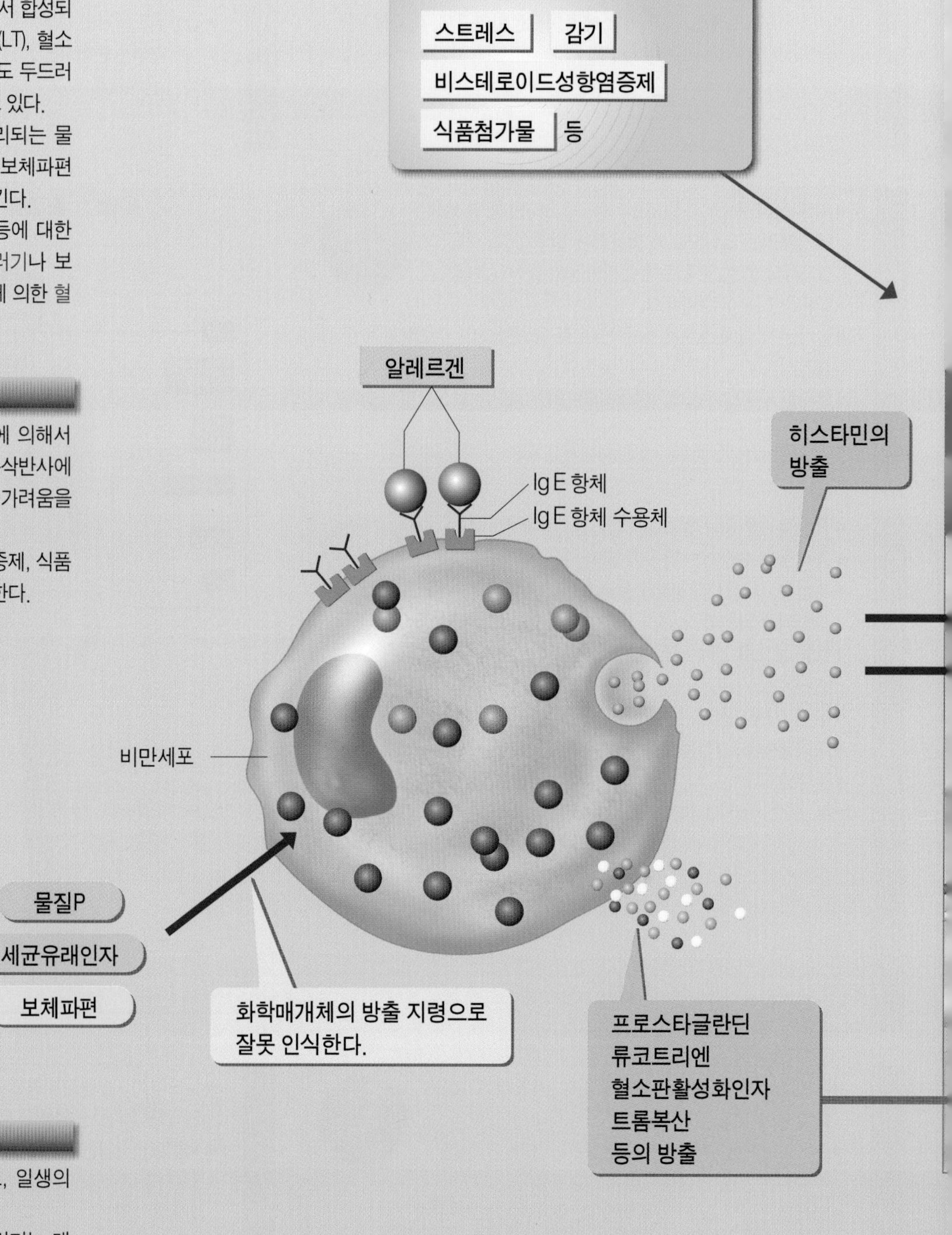

역학·예후

- 두드러기는 흔히 있는 피부질환으로, 일생의 두드러기의 이환율은 약 15%이다.
- 통상 4주 이내에 치유되는 급성두드러기는 대부분 재발없이 경과하지만, 일부 증례에서 만성화된다. 필자팀이 92례를 검토한 결과 만성두드러기 환자의 90%가 1년 이내에 치유되었지만, 최장 52년에 걸친 난치례가 9례 나타났다.

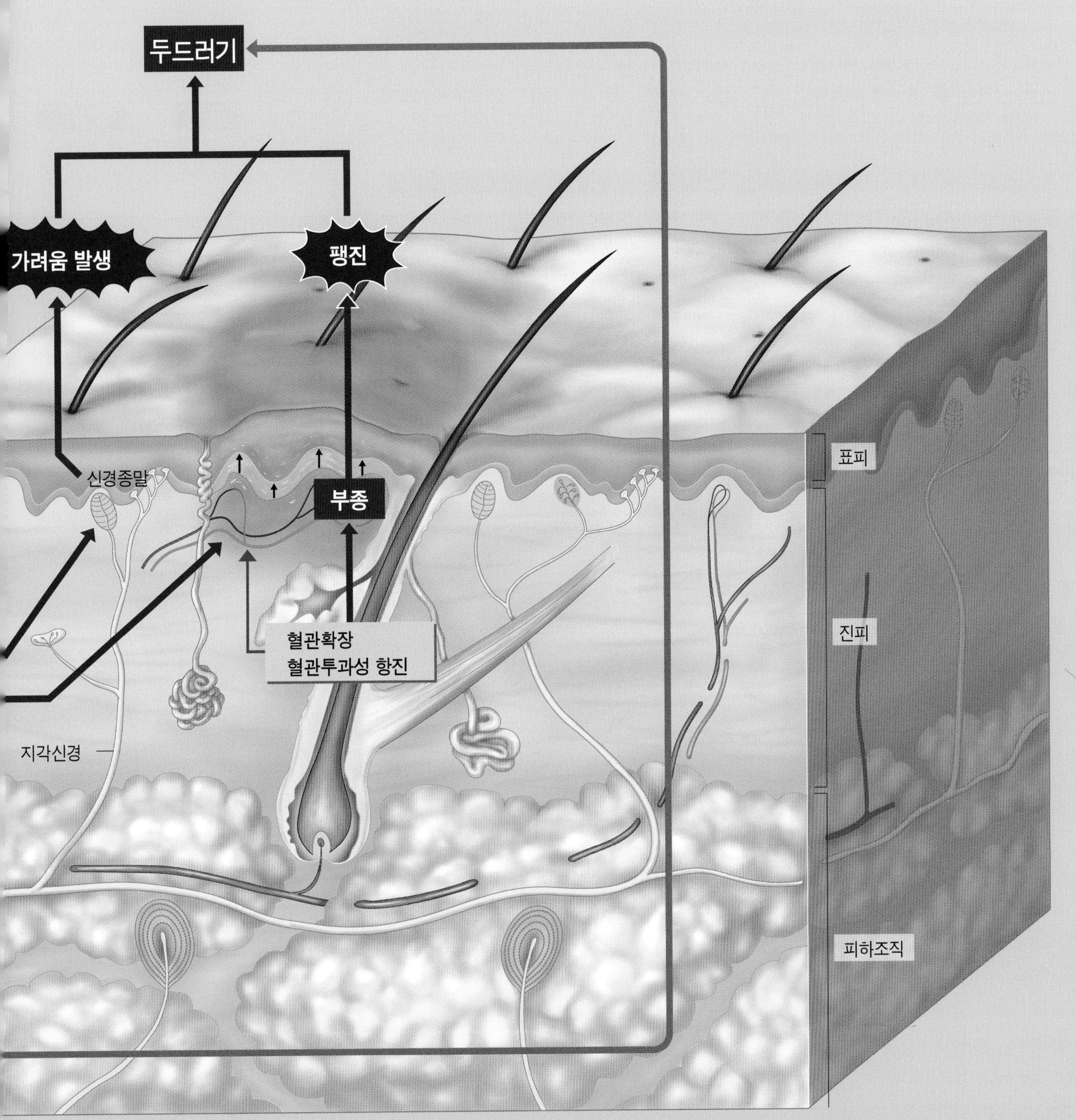
두드러기
가려움 발생
팽진
신경종말
부종
혈관확장
혈관투과성 항진
지각신경
표피
진피
피하조직

두드러기

증상 map

홍반을 수반하는 일과성, 국한성 피부 부종이 병적으로 나타나는 질환으로, 대부분은 가려움을 수반한다.

증상

- 통상적으로 각 피진은 24시간 이내에 소실되고, 색소침착 · 낙설을 수반하지 않는다.
- 두드러기가 생기기 쉬운 병태에서는 긁기 등의 기계적인 자극으로 팽진이 생긴다(피부묘기증;dermographism).

합병증

- 비염, 기관지천식, 설사.
- 성문부종, 혈압저하 등의 아나필락시스.
- 관절염 등.

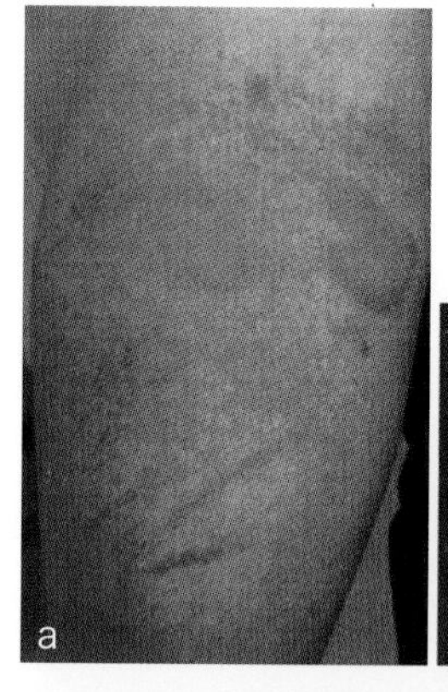

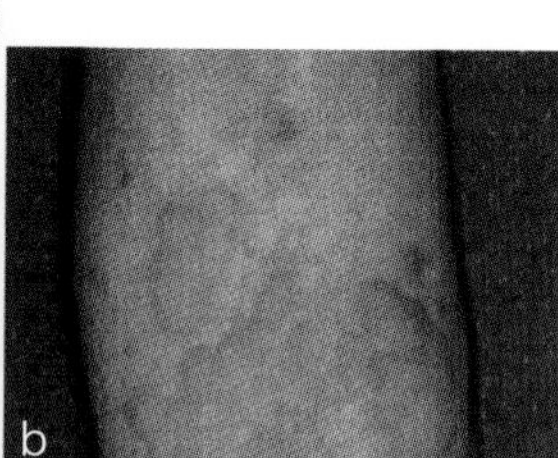

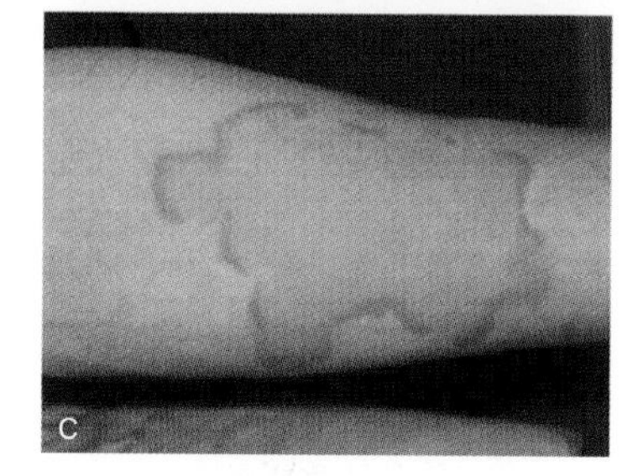

a. 긁은 흔적과 일치하는 팽진
b. 팽진
c. 고리 모양의 두드러기

■ 그림 8-1 두드러기와 임상상

증상 합병증

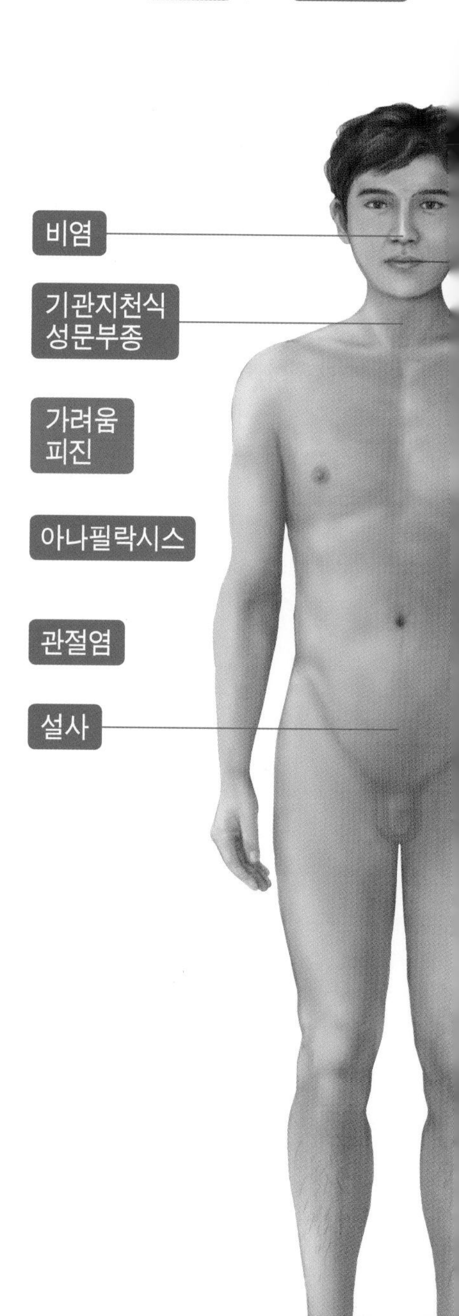

갑작스레 피진이 출현하여 24시간 이내에 소실되는 경우의 대부분은 두드러기로, 성상과 피진 출현의 경과에 따라서 병형을 진단한다.

진단 치료

문진
신체소견

알레르기검사
유발검사

원인제거

진단·검사치

- 그림 8-2, 표 8-1은 최근 제시된 두드러기의 병형분류이다. 통상적으로 일본에서는 4주, 서구에서는 6주 이내에 치유되는 두드러기를 급성두드러기, 그 이상 지속되는 경우를 만성두드러기라고 한다.
- 검사치
- 알레르기성두드러기 : 급성두드러기의 경우 일부 환자에게서 알레르기 메커니즘에 근거하는 병태를 증명할 수 있다. 음식과 약제로 인한 경우가 많으며, 대응항원에 의한 특이 IgE (CAP-RAST, MAST, FAST, AlaStat), 호염기구에서의 히스타민유리검사, Scratch test나 재투여시험에서 IgE항체를 확인할 수 있다.
- 비알레르기성두드러기 : 일광, 한냉자극, 기계적 자극, 발한, 압박 등의 물리적 자극으로 생기는 두드러기는 물리적 두드러기라고 총칭한다. 각각 자외선조사검사, 아이스큐브테스트 (피부에 5분간 얼음조각을 놓고 반응을 보는 방법), 피부묘기검사 (피부를 막대의 뾰족한 끝으로 가볍게 문지른 후 피부의 변화를 관찰하는 진단법), 온열부하검사 등으로 유발된다.

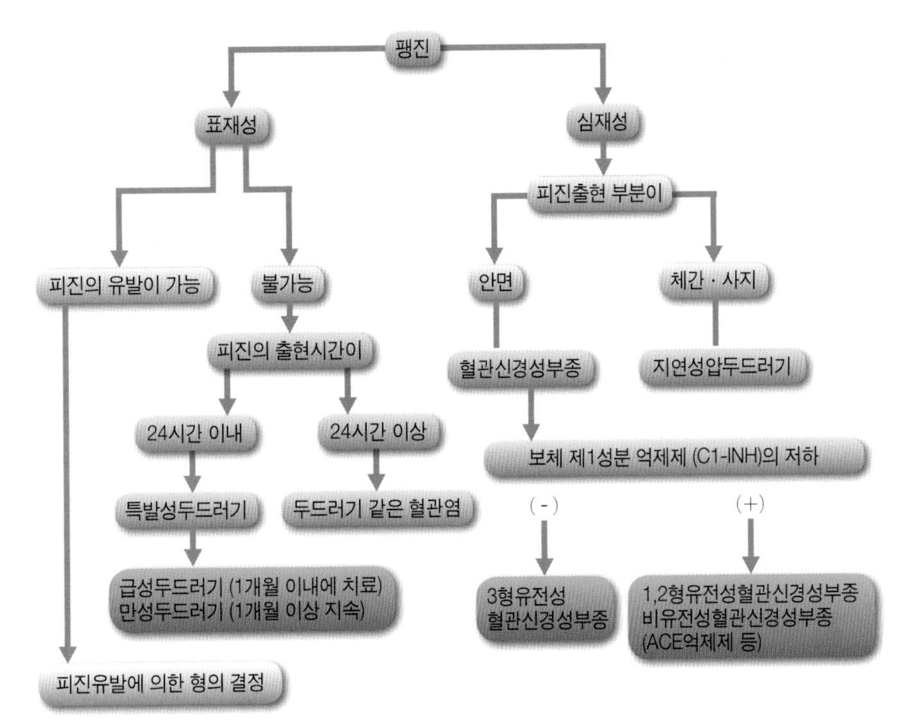

■ 그림 8-2 두드러기의 병형분류

(두드러기·혈관성부종의 치료가이드라인 작성위원회 : 두드러기·혈관성부종의 치료가이드라인. 일본피부과학회잡지 115 : 703-715, 2005, 일부개편)

■ 표 8-1 두드러기의 분류와 병인

분류	병인
알레르기성두드러기	특이항원에 대한 과민증 물리적 두드러기의 일부
비알레르기성두드러기	물리적 두드러기 (일광, 한냉, 기계성) 아스피린불내증 (첨가제 등) 약제성두드러기 (조영제 등)
특발성두드러기	원인이라고 생각되는 병태 감염증 (헬리코박터 파일로리 등) 스트레스 (뉴로펩티드) 자가항체 (항Fcε R I 항체) 원인불명
기타	혈관신경성부종 비만세포증 두드러기 형태의 혈관염

치료 map

원인제거와 항히스타민제를 중심으로 하는 약물요법이 기본이 된다. 악화인자도 제거한다.

치료방침

- 일반적으로 항히스타민작용이 있는 약제가 처방된다. 그림 8-3은 현재의 치료가이드라인이다. 항히스타민제를 어떻게 선택하는가는 각 임상의의 경험이나 증례보고에 입각하여 결정하는 것이 현 상황이다. 서구에서는 비진정성 약제가 권장되고 있다.

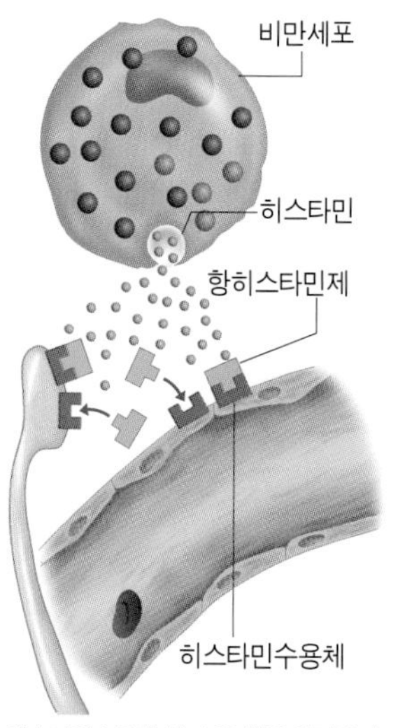

히스타민수용체 (H_1수용체)를 차단하여 히스타민의 작용 (혈관투과성 항진, 신경종말의 흥분)을 억제한다.

■ 그림 8-4 항히스타민제의 작용

약물요법

〈급성두드러기〉

(1) 알레르기성두드러기

Px 처방례 기본적인 처방으로, 1)과 2)를 병용하거나, 3)이나 4)를 단독으로 사용한다.

1) Polaramine정 (2mg) 2정 1일2회 (아침 · 저녁식사 후) ←항히스타민제
2) Eurax크림 (10g) 1일 여러 차례 도포 · 도찰 ←진양제
3) 알레그라정 (60mg) 2정 1일 2회 (아침 · 저녁식사 후) ←항히스타민제
4) 지르텍정 (10mg) 1일1회 (저녁식사 후 또는 자기 전) ←항히스타민제

Px 처방례 성문부종 등이 보이는 경우

- Predonine정 (5mg) 20mg 좀 더 점감 ←부신피질호르몬제
- 알레락정 (2.5mg) 2정 1일2회 (아침 · 저녁식사 후) ←항히스타민제

Px 처방례 유소아

- 자디텐시럽 · 드라이시럽 0.06mg/kg 1일 2회 (아침식사 후 · 취침전) ←항히스타민제

Px 처방례 음식알레르기에 의한 두드러기

- 알레그라정 (60mg) 2정 1일 2회 (아침 · 저녁식사 후) ←항히스타민제
- Intal세립 (10%) 50~100mg 分4 ←항알레르기제

(2)비알레르기성두드러기

Px 처방례 세균감염증에 수반하는 두드러기

- 에바스텔정 (10mg) 1일 1회 (저녁식사 후) ←항히스타민제
- 루리드정 (150mg) 2정 分2 (아침 · 저녁식사 후) ←항균제

〈만성두드러기〉

Px 처방례 물리적 두드러기. 다음의 1)~5)중에서 사용한다

1) 페리악틴정 (4mg) 1~3정 1일 1~3회 (식후) ←항히스타민제
2) Atarax정 (10mg) 3정 1일 3회 (식후) ←항불안제
3) Homoclomin정 (10mg) 2정 1일 2회 (식후) ←항히스타민제
   타가메트정 (200mg) 2정 1일 2회 (아침 · 저녁식사 후) 보험적용외 ←제산제
4) 지르텍정 (10mg) 1정 分1 (저녁식사 후 또는 잠자기전) ←항히스타민제
5) 알레지온정 (20mg) 1정 分1 (저녁식사 후) ←항히스타민제

Px 처방례 아스피린불내증

1) 아젭틴정 (1mg) 2정 (아침 · 저녁식사 후) ←항히스타민제
2) 오논캅셀 (112.5mg) 2캅셀 1일 2회 (아침 · 저녁식사 후)

1. 몇 주~몇 개월에 1번 간헐적으로 출현하는 경우
   증상의 정도에 따라서 예방적 · 대증적으로 내복하거나 경과관찰한다.

2. 매일 내지 거의 매일 출현하는 경우

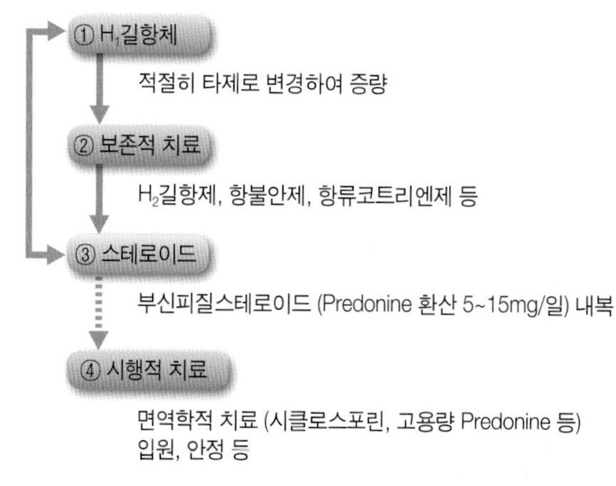

■ 그림 8-3 두드러기 치료
(두드러기·혈관성부종의 치료가이드라인 작성위원회 : 두드러기·혈관성부종의 치료가이드라인. 일본피부과학회잡지 115 : 703-715, 2005, 일부 개편)

■ 표 8-2 두드러기, 가려움의 주요 치료제

분류		일반명	주요 상품명	약효발현의 메커니즘	주요 부작용
항히스타민제	제1세대	디펜히드라민염산염	Restamine, Vena, Venasmin, Resmin, Restamine A	히스타민H₁수용체길항제	항콜린작용, 졸음
		클로르페니라민말레인산염(d체)	Polaramine, Neomallermin		
		클레마스틴푸마르산염	Tavegyl, Telgin G		
		시프로헵타딘염산염	페리악틴		
	제2세대	케토티펜푸마르산염	자디텐, Zikilion	히스타민H₁수용체길항제	졸음, 경련, 간장애
		에바스틴	에바스텔		간장애, 부정맥
		에피나스틴염산염	알레지온		간장애
		펙소페나딘염산염	알레그라		
		세티리진염산염	지르텍		
		올로파타딘염산염	알레락		
		베포타스틴베실산염	타리온		부작용이 적다.
		로라타딘	클라리틴		간질
류코트리엔길항제		프란루카스트수화물	오논	류코트리엔의 생산을 억제	간장애, 횡문근융해증
		몬테루카스트나트륨	싱귤레어, Kipres		혈관부종, 간장애
부신피질호르몬제		프레드니솔론	Predonine, 프레드니솔론, Predohan	사이토카인 생산의 억제, 항염증작용	감염증의 유발, 소화성궤양, 골다공증, 대퇴골두괴사, 녹내장
		베타메타존	Rinderon, Rinesteron		감염증의 유발, 소화성궤양, 골다공증, 대퇴골두괴사, 녹내장
항불안제		히드록시진	Atarax	시상 · 시상하부 · 대뇌변연계 등에 작용하여 중추억제작용을 유발	경련, 구갈
		탄도스피론구연산염	세디엘		휘청거림, 간장애

두드러기의 병기 · 병태 · 중증도별로 본 치료흐름도

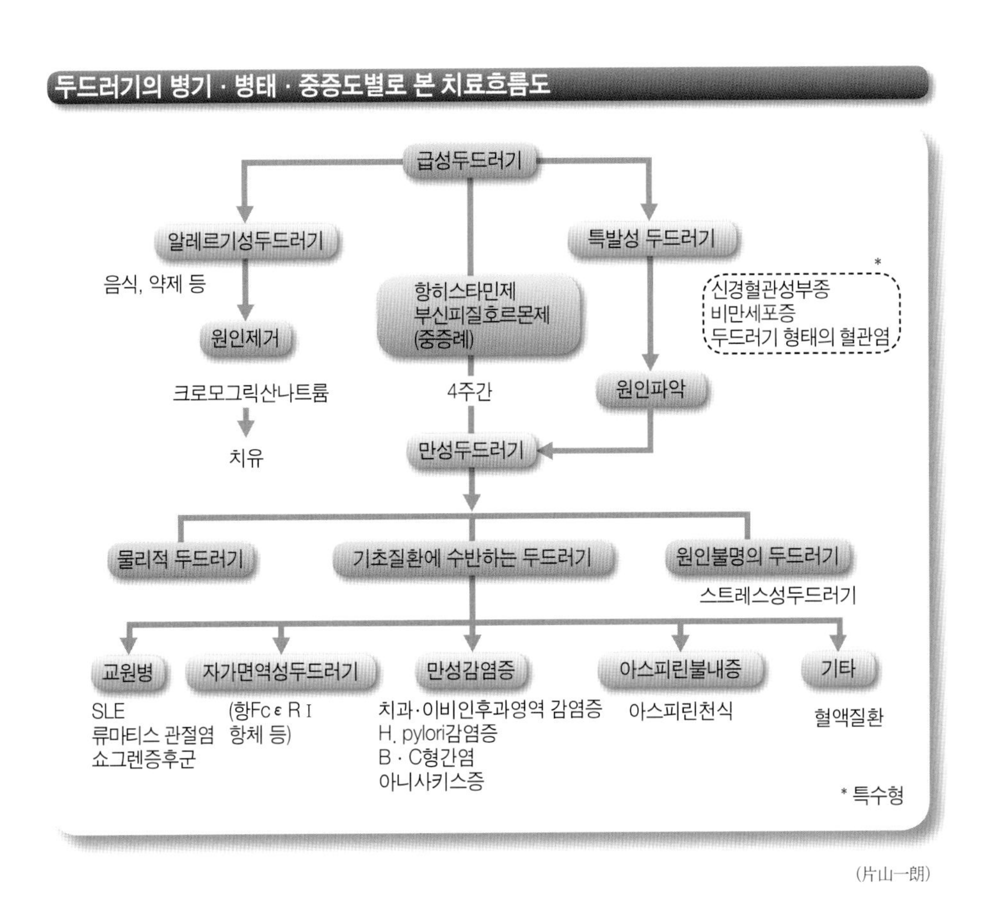

(片山一朗)

B. 접촉성피부염 (contact dermatitis)

병인

- 분자량 1,000 이하의 화학물질 (합텐)의 경피적인 침입에 의한다.
- 항원특이적인 T세포를 유도하는 감작경로와 T세포가 반응하여 피부염을 일으키는 야기경로를 거쳐서 발생한다.

역학

- 광접촉성피부염에서 항원은 장기적으로 잔존한다.
- 직업성접촉성피부염은 사회의학적 접근이 필요하다.

[예후] 대증요법만 적용하면 만성화 · 난치화가 진행된다.

병태생리

- 경피적으로 침입하는 항원이나 이물 등을 배제하는 과정에서 표피를 중심으로 염증이 발생하는 피부질환이다.
- 원인물질이 피부에 부착된 모든 사람에게 생기는 1차자극성접촉성피부염과 특정인에게만 생기는 알레르기성 접촉성피부염으로 분류된다.
- 항원물질의 생성에 광에너지가 관여하는 광접촉성피부염, 접촉성두드러기, 전신성접촉성피부염도 있다.

증상 합병증 진단 치료

접촉부위
· 구진
· 홍반
· 부종
· 수포
· 미란
· 가려움
· 가피
· 표피비후
· 인설 · 낙설
· 피부염

문진
신체소견

유발검사

알레르기검사
혈액검사

원인제거
약물요법
생활지도

증상

- 1차자극성접촉성피부염 : 원인물질의 부착부위와 일치하는 작열감을 수반하는 홍반 · 부종 · 수포 · 미란 (급성형), 표피비후 · 인설 · 가피 · 홍반 (만성형)
- 알레르기성접촉성피부염 : 홍반국면 내 집족성인 좁쌀크기의 작은 수포, 구진, 가려움, 긁어서 생긴 미란, 가피

[합병증]

- 긁어서 유발된 2차감염
- 전신성접촉성피부염 : 오심, 발열, 두통, 전신권태감
- 만성접촉성피부염 : 스테로이드 외용제의 장기사용으로 인한 주사(rosacea;딸기코) 형태의 피부염, 피부위축

진단

- 문진 (임상증상, 부위, 접촉력)과 Patch test 결과를 보고 종합적으로 진단한다. 피부증상의 정확한 관찰과 문진에 의한 원인물질의 특정이 기본이다.
- Patch test : 원인을 특정할 수 없는 경우에 시행한다. 통상적으로 48시간과 72시간 후에 판정한다. 알레르겐 대부분의 표준품을 입수할 수 있어서, 일상진료에서 사용할 수 있다.
- 혈액검사 : 특이한 이상은 확인되지 않는다.

치료

치료 map p.80

- 우선 원인물질을 생활환경에서 배제하고, 부신피질호르몬제 (스테로이드)의 외용제를 중심으로 약물요법을 시행한다.
- 외용요법 : 스테로이드 외용제를 도포하는데, 증상에 맞추어 단순도포, 중층도포, 밀봉요법 또는 테이프제를 적용한다.
- 내복요법 : 가려움에는 항히스타민제를, 옻이 올랐을 때는 스테로이드를 내복한다.
- 알레르기 증명서를 교부한다.
- 생활지도 : 피어싱, 직업, 원예, 염색액, 화장품, 치료제가 원인이 되기도 하므로 주의한다.

병태생리 map

접촉성피부염은 경피적으로 침입하는 항원 · 이물 (화학물질, 약제, 생물유래 물질 등)을 배제하는 과정에서 생기는, 표피를 중심으로 하는 염증성 피부질환이다.

- 원인물질이 피부에 부착된 모든 사람에게 피부염이 생기는 1차자극성접촉성피부염과 특정한 사람에게만 생기는 알레르기성접촉성피부염으로 분류된다.
- 항원물질의 생성에 광에너지가 관여하는 경우를 광접촉성피부염이라고 한다.
- 각각 급성경과와 만성경과를 밟는다. 특수한 병형으로 접촉성두드러기, 전신성접촉성피부염이 있다(표 8-3).
- 알레르겐에는 관엽식물, 금속류, 방부제, 향료, 머리염색소 등 외에 점안제, 피부외용제에 의한 것도 증가하고 있다(표 8-4).

병인 · 악화인자

- 통상적으로 접촉성피부염의 항원이 되는 물질은 분자량이 1,000 이하의 화학적 반응성이 풍부한 화학물질이다. 이것을 합텐(hapten)이라고 하며, 피부에 존재하는 단백질과 결합하여 완전항원이 된다.
- 접촉성피부염의 성립과정은 크게 나누어, 항원물질이 경피적으로 침입하여 항원특이적인 T세포가 유도되기까지의 감작경로 (afferent limb)와 2회째 이후의 항원의 침입으로 항원과 반응한 T세포가 피부염을 일으키는 야기경로 (efferent limb)가 있다.
- 애완동물의 털이나 진드기, 꽃가루 등의 부유알레르겐이 항원이 되는 경우는 airborne contact dermatitis, 식물, 동물 등의 단백항원이 항원이 되는 경우는 protein contact dermatitis라고 한다. 이 접촉성피부염에서 피부반응은 습진성 병변이 주체를 이룬다. 항원특이적인 Th1형 림프구세포에 의해서 생기는 지연형알레르기 (delayed hypersensitivity)의 대표적인 질환이다.

역학 · 예후

- 원인을 특정하고 그에 알맞게 대책을 세워 치료를 하면 예후가 양호하다. 반대로 계속 대증요법만 적용하면, 만성화, 난치화되는 경향을 나타낸다.
- 광접촉성피부염에서는 장기에 걸쳐서 항원이 잔존한다.
- 직업성에 의해 접촉성피부염이 발생한 경우를 직업성접촉성피부염 (증상map의 그림 8-5)이라고 하며, 직장의 배치전환이나 전직이 필요하는 등, 환자의 사회적인 생활에 큰 지장을 초래하므로, 그 경우에는 사회의학적인 접근이 요구된다.

■ 표 8-3 접촉성피부염의 분류

1. 자극성접촉성피부염
   (1) 기계적 자극반응, (2) 화학적 자극반응
2. 알레르기성접촉성피부염
3. 광접촉성피부염
   (1) 광독성 반응, (2) 광알레르기성 반응
4. 접촉성두드러기
5. airborne contact dermatitis
6. 전신성접촉성피부염

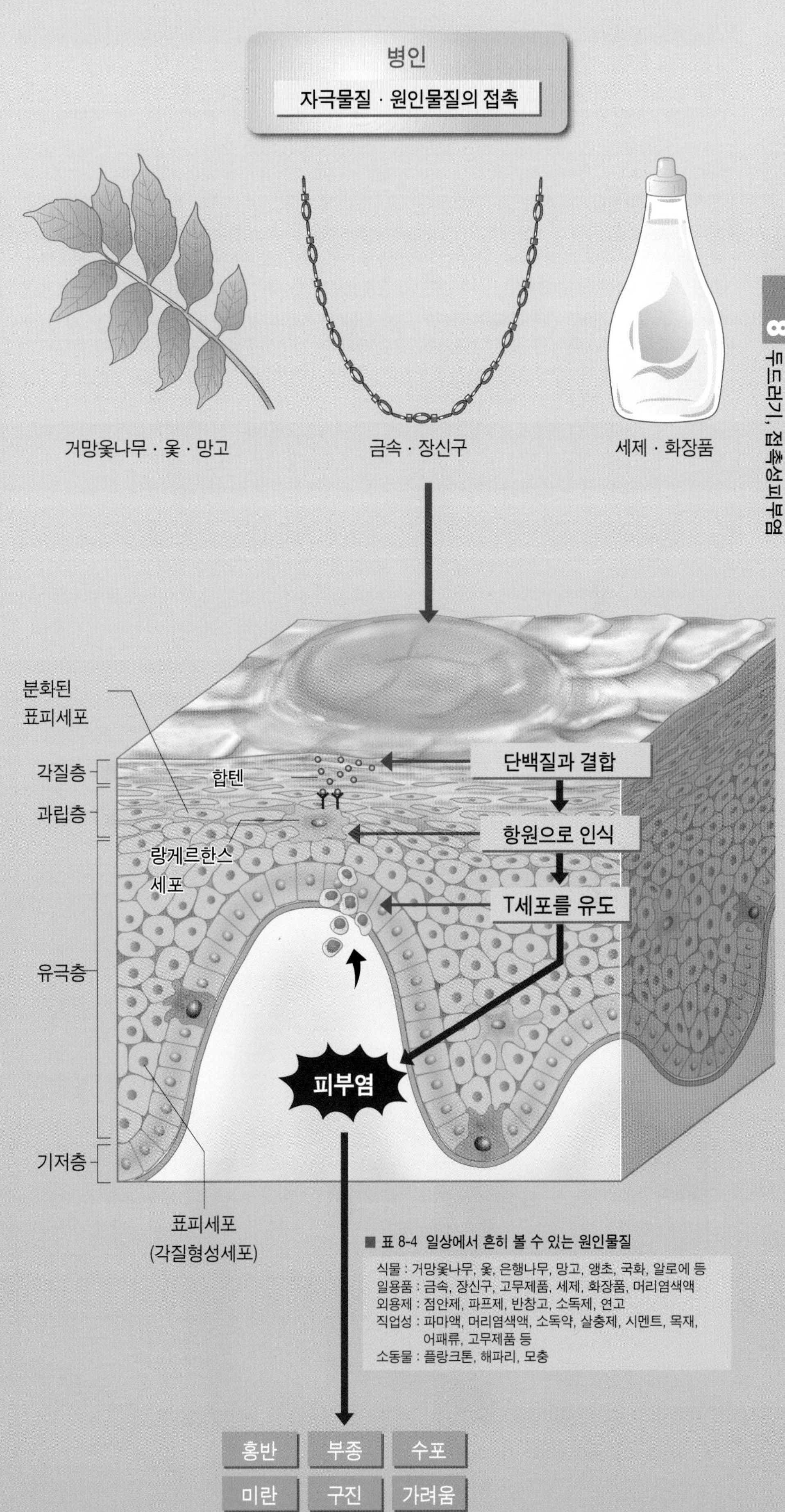

■ 표 8-4 일상에서 흔히 볼 수 있는 원인물질

식물 : 거망옻나무, 옻, 은행나무, 망고, 앵초, 국화, 알로에 등
일용품 : 금속, 장신구, 고무제품, 세제, 화장품, 머리염색액
외용제 : 점안제, 파프제, 반창고, 소독제, 연고
직업성 : 파마액, 머리염색액, 소독약, 살충제, 시멘트, 목재, 어패류, 고무제품 등
소동물 : 플랑크톤, 해파리, 모충

접촉성피부염

증상 map

원인물질과 접촉한 피부에서 홍반, 구진, 작은 수포 등의 피진이 확인된다.

증상

- 1차자극성접촉성피부염 : 급성형자극성피부염은 원인물질에 노출된 사람 모두에게 생길 수 있다. 화학물질, 등유, 세정제 등의 부착부위와 일치하는 부위에 작열감을 수반하는 홍반, 부종, 수포, 미란 등이 생긴다. 만성자극형 피부염에서는 비누, 세제 등의 만성자극이 흔히 확인된다. 손등, 지관절 배면 등에 표피비후, 인설, 가피, 홍반 등이 확인되고, 때로 살갗이 트기도 한다. 간호사나 조리사 등 비누, 세제 등을 자주 사용하는 직업을 가진 사람 외에도, 아토피소인이 있는 사람에게 생기기 쉬우며, 피부케어나 예방법을 지도하는 것이 중요하다.
- 알레르기성접촉성피부염 : 알레르기성접촉성피부염의 특징은 어느 물질에 감작이 성립되는 경우에 생기는 것이며, 매우 미량으로도 피부염이 유발될 수 있다. 임상적으로 비교적 경계가 선명한 부종성 홍반 국면 내에 좁쌀크기의 작은 수포, 구진이 집족성으로 확인된다. 가려움이 심하고, 긁어서 생긴 미란, 가피를 수반하는 경우가 많다(그림 8-6).
- 광알레르기성접촉성피부염 : 원인물질인 광감작성 물질이 자외선(주로 UVA)에 의해서, 광합텐화 되고, 알레르기적 메커니즘으로 피부염을 일으킨다. 증상은 알레르기성접촉성피부염과 유사한데, 경구적으로 접종된 약제나 음식(식용 국화 등)으로도 자외선 노출부와 일치하는 부위에 피부염이 생긴다. 광독성, 광알레르기성 물질로는 비스테로이드성항염증제(NSAIDs)나 신퀴놀론계항균제 등의 약제, 샐러리, 국화 등의 식물이 흔히 알려져 있다. NSAIDs를 함유한 파프제에서는 첩부 후 반년 이상 피부에 원인약제가 잔류한다는 보고가 있어서, 사용력 등에 관해 문진을 자세히 해야 한다.

합병증

- 긁어서 2차감염이 생기며, 방치해 두면 드물게 패혈증 등이 발생할 위험성이 있다.
- 그 밖에 만성접촉성피부염에서 스테로이드 외용제를 장기 사용한 경우, 주사 형태의 피부염이나 다모, 피부위축 등 스테로이드호르몬의 국소부작용을 확인하기도 한다.

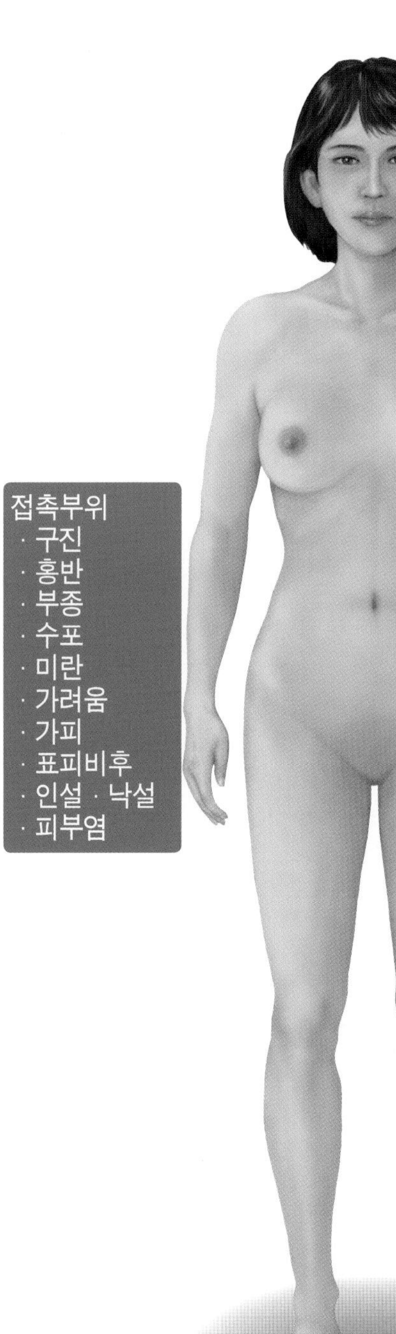

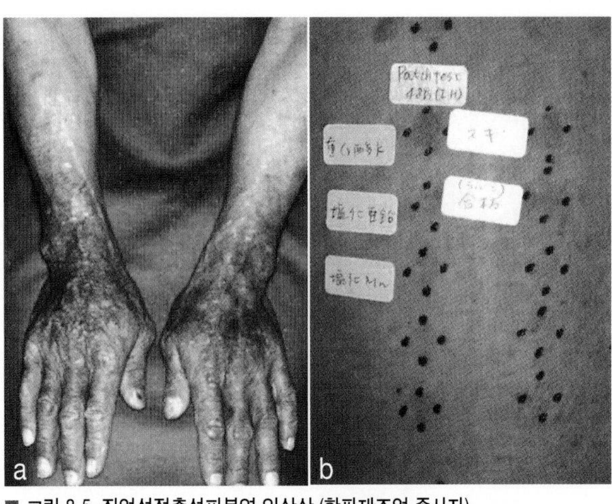
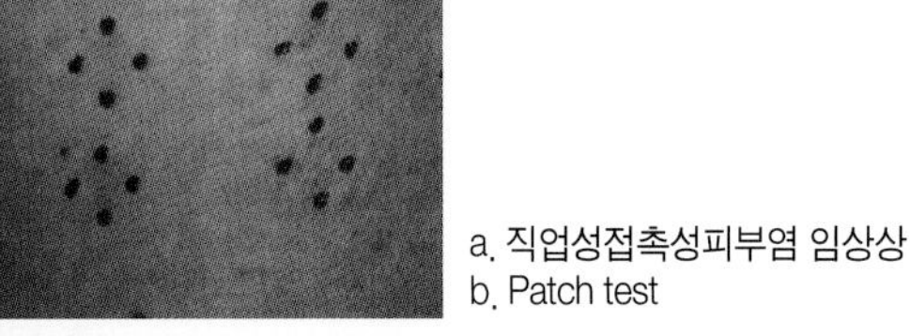

a. 직업성접촉성피부염 임상상
b. Patch test

■ 그림 8-5 직업성접촉성피부염 임상상 (합판제조업 종사자)

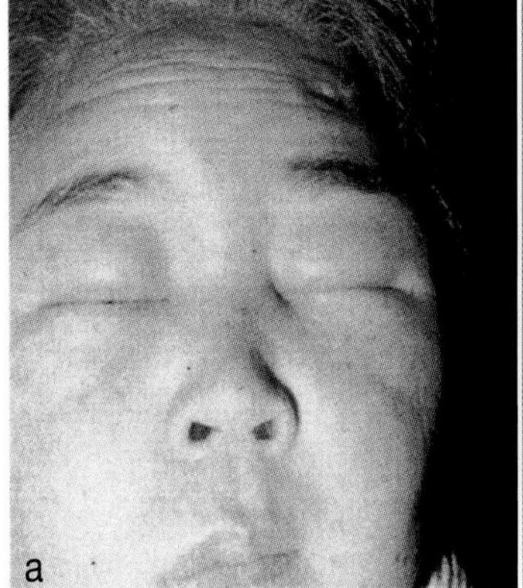

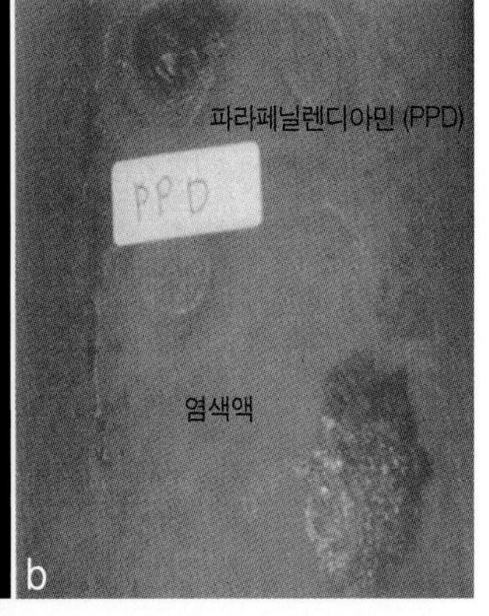

a. 접촉성피부염 임상상
b. Patch test

■ 그림 8-6 염색액에 의한 접촉성피부염 임상상

진단 map

문진, 신체소견에 더불어 패치테스트(Patch test) 등의 유발검사 결과로 진단한다.

진단 치료

문진
신체소견

유발검사

알레르기검사
혈액검사

원인제거
약물요법
생활지도

진단·검사치

- 임상증상, 부위, 접촉력 (관엽식물, 원예, 직장환경, 취미, 애완동물, 화장품의 변경 유무, 새 옷 등)을 자세히 문진하고, Patch test 결과와 함께 종합적으로 진단한다. 피부증상의 정확한 관찰, 문진에 의한 원인물질의 특정이 기본이다.
- 원인을 특정할 수 없는 경우, Patch test를 시행한다. 판정은 Finn-chamber라 불리는 알루미늄접시에 원인물질을 놓고, 바셀린 등으로 고정시켜서 피부에 붙이는 방법으로 진행한다. 통상 48시간과 72시간 후에 판정기준[일본의 기준 내지 국제접촉성피부염학회 (ICDRG) 기준]으로 판정한다(그림 8-7). 위양성, 위음성인 경우가 있으므로, 대조와 비교하여 접촉력이나 피부반응을 보고 종합적으로 판정한다. 자극반응의 경우, 농포나 알루미늄접시의 변연에 홍반이 강하게 나타난다. 식물, 의복, 화장품, 외용제 등은 제품이나 식물 그 자체를 붙이지만, 마늘 등 자극이 강한 것은 1시간 정도 후에 제거한다. 소독약, 화학약품, 섬유유연제 등은 그 성분농도를 잘 확인하고, 일반인에게서 자극반응이 나타나지 않는 농도까지 백색바셀린이나 정제수로 희석한 후에 붙인다. 현재 많은 알레르겐의 표준품을 입수할 수 있으므로, 일상진료에서 사용할 수 있다.
- 검사치
- 특이적인 임상검사의 이상은 확인되지 않는다.
- 말초혈 호산구의 증가를 확인하기도 한다.

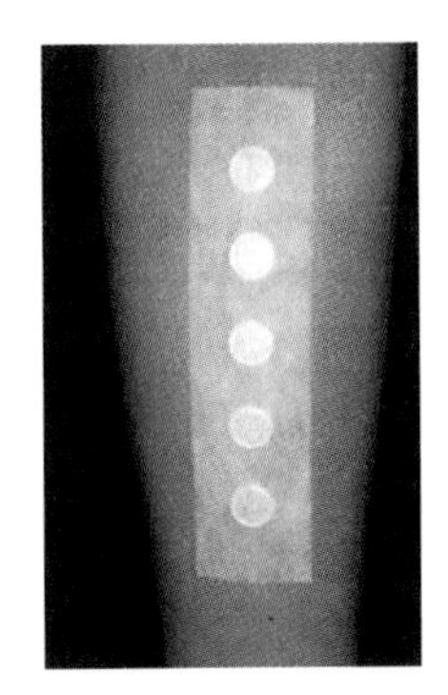

Finn-chamber법

〈Patch test의 종류〉

피부 패치테스트 (48시간 밀폐)	일반물질
개방검사	자극물질, 분무제
단시간 패치테스트 (15~20분 밀폐)	샴푸 등
스크래치패치테스트	피부투과성이 나쁜 물질
광패치테스트	광감작물질

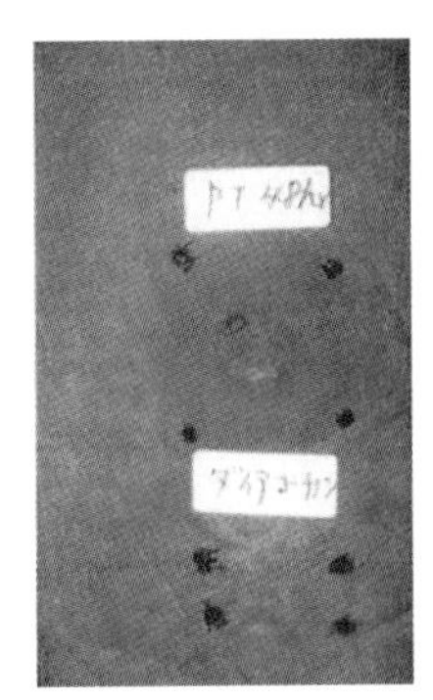

48시간의 양성반응

〈Patch test의 판정〉

일본		국제접촉성피부염학회	
−	반응없음	−	반응 없음
±	경도 홍반	+?	홍반 뿐
+	홍반	+	홍반+침윤, 구진
++	홍반+부종	++	홍반+부종+구진+작은수포
+++	홍반+침윤+구진+수포	+++	대수포
++++	대수포	1R	자극반응

■ 그림 8-7 Patch test

치료 map

원인물질의 제거 및 부신피질호르몬제 (스테로이드), 항히스타민제를 중심으로 한 약물치료가 기본이다.

치료방침

- 처음에 원인물질의 특징과 생활 환경에서의 배제가 필요하다. 접촉성피부염의 원인이 되는 물질은 여러 가지 제품에 함유되어 있다. Patch test 등에서 양성인 물질이 함유된 화장품, 의약품, 화학제품, 금속, 식물 등은 환자에게 주지시켜 둔다.
- 치료는 스테로이드 외용제를 사용하는 약물요법이 중심이 된다. 스테로이드 외용제의 종류와 사용부위에 따라서 적절히 사용해야 한다. 졸음에 주의하면서 가려움증에는 항히스타민제를 적당히 사용한다. 원인이 확실하고 중증인 경우에는 부신피질호르몬제를 단기간 내복한다.

■ 표 8-5 접촉성피부염의 주요 치료제 [내복약은 두드러기 (표 8-2)에 준한다]

분류	일반명	주요 상품명	약효발현의 메커니즘	주요 부작용
부신피질 호르몬제	클로베타솔프로피온산에스텔	더모베이트	사이토카인 생산의 억제, 항염증작용	좌창, 다모, 색소탈출, 감염증의 유발
	베타메타존낙산에스텔프로피온산에스텔	Antebate		
	디플루프레드네이트	Myser		
	디플루코르톨론길초산에스텔	네리소나		
	베타메타존길초산에스텔	Rinderon V, Tokuderm, Betnevate		
칼시뉴린 억제제	타크로리무스수화물	프로토픽	사이토카인 생산의 억제 *2세 이상의 아토피성피부염 환자에게 적용한다.	피부자극감, 림프종의 발생 가능성 (해외에서의 보고)

외용요법

- 스테로이드 외용제의 도포가 기본이다. 경증인 경우에는 단순도포, 급성기의 습윤된 병변부에는 아연화연고 등을 스테로이드 외용제에 덧발라 사용하는 방법, 만성기 태선화병변에는 밀봉요법 (ODT)이나 테이프제를 사용하는 방법 등, 서로 차이가 나므로 적절히 증상에 맞추어 치료한다.
- 안면에는 스테로이드의 부작용이 나타나기 쉬우므로, 염증증상이 심한 경우는 very strong class의 스테로이드 외용제를 단기간 사용한다. NSAIDs는 그 자체가 심한 접촉성피부염을 일으키는 수가 있어서, 적극적으로는 사용하지 않는다.
- 최근에는 제네릭의약품을 사용하는 기회가 늘고 있지만, 접촉성피부염의 원인일 가능성이 높은 물질 (향료, 색소, 방부제, 양모지) 등이 포함되어 있을 가능성도 있으며, 그 경우 치료제 그 자체로 인하여 알레르기성접촉성피부염이 생길 가능성이 있으므로 주의해야 한다.

내복요법

- 가려움에는 항히스타민제를 내복한다. 환자에 따라서 졸음이 심하게 나타나는 경우가 있어서, 운전이나 수업 등에 주의해야 한다. 내복시간 등도 충분히 설명한다.
- 부신피질호르몬의 내복 시에는 원인(옻 등)이 확실하고 중증인 경우에 한해서 프레드니솔론 환산 20mg정도를 단시간 사용한다.
- 항생물질은 설사 습윤병소라 해도 적극적으로 사용하지 않는다. 농포형성 등이 확실히 확인되는 경우에만 피부에 이행성이 좋은 항생물질을 단시간에 한하여 사용한다.

〈급성접촉성피부염〉

Px 처방례 삼출액이 보일 때, 다음의 1), 2) 중에서 사용

1) 더모베이트연고 0.05% (5・30g/개) 1일 1~2회 도포 ←부신피질호르몬제
2) 네리소나연고 0.1% (5・10・30g/개) 1일 1~2회 도포 ←부신피질호르몬제

Px 처방례 중층법을 시행하는 경우

- Satosalbe (10%) (30g/개) ←진양제

Px 처방례 범발성으로 병변이 보이고, 삼출경향이 강한 경우

- Predonine정 (5mg) 4정 分1 아침에 증상을 보면서 점감 ←부신피질호르몬제

Px 처방례 가려움에 다음의 1), 2) 중에서 사용

1) 알레락정 (5mg) 2정 分2 ←항알레르기제
2) 알레그라정 (60mg) 2정 分2 ←항알레르기제

※ 2)는 졸음이 나타나면 곤란한 경우에 사용한다.

Px 처방례 주사약

- 강력 네오미노화겐시주 (40mg/20mL) 20mL 정주 ←알레르기치료제

〈만성접촉성피부염〉

- 경과가 긴 경우, 스테로이드 외용제의 랭크를 낮춰 간다. 태선화 경향이나 균열(rhagades:살갗이 틈)이 나타날 때는 첩부제를 사용한다.

Key word

- 균열(rhagades)

표피가 과각화되고 살갗이 갈라지는 피진을 말한다. 일반적으로 「살갗이 튼다」라고 한다.

알레르기 증명서의 교부

- 소독약이나 염색액 등의 그 발생빈도가 높으므로, 알레르기 카드 (그림 8-8) 등을 환자에게 교부한다.

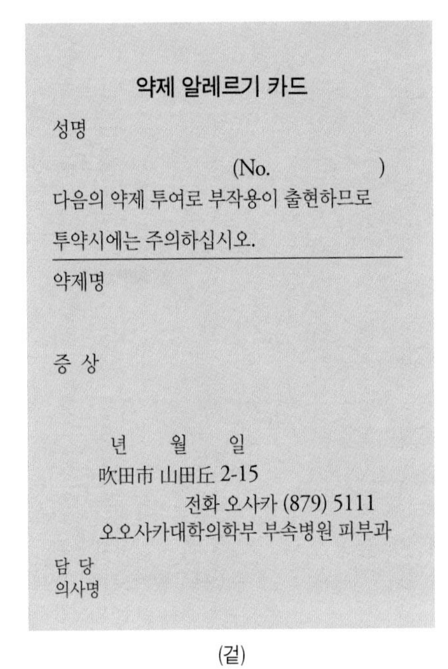
약제 알레르기 카드

성명

(No.　　　　　)

다음의 약제 투여로 부작용이 출현하므로

투약시에는 주의하십시오.

약제명

증 상

년　　월　　일

吹田市 山田丘 2-15

전화 오사카 (879) 5111

오오사카대학의학부 부속병원 피부과

담 당

의사명

(겉)

확인방법

1. 문진

2. 내복시험

3. 피내테스트

4. 기타

비 고

이 카드는 진찰시 반드시 의사 또는 약제사에게 보여 주십시오.

(안)

■ 그림 8-8 알레르기 카드의 예

생활지도

- 위생상태가 좋지 않은 환경에서 피어싱을 하는 경우가 젊은이들 사이에서 보이는데, 니켈, 크롬 등의 금속알레르기가 나타나기 쉬우므로 개선조치가 필요하다.
- 고령자의 경우, 딱지를 떼려고 타월 등으로 문지르는 행위가 많으므로 주의해야 한다.
- 미용사, 조리사, 화학물질취급자에게는 직업성접촉성피부염도 문제가 된다. 직장의 배치전환, 전직 등의 처치가 필요한 경우도 있다.
- 원예 등으로 관엽식물이나 꽃을 재배하고 있는 사람이 증가하고 있는데, 역시 접촉성피부염이 생기기 쉬우므로, 정확한 진단을 내리고 원인이 되는 식물은 장갑을 끼고 만지는 등의 지도가 필요하다.
- 염색액이나 화장품 등으로 인한 접촉성피부염에서는 환자 자신이 명확히 원인을 이해하고 있음에도 불구하고 계속 사용하는 경우도 있으므로 주의해야 한다.
- 소독약이나 가정약, 스테로이드 외용제 그 자체에 의한 접촉성피부염 등, 치료제가 원인인 경우도 있다.

접촉성피부염의 병기 · 병태 · 중증도별로 본 치료흐름도

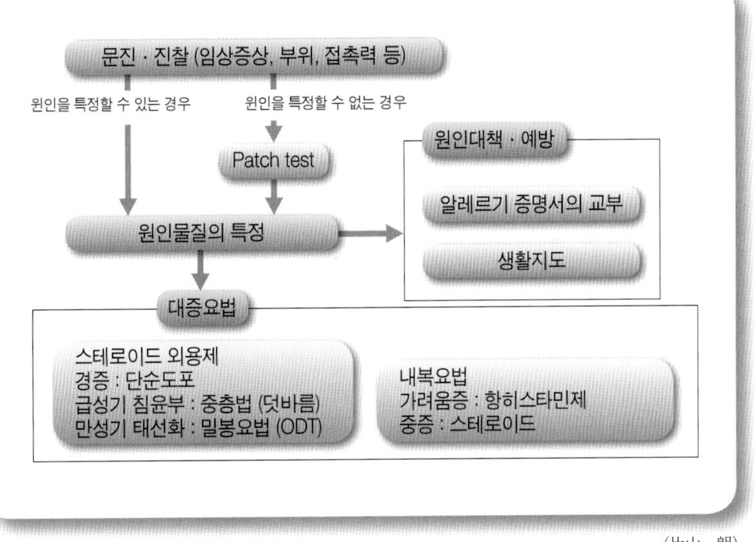

(片山一朗)

환자케어

가려움에 대한 적절한 대처법, 약제의 적절한 사용방법, 일상생활에서 원인에의 노출을 삼가는 방법을 지도한다.

병기·병태·중증도에 따른 케어

두드러기

【급성두드러기】 가려움 해소를 지지하면서, 항히스타민제를 지시대로 내복하게 한다.

【만성두드러기】 가려움 해소를 지지하면서, 항히스타민제를 지시대로 내복하도록 지도하고, 환자와 함께 두드러기를 유발하는 원인을 파악한다.

【알레르기성두드러기】 가려움 해소를 지지하면서, 항히스타민제를 지시대로 내복하도록 지도하고, 항원을 제거하는 방법을 이해시킨다.

【비알레르기성두드러기】 가려움 해소를 지지하면서, 항히스타민제를 지시대로 내복하게 한다. 또 환자와 함께 두드러기를 일으키는 원인을 확인한다.

접촉성피부염

【알레르기성접촉성피부염】 원인이 되는 자극에의 노출을 삼가도록 하고, 스테로이드 외용제를 도포한다. 2차감염이 일어난 경우는 항생물질 외용제를 도포한다.

【1차자극성접촉성피부염】 원인물질을 만진 직후에는 신속히 자극물을 씻어내고, 스테로이드 외용제를 도포한다. 원인이 되는 자극에의 노출을 삼가도록 한다.

케어의 포인트

치료의 지지

- 지시받은 외용제를 지시받은 부위에 적절한 방법으로 도포하도록 지도한다.
- 지시받은 내복약을 지시받은 대로 복용하도록 지도한다.
- 스테로이드 외용제나 항히스타민제의 효과 · 부작용을 충분히 알도록 사용약물에 관하여 설명한다.
- 병변부위의 청결을 유지하여, 2차감염을 예방한다. 병변이 습윤되어 있지 않으면, 병변부위를 마찰하지 않도록 흐르는 물로 청결히 하도록 지도한다.
- 색소침착이 남지 않도록, 증상이 경감되어도 마지막까지 치료를 받도록 지도한다.

원인물질에 대한 지지

- 원인물질을 알게 하여, 그 물질에의 노출을 삼가도록 지도한다.
- 원인물질이 확실하지 않은 경우는 일상생활을 반추하여, 원인물질을 추측할 수 있게 지도한다.
- 원인물질이 확실하지 않은 경우에는 Patch test의 유효성을 설명하고, 적극적으로 원인을 구명하도록 한다.
- 직업과 관련된 물질이 원인임이 확실히 밝혀진 경우에는 직장의 배치전환이나 전직의 필요성을 설명한다.
- 두드러기의 경우, 알레르겐을 함유하는 음식을 금지하고, 가성 알레르겐을 함유하는 음식도 삼가도록 지도한다.
- 접촉성피부염인 경우, 감작의 원인이 되는 물질이 아니라도, 공통의 화학구조를 가진 물질을 만지면 피부염을 일으킬 염려가 있다고 설명하고, 원인물질에의 노출을 삼가도록 지도한다(예 : 옻으로 인해 피부염이 생긴 경우라면 망고나 은행으로도 피부염을 일으킬 가능성이 있다).
- 알레르기성인 경우는 원인물질과의 접촉을 삼가야 재발을 방지할 수 있다는 점을 설명한다.
- 원인물질이 확실한 경우는 그 물질에의 노출을 삼가기 위한 일상생활상의 대처법을 지도한다.

가려움에 대한 지지

- 가려움의 악화인자를 이해하고, 경감하도록 지도한다.
- 긁으면 가려움증이 더욱 악화된다고 설명한다.
- 가려움의 대처법을 지도한다(가려운 부위를 가볍게 두드린다, 차갑게 한다, 청결하게 한 후에 연고를 다시 바른다, 기분전환을 한다 등).
- 야간에 무의식적으로 긁는 것을 예방하는 방법을 설명한다(손톱을 짧게 깎는다, 장갑을 끼고 잔다, 병변부를 포대로 덮고 잔다 등).

일상생활의 지지

- 두드러기는 과로, 피로, 수면부족으로 악화되는 수가 있으므로, 과로, 불면 등의 스트레스 요인을 피하고, 규칙적인 생활을 하도록 지도한다.
- 국소의 압박이나 마찰, 긁음 등의 자극을 삼가도록 지도한다.
- 두드러기인 경우, 급격한 온도의 변화, 발한, 폭음폭식을 삼가도록 지도한다.
- 항히스타민제의 부작용에는 최면작용이 있는 점을 설명하고, 일상생활에서 부작용에 의한 사고를 예방할 수 있도록 지도한다.

심리 · 사회적 측면에 대한 지지

- 사회생활상의 지장이 최소가 되도록 지지한다.

퇴원지도·요양지도

- 지시대로 약을 사용하고, 치유를 위한 치료행동을 하도록 지도한다(적절한 약물의 사용방법을 지도한다).
- 원인물질에의 노출을 삼가도록 지도한다.
- 가려움이 경감될 수 있도록 지도한다(가려움 유발인자에의 노출을 삼가도록 하고, 대처법을 지도한다).
- 치유의 촉진, 재출현의 예방에 필요한 일상생활상의 유의사항에 관하여 지도한다.

(瀧島紀子)

9 화상 (burn)

勝野哲也·大友康裕/比田井理恵

전체 map

병인

● 열탕이나 화재로 인한 경우가 많다.
[악화인자] 기초질환 (심질환, 만성폐질환, 당뇨병)

역학

● 중증 화상인 환자는 연간 4,000례이다.
● 소아, 고령자, 기초질환이 있는 예에서는 중증화되기 쉽다.
[예후] 고령일수록 사망률이 상승한다.

병태생리

● 고열 (화재 · 고온액체 · 고열물질 · 화학물질 · 전기충격 등)로 인한 피부조직의 손상을 의미한다.
● 화상으로 피부의 장벽기능이 손상된다.
● 심도에 따라서 제 I 도화상, 제 II 도화상 (표재성, 심재성), 제 III 도화상으로 분류된다.
● 중증 화상에서는 염증성 사이토카인이 전신으로 방출되어, 전신성염증성반응증후군 (SIRS)의 상태가 된다.

증상

● 화상의 깊이에 따라서 증상이 달라진다.
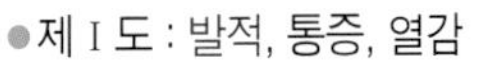
● 제 I 도 : 발적, 통증, 열감
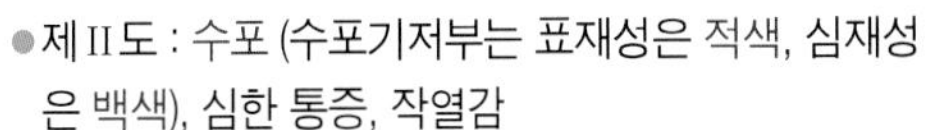
● 제 II 도 : 수포 (수포기저부는 표재성은 적색, 심재성은 백색), 심한 통증, 작열감
● 제 III 도 : 피부는 백색 · 갈색의 가죽 같이 되고, 지각소실
[합병증]
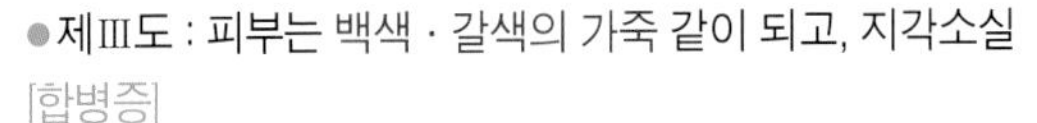
● SIRS 때문에 다장기부전(multiple organ failure) 상태가 되고, 창부의 감염 때문에
패혈증을 일으킨다.

증상 / 합병증 / 진단 / 치료

의식장애
인후두 · 기관 · 기관지의 부종
폐수종 · 폐렴 ARDS
통증 열감
간장애
발적 수포
신부전
스트레스성 위십이지장궤양
마비성일레우스 위막성장염
순환혈액량 감소 전신혈관저항 저하 체액전해질 이상 혈액점조도 상승 응고능 저하 혈소판 감소 말초순환장애
패혈증 SIRS 다장기부전 빈혈 DIC 말초순환부전

문진 신체소견
혈액검사 혈액가스분석
요검사
냉각 괴사조직제거 약물요법 피부이식술

진단

● 부상 메커니즘 · 화상면적 · 깊이를 기준으로 중증도도 포함하여 진단한다.
● 합병손상, 기초질환을 검색한다.
● 중증례에서는 전신장기의 이상이 초래되고, 각종 검사에 이상 결과가 나타난다.
● 화상면적의 산정법 : 9의 법칙, 5의 법칙, Lund-Browder공식
● 화상지수 (BI)가 10~15 이상이면 중증이다. 화상예후지수 (PBI=BI+연령)가 100을 넘으면 사망률은 70~80%가 된다.

치료

● 초기진료 : 고온물질을 체표면에서 제거하고, 조기 냉각, 문진, 응급의 ABC, 국소창 처치, 진통제 투여 등을 적응한다.
● 국소창 처치 : 괴사조직을 제거하고 화상깊이에 따라 외용제를 도포하며 파상풍 예방이나 감장절개가 필요한 경우도 있다.
● 제 I 도 : 바셀린기제 연고, 스테로이드 외용제
● 제 II 도 : 창상피복재, 항균제함유 연고
● 제 III 도 : 외과적 괴사조직제거, 외용감염치료제, 피부이식술

병태생리 map

화상은 화재 · 고온액체 (증기 포함) · 고열물질 · 화학물질 · 전기충격 등에 의한 피부조직의 손상이다.

- 피부는 표피와 진피의 2층으로 이루어진다. 신체의 수분이 과잉손실되는 것을 방지하고, 여러 가지 외부환경으로부터 신체를 지키는 역할을 하며, 체온조절도 하고 있다. 화상을 입으면 이 장벽기능이 손상된다.
- 화상의 깊이에 따라서, 제 I 도화상, 제 II 도화상 (표재성, 심재성), 제 III 도화상으로 분류된다(표 9-1).
- 중증 화상을 입으면, 피부에 기계적 손상이 발생할 뿐 아니라, 화상으로 인한 염증에 의해서, 많은 염증성 사이토카인이 방출되어, 전신성염증반응증후군 (systemic inflammatory response syndrome ; SIRS) 상태가 되며, 이는 다장기부전의 원인이 된다. 그리고 그 후에는 창부의 감염에 의한 패혈증이 문제가 된다(합병증 항목을 참조).

병인 · 악화인자

- 화상의 원인은 열탕이나 화재 등으로 인한 경우가 많다.
- 소아나 고령자, 심질환 · 만성폐질환 · 당뇨병 등의 기초질환이 있는 경우에는 중증화되기 쉽다.
- 안면 · 손발 · 회음부 · 항문부의 화상이나 기도화상이 수반될 때에는 화상전문시설에서 치료를 요한다.

역학 · 예후

- 일본 전국의 중증 화상 (화상면적 30% 이상) 환자는 연간 4,000례이지만, 정확한 통계테이터는 아직 얻지 못하고 있다.
- 고령일수록 사망률이 상승한다. 예후의 추정에는 「화상예후지수 (prognostic burn index ; PBI)」가 사용되며, 「화상지수 (burn index ; BI)+연령」으로 계산한다(표 9-2). BI가 10~15 이상이면 중증이며, PBI가 100을 넘으면 사망률은 70~80% 이상이다.

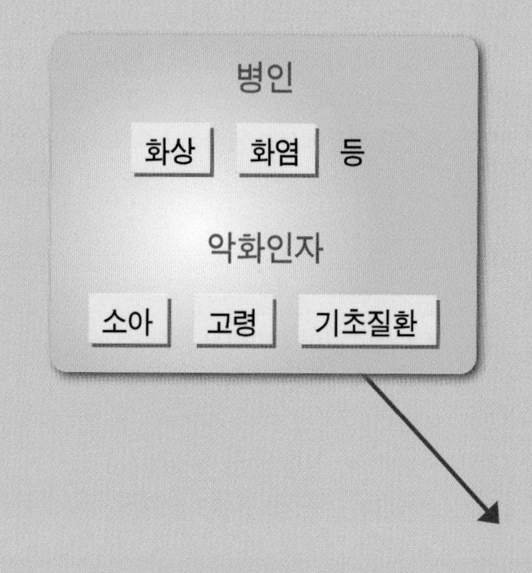

■ 표 9-1 일본화상학회의 화상깊이 분류 (일부 개편)

화상깊이	조직손상	피부소견	자각증상	치유기간	반흔
제 I 도	표피 (각질층)	발적 뿐	통증, 열감	며칠	남지 않는다.
표재성 제 II 도	표피 (유극층, 기저층)	수포(혈관의 투과성 항진, 혈장의 혈관 밖으로의 삼출) 형성, 수포 기저부 (진피)는 적색	심한 통증, 작열감	약 10일간	거의 남지 않는다.
심재성 제 II 도	진피 (유두층, 유두하층)	수포(위와 같은 순서, 혼탁한 수포, 감염을 합병하는 수포) 형성, 수포 기저부 (진피)는 백색		3주~1개월	남기 쉽다.
제 III 도	피부전층의 괴사 (신경종말이 파괴)	백색 · 갈색의 가죽 같게 된다.	지각소실 (통증은 없다)	자연치유 되지 않는다.	남는다. 반흔구축

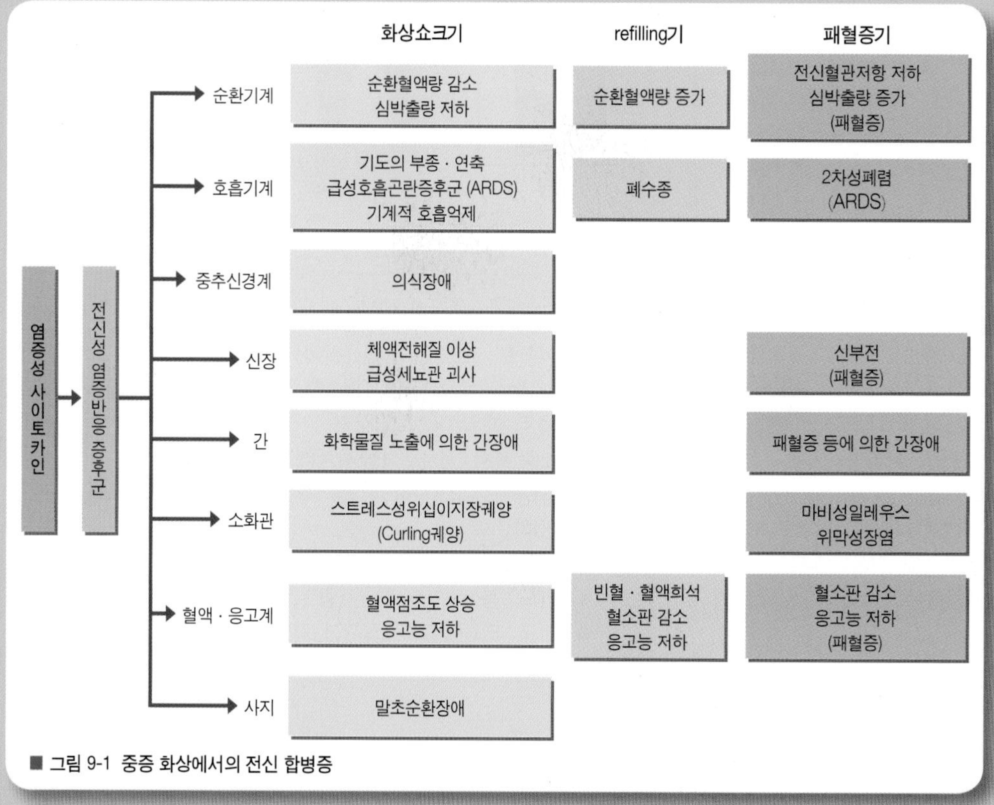

■ 그림 9-1 중증 화상에서의 전신 합병증

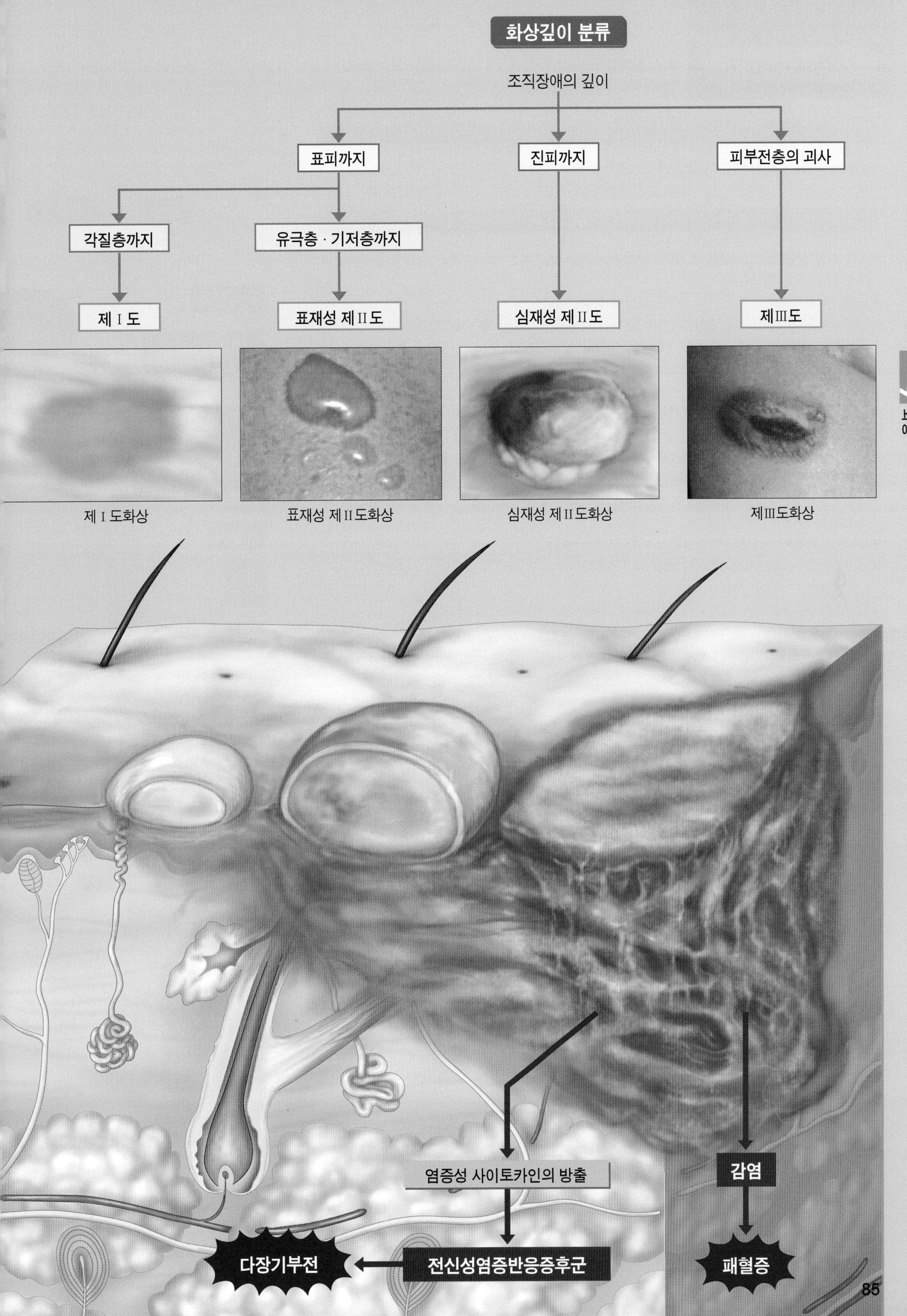
화상깊이 분류
조직장애의 깊이
표피까지
진피까지
피부전층의 괴사
각질층까지
유극층 · 기저층까지
제 I 도
표재성 제 II 도
심재성 제 II 도
제III도
제 I 도화상
표재성 제 II 도화상
심재성 제 II 도화상
제III도화상
염증성 사이토카인의 방출
감염
다장기부전
전신성염증반응증후군
패혈증

화상

증상 map

화상깊이에 따라서 증상이 달라진다. 중증 화상에서는 SIRS 때문에 다장기부전이 발생하고, 창부감염 때문에 패혈증이 일어난다.

증상

- 화상의 깊이에 따라서 증상・징후가 다르다(표 9-1).

합병증

- 중증 화상에서는 전신성염증반응증후군 (SIRS) 때문에 다장기부전 상태가 되고, 창부의 감염 때문에 패혈증이 일어난다(그림 9-1).
- 순환기계에 미치는 영향
- 창부에서 수분이 상실되고, 혈관투과성이 항진됨으로써 혈관 내에서 혈관 밖으로 혈장성분이 누출되므로, 순환혈액량이 감소한다. SIRS 때문에 심박출량이 저하된다.
- 혈관투과성의 항진이 가라앉으면, 조직의 부종을 일으킨 수분이 혈관 내로 되돌아와서 (refilling현상) 순환혈액량이 증가한다.
- 그 후 패혈증이 일어나 전신혈관저항이 저하되고 심박출량이 증가한다.
- 호흡기계에 미치는 영향
- 화상이 기도에 미치면 인후두・기관・기관지의 부종이 나타난다. 미립자를 흡입하면 종말세기관지에까지 도달하여, 하기도의 염증이나 기도연축, 부종의 원인이 된다. 흉부나 경부 전체 둘레의 화상에서는 기계적인 호흡억제를 일으키기도 한다. SIRS 때문에 급성호흡곤란증후군 (acute respiratory distess syndrome ; ARDS)이 된다.
- refilling기가 되면, 순환혈액량 증가로 폐수종의 위험이 생긴다.
- 패혈증이 일어나면 2차성폐렴이나 ARDS이 유발된다.
- 중추신경계에 미치는 영향
- 일산화탄소에 중독되면, 뇌가 저산소 상태가 되기 때문에 의식장애가 초래된다.
- 신장 (체액・전해질)에 미치는 영향
- 부상 후에 순환혈액량이 감소되기 때문에 충분한 체액 보충이 이루어지지 않으면 신혈류 저하로 인한 급성세뇨관괴사 때문에 급성신부전이 일어난다. 전기충격창상이나 좌멸창일 때는 횡문근융해 때문에 신부전을 일으키기도 한다. 세포막 전위의 변화로 물과 Na이 세포 내로 유입되며, Na펌프의 이상으로 2차적으로 세포외액의 K 상승이 나타난다. Ca, P도 이상을 일으킨다. 전신의 혈관저항이 상승하며, 중증 화상의 초기에는 대사성산증이 나타난다.
- 부상 후 2~4주가 경과한 다음에 일어나는 신부전은 패혈증 (또는 신독성이 있는 약제)이 원인이다.
- 간에 미치는 영향
- 부상 조기의 간장애는 화학물질에의 노출이 원인인 경우가 많다.
- 그 후에는 패혈증이나 수혈・약제 등에 의한 간의 염증이 영향을 미치게 된다.
- 소화관에 미치는 영향
- 부상 조기에는 스트레스성위십이지장궤양 (Curling궤양)이 발생하는 경우가 많다.
- 패혈증 등의 합병으로, 마비성일레우스가 생기기도 한다. 또 항균제 사용으로 인한 균교대현상 때문에 위막성장염이 일어나기도 한다.
- 혈액・응고계에 미치는 영향
- 초기에 신체의 수분상실로 인해 헤마토크리트치의 상승과 혈액점조도의 상승이 나타나며, 계속해서 적혈구의 혈관외누출과 파괴로 빈혈이 일어난다. 또 대량 수액에 의한 혈액희석, 혈소판 감소, 간에서의 응고인자의 합성저하가 일어난다.
- 패혈증으로 파종성혈관내응고증후군 (disseminated intravascular coagulation ; DIC)이 일어나면 혈액・응고계에 이상이 발생한다.
- 사지에 미치는 영향
- 사지 전체 둘레의 화상에서는 말초의 순환이 악화되는 경우가 있다. 부종 때문에 정맥환류가 나빠지다가, 더욱 악화되면 동맥혈의 유입에도 장애가 생긴다.

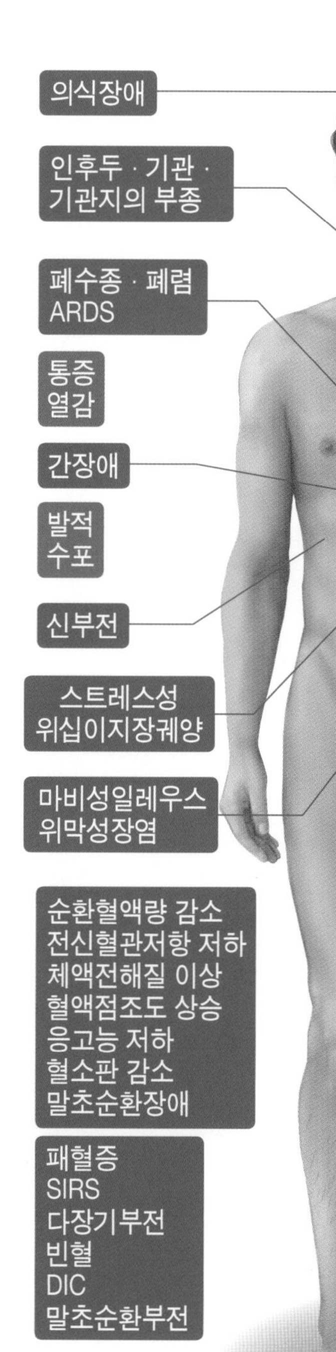

진단 map

부상 메커니즘의 확인, 화상면적의 산정, 화상깊이의 분류를 통해 중증도를 판정하고, 동시에 기도, 호흡, 순환계를 평가한다.

진단 치료

진단·검사치

- 부상 메커니즘, 화상면적과 깊이를 통해 중증도를 포함하여 진단한다(그림 9-2, 표 9-2)
- 합병손상, 기초질환을 확인한다.
- 경증례에서는 특이적인 검사치 (혈액검사 등)가 없지만, 중증례에서는 전신장기의 이상이 초래되고, 각종 검사에서 이상 결과가 나타난다.

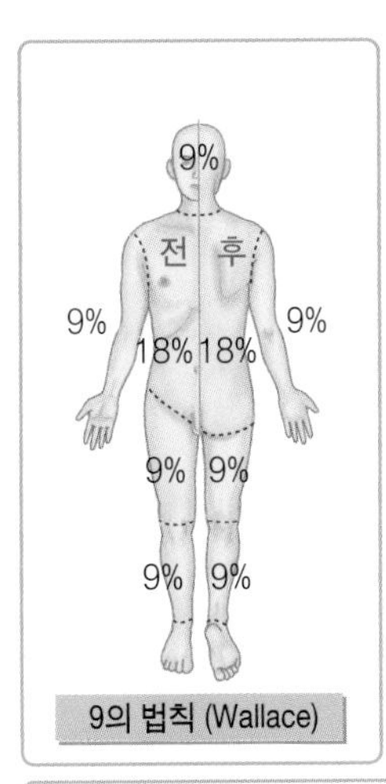

9의 법칙 (Wallace)

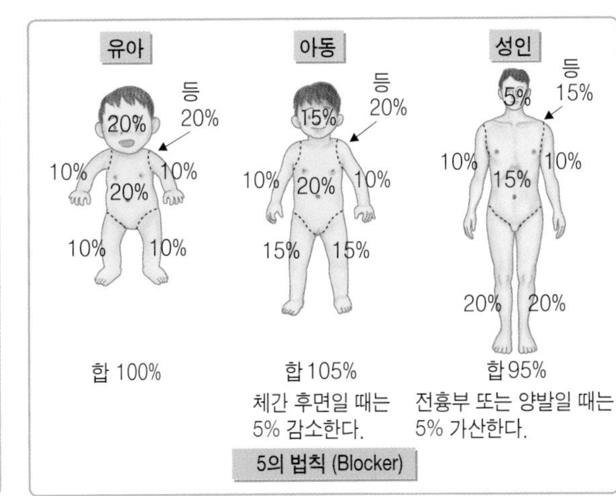

5의 법칙 (Blocker)

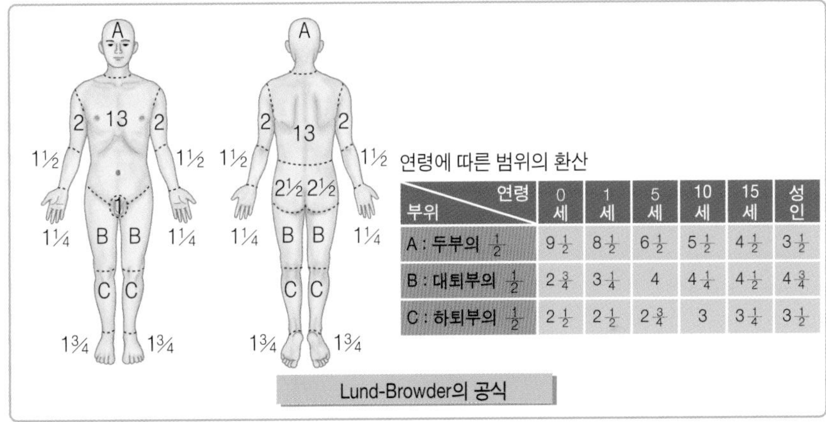

연령에 따른 범위의 환산

부위 \ 연령	0세	1세	5세	10세	15세	성인
A : 두부의 $\frac{1}{2}$	$9\frac{1}{2}$	$8\frac{1}{2}$	$6\frac{1}{2}$	$5\frac{1}{2}$	$4\frac{1}{2}$	$3\frac{1}{2}$
B : 대퇴부의 $\frac{1}{2}$	$2\frac{3}{4}$	$3\frac{1}{4}$	4	$4\frac{1}{4}$	$4\frac{1}{2}$	$4\frac{3}{4}$
C : 하퇴부의 $\frac{1}{2}$	$2\frac{1}{2}$	$2\frac{1}{2}$	$2\frac{3}{4}$	3	$3\frac{1}{4}$	$3\frac{1}{2}$

Lund-Browder의 공식

■ 그림 9-2 화상면적(%)의 산정법

문진
신체소견

혈액검사
혈액가스분석

요검사

냉각
괴사조직제거
약물요법
피부이식술

■ 표 9-2 중증도의 평가방법

1. Artz의 기준

1) 중증 화상 : 화상전문시설에서의 입원치료를 요한다.
- II도화상으로 30% 이상인 것
- III도화상으로 10% 이상인 것
- 안면, 손발의 III도화상
- 기도화상, 연부조직의 손상, 골절 등의 합병증이 있는 화상, 전기충격상, 화학화상

2) 중등도화상 : 일반병원에서의 입원치료를 요한다.
- II도화상으로 15~30%인 것
- III도화상으로 10% 미만 (안면, 손발은 제외)

3) 경증화상 : 외래통원으로 치료한다.
- II도화상으로 15% 미만인 것
- III도화상으로 2% 미만인 것

2. 화상지수 (Burn Index : BI)

II도화상면적 (%) × 1/2 + III도화상면적 (%)

※ BI10~15 이상이면 중증이라고 한다.

3. 화상예후지수 (Prognostic Burn Index : PBI)

Burn Index + 연령

120~	: 치명적 화상으로 구명이 극히 어렵다.
100~120	: 구명률 20% 정도
80~100	: 구명률 50% 정도
~80	: 중증 합병증, 기초질환이 없으면 구명 가능하다.

치료 map

기도(A), 호흡(B), 순환(C)의 평가와 동시에 필요한 처치를 실시하고, 계속해서 국소창 처치를 실시한다.

치료방침

- 중증도에 따른 국소창 처치를 한다. 광범위한 화상에는 파상풍 예방을 꾀하고, 사지 전체 둘레에 화상에 수반되는 혈행장애가 있는 경우에는 감장절개(relief incision)가 필요하다.

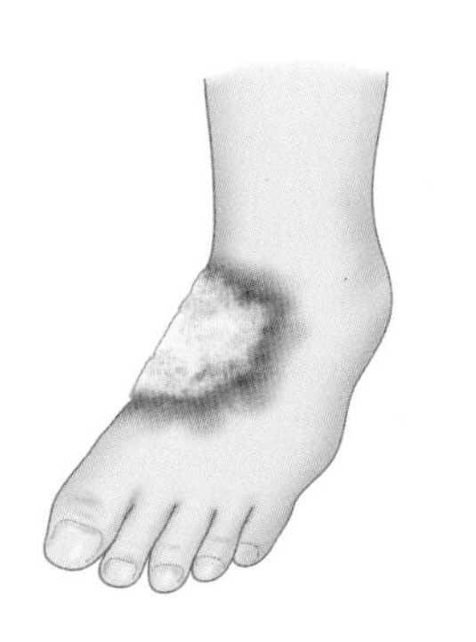

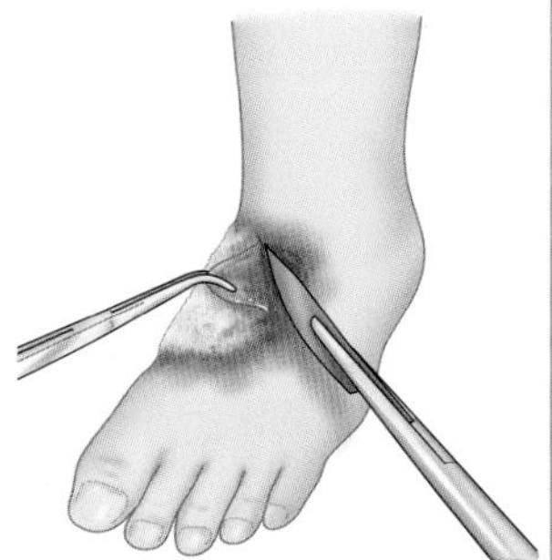

괴사조직의 제거

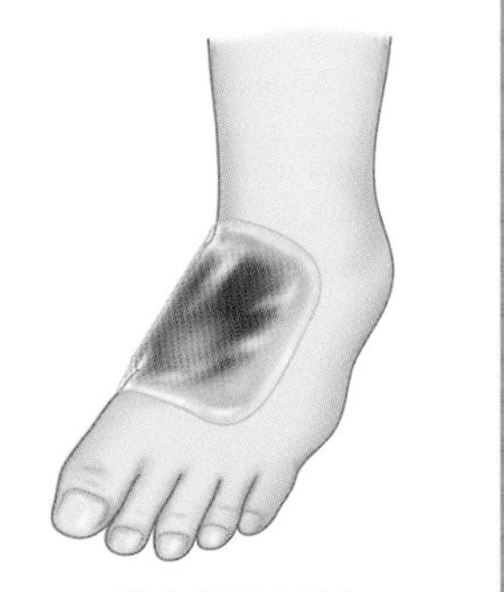

창상피복재로 보호

■ 그림 9-3 국소창 처치

■ 표 9-3 화상 국소창 처치의 주요 치료제

분류	일반명	주요 상품명	약효발현의 메커니즘	주요 부작용
피부용 소염·진통제	디메틸이소프로필아줄렌	Azunol	항염증작용, 히스타민유리억제작용, 창상치료촉진작용 등	과민증·접촉성피부염 등, 항균제를 배합하는 경우는 균교대현상, 범혈구 감소 (게에벤)
	부신피질호르몬항생물질배합제	Rinderon VG		
창상피복재	알긴산염 피복재	Kaltostat, Sorbsan	상피화를 촉진	
화농성피부질환 치료제	프라디오마이신유산염	소푸라투루	녹농균, 포도구균속 등에 살균효과	
	바시트라신·프라디오마이신합제	Baramycin		
	설파디아진은	Geben		
살균성 항생물질	폴리믹신b유산염	유산폴리믹신B	세균세포질막의 투과성에 변화를 유발	

초기진료

- 우선적으로 고온물질을 체표면에서 제거한다. 반지·팔목시계·귀금속·벨트를 뺀다.
- 조기 냉각으로 화상의 깊이를 낮춰서 통증을 경감시켜야 하지만, 저체온을 일으키지 않도록 주의한다.
- 문진 : 화상의 원인, 화학약품의 유무, 노출시간, 화재의 상황에 더불어 탄 것이 무엇인가, 폭풍으로 인한 외상은 없는가, 전기충격상의 가능성은 없는가, 그 밖의 외상·의식소실은 없는가, 기왕력/만성질환/알레르기/내복약/파상풍면역의 유무 등을 확인한다.
- A (airway ; 기도), B (breathing ; 호흡), C (circulation ; 순환)의 순으로 평가와 처치를 개시하고, 계속해서 국소창 처치를 실시한다.
- 진통제 사용여부를 고려한다.

ABC의 평가와 처치

A : 기도
- 초기평가에서 기도가 열려있어도, 기도화상의 가능성이 있는 경우나 기도, 경부의 종창, 입 주위의 화상, 천명음 등이 있는 경우에는 기도확보·기관삽관을 고려한다.

B : 호흡
- 100%산소를 개시하고, 동맥혈산소포화도 모니터를 장착한다.
- 기도화상에서는 기관삽관·인공호흡관리기 필요하다.
- 경부나 흉부의 화상에 수반하는 기계적인 호흡억제를 일으키고 있을 때에는 감장절개 (경부, 흉부, 사지 등의 전체 둘레의 심재성화상에서 부종이나 긴장 때문에 호흡운동장애나 혈행장애가 일어나는 경우에 그 압력을 줄이기 위해서 시행하는 수술)를 한다.

C : 순환
- 혈압·맥박·정신상태·요량 등을 보아 순환 상태를 평가한다.
- 화상부위 이외의 부위에서 정맥을 확보하는데, 제Ⅲ도화상에서는 혈전이 생기는 경우가 있으므로 주의한다. 정맥확보가 어려운 소아인 경우는 골수내 수액을 고려한다.
- 광범위한 화상에서는 고도의 저단백혈증이 나타나므로, 적절히 알부민액을 투여한다. 그러나 모세혈관투과성이 항진되어 있는 24시간 이내에는 콜로이드용액 (알부민액)을 투여하지 않는다.
- 요량을 확인하면서, 0.5~1.0mL/kg/시 (소아는 1.0mL/kg/시)를 유지하도록 수액을 조정한다.
- Baxter식 : 4.0mL × 화상면적(%) × 체중(kg)
- 상기량의 유산링거액을 처음 8시간에 1/2, 다음 16시간에 1/2 투여한다.
  예 : 체중 60kg, 화상면적 50%의 광범위화상에서는 1일에,
  4.0mL × 50(%) × 60(kg)=12,000mL (12L)
  의 수액이 필요하다.

국소창 처치

평가
- 화상의 범위·깊이를 평가하고, 상처를 깨끗이 처치한다.

처치
- 괴사조직을 제거하고, 화상깊이에 따라 외용제를 도포한다.
- 다음의 목적에 따라서, 피복재로 창상을 적절히 덮는다.

① 장애가 생긴 상피를 보호하고, 감염을 예방하며, 피부기능의 바람직한 위치를 유지하기 위한 「부목」의 역할을 적용한다.
② 열의 방산을 방지하고, 추위로 인한 스트레스를 최소한으로 한다.
③ 창상의 통증으로부터 보호한다.

- 광범위한 화상에서는 파상풍 예방이 필요하다.
- 사지 전체 둘레의 화상에 수반하는 혈행장애가 있을 때는 감장절개를 시행한다.

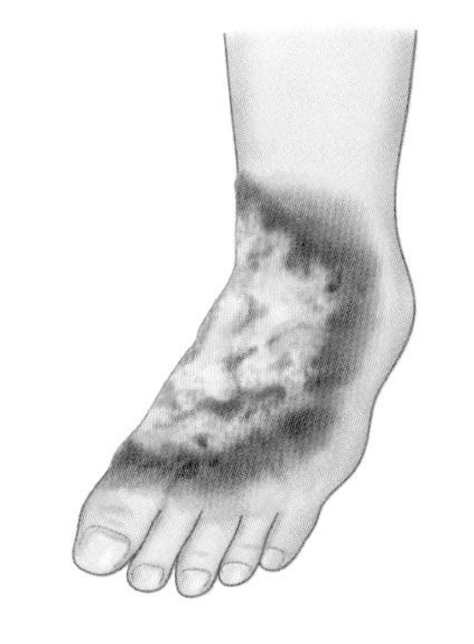

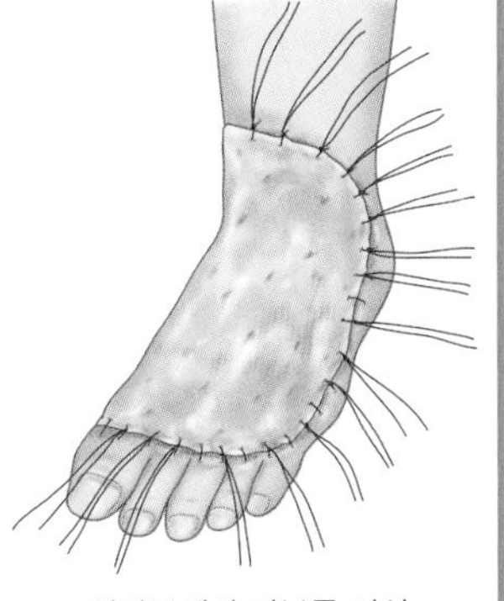

대퇴부에서 피부를 이식

■ 그림 9-4 피부이식술

제 I 도화상

- 통증을 완화시키고, 창상을 보습하며, 소염 · 진통의 목적으로 바셀린기제 연고 · 스테로이드 외용제 등을 도포한다.
- 창상피복재는 필요하지 않다. 며칠 만에 반흔을 남기지 않고 치유된다.

Px 처방례 1), 2) 중에서 사용한다.

1) Azunol연고 1일 1~2회 ←피부용 소염 · 진통제 (바셀린기제연고)
2) Rinderon VG연고 1일 1~2회 ←피부용 소염 · 진통제 (스테로이드 외용제)

제 II 도화상

- 삼출액을 흡수하는 창상피복재를 사용한다. 화상창에 감염이 생긴 경우는 항균제함유 연고를 도포한다.

Px 처방례 창상피복재는 1)을 사용한다. 감염이 염려되는 경우나 감염이 생긴 경우에는 2) 또는 3)을 사용하고 거즈로 보호한다.

1) Kaltostat 1일 1~2회 창상을 덮는다 ←창상피복재
2) 소푸라투루 첩부제 1일 1~2회 창상을 덮는다 ←화농성피부질환 치료제 (항균제배합 연고)
3) Baramycin연고 1일 1~2회 창상을 덮는다 ←화농성피부질환 치료제 (항균제배합 연고)

제III도화상

- 괴사조직을 제거하고, 다음의 연고를 도포한다. 자연치유는 기대할 수 없으며, 피부이식술을 필요로 한다.

Px 처방례 1)이 유효하지만, 화상창 감염의 기염균이 녹농균인 경우에는 2)를 사용하기도 한다.

1) Geben크림 1일 1~2회 ←화농성피부질환 치료제 (외용감염 치료제)
2) 유산폴리믹신B 가루 (50만단위/V) 1일 1~2회 거즈를 수용액에 담갔다가 덮는다(항균작용, 특히 녹농균) ←살균성 항생물질

화상의 병기 · 병태 · 중증도별로 본 치료흐름도

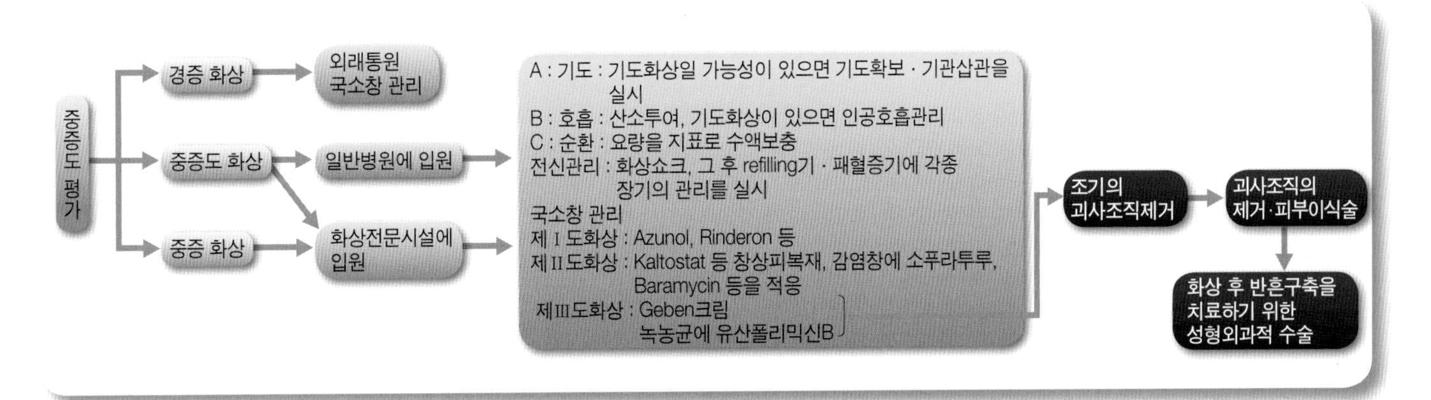

(勝野哲也·大友康裕)

환자케어

입원치료가 필요한 환자에게는 전신관리와 함께 감염예방, 통증의 관리, 영양상태의 개선, 정신적 고통의 완화를 목표로 케어를 실시한다.

병기·병태·중증도에 따른 케어

【쇼크기】

- 화상으로 인한 피부나 국소혈관의 장애에 수반하여 혈관의 투과성이 항진되면서 체액이 혈관밖으로 누출되고, 수포나 부종이 생긴다. 이 때문에 순환혈액량이 감소되고, 저혈량성쇼크가 일어나기 쉬워진다. 또 쇼크에 수반하는 혈압저하나 용혈 · 근육괴사로 생기는 헤모글로빈뇨 · 미오글로빈뇨 등으로 신부전 등의 장기장애도 합병할 위험성이 있어서, 활력징후의 유지와 전신의 관찰 · 관리에 힘쓴다. 또 대량의 수액보충이나 창상에서의 삼출액으로 체온이 내려가기 쉬운 상태에 있으므로, 보온에도 힘써야 한다.
- 화상창이나 치료에 수반하는 통증이 심하여, 정신증상 (동요, 흥분상태, 우울상태 등)이 발생하는 경우도 많으므로, 조기부터 통증완화대책을 적극적으로 실시한다.
- 기도화상이 있는 경우에는 기도부종이나 분비물 증가가 확인되고, 그 정도에 따라서 기도폐쇄에 이르는 경우도 있다. 이 때문에 환자의 구강 · 비강의 상태와 함께 호흡곤란감이나 애성(쉰 목소리)의 유무, 산소화 불량에 주의하여 질식의 위험성에 유의하면서, 기도의 정화와 감염 및 합병증 예방을 위한 호흡케어를 실시한다. 기도화상이 심한 경우는 처음부터 기관삽관 · 호흡기관리를 실시한다.

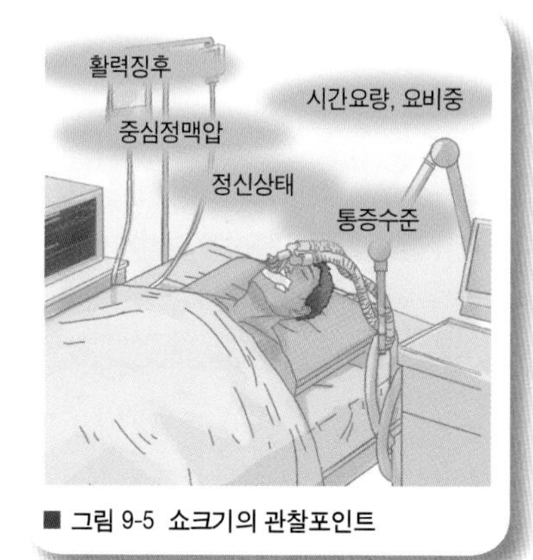

■ 그림 9-5 쇼크기의 관찰포인트

【refilling기】

- 혈관의 투과성이 본래대로 돌아가고 간질로 이동해 있던 물이 혈관 내로 되돌아오므로, 순환혈액량이 증가하게 된다. 이 때문에 심장의 부담이 증가하여, 울혈성심부전이나 폐수종에 의한 호흡장애가 일어날 가능성이 있기 때문에 요량의 변화와 함께 호흡상태의 악화에 주의하여 관찰해야 한다.
- refilling기로 이행이 잘된 경우라도 전해질이상이 일어나는 경우가 있으므로, 부정맥의 출현에 주의한다.
- 제Ⅲ도화상에서는 조기수술이 필요한 경우가 많아서, 피부이식술이라는 새로운 침습이 가해지면 다시 부종이 생기거나 출혈경향을 나타낼 수도 있다.

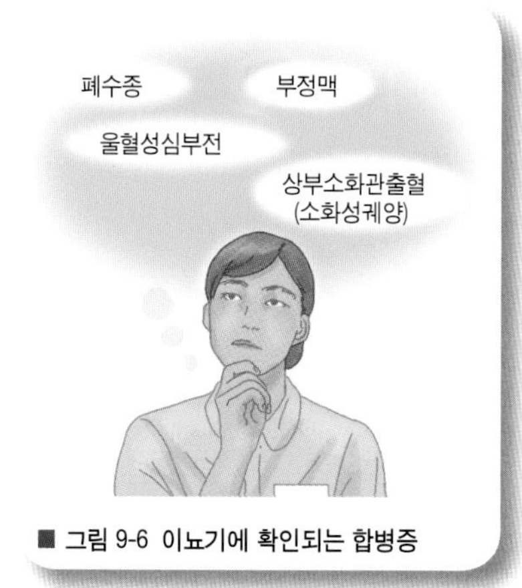

■ 그림 9-6 이뇨기에 확인되는 합병증

【감염기 (또는 패혈증기)】

- 피부결손 및 숙주방어기능저하로 세균류가 창상이나 점막 등에서 체내로 침입하기 쉬운 상태에 있으며, SIRS (전신성염증반응증후군) 때문에 패혈증이 초래되기 되기 쉽다. 패혈증에 빠지면, 오한을 수반하는 고열이 계속되는 경우도 많아서, 대사항진에 추가하여 에너지소모가 많아진다. 이 때문에 환자의 에너지소모를 적게 하기 위해서 생활을 조정하면서 감염을 확대시키지 않도록 한다.
- 이 시기는 단백이화가 진행되므로, 근육량, 지방량이 모두 감소하여 영양상태가 악화되기 쉬우므로, 가능한 영양섭취량을 늘리는 방향으로 식사내용이나 섭취방법을 연구한다.
- 환자의 창상상태에 따라서 조기부터 피부이식술에 의한 창상폐쇄를 목표로 하는데, 수술 후의 폐쇄요법이나 이식피부의 생착 정도에 따라서 감염의 위험이 지속적으로 존재할 수 있다.

【회복기】

- 창상의 폐쇄 또는 상피화를 도모하지만, 가려움이나 당김이 심해지므로, 개개의 증상완화에 대한 케어를 제공하면서 환자 자신이 피부케어를 할 수 있도록 지도한다. 또 사회복귀를 고려하여 생활의 확대를 도모하고, 일상생활상의 주의점을 지도하거나, 기능유지에 적합한 재활치료를 실시하며, 신체상의 변화에 대한 심리적 개입을 적극적으로 실시한다.

【소아 · 고령자】

- 소아는 스스로 증상을 호소하기가 어려워서, 활력이나 기분의 좋고 나쁨 등으로 상태를 판단하는 경우도 많으므로, 모친의 협력을 구하면서 치료 · 간호를 실시한다. 또 소아는 급격히 상태가 악화될 수 있으므로, 세세한 변화를 조기에 파악하도록 모친과 긴밀하게 정보를 교환한다. 모자상호관계를 고려하여, 모친과 신뢰관계를 구축하고, 모친이 안심할 수 있도록 한다.
- 고령자는 기왕력도 많고 예비력이 적은 점을 고려하여, 전신상태의 세세한 변화에 주의하며 경과를 살펴야 한다. 고령자는 감염에 대한 발열 등의 반응이 늦게 나타나는 경우도 많아서, 예측적으로 관찰하는 것이 중요하다. 또한 스트레스가 높은 치료나 상황에 적응하기가 어려운 경향이 있어서, 섬망이나 우울상태에 빠지기 쉽다. 이 때문에 충분한 통증완화와 수면확보와 함께, 안심할 수 있는 관계의 구축 등의 심리적 케어가 중요하다.

케어의 포인트

진료 · 치료 시의 간호

- 치료 시, 특히 창상을 처치할 때는 전신의 피부를 노출시키는 경우가 많으므로, 실내를 따뜻하게 하여 추위나 수치심을 배려해야 한다.
- 치료의 필요성이나 걸리는 시간, 처치에 수반되는 감각 등에 관하여 알기 쉽게 미리 설명한다.
- 처치의 시작시간을 전달하고, 심신의 준비를 촉구하면서 불안한 기분을 수용한다.

- 창상의 처치 전에는 미리 진통제를 사용할 수 있도록 의사와 조정한다. 또 진통제의 효과시간을 고려하여, 창상처치를 시작하고, 약의 효과가 남아 있는 동안에 신속히 처치를 종료할 수 있도록 준비 · 지지한다.
- 피부의 감각이 민감해져 있으므로, 거즈의 제거나 창상세정시 수온, 수압 등을 충분히 배려한다.
- 환자에게 통증을 호소해도 된다고 전달하고, 통증 시에는 바로 옆에서 돕는다.

활력징후의 관리

- 수액을 적절히 관리하고, 정기적으로 활력징후을 측정한다. 이상이 확인되면, 신속히 의사에게 보고한다.
- 요량과 I/O, 체중의 추이를 파악하고, 부종과 삼출액의 양 등에 따라서 체액량을 평가한다.
- 기도의 분비물을 제거하여 개통성을 유지한다.
- 처치 후나 오한을 수반한 발열 시에는 에너지 소모를 적게 하기 위하여 전기담요 등으로 보온한다.

감염확대의 예방

- 감염부위를 파악하고, 가능한 청결부위에서 감염부위의 순으로 처치한다.
- 처치 시에 가운, 마스크, 장갑을 착용하고, 환자와 접촉하기 전후에 손씻기를 철저히 실시한다.
- 각 라인 삽입부의 청결유지에 힘쓴다.
- 환자에게도 손씻기나 구강케어를 적극적으로 하도록 권장한다.

고통완화에 알맞은 케어

- 통증부위, 통증의 성질, 강도 등에 대하여 통증을 사정하고, 사지를 바르게 유지하며 비침습적 통증완화법, 또는 진통제의 사용 등의 선택을 환자와 함께 한다.
- 고통의 내용을 파악한다.
- 환자의 생각을 표출하는 기회를 마련하고, 경청하며 수용한다.

영양상태의 개선에 알맞은 케어

- 창상처치와 식사시간 사이에 충분한 휴식을 취하도록 시간을 조정한다.
- 식사를 잘 할 수 있도록 환자의 기호와 식욕에 맞추어 식사내용이나 시간을 조정한다. 또 가족이 준비한 음식이나 간식 등도 섭취하게 하여, 조금이라도 더 많이 영양을 섭취하도록 한다.
- 식사를 잘 할 수 있도록 환경을 정비한다.

셀프케어의 자립과 운동기능장애 예방을 목표로 하는 지지

- 일상생활동작에서 할 수 있는 것은 적극적으로 스스로 하도록 격려한다.
- 조기부터 관절가동역 훈련을 비롯하여 운동기능장애를 예방하기 위한 재활치료를 개시하고, 적극적으로 실시한다.
- 욕창이나 감염증 예방을 위해서 피부나 점막을 청결히 하도록 지도 · 지지한다.

정신적 측면의 케어

- 환자와 천천히 얘기하는 시간을 마련하고, 환자의 여러 가지 생각을 수용하고, 공감한다.
- 따뜻한 태도로 경과를 지켜보며 지지한다.
- 기분전환방법을 함께 모색하면서 스트레스를 완화시키도록 한다.
- 화상이나 창상에 관하여 환자가 느끼고 있는 점이나 생각을 듣고, 환자 자신이 자신의 장점이나 강인함, 지금까지의 성공체험이나 대처법을 되돌아볼 기회를 마련하고, 장점을 살린 생활방식이나 사고방식 · 행동을 함께 생각한다.
- 환자모임 등을 소개하여 고민을 서로 얘기하거나, 생활상의 정보를 배워나갈 수 있는 자리를 제공하도록 지지한다.

각종 라인 삽입부의 발적 · 종창

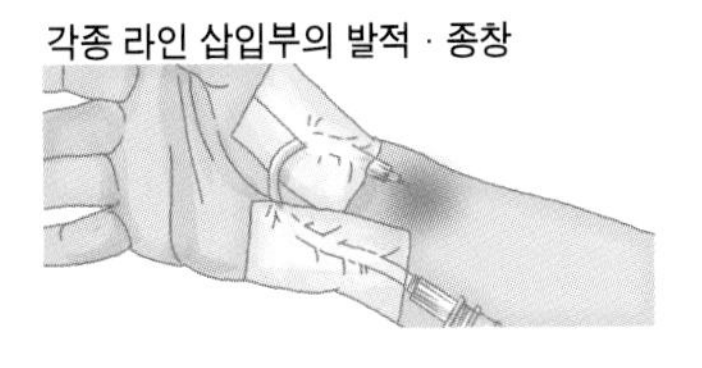

각종 라인에서의 배액 성상

발열

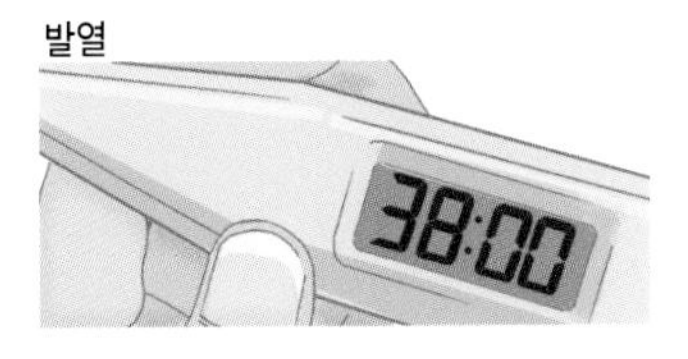

창상면 · 삼출액의 상태

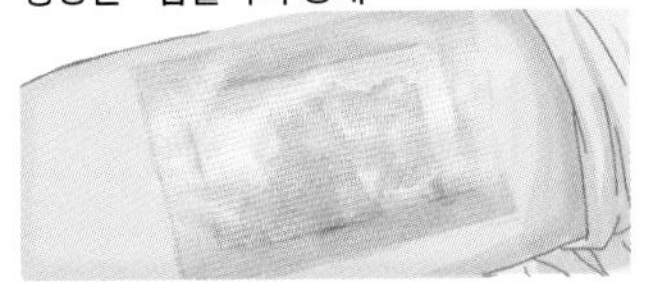

영양상태

■ 그림 9-7 감염기의 감염확대예방을 위한 관찰포인트

퇴원지도 · 요양지도

- 일상생활에서의 주의사항을 지도한다(상피화된 피부상태를 유지하는 방법, 피부케어방법, 일광회피, 목욕방법 등).
- 가려움이나 통증에 대한 대응책을 지도한다.
- 치유에는 긴 시간이 걸린다는 점, 켈로이드나 반흔형성 등이 남을 가능성이 높은 점을 설명하고, 조급해하지 말고 느긋하게 대처해야 함을 이해하게 한다.
- 반흔화된 부위에 치료가 계속 필요하다는 점을 설명한다.
- 할 수 없는 것보다 할 수 있는 것으로 눈을 돌리도록 격려한다.
- 사회와의 접점을 여러 형태로 계속 유지하도록 지지하고, 가능한 신체를 움직여서 기분전환하도록 지도한다.

(比田井理惠)

Memo

10 천포창 (pemphigus)

樋口哲也/三田由美子

전체 map

병인

- 표피구성성분에 대한 자가항체의 출현으로 발생한다.
- 자가항체가 출현하는 원인은 밝혀지지 않고 있다.

[악화인자] 수포성유천포창에서는 내장악성종양이 악화인자이다.

역학

- 천포창은 중년 · 고령자에게 많으며, 환자수는 3,000명대이다.
- 수포성유천포창은 고령자에게 많으며, 환자수는 천포창의 2~3배이다.

[예후] 천포창의 사망률은 10% 이하이다.

병태생리

- 표피세포의 접착분자 (desmoglein)에 대한 자가항체 (천포창 항체)에 의해 피부에 표피내수포가 생긴다. 심상성천포창이 대표적인 자가면역성수포증의 총칭이다.
- 유사증상으로, 표피기저막에 대한 자가항체에 의해서 긴만성표피하수포가 생기는 수포성유천포창이 대표적인 유천포창의 질환군이 있다.

증상

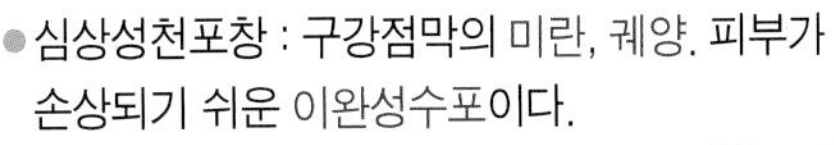

- 심상성천포창 : 구강점막의 미란, 궤양. 피부가 손상되기 쉬운 이완성수포이다.
- 증식성천포창 : 심상성천포창의 아형. 마찰부 등의 이완성수포. 미란은 증식 융기한다.
- 낙엽상천포창 : 안면 · 체간의 수포가 터진 후 건조되어 낙엽상의 인설로 박리된다.
- 홍반성천포창 : 낙엽상천포창의 아형. 안면에 SLE처럼 보이는 접형홍반이 생긴다.
- 수포성유천포창 : 부종성홍반, 잘 터지지 않는 긴만성수포

[합병증]

- 2차감염, 전해질이상, 저단백혈증, 전신쇠약
- 흉선종, 중증 근무력증, SLE, 내장악성종양

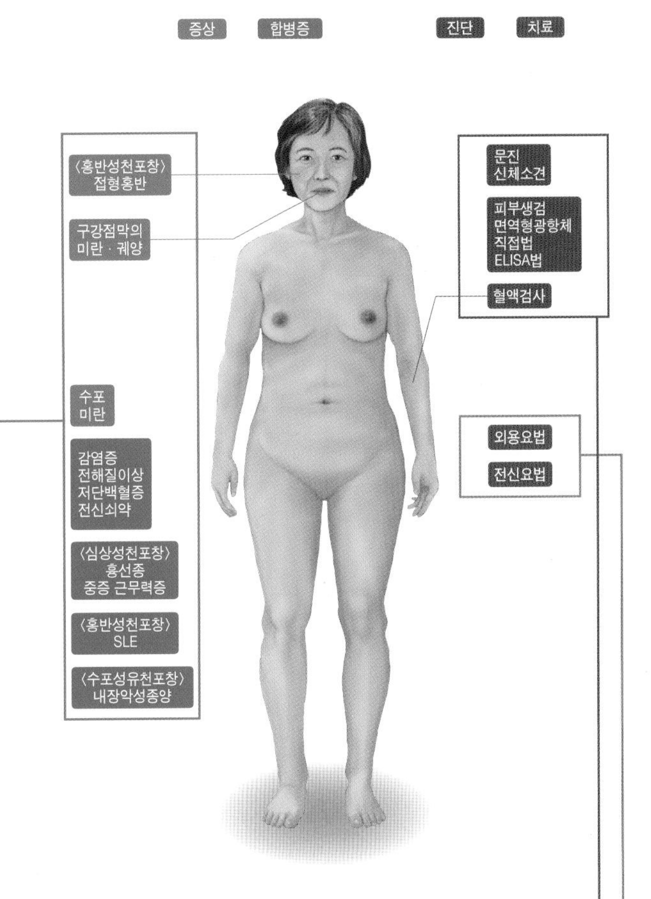

진단

- 수포의 성상, 분포를 통해 진단한다.
- 확정 진단 : 피부생검에 의한 병리조직진단이나 면역형광항체직접법으로 표피에 대한 면역글로불린의 침착을 확인한다.
- 혈중자가항체가 : ELISA법으로 측정한다.
- 심상성천포창에서는 anti-desmoglein1 항체, anti-desmoglein3 항체가 양성으로 나타난다.
- 수포성유천포창에서는 항BP180 항체가 양성으로 나타나고, 비특이적 IgE항체의 높은 수치, 호산구 증가를 확인하기도 한다.

치료

- 피진의 범위나 중증도, 점막병변의 유무, 혈중 항체가에 따라서 외용요법과 전신요법을 병용하여 수포를 일단 소실시키고, 수포가 재발하지 않도록 관리한다.
- 약물요법 : 외용요법에서는 부신피질호르몬제 (외용제)를 단독사용하거나 내복요법과 병용한다. 전신요법에서는 부신피질호르몬제를 사용한다.

필요에 따라서 면역억제제를 병용하고, 혈장교환요법, 스테로이드 펄스요법(pulse therapy)을 적용한다.

병태생리 map

천포창은 표피세포간 접착분자를 항원으로 하는 자가항체에 의해서 피부에 표피내수포가 생성되는 병태를 말한다. 심상성천포창이 대표적인 자가면역성수포증의 총칭이다.

- 천포창에서는 표피세포간의 접착분자인 desmoglein에 대한 자가항체 (천포창 항체)에 의해서 표피세포간의 결합이 억제되어, 표피 내에 수포나 미란이 형성된다.
- 유사증상으로서, 표피기저막에 대한 자가항체에 의해서, 잘 터지지 않는 긴만성표피하수포가 만들어지는 경우가 있다. 수포성유천포창이 대표적인 유천포창의 질환군이 있다.
- 증상에 따라서 심상성천포창, 증식성천포창, 낙엽상천포창, 홍엽성천포창 등의 병형으로 분류된다(증상map을 참조).

병인·악화인자

- 표피구성성분에 대한 자가항체가 병인이지만, 다른 자가면역질환과 마찬가지로 자가항체가 출현하는 원인에 관해서는 잘 알려져 있지 않다.
- 수포성유천포창은 고령자에게 호발하며 내장 악성종양 합병례도 있어서, 관련성이 시사되고 있다.

역학·예후

- 천포창은 중년 · 고령자에게 호발하며, 후생성 희소난치성 피부질환 조사연구반의 보고에 의하면, 1997년 전국의 환자수는 3,000명대로 밝혀졌다. 이전에는 사망률이 20%를 넘었지만, 치료법의 발달 · 개선으로 최근 통계에서는 10% 이하로 감소하였다.
- 수포성유천포창은 고령자에게서 이환율이 높으며, 환자수는 천포창에 비해서 2~3배 높다. 심상성천포창과 비교하면 점막침습이 적어서, 예후도 좋다.

원인

불분명

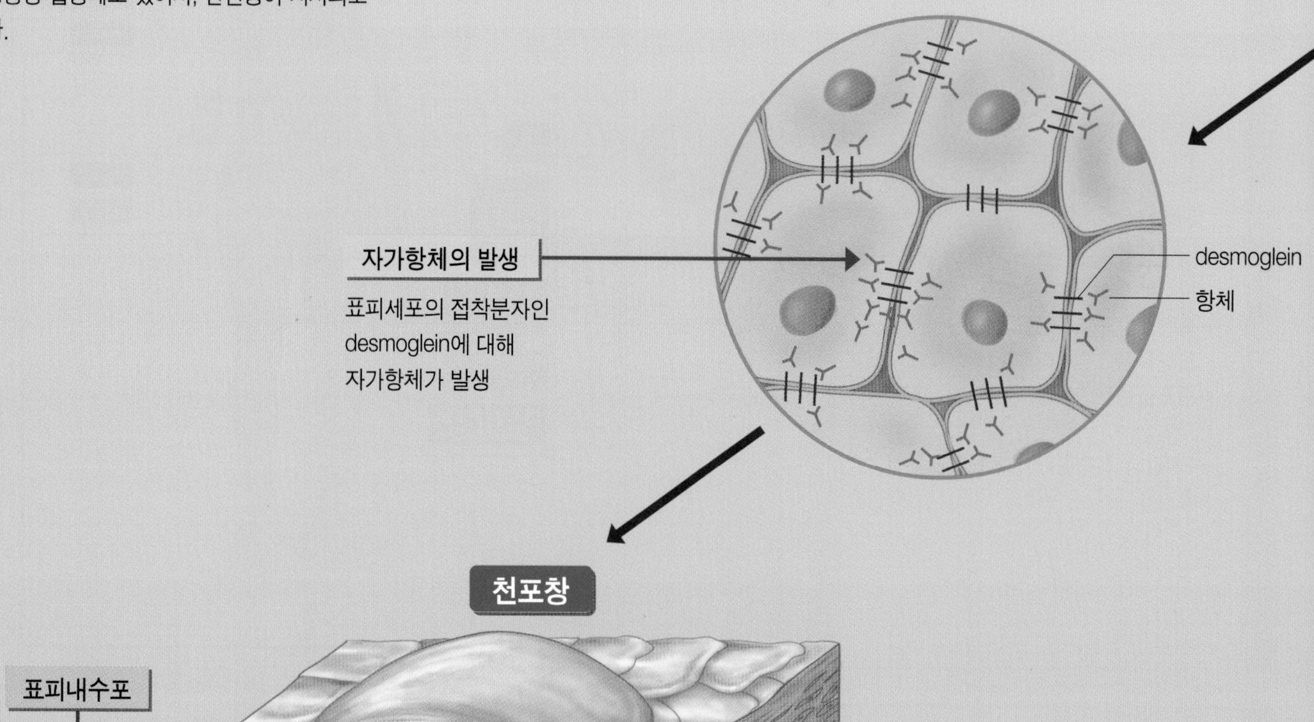

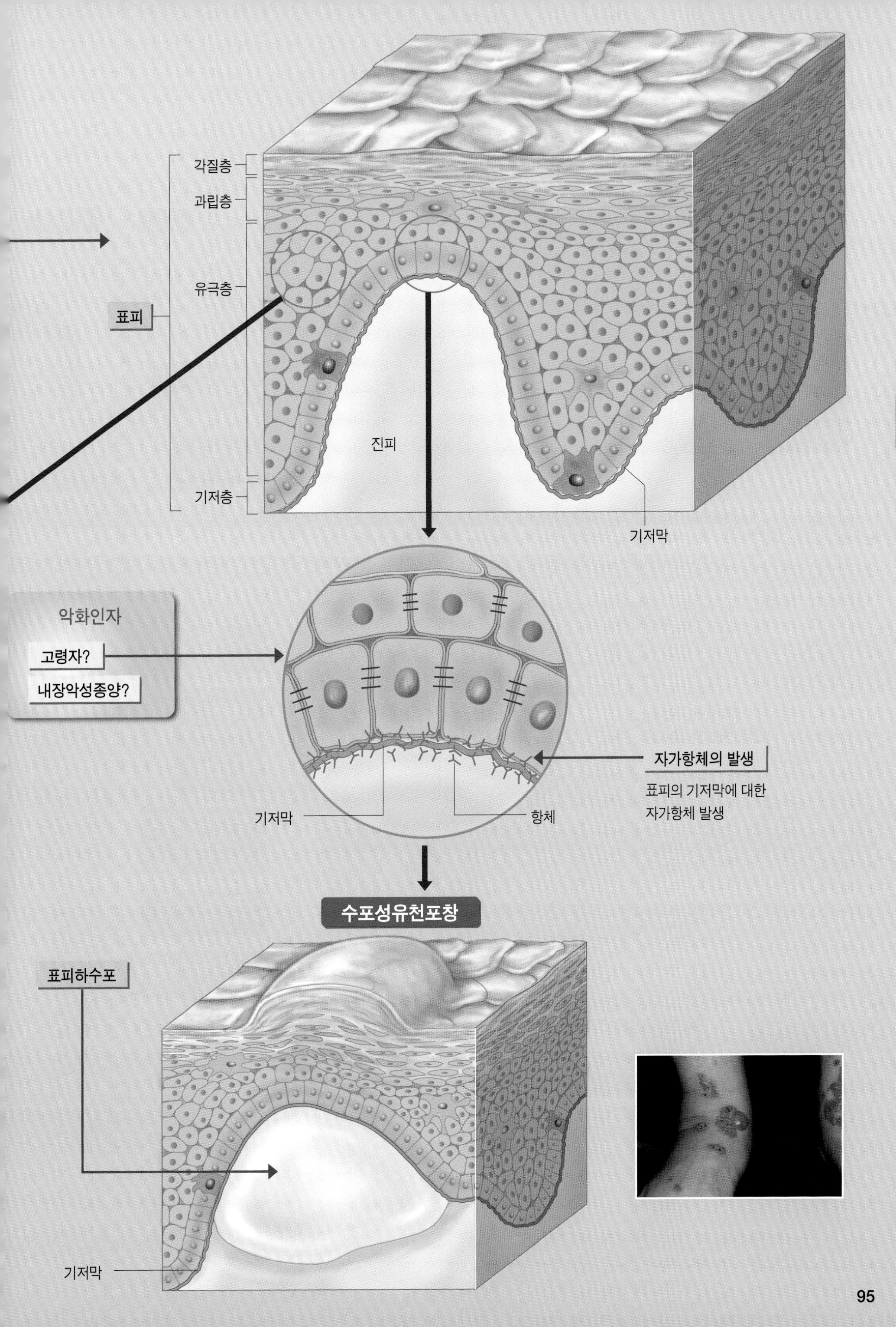
각질층
과립층
유극층
표피
기저층
진피
기저막
악화인자
고령자?
내장악성종양?
자가항체의 발생
표피의 기저막에 대한
자가항체 발생
기저막
항체
수포성유천포창
표피하수포
기저막
10
천포창

천포창

증상 map

심상성천포창, 증식성천포창 등, 병형에 따라서 증상은 다르게 나타난다.

증상

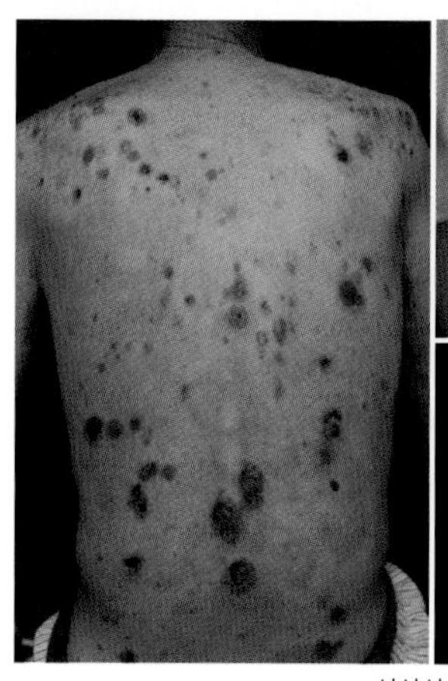

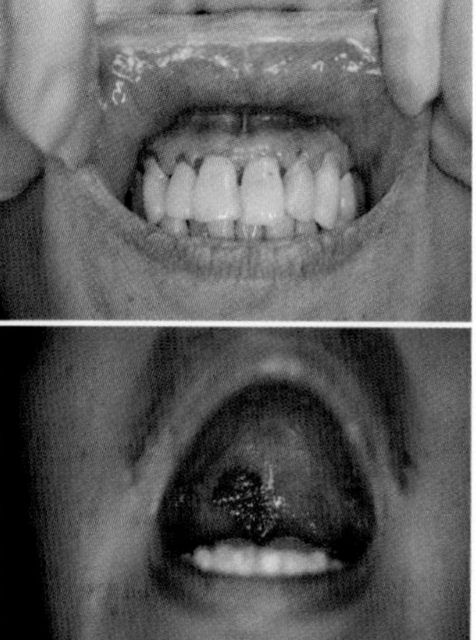

a. 심상성천포창

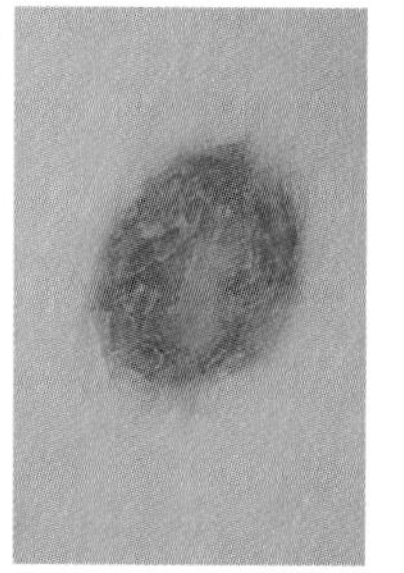

b. 낙엽상천포창
(표피내수포)

■ 그림 10-1 천포창의 증상

- 심상성천포창 (그림 10-1a) : 천포창 전체의 60%를 차지한다. 대부분은 구강점막의 미란 · 궤양 때문에 발생하며, 정상피부에도 터지기 쉬운 이완성수포가 다발한다. 미란은 통증을 유발하고, 치유 후에 색소침착을 남긴다. 정상피부를 문지르면 수포가 생기고 미란화되는 니콜스키징후(Nikolsky sign)이 특징적이다. 수포는 압박이나 마찰이 많은 등, 둔부, 발 등에 호발한다. 구강 · 음부 등에 국한되는 점막우위형과 피부에도 생기는 점막피부형이 있다.
- 증식성천포창 : 심상성천포창의 아형으로, 마찰부나 점막피부 이행부에 생기고, 미란은 점차 증식 융기된다.
- 낙엽상천포창 (그림 10-1b) : 안면, 체간 등에 터지기 쉬운 수포가 출현하여 건조되면 나뭇잎 모양의 인설이 되어 박리된다. 점막병변은 없다.
- 홍반성천포창 : 낙엽상천포창의 아형으로, 안면에는 전신성홍반성낭창 (SLE) 같은 접형홍반이 생겨서, SLE의 합병을 확인하는 경우도 있다.
- 수포성유천포창 : 가려움이 있는 부종성홍반에 수반하여, 비교적 대형으로 잘 터지지 않는 긴만성수포가 나타난다. 점막침습이 적고 (20% 정도), 경도이다.

합병증

- 수포증에 공통으로, 미란면의 2차감염이나 체액상실로 인한 전해질이상과 저단백혈증, 전신쇠약이 수반된다.
- 부신피질호르몬제의 장기사용으로 인하여 감염에 취약해지고 부신피질기능저하, 골다공증이 출현한다.
- 심상성천포창에는 흉선종이나 중증 근무력증, 홍반성천포창에는 SLE, 수포성유천포창에는 내장악성종양이 합병되기도 한다.

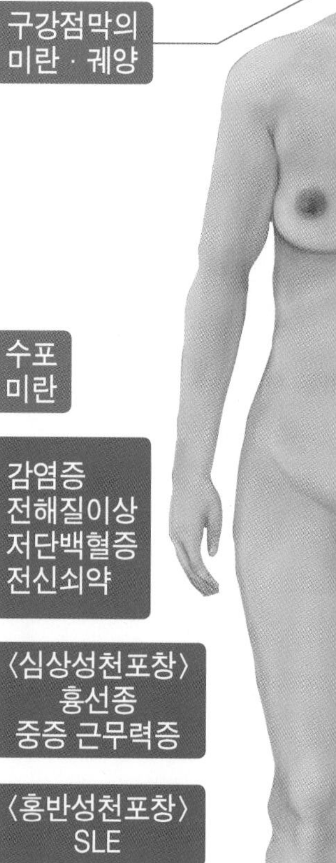

천포창

진단 map

수포의 성상과 분포를 통해 진단한다. 진단확정을 위해서 병리조직진단이나 면역형광항체직접법을 시행한다.

진단·검사치

- 수포의 성상, 분포를 통해 진단이 가능하지만, 진단확정을 위해서 환자 피부생검조직의 병리조직진단이나 면역형광항체직접법으로 표피에 대한 면역글로불린의 침착을 확인한다.
- 혈중의 자가항체가 측정에는 환자의 혈청을 사용하여 정상피부조직에 대한 결합을 보는 면역형광항체간접법이 이용됐었지만, 최근에는 ELISA법으로 측정하게 되었다.
- 검사치
- 천포창에서는 anti-desmoglein1 항체나 anti-desmoglein3 항체가, 수포성유천포창에서는 항BP180 항체 등이 검출된다.
- 수포성유천포창에서는 비특이적 IgE항체의 높은 수치나 호산구 증가가 확인되기도 한다.

치료 map

스테로이드제에 의한 약물요법을 기본으로 하며, 중증도에 따라서 면역억제제의 병용, 스테로이드 펄스요법, 혈장교환요법 등을 실시한다.

진단 치료

문진
신체소견

피부생검
면역형광항체
직접법
ELISA법

혈액검사

외용검사

전신요법

■ 표 10-1 천포창의 주요 치료제

분류	일반명	주요 상품명	약효발현의 메커니즘	주요 부작용
부신피질호르몬제	클로베타솔프로피온산에스텔	더모베이트	항염증작용	피부위축, 좌창 등
	프레드니솔론	Predonine, Predohan, 프레드니솔론		감염성 증가, 소화관궤양, 골다공증, 당뇨병 등
	메틸프레드니솔론호박산 에스테르나트륨	솔루메드롤		
테트라사이클린계 항균제	미노사이클린염산염	Minomycin	호중구기능억제작용	색소침착, 현기증
피부용 내복제	디아페닐설폰	Lectisol		빈혈, 백혈구 감소, 간 및 신장애
면역억제제	시클로스포린	뉴오랄	면역억제작용	신기능장애, 고혈압

치료방침

● 피진의 범위나 중증도, 점막병변의 유무나 혈중 항체가에 따라서 외용요법과 전신요법 (부신피질호르몬제, 면역억제제, 혈장교환)을 병용하여 수포의 출현을 일단 소실시키고, 재발이나 합병증에 주의하면서 수포가 재발하지 않도록 관리하는 것이 치료의 목표이다.

약물요법

〈외용요법〉

● 부신피질호르몬제 (스테로이드 외용제)를 단독으로 사용하거나 또는 내복요법 등과 병용한다.

〈전신요법〉

● 부신피질호르몬제를 중증도에 맞추어, 투여량을 조정한다. 효과가 적거나 감량이 필요하면 때문에 다른 면역억제제를 병용하기도 한다. 치료저항례에서는 혈장교환요법을 시행하기도 한다. 수포성유천포창에서는 미노사이클린염산염이나 디아페닐설폰 (DDS)이 단독으로 효과를 나타내기도 한다.

Px 처방례 경증에서 중등증

● 더모베이트 1일 2회 이용 ←부신피질호르몬제 (피부용)
● Predonine정 (5mg) 3~8정 分3 (매 식후) ←부신피질호르몬제

Px 처방례 경증 수포성유천포창

● Minomycin캅셀 (100mg) 2캅셀 分2 (조석) ←항균제
● Lectisol정 (25mg) 4정 分2 (조석) ←설폰화합물 (피부용)

Px 처방례 중증에서 난치증

● 솔루메드롤주 1일 1,000mg 점적 3일 (스테로이드펄스요법) (보험적용외) ←부신피질호르몬제
● 뉴오랄캅셀 3~5mg/kg/일 分2 (보험적용외) ←면역억제제

천포창의 병기 · 병태 · 중증도별로 본 치료흐름도

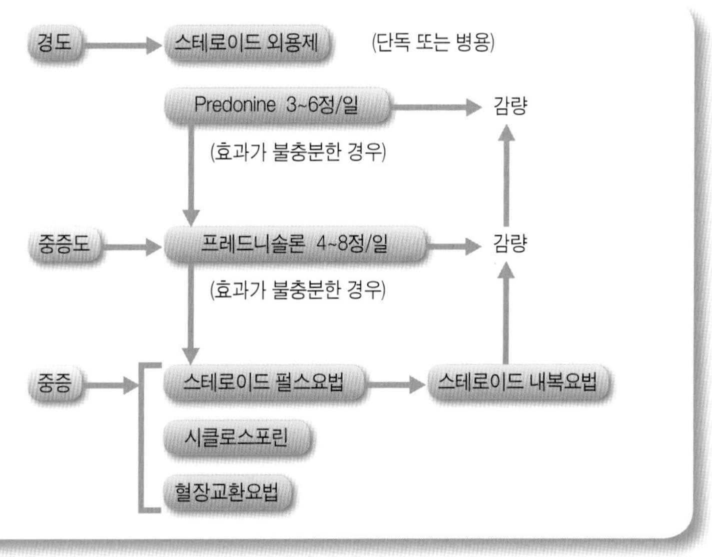

(樋口哲也)

천포창

환자케어

완치가 어려워서 장기적으로 경과를 지켜보는 질환이므로, 불안 등에 대한 정신면의 케어와 치료의 지속, 복용관리 등에 알맞게 지도한다.

병기·병태·중증도에 따른 케어

- 천포창은 자가면역질환으로, 완치가 어렵다. 증상에 따라서 외용요법의 연고처치나 내복제 투여를 실시하는데, 피부가 정상으로 보여도 가벼운 마찰로도 피부가 쉽게 박리되고, 난치성미란이 형성된다. 또 2차감염이나 전신상태의 악화로, 혈장교환요법을 실시하는 수도 있으므로, 증상의 악화를 방지해야 한다. 장기적인 경과관찰이 필요하므로, 환자의 불안에 대한 지지를 제공하고, 계속해서 치료를 받을 수 있게 한다.

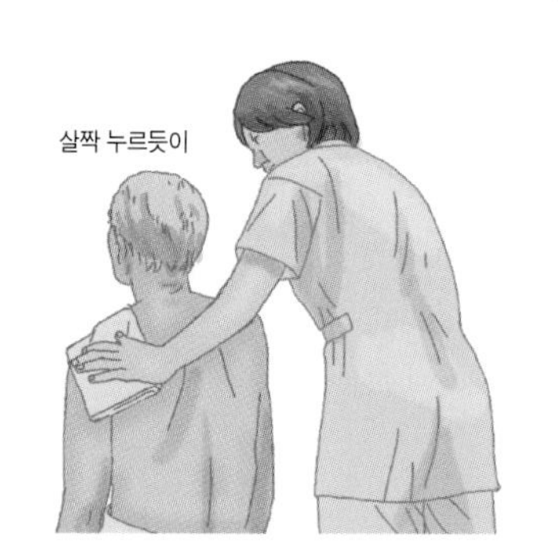

■ 그림 10-2 피부의 보호

케어의 포인트

진료·치료의 지지

- 외용제를 바를 때에 피부를 문지르지 않도록 지도한다.
- 피부면에 직접 테이프류를 붙이지 않도록 설명한다.
- 외용제는 정해진 것을 사용하도록 지도한다.
- 내복의 투여량·투여시간을 지키고, 확실히 복용하도록 지도한다.
- 내복약의 부작용이 나타날 때는 의사에게 상담한다.

식사지도

- 자극물, 뜨거운 것·차가운 것, 딱딱한 것은 섭취를 삼가도록 지도한다.
- 영양의 균형을 고려하여 식사내용을 검토한다.

일상생활의 지지

- 매일 목욕이나 샤워를 하고, 청결을 유지하도록 촉구한다.
- 씻을 때는 타월로 문지르지 말고 누르듯이 수분을 닦아내도록 설명한다.
- 의류에서 마찰이 일어나지 않도록 한다.
- 마찰이나 타박을 하지 않도록 주의한다.

환자·가족의 심리·사회적 문제에 대한 지지

- 후생노동성의 특정질환에 지정되어 있으며, 의료비의 공비부담제도가 있으므로, 진단이 확정되면 신청하도록 지도한다 [공비부담제도 있음 : 심상성천포창, 낙엽상천포창, 종양수반성천포창, 공비부담제도 없음 : 유천포창군 (수포성유천포창, 점막유천포창, 후천성표피수포증)].
- 질환이나 치료에 관하여 환자·가족에게 알기 쉽게 설명한다.

퇴원지도·요양지도

- 장기적인 경과관찰이 필요하므로, 정기적인 통원을 계속하도록 지도한다.
- 환자·가족 모두 안정된 가정생활을 할 수 있도록, 환경의 정비를 지지한다.
- 증상이 오래 계속되거나 작은 자극에도 악화되므로, 정신적인 면도 지지한다.
- 규칙적인 복용하고, 자가판단으로 투여를 중단하지 않도록 지도한다.
- 부작용이 나타났을 때에는 바로 연락하도록 지도한다.

(三田由美子)

11 건선 (psoriasis)

樋口哲也／三田由美子

전체 map

병인

- 불분명하지만, 유전인자에 환경인자가 추가되어 발생한다.

[악화인자] 외적자극 (소파), 외상, 감염 (용련균), 약제, 스트레스

역학

- 발생률은 0.1% 정도이다.
- 남녀비는 2 : 1로, 청년~중년기의 발생이 많다.

[예후] 만성이기 때문에 완화와 악화를 반복하지만, 완전완화에 이르는 증례도 있다.

병태생리

병태생리 map p.100

- 인설을 수반한 홍반, 구진이 일년 남짓 출현하는 원인불명의 만성염증성각화증이다.
- 표피의 비후화, 부전각화 (핵을 남긴 채 각질층을 형성)로 인해, 각 피진은 두터운 은백색의 인설을 수반하는 살짝 융기된 경계가 명료한 홍반, 구진으로 진전된다.
- 피진은 외적자극을 쉽게 받는 부위에 호발하고, 피진이 없는 부위에 소파자극 등으로 유발된다(퀘브너(koebner)현상).

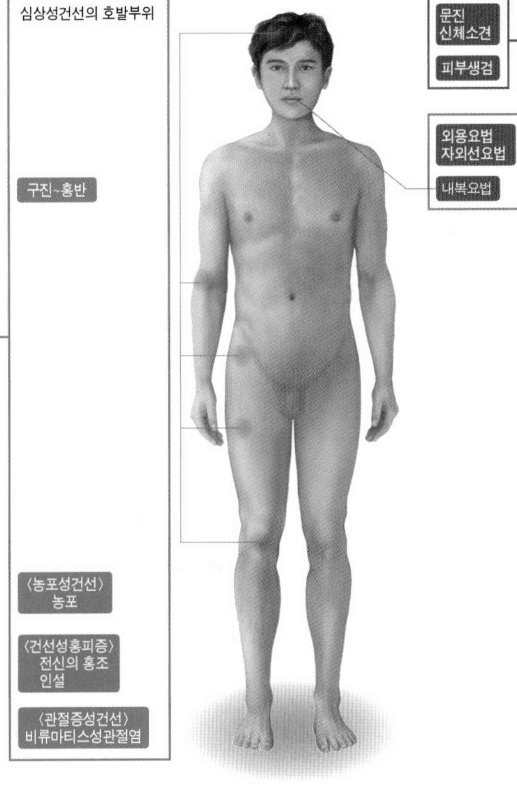

증상

증상 map p.102

- 심상성건선 : 두터운 은백색 인설이 부착된 경계가 명료한 구진, 홍반
- 적상건선 : 심상성건선보다 작고 미세한 피진
- 농포성건선 : 홍반, 무균성 농포
- 건선성홍피증 : 인설을 수반하는 광범위한 피진
- 관절증성건선 : 비류마티스성관절염을 수반하는 건선

[합병증]

- 외용치료에 의한 부작용 : 피부위축, 색소침착, 고칼슘혈증, 발암

진단

진단 map p.103

- 특징적인 임상증상으로 진단을 확정하는 경우가 많다.
- 진단을 감별하기 위해서 피부생검을 통한 병리조직학적 진단을 실시하기도 한다.

치료

치료 map p.103

- 근본적인 치료법이 없으므로, 눈에 띄지 않는 수준으로 관리한다. 중증도에 따라서 외용요법, 자외선요법, 내복요법을 단독사용하거나 병용한다.
- 외용요법 : 활성형 비타민D_3 외용제를 중심으로 하며, 증상에 따라서 스테로이드 외용제를 병용한다.
- 자외선요법 : PUVA요법 또는 NB-UVB요법을 시행한다.
- 내복요법 : 외용요법이나 자외선요법으로 관리할 수 없는 경우는 면역억제제 (시클로스포린) 또는 에트레티네이트를 내복한다.
- 생물학적 제제요법 : 내복요법이나 자외선요법 등의 전신요법으로도 효과가 없는 난치례, 농포성건선이나 건선성홍피증 등의 중증례에는 TNF α 억제제에 의한 항체요법을 실시한다.

병태생리 map

건선은 인설을 수반한 홍반, 구진이 일년 남짓 출현하는 원인불명의 만성염증성각화증이다.

- 피부에 침윤하는 호중구나 림프구 등의 염증세포 염증반응에 의해서 표피세포의 교체가 항진됨으로써 표피는 증식 · 비후화되고, 표피세포가 핵을 남긴 채 (부전각화라고 한다) 두터운 각질층을 형성하게 된다. 이 때문에, 각 피진은 두터운 은백색 인설을 수반하는 경도의 융기된 경계가 명료한 홍반, 구진으로 진전된다.
- 주두(肘頭)나 슬개, 피발두부(被髮頭部)나 둔부 등 자극을 받기 쉬운 부위에 호발하고, 피진이 없는 부위도 소파자극 등으로 피진이 유발된다 (koebner현상).

병인·악화인자

- 인종 간의 발생빈도에 차이가 있는 점이나 가족 내 발생례도 있는 점에서, 어떤 유전인자가 있으리라 추측되지만, 원인이 확실히 밝혀지지는 않았다.
- 유전인자에 환경인자가 추가되어 발생하는 면역반응의 이상이다.
- 소파 등의 여러 가지 외적자극, 외상, 감염 (용련균 등), 약제, 스트레스 등으로 증상이 악화되기도 한다.

역학·예후

- 백인에게서는 1~2%에게 발생하므로, 서구에서는 흔한 질환이다. 일본인의 발생률은 0.1% 정도이다. 남녀비는 2 : 1로 남성, 특히 청년~중년기의 발생이 많다.
- 만성적인 병태이기 때문에 완화와 악화를 반복하며, 평생 피진이 지속되는 경우가 많지만, 완전완화에 이르는 증례도 있다. 심상성건선에서 다른 병형으로 이행하여, 난치성이 되기도 한다. 중증형에서 때로 전신쇠약이나 2차감염으로 사망하기도 하는 범발성농포성건선의 비율은 전체 건선환자 중에서 0.9%라고 보고되어 있다.

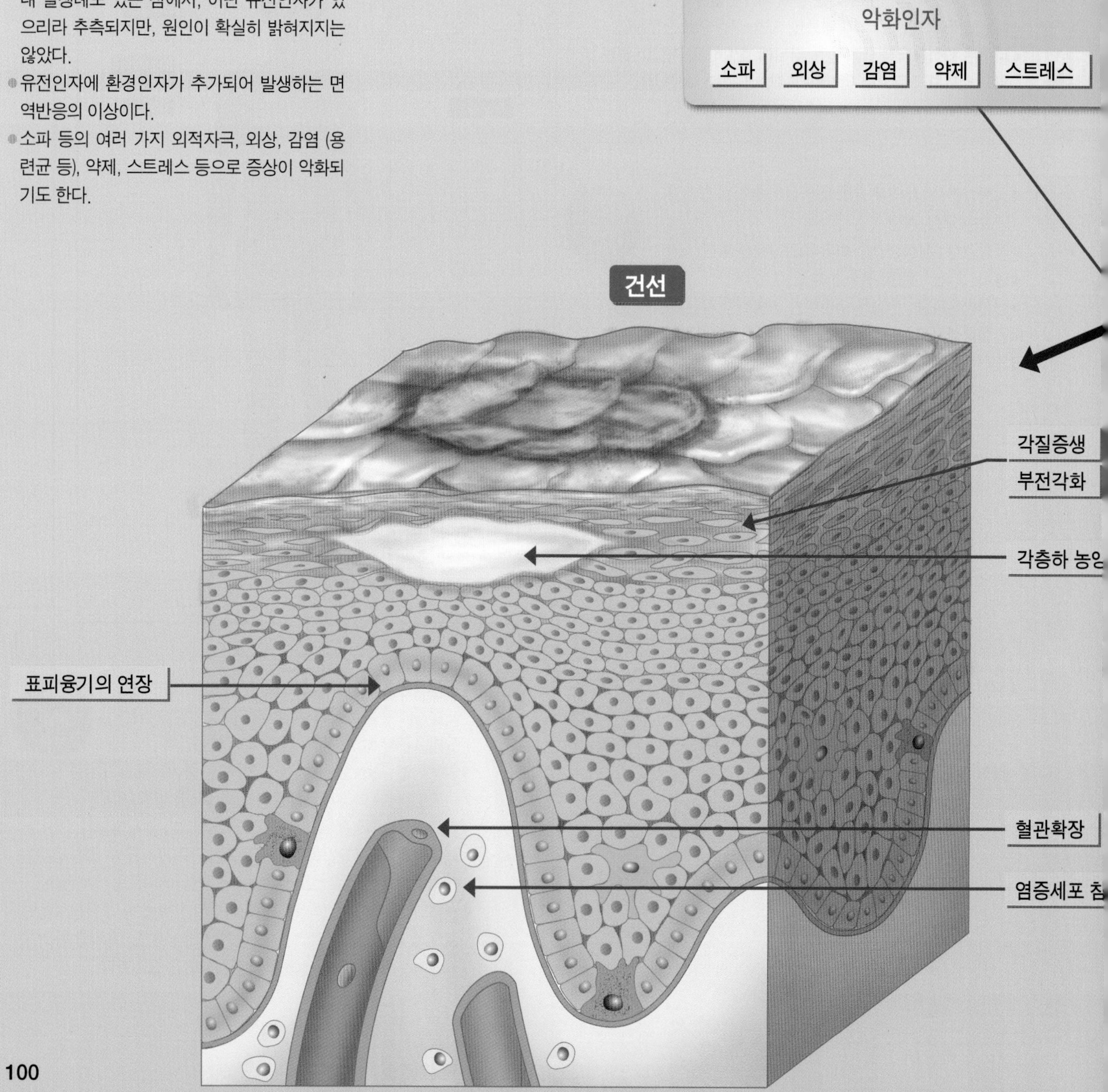

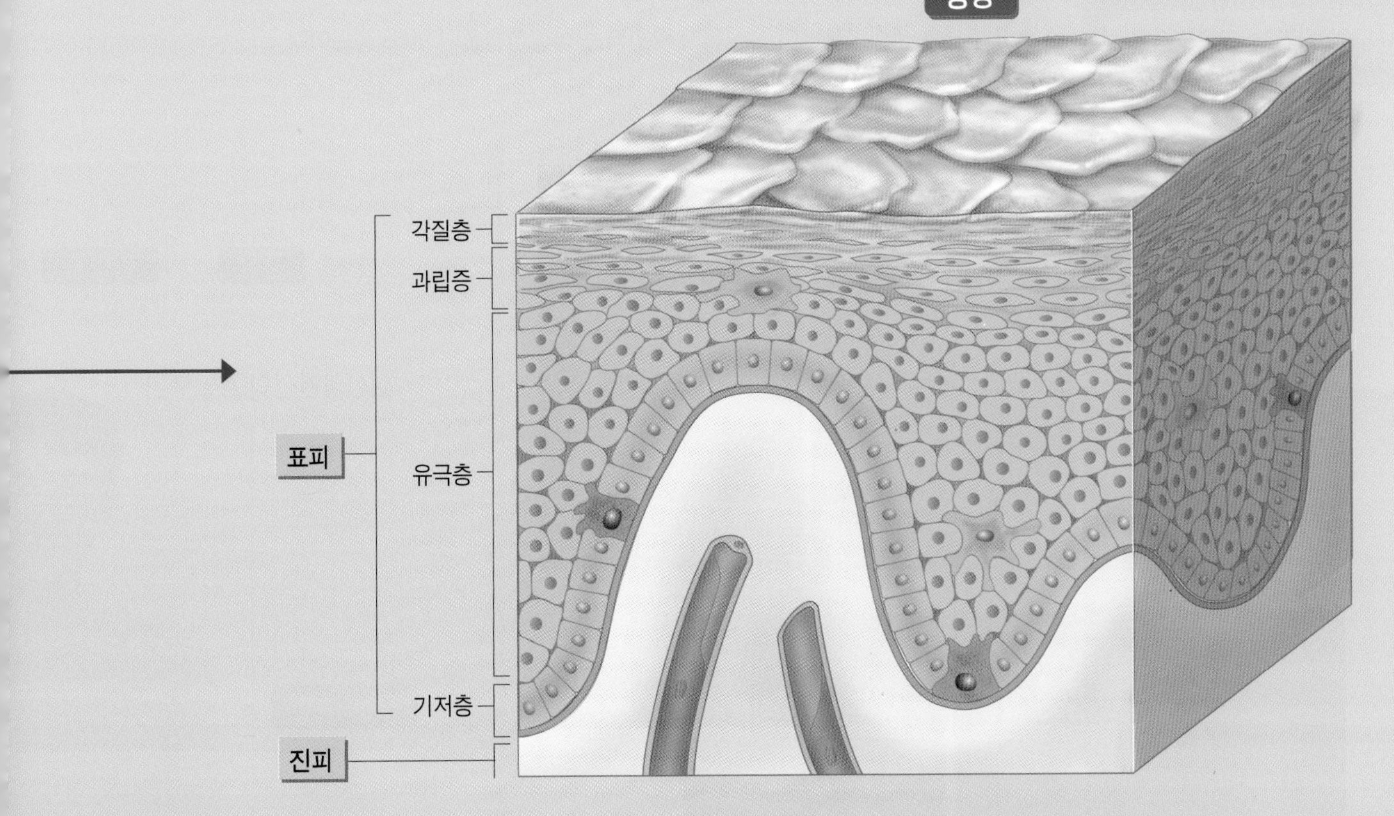

정상
각질층
과립증
표피
유극층
기저층
진피

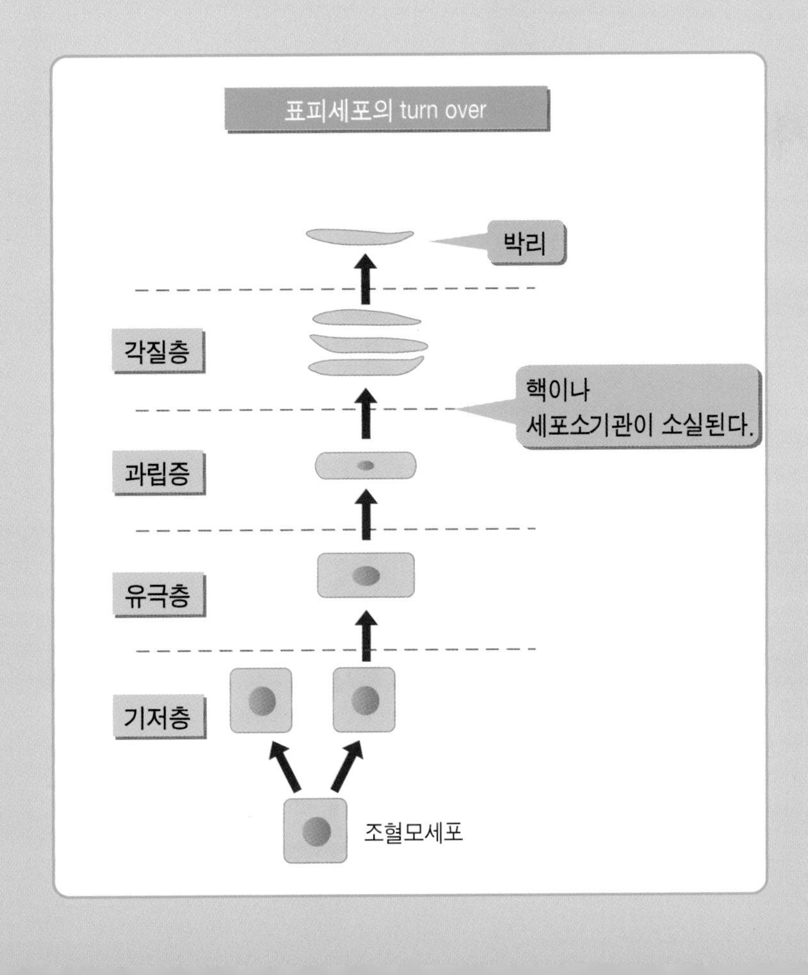

표피세포의 turn over
박리
각질층
핵이나
세포소기관이 소실된다.
과립증
유극층
기저층
조혈모세포

증상 map

경계가 명료한 구진 · 홍반이 전신에서 확인되는 심상성건선이 90% 정도이다.

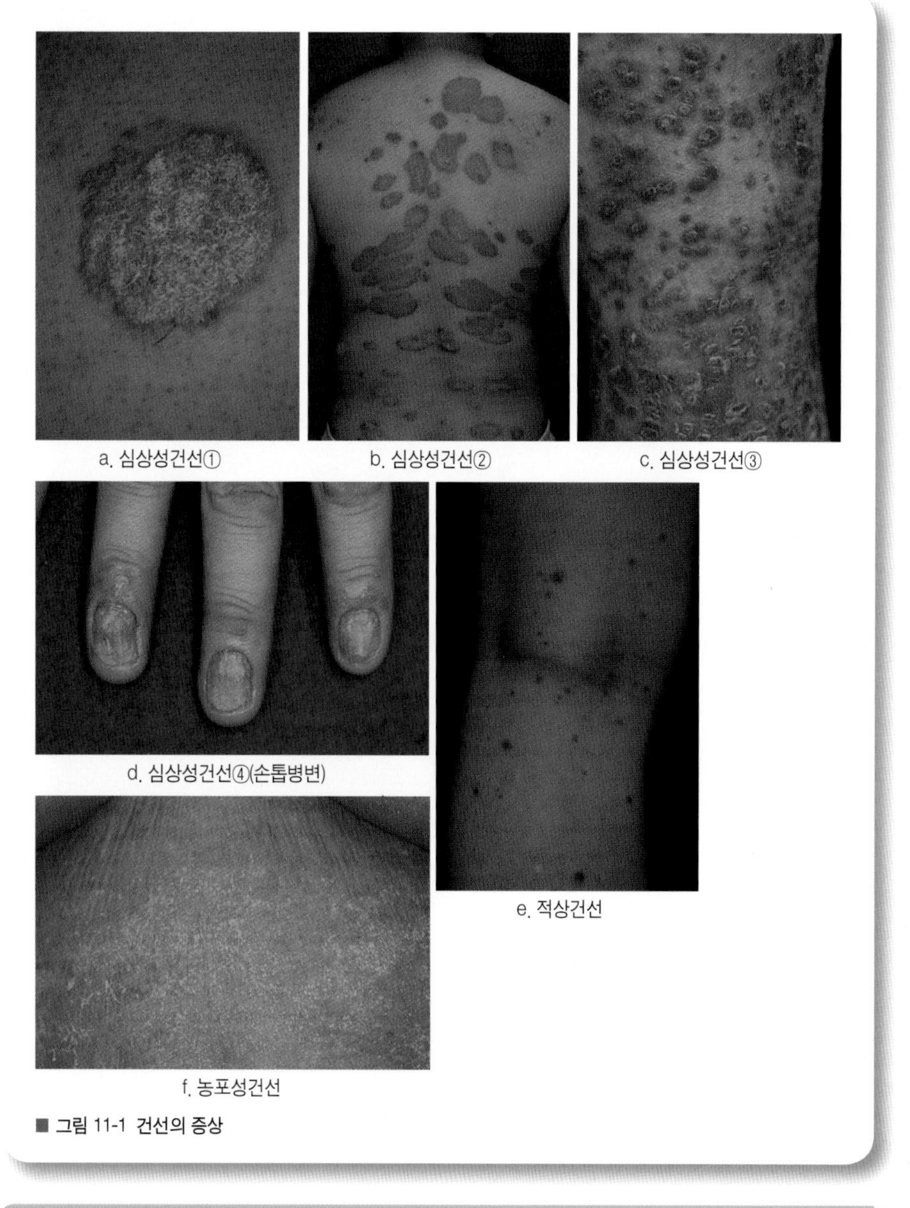
a. 심상성건선①
b. 심상성건선②
c. 심상성건선③
d. 심상성건선④(손톱병변)
e. 적상건선
f. 농포성건선

■ 그림 11-1 건선의 증상

증상 합병증

심상성건선의 호발부위

구진~홍반

〈농포선건선〉
농포

〈건선성홍피증〉
전신의 홍조
인설

〈관절증성건선〉
비류마티스성관절염

증상

- 심상성건선 : 두터운 은백색의 인설이 부착된 경계가 명료한 구진~홍반이 전신에서 다양하게 확인된다. 피진이 융합되어 커지기도 한다. 두부, 주두, 슬개, 둔부, 하퇴 등이 호발부위이다(그림 11-1a~c). 손톱의 변형을 수반하는 경우도 많다(그림 11-1d). 진피는 여름에 자외선 노출로 치유되는 경향이 있다.
- 적상건선 : 심상성건선보다 작고(최대지름 1cm 정도), 미세한 피진이 출현한다. 소아기의 상기도감염 후 등에 발생하는 경우가 많으며, 피진은 치료에 쉽게 반응하여 잘 재발하지 않는다(그림 11-1e).
- 농포성건선 : 피부가 넓은 범위에서 홍반이 생기고, 무균성 농포가 다발하며, 발열이나 권태감을 수반한다. 심상성건선의 경과 중에 발생하는 경우와, 처음부터 이 형으로 발생하는 경우가 있다(그림 11-1f).
- 건선성홍피증 : 건선의 피진이 광범위하게 확대되고, 전신이 홍조를 띠며 인설을 수반한 상태이다.
- 관절증성건선 : 손가락, 발가락이나 다른 관절에 비류마티스성관절염을 수반하는 건선을 말한다.

합병증

- 건선의 피진부에 대한 세균이나 바이러스에 의한 2차감염이 적다.
- 증상이 장기에 미치므로 외용치료에 의한 부작용이 문제가 되기도 한다[부신피질호르몬제 (스테로이드 외용제)에 의한 피부위축이나 색소침착, 활성형 비타민D_3제에 의한 고칼슘혈증, PUVA요법에 의한 발암 등].

건선

진단 map

피진의 성상, 부위를 보아 판정한다.

진단 치료

문진
신체소견

피부생검

외용요법
자외선요법

내복요법

진단·검사치

- 특징적인 임상증상을 통해 진단하는 경우가 많지만, 감별진단을 위해서 피부생검을 이용한 의한 병리조직학적 진단을 시행하기도 한다.

건선

치료 map

근본적인 치료법은 없고, 비타민D3나 스테로이드 외용제, 자외선요법 등으로 증상을 관리한다.

치료방침

- 근본적인 치료법은 없으며, 장기에 걸친 피부증상 때문에 QOL이 저하되므로, 「치유된다」가 아니라 「눈에 띄지 않는 수준에서 관리한다」는 것으로 환자의 치료만족도를 높이는 것이 목표이다. 중증도에 따라서 외용요법, 자외선요법, 내복요법을 단독사용하거나 병용한다.

외용요법

- 표피증식조정작용이 있는 활성형 비타민D_3 외용제를 중심으로 하며, 증상에 따라서 항염증작용이 있는 스테로이드 외용제를 병용한다.

자외선요법

- 이전부터 행해 온 Oxsoralen 외용·내복 후 UVA조사요법(PUVA요법)에 추가하여, 최근에는 특정한 조사파장을 설정한 Narrow band UVB요법(NB-UVB)이 보급되고 있다.

Key word

- Narrow band UVB요법

중파장 자외선의 영역에 포함되는 매우 폭이 좁은 파장의 자외선을 피부에 조사하는 치료법

■ 표 11-1 건선의 주요 치료제

분류	일반명	주요 상품명	약효발현의 메커니즘	주요 부작용
부신피질호르몬제	디플루프레드네이트	Myser	항염증작용	피부위축, 좌창 등
활성형 비타민D_3 외용제	타칼시톨수화물	본알파	표피세포 각화의 조정	고칼슘혈증 (대량사용 시)
	막사칼시톨	Oxarol		
피부용 내복약	에트레티네이트	Tigason		최기형성, 표피탈락, 간장애 등
면역억제제	시클로스포린	뉴오랄	면역억제작용	신기능장애, 고혈압
생물학적 제제	인플릭시맙	레미케이드	항염증작용	감염증의 유발 (결핵, 폐렴 등)
	아달리무맙	휴미라		

내복요법

- 외용요법이나 자외선요법 등으로 관리할 수 없는 경우는 면역억제제인 시클로스포린이나 레티노이드 (비타민A의 유도체)인 에트레티네이트를 내복한다.

Px 처방례 경증에서 중등증
- 본알파하이연고 1일 1회 외용 ←활성형 비타민D_3 외용제
- Oxarol로션 1일 2회 외용 ←활성형 비타민D_3 외용제
- Myser연고 1일 1~2회 외용 ←부신피질호르몬제 (피부용)

Px 처방례 중증에서 난치증
- 뉴오랄 2.5~5mg/kg/일 分2 ←면역억제제
- Tigason캅셀 (10mg) 4캅셀 分2 ←피부용 내복약

생물학적 제제요법

- 내복요법이나 자외선요법 등의 전신요법으로도 피부증상이나 관절증상에 효과가 없는 중증례, 농포성건선이나 건선성홍피증이 있는 경우에는 TNF α 저해제에 의한 항체요법이 새로이 행해지게 되었다.

Px 처방례 최중증례
- 레미케이드 5mg/kg 8주마다 점적 ←TNF α 저해항체
- 휴미라 40mg 2주마다 피하주 (농포성건선, 건선성홍피증에서는 적응외) ←TNF α 재해항체

건선의 병기·병태·중증도별로 본 치료흐름도

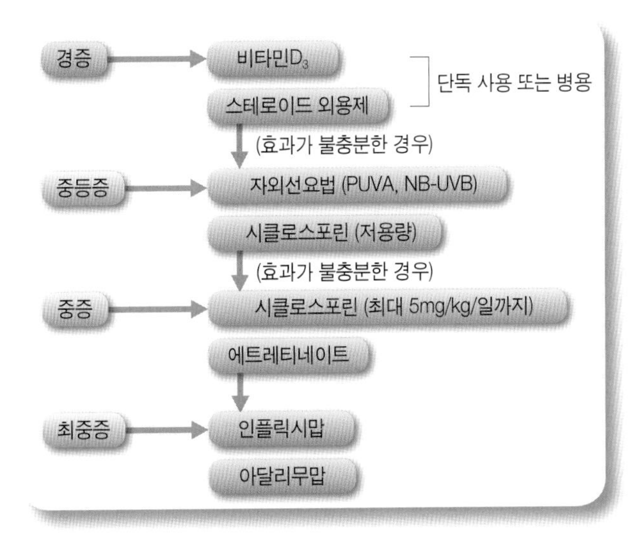

(樋口哲也)

환자케어

피부의 청결유지법과 외용제의 적절한 사용방법을 지도한다. 동시에 정기적인 통원의 필요성, 스테로이드 외용제의 장기사용으로 인한 부작용의 출현에 관해서도 설명한다.

병기·병태·중증도에 따른 케어

【발진범위가 좁고 전신증상이 없는 경우】 외용제를 중심으로 치료하므로, 신체의 청결을 유지하고, 외용제를 적절히 도포한다.

【발진범위가 넓고 전신증상을 수반하는 경우】 내복약을 고려하여 치료를 실시하므로, 약물의 부작용 출현이나 감염예방, 내복약의 관리에 대하여 지도가 필요하다.

【난치성인 경우】 PUVA요법을 주체로 하는 광선요법을 실시한다.

케어의 포인트

진료 · 치료의 간호

- 외용제를 바를 때에 피부를 문지르지 않도록 지도한다.
- 피부면에 직접 테이프류를 붙이지 않도록 지도한다.
- 연고는 정해진 것을 사용하도록 지도한다.
- 내복의 투여량 · 투여시간을 지키고, 확실히 복용하도록 지도한다.
- 내복약의 부작용 출현 시에는 의사에게 상담한다.
- PUVA요법에서는 과잉 일광반응을 예방한다.
- PUVA요법을 실시한 후에 빛방호, 눈보호를 지도한다.

일상생활의 지지

- 매일 목욕이나 샤워를 하여, 청결을 유지하도록 권장한다.
- 닦을 때는 타월로 문지르지 말고 누르듯이 수분을 제거한다.
- 햇볕에 과도하게 노출되지 않도록 지도하고, 낮의 외출상황을 확인한다.

환자 · 가족의 심리 · 사회적 문제에 대한 지지

- 농포성건선은 후생노동성의 특정질환으로 지정되어 있어서, 의료비의 공비부담제도가 적용되므로, 신청방법 등을 설명한다.
- 외견상의 문제나 난치성 질환이 환자에게 발생하는 정신적 고통을 고려한다.

1. 조사 전에 남아 있는 외용제를 물로 씻어 낸다.

2. 눈과 음부를 보호한다.

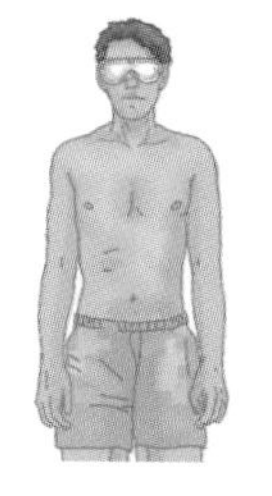

■ 그림 11-2 NB-UVB요법의 주의점

퇴원지도 · 요양지도

- 장기적인 경과관찰이 필요하므로, 정기적인 통원을 계속할 수 있도록 지도해 간다.
- 환자 · 가족 모두 안정된 가정생활을 할 수 있도록, 환경의 정비를 지지한다.
- 증상이 오래 계속되는 점이나 작은 자극으로도 악화되는 점을 고려하여 정신적인 지지도 필요하다.
- 규칙적으로 복용하고, 자가중단하지 않도록 지도한다.
- 부작용이 나타나면 바로 연락하도록 지도한다.
- 식사지도 (지방제한)를 구체적으로 실시한다.

(三田由美子)

12 대상포진 (herpes zoster)

古井良彦／塚本容子

전체 map

병인

- 수두-대상포진바이러스 (VZV)의 재활성화로 발생한다.

[악화인자] 연령, 과로, 스트레스, 중증 감염증, 면역기능을 저하시키는 약제

역학

- 발생빈도는 7~8명에 1명이다.
- 재발률은 약 0.9%이고, 동일부위에는 재발하지 않는다.

[예후] 1개월 이내에 치유되지만, 고령자에게는 PHN이 남을 수 있다.

병태생리

- 소아기에 걸린 VZV는 척수방신경절에 역행성 감염되어 잠복하는데, 숙주의 면역기능의 저하로 재활성화되면 피부에 통증을 유발하는 피진이 생기게 된다.
- 대상포진은 일반적으로 편측 1~3줄의 연속된 신경을 따라서 출현하고, 주위에 불그스름한 수포가 띠모양으로 배열된다.
- 면역기능이 저하된 고령자에게 많으며, 난치인 대상포진후 신경통 (PHN)으로 이행되기도 한다.

증상 | 합병증 | 진단 | 치료

수막뇌염
결막염, 상피성각막염, 홍채모양체염
Ramsay-Hunt 증후군 (내이신경장애)
안면마비
통증
피진
홍반
수포
미란 · 가피
상지의 운동마비
복벽의 팽만
방광직장장애
감기 같은 증상
반대측편마비

약물요법
문진
신체소견
정크검사
바이러스항체검사
이온이동법
신경블록

증상

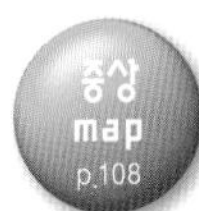

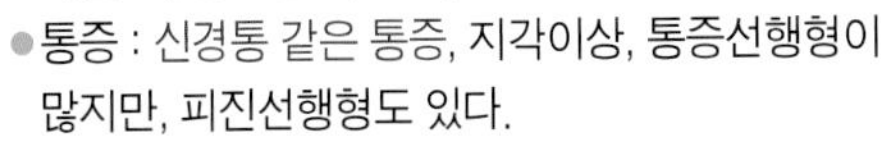

- 피진 : 부종성홍반, 수포, 미란, 가피
- 통증 : 신경통 같은 통증, 지각이상, 통증선행형이 많지만, 피진선행형도 있다.
- 다발성, 복발성, 양측성, 범발성대상포진도 드물게 존재한다.

[합병증]

- 운동마비
- 수막뇌염
- 안구병변 (결막염, 상피성각막염, 홍채모양체염)
- Ramsay Hunt증후군

진단

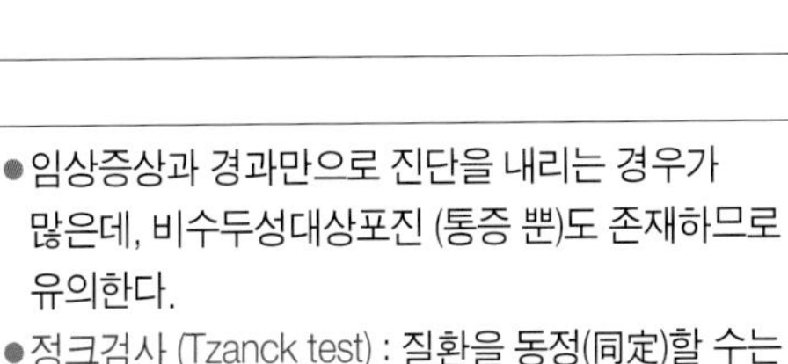

- 임상증상과 경과만으로 진단을 내리는 경우가 많은데, 비수두성대상포진 (통증 뿐)도 존재하므로 유의한다.
- 정크검사 (Tzanck test) : 질환을 동정(同定)할 수는 없지만, 바이러스성수포인지 여부를 진단할 수 있다.
- 항VZV 모노클로널 항체에 의한 면역형광법 : VZV를 진단확정할 수 있다.
- 혈청학적 진단 : 회복기에 CF, NT항체가가 4배 이상 상승하면 진단내릴 수 있다.

치료

- 치료방침 : 피진의 확대를 억제하고, 통증을 완화하며, 반흔, 합병증, 후유증 (특히 PHN)을 남기지 않는 것이 목표이다. 혈류의 유지, 신경변성의 방지를 꾀한다.
- 약물요법 : 피진출현 후 72시간 이내에 항바이러스제를 투여한다. 고령자나 신기능저하례에서는 적당히 감량해야 한다.
  임부인 경우는 임신 20주까지 사람면역글로불린제를, 임신후기에는 항바이러스제를 투여한다.
- 이온이동법 (이온도입법) : 약제를 이온화하여 피부에서 흡수하게 한다.
- 신경블록 : 경막외블록, 성상신경절블록을 실시한다.

병태생리 map

대상포진이란 면역기능의 저하로 발생하는 2번째 수두 같은 병태이다.

- 대상포진에는 다음과 같은 특징이 있다.
  1) 반드시 수두의 기왕력이 있다.
  2) 주위에 불그스름한 수포가 띠모양으로 배열한다.
  3) 대부분은 좌우 한 쪽의 1~3줄의 연속된 신경을 따라서 출현한다.
  4) 신경통 같은 통증을 수반하는 경우가 많다.
  5) 7~8명에 1명이 걸리고, 면역기능이 저하된 고령자에게 흔히 나타나는데, 소아청소년에서도 발생한다.
  6) 대부분은 평생에 한 번이지만, 2회 이상 발병하는 경우도 있다(약 0.9%). 단, 기본적으로 동일부위에는 재발하지 않는다.
  7) 2~3주에서 1개월 사이에 치유되는 경우가 많지만, 고령자에게는 대상포진후신경통(postherpetic neuralgia ; PHN)이 남기도 한다.
- 대부분의 경우, 소아기에 걸린 수두바이러스(수두-대상포진바이러스 : varicellazoster virus ; VZV)가 피부에서 척수방신경절에 역행성으로 감염되고, 신경절의 외투세포나 신경세포 내에 불현성 감염되어 DNA형으로 잠복하고 있다가 숙주의 면역기능의 저하로 재활성화되면 지각신경을 통해서 피부에 통증을 유발하는 피진이 생겨난다.

병인·악화인자

- VZV의 재활성화에 의해서 일어난다.
- 다음의 면역기능의 저하가 발생을 유발한다.
  1) 세포성면역능의 저하 : 연령, 과로, 스트레스, 중증 감염증, 당뇨병, 자가면역질환, 악성종양, AIDS, 면역기능을 저하시키는 약제 (스테로이드, 면역억제제, 항암제 등)
  2) VZV에 대한 면역능의 저하 : VZV에 노출되지 않고, 부스터효과 (추가면역효과)가 결여된 상태이기 때문에 VZV-IgG저하 (수두는 겨울철에 유행하므로, 여름철에는 VZV에 노출되지 않는다)를 일으킨다.

역학·예후

- 정확한 통계는 없지만, 발생빈도는 7~8명에 1명 정도이다.
- 환자가 해마다 증가하고 있으며, 조사상에서는 수두가 감소하는 여름철에 호발한다고 판단된다. 단 통계상에서 유의한 차이는 없다.
- 평생에 1번 걸리는 경우가 많지만, 0.9% 정도에서는 재발이 있다. 재발까지의 기간은 7년 정도라는 의견과 17~20여년이라는 의견이 있다. 어쨌든 최근에는 재발하는 비율이 증가하고 있다.
- PHN으로의 이행에 관해서는 다음의 1)~6)과 같은 여러 보고가 있다.
  1) 1년 이상에서 40대 7.4%,
     50대 17.7%,
     60대 36.6%,
     70대 이상 47.5%,
     3차신경영역에서는 40대 21.7%,
     50대 34.5%,
     60대 50.0%,
     70대 이상 61.5%
     (메이요클리닉).
  2) 18~35% (Tollinson CD : Handbook of Chronic Pain Management).
  3) 6개월 후에 약 3% 정도, 9.8~13.0% 정도, 약 10% 정도.
  4) 1년 후에 20% 정도.
  5) 60대에 5%, 80대에 10%.
  6) 50대 이상에서 33%
- PHN은 수개월간 유지되지만 1년 이상인 경우는 적으며, 또 3차신경영역에 많다는 보고가 있지만 확실하지 않다.

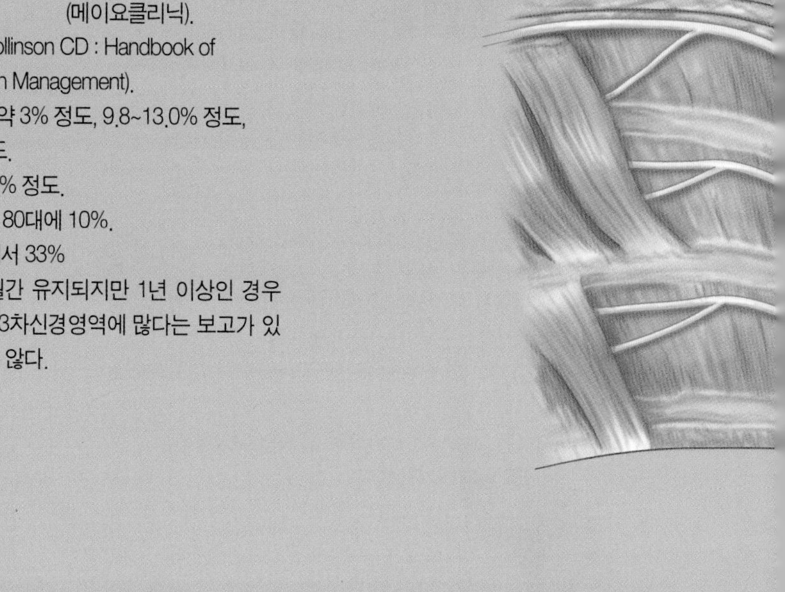

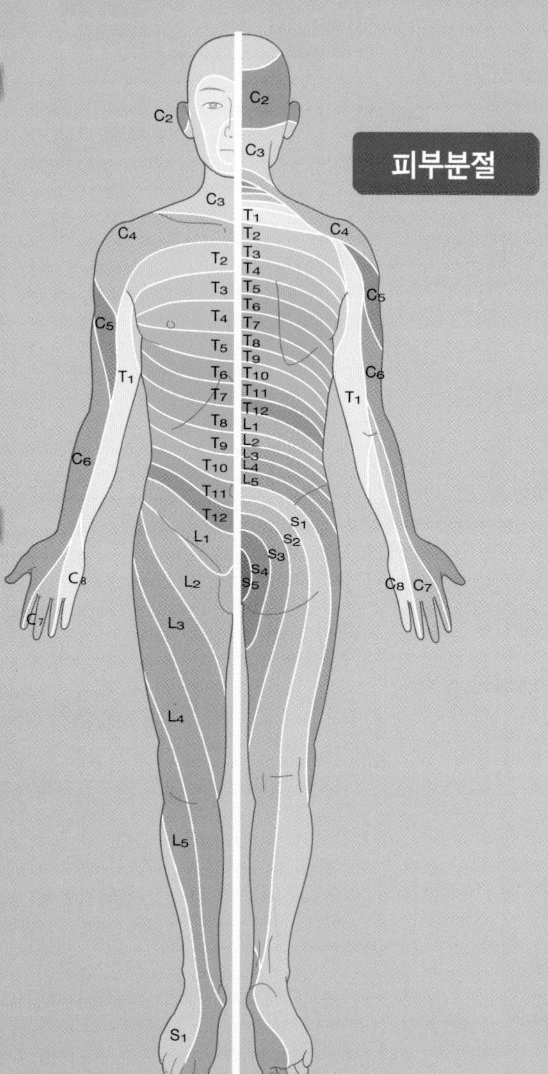

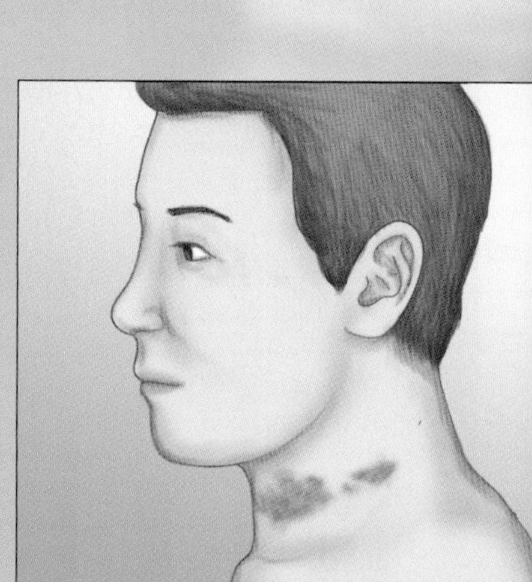

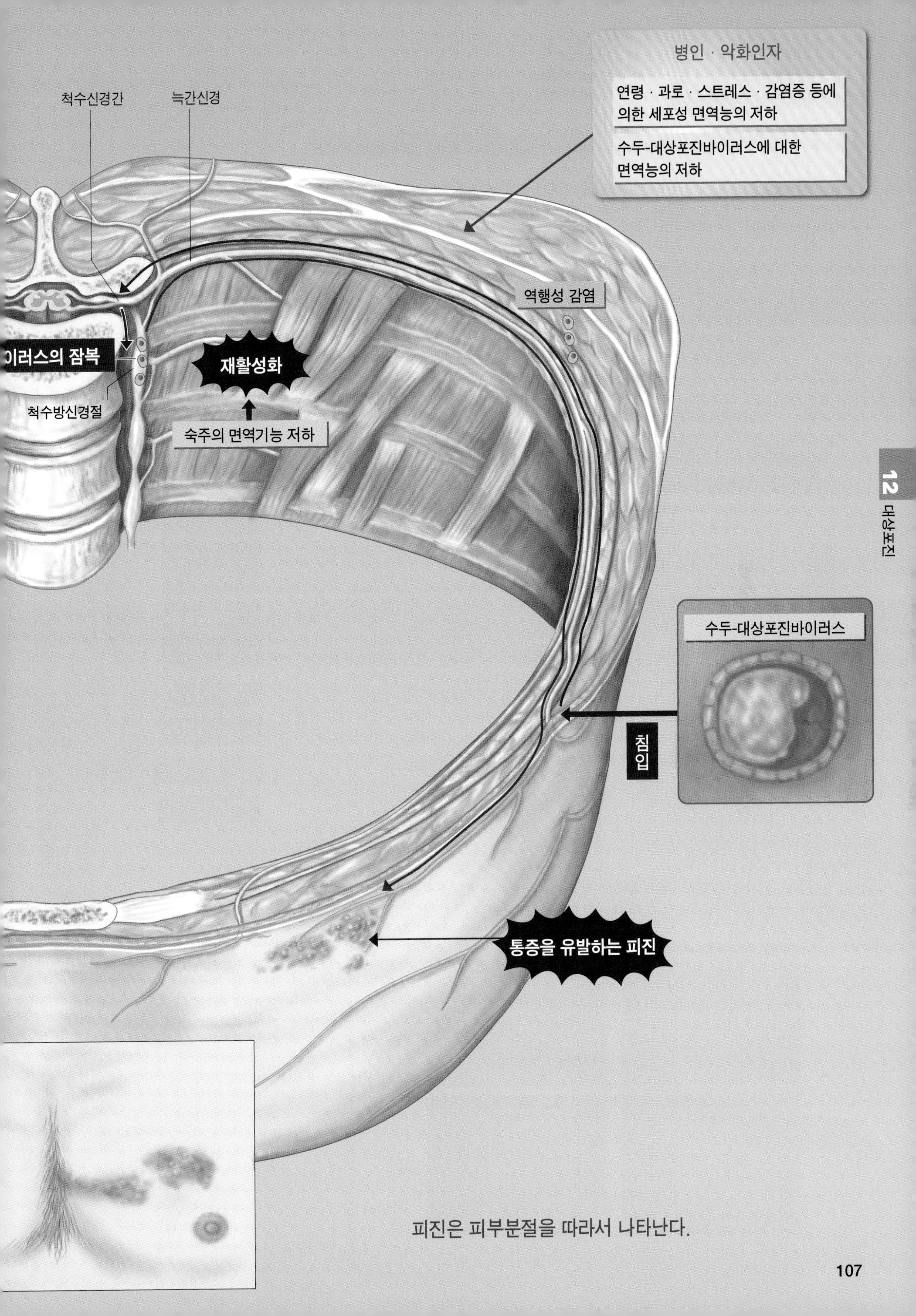
병인 · 악화인자
연령 · 과로 · 스트레스 · 감염증 등에 의한 세포성 면역능의 저하
수두-대상포진바이러스에 대한 면역능의 저하
척수신경간
늑간신경
이러스의 잠복
재활성화
척수방신경절
숙주의 면역기능 저하
역행성 감염
수두-대상포진바이러스
침입
통증을 유발하는 피진
피진은 피부분절을 따라서 나타난다.

증상 map

통상적으로 피진이 출현하기 1주~며칠 전부터 신경통 같은 통증, 부종성홍반, 수포 등이 나타난다.

증상

피진의 경과

- 통증 : 대부분의 경우, 피진이 출현하기 1주~며칠 전 (2주 전부터인 경우도 있다) 부터 신경통 같은 통증이나 지각이상이 선행된다. 단 소아 등에서는 가려움이 수반되기도 하며, 당뇨병 환자는 통증을 느끼지 못하는 경우도 있다. 또 피진이 나타난 후 통증이 생기는 수도 있어서, 피진선행형은 통증이 빨리 소실된다는 보고도 있다.
- 홍반 : 통증 부위에 벌레에 물렸다고 생각되는 부종성홍반이 나타난다. 동시에 감기 같은 증상 (발열, 림프절종창, 두통 등)이 나타나기도 한다.
- 수포 : 부종성홍반 위에 중심제와 (中心臍窩 ; 중심이 움푹 들어가 있다)를 수반하는 좁쌀 크기부터 팥알크기의 수포가 5일 정도 출현한다. 수포가 괴사성피질을 수반하면 반흔이 남기 쉽다.
- 미란 · 가피 : 수포에서 혈포를 거쳐서 미란이 되고, 후에 가피화된다.
- 가피가 탈락되고 피진이 치유되지만, 평균 2~3주부터 1개월 정도가 소요된다. 단 연령에 따라 달라서, 젊은 사람은 짧고 고령자는 경과가 길다.

통증의 경과

- 통증선행형이 많지만, 피진선행형도 존재한다. 피진출현 후 1주 이내에 통증이 가장 심하다가 서서히 감소되어 피진이 치유될 무렵에는 소실되는 경우가 많다. 단, 이미 기술하였듯이 일부에서는 PHN으로 이행된다. 그 대부분은 고령자에게서 난치성 질환으로 존재하게 된다.
- 급성기 대상포진통은 신경염증이며, PHN은 신경변성으로 전혀 다른 병태이다.
- 통증 스트레스에 의한 통증의 악순환이 초래되는데, 즉 통증에 의한 불안이 통증역치를 저하시키고, 그 결과 통증이 더욱 악화된다. 게다가 통증스트레스가 교감신경을 자극하면 말초혈관이 수축되고, 혈류량이 감소하면서 신경변성이 생겨서 PHN이 쉽게 일어나게 된다.
- 피진의 중증도와 급성기 대상포진통의 강도가 상관있는 것은 아니지만, PHN으로 쉽게 이행되는 것과는 관계가 있다.

특수한 대상포진

- 대상포진은 일반적으로 한 쪽의 1~3줄의 연속된 신경을 따라서 출현한다. 피신경의 교차나 문합에 따라서 정중선을 1㎝ 정도 넘는 것도 10~20%의 빈도로 보여지고, 다발성대상포진도 매우 드물게 존재한다.
  1) 복발성대상포진 : 인접하지 않는 떨어진 2군데 이상의 피부분절에서 대상포진이 확인되는 것.
  2) 양측성대상포진 : 좌우대칭으로 대상포진이 확인되는 것.

범발성대상포진

- 대상포진의 발생에 전후하여 수두 같은 범발진이 출현하는 경우가 있으며, 이것을 범발성대상포진이라고 한다.
- 전형적인 피진이 출현하는 것에 전후하여 (4~5일 후에 출현하는 경우가 많다), 괴사경향이 심한 수두 같은 작은 수포가 다발하는 것을 말하며, 대상포진 전체의 약 10%에서 나타난다. 기초질환을 수반하는 경우가 많지만, 이전부터 기술하였듯이 악성종양이 특별히 많은 것은 아니다. 소수의 범발진은 일반인에게도 나타난다.
- 단, 범발진이 다발하는 경우는 바이러스혈증을 일으키게 되므로, 수두와 똑같은 감염력을 가진다고 봐도 된다. 감염된 경우, 대상포진으로 발생하는 케이스도 드물게 존재한다.

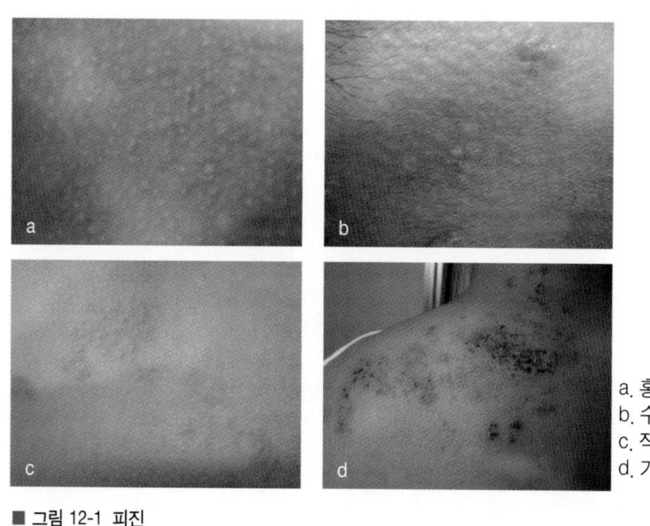

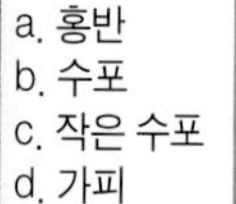

a. 홍반
b. 수포
c. 작은 수포
d. 가피

■ 그림 12-1 피진

증상 합병증

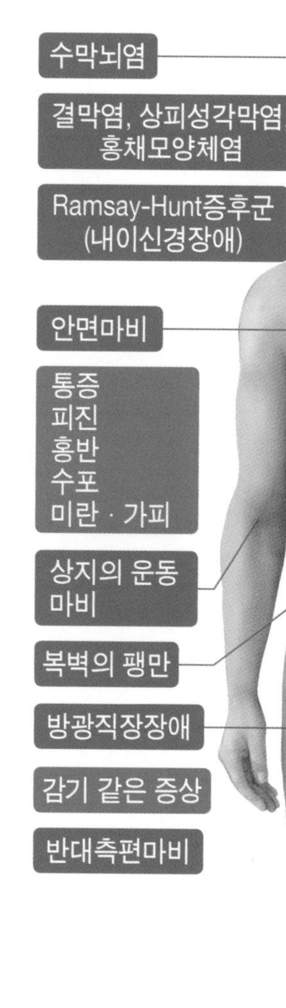

진단 치료

약물요법

문진
신체소견

정크검사

바이러스항체검사

이온이동법

신경블록

합병증

운동마비

- VZV는 재발 시에 지각신경을 침습하는데, 염증이 심하여 척수전각에 미치면 운동마비가 일어나게 된다. 피진 발현 후 2~3주 이내에 발생하는 경우가 많다.
  1) 안면마비 : 3차신경 제1지영역의 대상포진에서는 외안근마비, 이개나 외이도영역의 대상포진에서는 안면신경마비가 일어난다.
  2) 상지의 운동마비 : C7~8, T1영역의 대상포진이 원인이며, 갈퀴손(claw hand)으로 진전된다.
  3) 복벽의 팽만 : T9-12영역의 대상포진에서 출현하고, 늑간근마비나 복직근마비로 복벽이 팽만한다. 6~12개월에 걸쳐 치유된다.
  4) 방광직장장애 : 천수신경절영역의 대상포진으로 인해 출현하고, Elsberg증후군 (신경인성 방광에 의한 배뇨장애)을 일으킨다. 혈뇨가 나타나기도 한다.
  5) 반대측편마비 : 3차신경 제1지영역의 대상포진으로, 몇 주~몇 개월 후에 피진과 반반대측편마비를 일으킨다. 매우 드물지만 예후가 나쁘다.

수막뇌염

- 대상포진 환자의 약 반수에서 일과성으로 무증후성수막뇌염이 일어나지만, 문제가 되는 경우는 드물다.

안구병변

- 3차신경 제1지영역의 대상포진에서, 비모양체신경 지배영역인 콧등부터 코끝에 피진이 나타나는 경우, 눈합병증이 높은 비율로 생긴다 [Hatchison의 법칙].
  1) 결막염 : 충혈과 눈곱이 보이는데, 궤양이 생기는 경우도 있다.
  2) 상피성각막염 : 이물감이나 유루 등이 보이지만, 자연치유된다.
  3) 홍채모양체염 : 약 40%에서 보이는 증상으로, 대부분은 피진출현 후 2주 이내에 발생한다. 수명(photophobia)이나 무시(blurred vision), 안통으로 시작되며, 종종 안압상승을 수반하지만, 일반적으로 예후가 양호하다.

Ramsay Hunt 증후군

- 이개, 이후부나 외이도를 중심으로 한 대상포진이다.
- 안면신경이 슬신경절에 침습되면, 95% 이상에서 같은 측 안면신경마비 (폐안곤란, 구각하수 등)가 일어난다. 또 과반수에서 내이신경장애 (이명, 난청, 현기증)가 합병된다.
- 예후로는 내이신경장애는 그다지 문제가 되지 않지만, 안면신경마비는 스테로이드를 대량 투여한 경우라도 완전치유율이 50~70% 정도이다.

대상포진

진단 map

임상증상 및 경과만으로 진단을 내리는 경우가 많지만,
비수두성대상포진 (통증 뿐)도 존재하므로 유의한다.

진단 · 검사치

- 피진이 좁은 범위에 국한되어 있는 경우에는 단순포진과 감별할 필요가 있다. 특히 둔부의 단순포진은 통증을 수반하여, 감별이 어렵다. 때에 따라서는 접촉성피부염이나 벌레물림증, 모포염에서도 유사한 임상증상을 나타내는 수가 있다.
- 검사치
- 정크검사 : 질환은 동정할 수 없지만, 바이러스성수포인지 여부를 진단할 수 있다. 수포기저부 또는 미란면에서 세포를 도말 (찰과하여 채취하는 것) 하여 간이 김자염색(Giemsa stains)하면 바이러스성거대세포가 검출된다.
- 항VZV 모노클로널 항체에 의한 면역형광법 (염색) : 수포기저부 또는 미란면에서 세포를 도말하여 표본을 만들고, 모노클로널 항체를 반응하게 하면 VZV를 진단확정할 수 있다.
- 혈청학적 진단 : CF, NT, ELISA, IFA, IHAHA 등의 특이혈청항체의 측정법이 있지만, 회복기에 CF, NT항체가가 4배 이상 상승하면 이를 기초로 진단할 수 있다. 대상포진에서도 VZV-IgM의 상승이 나타나기도 한다. VZV와 단순포진바이러스 (HSV) 는 항원공통성이 있으므로, 교차반응에 주의해야 한다.

■ 표 12-1 대상포진의 중증도 분류

중증도	증상
경증	작은 수포가 소수 출현한다.
중등증	피부분절의 일부에 수포가 띠모양으로 배열된다.
중증	피부분절의 대부분에 수포가 출현하거나, 괴사성수포나 범발진이 수반된다.

대상포진

치료 map

피진출현 후 72시간 이내에 항바이러스제를 이용하는 약물요법을 시작하는 것이 중요하다. 통증에는 소염진통제의 투여, 신경블록, 이온이동법 등을 실시한다.

치료방침

- 피진의 확대를 억제하고, 신속히 통증을 경감시키며, 반흔이나 합병증 · 후유증 (특히 PHN)을 남기지 않도록 한다. 불안을 완화하고, 혈류를 유지하며, 신경변성을 방지한다.
- 표 12-1에 나타낸 중증도에 따라서 치료법이 달라진다.

■ 표 12-2 대상포진 (경증 · 중등증인 경우)의 주요 치료제

분류	일반명	주요 상품명	약효발현의 메커니즘	주요 부작용
항바이러스제 (경구)	발라시클로버염산염	발트렉스	VZV의 증식억제	간 · 신장애, 정신신경장애
	팜시클로버	팜비어		
	아시클로버	조비락스		
비스테로이드성항염증제 (NSAIDs)	나프록센	Naixan	소염진통작용	신장장애, 간 · 신장애
	디클로페낙나트륨	Voltaren		
	인도메타신	Indacin		
해열진통제 (아닐린계)	아세트아미노펜	Calonal	진통작용	간장애
부신피질호르몬제	프레드니솔론	프레드니솔론	항염증작용	위장장애
	덱사메타존	Decadron		
	베타메타존	Rinderon		
항우울제	아미트리프틸린염산염	Tryptanol	아미트리프틸린 자체의 진통작용	휘청거림, 졸음, 배뇨장애, 변비
항불안제	탄도스피론구연산염	세디엘	항불안작용	간기능장애, 세로토닌증후군
항부정맥제	멕시레틴염산염	Mexitil	리도카인의 경구 아날로그	약물유발성과민증후군 (DIHS)
진통제	덱스트로메토르판취화수소산염수화물	Medicon	만성통증의 원인에 NMDA 수용체가 관여	호흡억제, 아나필락시스양 증상
한방약		시령탕	면역부활작용	—
		보중익기탕		
피부용 제제	Ufenamate	Fenazol연고	소염진통작용	접촉성피부염
	비다라빈	Arasena-A 연고	VZV의 증식억제	
	아시클로버	조비락스연고	VZV의 증식억제	

약물요법

- 항바이러스제는 피진출현 후 72시간 이내에 투여하는 것이 바람직하다(통증출현 후 72시간 이내가 아닌 점에 주의). 또 고령자나 신기능이 저하된 환자에게는 적절히 감량하여 사용해야 한다 (첨부문서 참조).
- 임부의 대상포진인 경우, 임신 20주까지는 VZV의 항체가가 높은 사람면역글로불린제를 사용하고, 임신중기 (가능하면 후기) 이후에는 항바이러스제를 사용한다. 단 임신 중에 대상포진에 걸려도 태아에게 감염되는 경우는 없다.
- 증상발생 전후의 1~2일은 비말감염을 일으키지만, 그 이후는 주로 접촉감염을 유발한다. 단, 대상포진 환자의 병실 에어콘 필터에서 바이러스입자가 검출되었다는 보고가 있어서, 환부는 피복해 두는 편이 안전하다.

Px 처방례 경증~중등증례. 1), 2), 3) 중의 항바이러스제와 4) 또는 5)를 사용한다.

1) 발트렉스 (500mg) 정, 6정 分3 (식후) 7일간 ←항바이러스제
2) 팜비어 (250mg) 정 6정 分3 (식후) 7일간 ←항바이러스제
3) 조비락스 (400mg) 정 10정 分5 (식후) 7일간 ←항바이러스제
4) Naixan (100mg) 정 3~6정 分3 (식후) ←NSAIDs
5) Calonal (200mg) 정 6~9정 分3 (식후) ←해열진통제
(단 해외에서는 4,000~6,000mg/일을 사용한다)

Px 처방례 중증례. 1), 2) 중의 항바이러스제와 3) 또는 4), 필요에 따라서 5), 6) 중에서 사용한다.

1) 조비락스 주 (250mg) 1V 1일 3회 7일간 ←항바이러스제
2) Arasena-A 주 (300mg) 1~2V 1일 1회 5일간 ←항바이러스제
3) Naixan (100mg) 정 3~6정 分3 (식후) ←비스테로이드성항염증제
4) Calonal (200mg) 정 6~9정 分3 (식후) ←해열진통제
(단 해외에서는 4,000~6,000mg/일을 사용한다)
5)주사용 푸로스탄딘 주 (20㎍) 3V ←프로스타글란딘제
6) Liple 주, Palux 주 (10㎍) 1A ←프로스타글란딘제

Px 처방례 경증 · 중등증 · 중증 모두 위의 처방으로 효과가 불충분한 경우, 다음의 1)~6)중 하나를 선택하거나 적절히 병용한다

1) Trytanol정 30~150mg 分3 (식후) ←항울제
2) 세디엘정 30~60mg 分3 (식후) ←항불안제
3) Mexitil캅셀 150~300mg 分3 (식후) ←항부정맥제
4) Medicon 45~90mg 分 1~4 (식후) ←진해제
5) 시령탕 ←한방약
6) 보중익기탕 ←한방약

Px 처방례 염증이 심하거나 신경마비일 우려가 있는 경우에 추가

프레드니솔론 30~45mg 分 1~3 (식후) ←부신피질호르몬제

※가능한 한 조기부터 항바이러스제와 동시에 투여하고, 부작용에 주의하면서 점감하여 2주 정도에 투약을 중지한다.

■ 표 12-3 대상포진 (중증인 경우)의 주요 치료제

분류	일반명	주요 상품명	약효발현의 메커니즘	주요 부작용
항바이러스제 (점적정주)	아시클로버	조비락스	VZV의 증식억제	간 · 신장애, 정신신경장애
	비다라빈	Arasena-A		
γ-글로불린제	사람면역글로불린	헌혈Venilon-1	면역력 저하시의 면역증강	쇼크
PGE1제	PGE1	푸로스탄딘	혈관수축의 억제로 통증 해소 효과	혈관통, 쇼크, 심부전
	리포PGE1	Liple, Palux		
비스테로이드성항염증제 (NSAIDs)	나프록센	Naixan	소염진통작용	위장장애, 간 · 신장애
	디클로페낙나트륨	Voltaren		
	인도메타신	Indacin		
항울제	아미트리프틸린인산염	Trytanol	아미트립티린 자체의 진통작용	휘청거림, 졸음, 배뇨장애, 변비
항불안제	탄도스피론구연산염	세디엘	항불안작용	간기능장애, 세로토닌증후군
항부정맥제	멕시레틴염산염	Mexitil	리도카인의 경구 아날로그	약물유발성과민증후군 (DIHS)
진해제	덱스트로메토르판 취화수소산염 수화물	Medicon	만성통증의 병인에 NMDA수용체가 관여	호흡억제, 아나필락시스양 증상
한방약		시령탕	면역부활작용	—
		보중익기탕		
마약성 진통제	코데인인산염	코데인	진통작용	부작용이 심하다. 오심, 변비 등
	몰핀염산염	몰핀염산염		
피부용 제제	Ufenamate	Fenazol연고	소염진통작용	접촉성피부염
	비다라빈	Arasena-A연고	VZV의 증식억제	
	아시클로버	조비락스연고	VZV의 증식억제	

약물요법 이외

- 이온이동법 (iontophoresis) : 약제를 이온화하여 피부에서 흡수하게 한다.
- 신경블록 : 경막외블록, 성상신경절블록 등

※양자 모두 특수한 기구나 수기가 필요하며, 가능하면 조기부터 시행하는 것이 바람직하다.

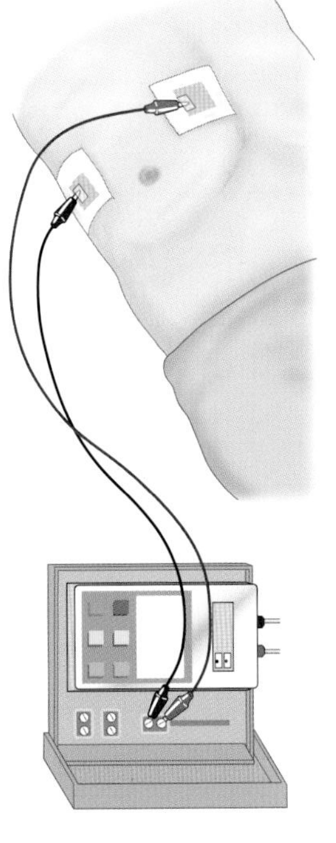

이온도입장치를 사용하여 약물 수용액에 직류전압을 가하고, 약제를 이온화하여 경피적으로 체내에 침투시킨다.

■ 그림 12-2 이온이동법

대상포진의 병기 · 병태 · 중증도별로 본 치료흐름도

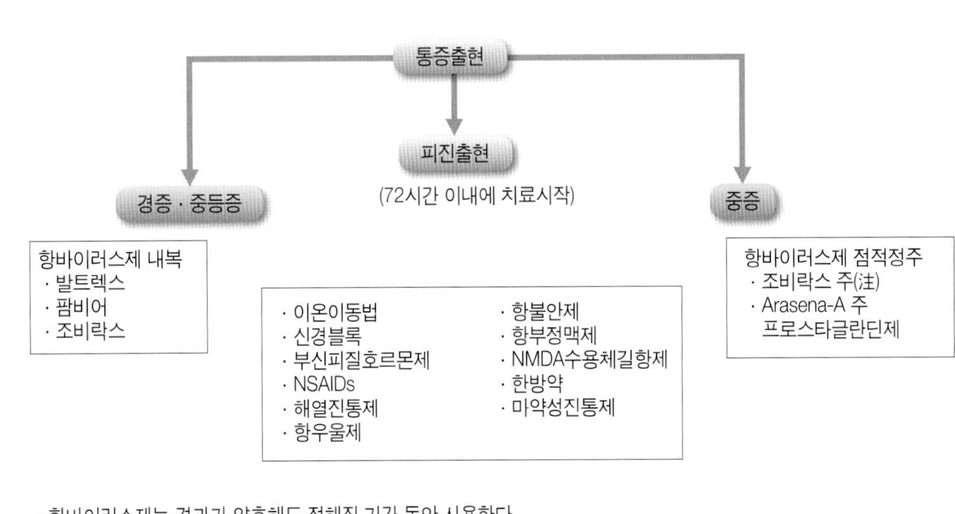

- 항바이러스제는 경과가 양호해도 정해진 기간 동안 사용한다.
- NSAIDs는 통증이 완전히 소실될 때까지 투여를 중지하지 않는다. 일단 소실되었던 통증이 재발하면 경과가 길어진다.
- 혈류를 유지하기 위해서 환부를 차갑지 않게 따뜻하게 한다.
- 수포가 터져서 짓무른 상태에 있는 경우 외에는 목욕해도 된다.

(古井良彦)

대상포진

환자케어

통증관리, 2차감염의 예방, 통증으로 저하되어 있는 일상생활에서의 셀프케어에 대한 지지가 중심이다. 면역능이 저하되어 있는 경우는 합병증 예방과 조기발견이 중요하다.

병기·병태·중증도에 따른 케어

【일반적인 면역능이 있는 사람】 급성기에는 눈 주변에 발진이 출현하지 않았는가 확인하는 것이 중요하다. 발진이 출현한 경우에는 즉시 안과 진찰을 받아야 한다. 발진이 모두 가피화된 후에는 대상포진후신경통이 출현하지 않았는가 검사한다.

【저항력저하숙주 (감염에 취약한 숙주)】 중증 합병증이 출현하기 쉽다. 신체를 검사하고, 조기의 이상발견과 적절한 치료, 예방에 유의한다. 합병증에는 증상완화가 중요하다.

케어의 포인트

진료 · 치료의 간호

- 지시받은 항바이러스제를 정해진 시간에 내복할 수 있도록 지지한다.
- 통증완화를 위한 약물을 내복한 후, 그 약물로 인해서 통증이 완화되었는가를 통증 스케일 등을 이용하여 평가한다. 내복약으로 통증이 완화되지 않는 경우는 약제의 용량이나 약물을 변경해야 한다. 의사에게 그 내용을 전달하고, 통증완화를 위한 치료를 재평가받도록 한다.
- 합병증 출현을 확인하기 위해서, 적절한 신체사정을 실시한다. 특히 저항력저하숙주에서는 중증 합병증이 출현하기도 한다. 사정 결과를 의사에게 전달하고 공유한다.
- 부작용 발현 시에는 부작용의 특징을 관찰하고 신속히 의사에게 보고하여, 약물의 용량을 조절한다.

타인으로의 감염예방

- 발진상태를 관찰하며, 대상포진의 경과상황과 감염상태를 파악한다.
- 일반적인 면역능이 있는 환자이면 접촉감염예방을, 저항력저하숙주이면 공기감염예방을 추가하여 감염대책을 세운다.
- 필요하면 접촉자에게 수두백신, IVIG (정주용 면역글로불린)의 투여를 검토한다.

QOL저하예방

- 사정을 위한 질문지 등을 이용하여, 대상포진이 어떻게 환자의 QOL에 영향을 미치고 있는가 평가한다.
- QOL향상이나 증상완화를 위해서, 환자가 적극적인 역할을 하도록 지지한다.
- 욕창이나 감염증을 예방하기 위해서, 피부나 점막을 청결하게 하도록 지도 · 지지한다.

환자 · 가족의 심리 · 사회적 문제에 대한 지지

- 대상포진의 경과, 합병증에 관하여 환자 · 가족에게 알기 쉽게 설명하고, 불안을 해소하도록 지지한다.

퇴원지도·요양지도

- 환자 · 가족에게 대상포진이라는 질환의 경과를 가능한 이해할 수 있게 설명한다.
- 통증은 수포가 모두 가피화되어 다 나았다 해도 다시 발현할 가능성이 있다는 점을 환자 · 가족에게 전달하고, 통증이 나타났을 때는 참지 말고, 의료기관에 바로 상담하도록 설명한다.

(塚本容子)

환자에게 통증을 표현하게 한다.

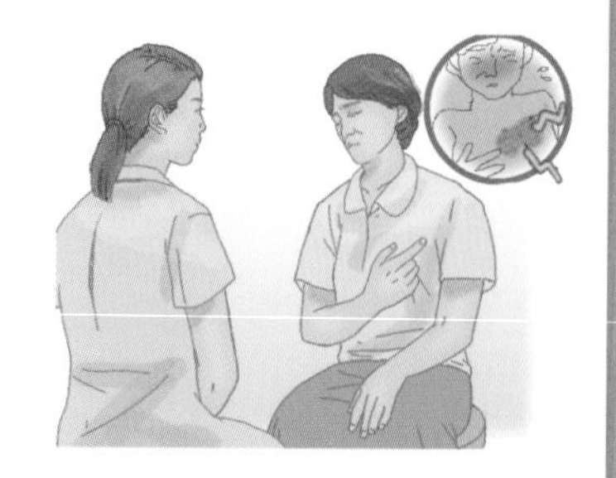

2차감염을 예방한다.

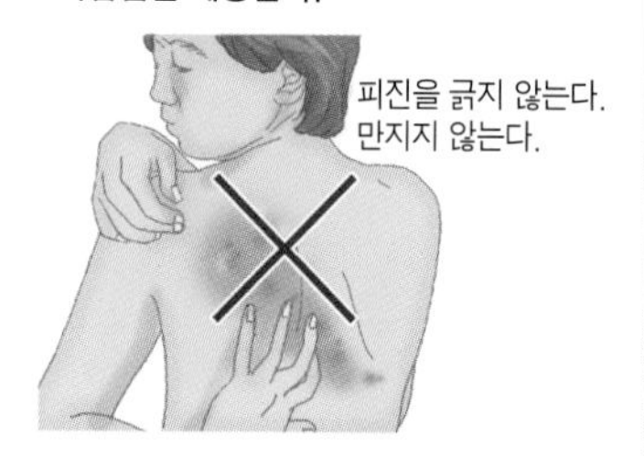

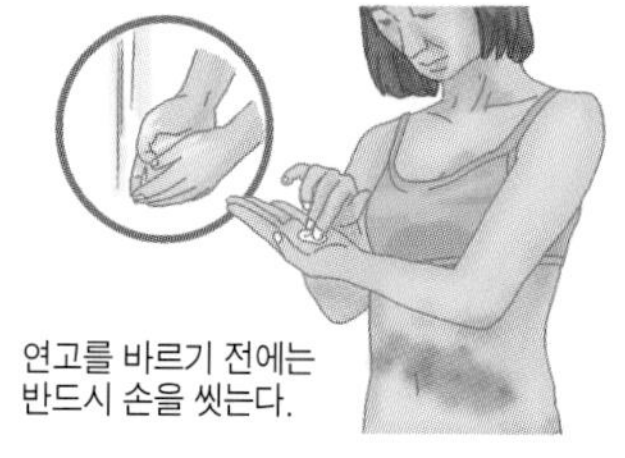

■ 그림 12-3 대상포진의 케어 포인트

13 개선, 백선 (scabies, trichophytia)

加藤卓朗/塚本容子

A. 개선 (scabies)

병인

- 개선충 (옴진드기)의 감염으로 발생한다.

[악화인자] 부신피질호르몬제

역학

- 고령자에게 호발하는 경향이 있다.
- 일시적으로 종식되었지만, 30년 전부터 다시 증가하여 전국적으로 만연한 상황이다.

[예후] 난치성이지만, 치명적이지는 않다.

병태생리

- 개선충에 의한 피부감염증이다.
- 피부각층에 기생하는 개선충은 사람에서 사람으로 접촉감염되므로, 가정, 병원, 양로원 등에서의 집단 감염이 문제가 된다.
- 가피형개선 (각화형개선) : 중증 질환이나 그 치료로 저항력이 떨어진 환자에게 다수의 개선충이 기생하여 생기며, 감염력이 매우 강하다.

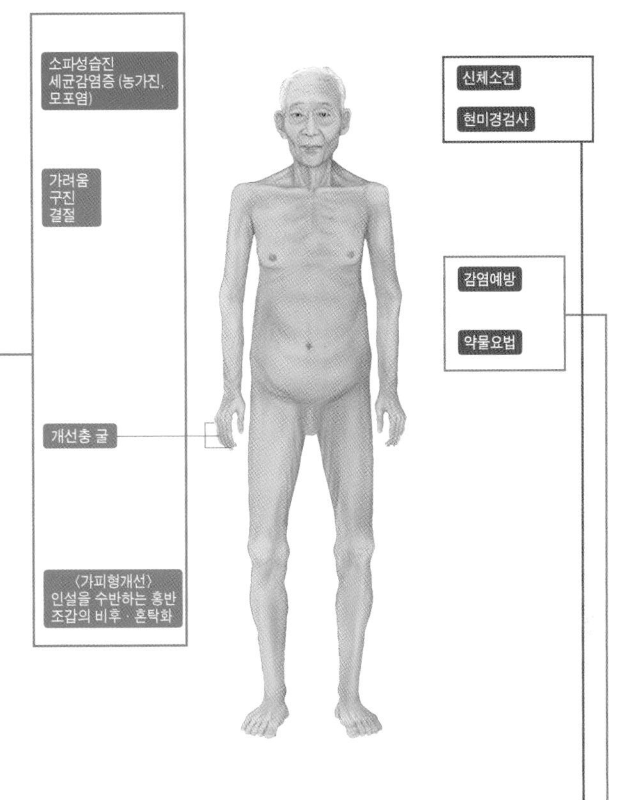

증상

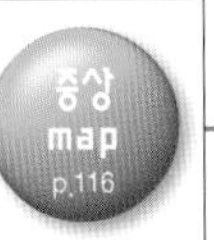

- 일반형개선 : 작은 구진이 체간 · 사지에 다발한다. 선상으로 배열되는 몇 mm의 회백색 피진 (개선충 굴)이 특징적이다.
- 가피형개선 : 손발에 인설을 수반하는 각질이 증식되고, 조갑의 비후 · 혼탁화, 체간 · 사지의 홍피증 상태가 된다.

[합병증]

- 소파성습진
- 세균합병증 (농가진, 모포염)

진단

- 개선충 굴 등의 피부를 채취하여, 현미경으로 충체나 알을 확인하면 진단이 확정된다.
- 증상발생 조기의 환자에게서는 개선충 굴이 작아서, 충체나 알을 발견하기 어렵다.

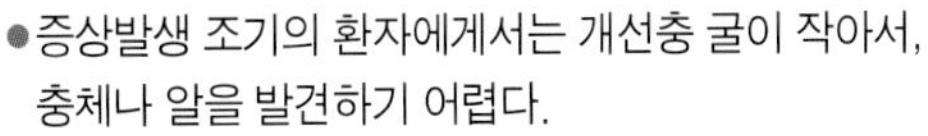

치료

- 치료방침 : 2차감염의 예방이 중요하며, 일반형개선과 가피형개선은 대책이 크게 다르다.
- 약물요법 : 이버멕틴을 내복하고, 외용제로는 1% γ-BHC함유 연고, Eurax크림을 사용하는데, 입욕제 (610합)도 유효성이 있다.

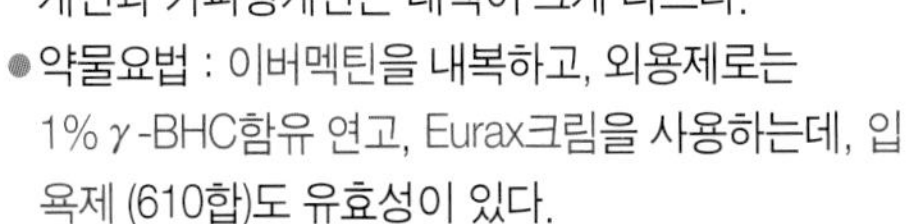

개선

병태생리 map

개선충 (옴벌레)에 의한 피부감염증이다.

- 일반적인 환경에 존재하며, 사람의 피를 빠는 작은 진드기 등과 달리, 개선충은 인간의 피부 각층에 기생하며 알을 낳아서 증식한다. 사람에서 사람으로 접촉감염되므로, 성감염증과 함께 가정, 병원, 양로원 등에서의 집단감염이 문제되고 있다.
- 중증 질환이나 그 치료로 저항력이 떨어진 환자에게 생기는 가피 (각화)형개선의 경우 다수의 개선충이 기생하며, 감염력이 매우 강하다. 간호를 받고 있는 환자에게 발생하면, 신체접촉이 많은 간호자에게 옮겨지기 쉽다. 실제, 입원환자 뿐 아니라 직원도 많이 감염되어 병동폐쇄에 이른 병원도 있다.

병인·악화인자

- 감염기회가 문제시 되며, 재택에서는 동거가족, 시설이나 병원에 있는 경우에는 입거자, 입원환자, 직원 중에 개선 환자가 있으면 감염이 발생하기 쉽다.

역학·예후

- 성별, 연령에 관계없이 발생하지만, 고령자에게 호발하는 경향이 있다.
- 제2차세계대전 후에 크게 전염되었다가 일시적으로 종식되었는데, 30년 전부터 다시 증가하여 전국적으로 만연한 상황이다.
- 난치성이지만, 본증만으로는 치명적이지 않다.

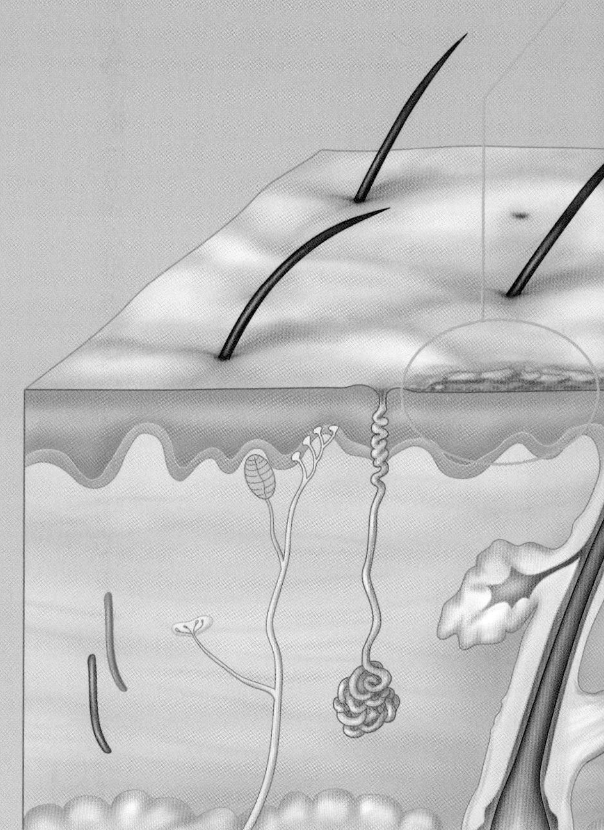

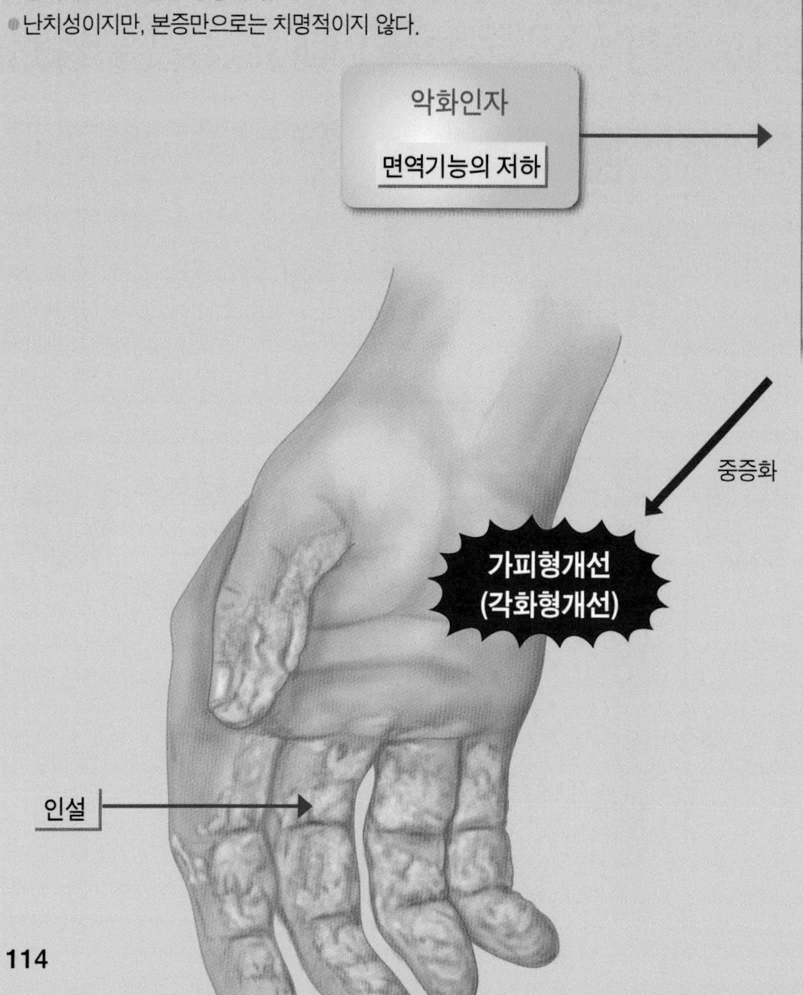

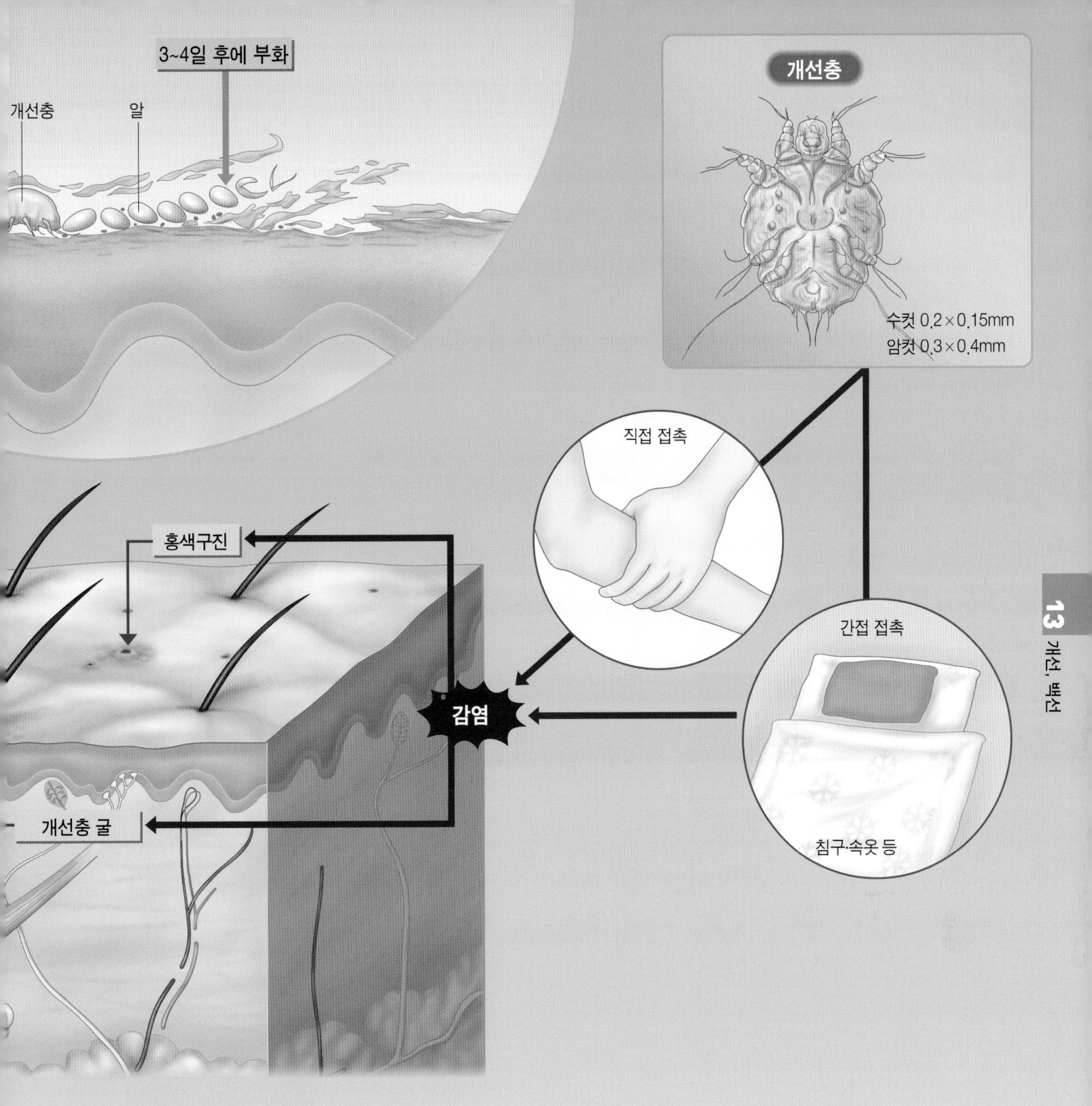

심한 가려움을 수반한다.

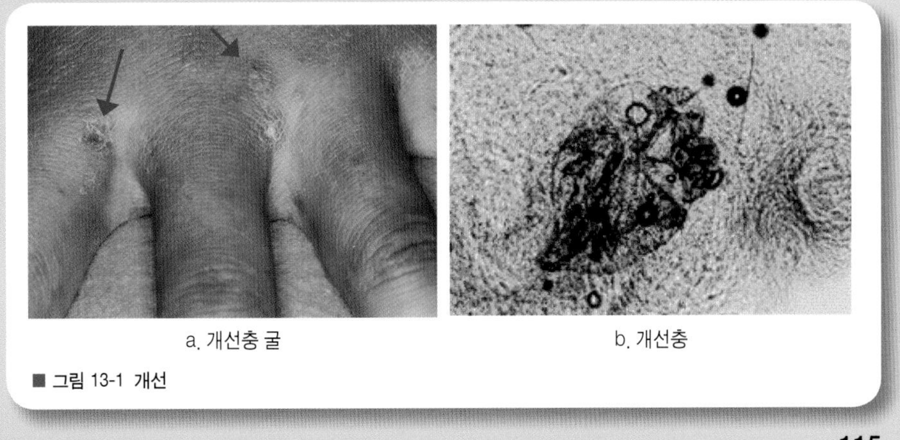

a. 개선충 굴

b. 개선충

■ 그림 13-1 개선

일반적으로 개선에서는 체간 · 사지에 작은 구진, 손가락 사이나 수관절의 개선충 굴이 확인된다. 가피형개선은 손발에 인설을 수반하는 각질증식과 체간 · 사지의 홍피증이 특징이다.

증상

- 통상형개선의 증상은 체간이나 사지에 작은 구진이 다발하는 것으로서, 다른 벌레에게 물리거나, 양진이 나타날 경우와, 습진과의 감별이 어렵다. 특징적인 증상은 손가락 사이나 수관절에 나타나며, 선상으로 배열되는 몇 mm의 회백색 피진 (개선충 굴)이다(병태생리map의 그림 13-1a). 여기에 알을 낳고 부화하므로, 이 끝에 개선충이 있는 경우가 많다. 또 외음부에 암갈색의 결절이 다발하는 것도 특징이다.
- 가피형개선에서는 손발에 인설을 수반하는 각질증식이 나타나며, 그 속에 무수한 충체나 알이 있다. 조갑 속으로도 들어가서, 조갑의 비후와 혼탁화가 나타난다. 체간 · 사지는 광범위하게 인설을 수반하는 홍반, 즉 홍피증 상태가 된다.

합병증

- 가려움이 심하여 긁게되고, 소파성습진이나 세균감염증 (농가진, 모포염)이 합병된다.

개선

진단 map

신체소견, 문진, 개선충 굴, 구진, 결절에서 채취한 피부에서의 충체나 충란을 확인하여 진단한다.

진단 · 검사치

- 개선충 굴 등의 피부를 채취하여 현미경으로 보면 충체 (병태생리map의 그림 13-1b)나 알을 확인할 수 있어서, 진단이 확정된다. 발생 초기의 환자에게는 굴이 적어서, 충체나 알을 발견하기 어렵다.

증상
합병증
소파성습진
세균감염증 (농가진, 모포염)
가려움
구진
결절
개선충 굴
〈가피형개선〉
인설을 수반하는 홍반
조갑의 비후 · 혼탁화

치료 map

외용제에 의한 살충과 감염방지가 중요하다.

진단 치료

■ 표 13-1 개선의 대책

병형	격리	실내의 구충	직원 · 동실환자의 예방적 대처	세탁물 · 시트류의 처치
일반형개선	불필요	불필요	불필요 (때로 필요 : 많은 접촉이 있었던 간호자, 물리치료사) 당직실, 임시수면실의 시트류의 꼼꼼한 교환	불필요 통상적으로 세탁으로 충분하다.
가피형개선	필요 (2주간)	필요 바닥, 벽, 커튼, 침대, 화장실, 욕실 등의 탈의장에 살충제를 1회 산포하고 낙하된 인설을 청소기로 제거	필요 경부 이하 전신에 Eurax크림 7일간 도포 또는 1회만 γ-BHC함유 연고 도포 (비닐 또는 고무) 장갑 착용, 가운테크닉의 실시 (바느질이 거칠게 된 천은 삼간다)	필요 1~2주 간은 매일 교환하고, 열처리한다(열탕처리, 다림질, 50℃ 10분간 사멸한다). 이불은 건열멸균 (전문가를 고용하는데, 1회로 충분하다)한다. 열탕처리하거나 비닐주머니에 넣고, 1~2주 방치한다. 또는 경우에 따라서 살충제 1회 산포 후 세탁한다.

(南光弘子 : 개선-최근 만연의 요인/최신의 치료와 대책. Visual Dermatoloty 2 : 770-775, 2003. 표 3을 개편하여 인용)

신체소견

현미경검사

■ 표 13-2 개선의 주요 치료제

분류	일반명	주요 상품명	약효발현의 메커니즘	주요 부작용
분선충구제제	이버멕틴	Stromectol	무척추동물의 신경 · 근에 과분극을 유발하고, 마비를 일으킨다.	중독성표피괴사증 피부점막안증후군 간기능이상
진양제	크로타미톤	Eurax	살충작용에 의한다.	피부자극감접촉성피부염

감염예방

치료방침

● 감염예방이 특히 중요하며, 통상형과 각화형에서는 대책이 크게 다르다(표 13-1).

약물요법

약물요법

● 이버멕틴 (Stromectol)을 내복한다. 외용제로서 안식향산벤질과 γ-BHC함유 연고 (의약품이 아니므로, 사전동의 취득 후에 사용한다), Eurax크림 (개선은 보험적용이 되지 않지만, 보험진료보상의 심사는 용인된다) 등이 사용되고 있다. 또 시판되고 있는 입욕제 (610합)도 유효하다.

Px 처방례 내복

● Stromectol정 3mg 3~4정 (200㎍/kg) 1일 1회 아침식사 전 (공복 시) ←분선충구제제

※재투여가 필요한 경우는 2주 후에 동량을 내복한다.

Px 처방례 외용. 1)은 1일만, 2)는 연일 사용하고, 1주를 1사이클로 하여 2사이클을 기준으로 한다.

1) 1% γ-BHC함유 연고 1일 1회, 경부 이하의 전신에 도포 ←살충제

2) Eurax크림 1일 1회 경부 이하의 전신에 도포 ←진양제

※1)은 도포 6시간 후에 반드시 씻어낸다.

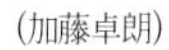

(加藤卓朗)

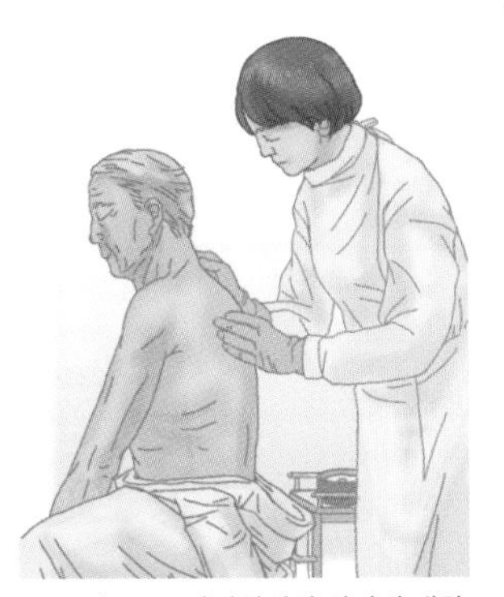

■ 그림 13-2 가피형개선 환자에 대한 처치

B. 백선 (Trichophytia)

병인

- 백선균의 감염으로 발생한다.
- 감염기회 : 백선 환자와의 동거, 양로원, 공중목욕탕, 수영장

[악화인자] 고온 · 다습, 다한, 장화 · 안전화의 착용

역학

- 일본인의 약 20%가 족백선, 10%가 조백선 환자이다.
- 족백선 환자는 방치하거나 시판제로 치료하는 경우가 많다.

[예후] 백선균만으로 중증 증상은 나타나지 않는다.

병태생리

- 진균의 일종인 피부사상균 (백선균)에 의한 피부감염증이다.
- 백선균은 피부에 있는 케라틴을 영양소로 하며 각층, 조갑, 털 등에 기생하며 염증을 일으킨다.
- 병형분류 : 족백선, 조백선, 수백선, 생모부 (체부 · 정강이) 백선

증상

- 족백선 : 발가락 사이의 인설이 부착된 홍반 (지간형), 발바닥의 수포·농포를 수반하는 홍반 (소수포형), 발뒤꿈치 피부의 비후·각화·낙설 (각질증식형)이 나타난다.
- 조백선 : 선단부의 조갑하 각질증식, 백탁, 취약화가 나타난다.
- 수백선 : 한 쪽 손에만 인설을 수반하는 홍반이 출현한다.
- 생모부백선 : 큰 홍반 (완선형)이 생기거나 작은 홍반이 다발한다 (반점상소수포형).

[합병증]

- 족백선 : 방치하면 난치성 병형으로 진전되고, 병변부에서의 세균감염증이 나타난다.

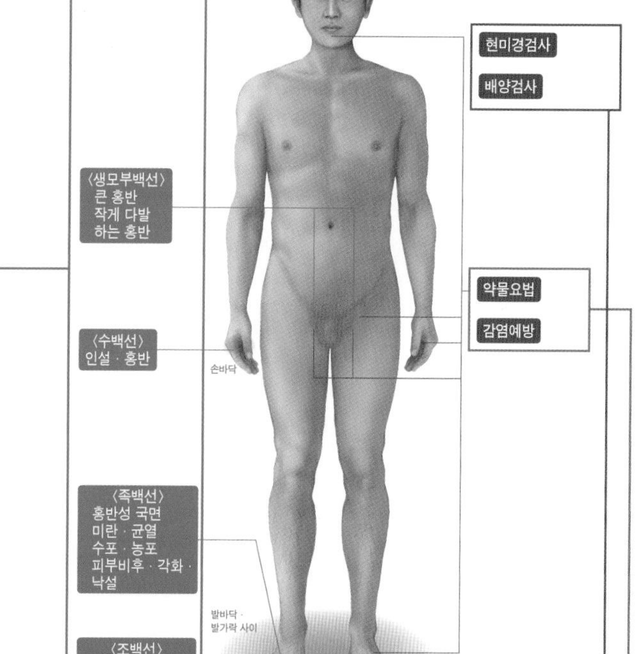

진단

- 경검 : 변병부에서 피부를 채취하여, 현미경으로 약간 갈색인 중격이 있는 균사나 분절포자를 확인한다.
- 배양검사 : 균종의 동정에 필요하다.

치료

치료
map
p.121

- 치료방침 : 외용제와 내복제의 선택이 중요하다. 완치 불능례에서는 치료목표를 명확히 한다.
- 약물요법 : 항진균제를 사용한다. 외용제에는 항균역이 넓은 이미다졸계와 백선균에 대한 항균력이 강한 비이미다졸계가 있다. 제형은 크림, 연고, 액체 (로션), 겔, 스프레이이며, 1일 1회 단순 도포한다. 내복제로는 테르비나핀염산염, 이트라코나졸을 사용한다.

병태생리 map

병원진균의 일종인 피부사상균 (백선균)에 의한 피부감염증이다.

- 피부에 있는 케라틴을 분해하여 영양소로 하여, 표면의 각층, 조갑, 털 등에 기생하며, 염증을 일으킨다. 그보다 심부의 진피, 피하조직, 혈액 등으로 들어가는 경우는 매우 드물다. 병변부위에 따라서, 족백선, 조백선, 수백선, 생모부 (체부 및 정강이) 백선 등으로 병형이 분류된다.

병인·악화인자

- 백선 환자와의 동거, 양로원에의 입거, 공중목욕탕 · 수영장의 잦은 이용 등에 의한 감염기회가 문제시 된다. 그 밖에 고온 · 다습 등의 환경인자, 다한, 불결 등의 피부문제, 장화 · 안전화의 착용이라는 생활습관 등이 관계된다.

역학·예후

- 피부진균증은 피부에서 진찰받은 환자의 10~15%를, 백선은 그 90% 가까이 차지하며, 족백선이 가장 많다. 단, 족백선 환자는 의료기관을 방문하지 않고 방치하거나 시판제로 치료하는 경우도 많다. 피부과전문의가 실시한 조사에서는 일본인의 약 20%가 족백선, 10%가 조백선에 걸렸다고 보고되어 있다.
- 병변부로 세균이 들어가서, 중증 피부 · 연부조직염을 일으키는 수는 있지만, 백선균만으로 중증 증상을 나타내는 경우는 없다.

백선균

직접 접촉

간접 접촉

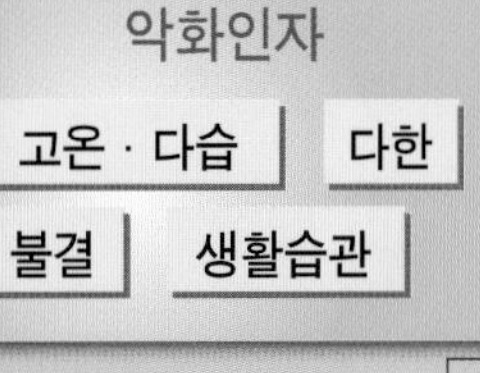

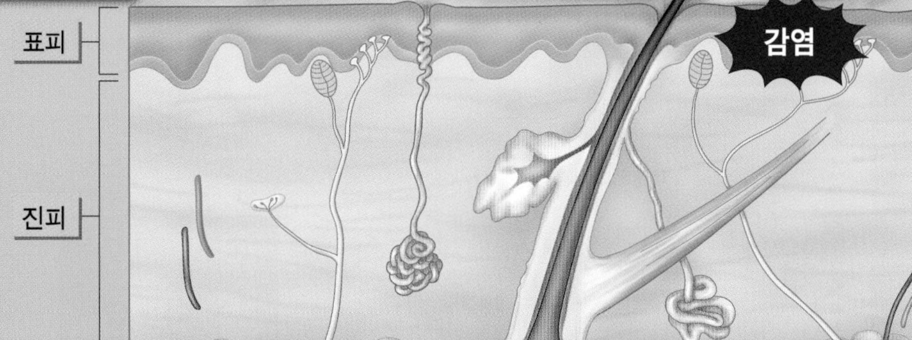

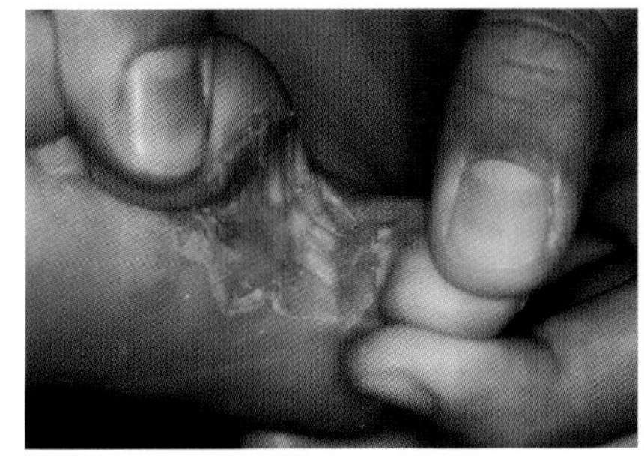

a. 발가락 사이의 족백선

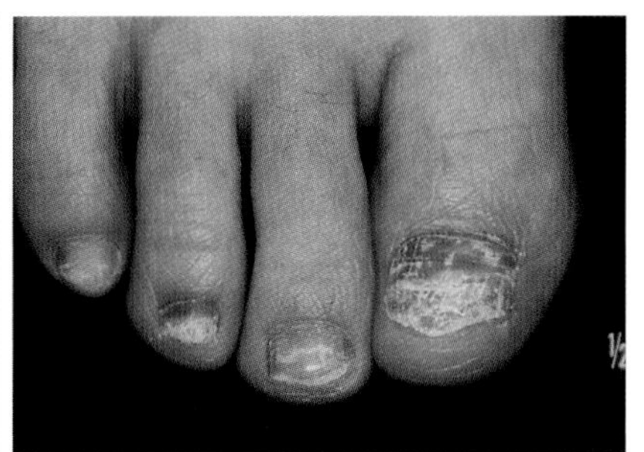

b. 조백선

■ 그림 13-1 백선

백선

증상 map

병형에 따라서 다소 차이는 있지만, 가려움, 미란, 홍반 등을 특징으로 한다.

증상

- 족백선은 지간형, 소수포형, 각질증식형으로 분류되는데, 복수의 병형을 나타내는 경우도 많다. 지간형은 발가락 사이에 침연되거나 또는 마른 인설이 부착된 홍반성 국면을 나타내며, 미란이나 균열을 수반하기도 한다(그림 13-3a). 소수포형은 발바닥을 중심으로, 족측연에 걸쳐서 수포, 농포를 수반하는 홍반성 국면을 나타낸다. 모두 봄부터 여름에 걸쳐서 발생 · 악화되기 쉬우며, 가려움을 수반하는 경우가 많다. 각질증식형은 발뒤꿈치를 중심으로 발바닥 전체의 피부의 비후, 각화, 낙설을 특징으로 한다. 가려움이 적고, 겨울에도 치유되지 않는다.
- 조백선은 발에 많으며, 전형례에서는 선단부의 조갑하 각질증식과 백탁, 취약화 등을 나타낸다(그림 13-3b).
- 수백선은 한쪽 손에만 생기는 경우가 많으며, 인설을 수반하는 각화경향이 있는 홍반을 나타낸다.
- 생모부백선은 큰 홍반을 나타내는 완선형과 작은 홍반이 다발하는 반점상 소수포형이 있다.

합병증

- 백선, 특히 족백선에 대한 치료의식은 환자에 따라서 크게 다르다. 그러나 방치하면 증상의 악화, 난치성 병형으로의 진전, 다른 부위로의 확대, 병변부에서의 세균감염증의 합병, 다른 사람에게 감염원이 되는 등의 문제가 생긴다.

증상 합병증

세균감염증

〈생모부백선〉
큰 홍반
작게 다발하는 홍반

〈수백선〉
인설 · 홍반
손바닥

〈족백선〉
홍반성 국면
미란 · 균열
수포 · 농포
피부비후 · 각화 · 낙설
발바닥 · 발가락 사이

〈조백선〉
조갑하 각질증식,
백탁, 취약화

개선

진단 map

현미경검사로 병변부 피부에서 백선균의 균사나 분절포자를 확인하고, 배양검사로 균종을 동정한다.

진단 · 검사치

- 백선은 직접경검으로 진단한다. 병변부에서 피부를 채취하여, 슬라이드글라스 위에 놓고 KOH용액을 떨어뜨린 후, 커버글라스로 덮고 현미경으로 관찰한다. 약간 갈색인 중격이 있는 균사나 분절포자가 보인다. 균종의 동정에는 배양검사가 필요하다(그림 13-4).

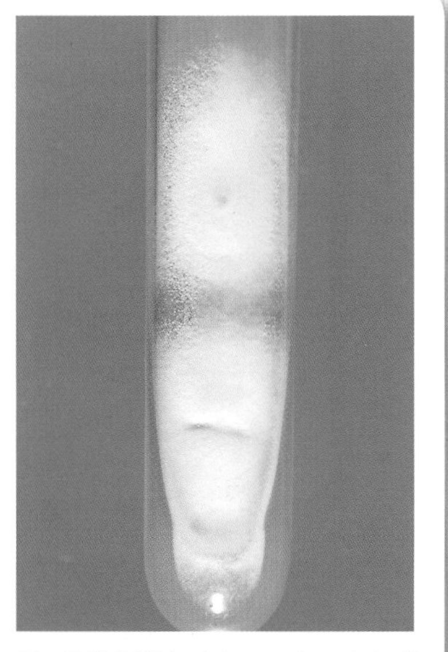

■ 그림 13-4 Trichophyton mentagrophytes의 배양검사

치료 map

외용제와 내복제를 이용하여 약물요법을 실시한다. 감염예방이 중요하다.

진단 치료

현미경검사

배양검사

약물요법

감염예방

■ 표 13-3 백선의 주요 치료제

분류	일반명	주요 상품명	약효발현의 메커니즘	주요 부작용
피부용 항진균제	Liranaftate	Zefnart	진균세포막의 구성지질의 생합성을 저해	접촉성피부염
	루리코나졸	Lulicon		
아릴아민계 항진균제	테르비나핀염산염	라미실	특히 피부사상균에 대해 강력한 살진균작용을 보유	간장애 범혈구 감소
트리아졸계 항진균제	이트라코나졸	Itrizole	진균세포막의 구성지질의 생합성을 저해	간장애

치료방침

- 외용제와 내복제의 선택이 중요하며, 완치불능례에서는 치료목표를 명확히 해야한다.
- 감염예방을 위해 감염경로를 이해하고 대책을 세운다.

약물요법

- 항진균제의 외용과 내복이 행해진다. 외용제의 계통은 여러 가지이지만, 항균역이 넓은 이미다졸계와 백선균에 항균력이 강한 비이미다졸계로 분류된다. 제형은 크림, 연고, 액체 (로션), 겔, 스프레이가 있다.
- 용법은 1일 1회, 목욕 후 내지 취침 전에 적당량을 단순 도포한다. 도포범위는 병변부 주위도 포함한다. 도포기간은 족백선과 수백선은 4주, 그 밖의 병형은 2주가 기준으로, 경과가 양호할 때도 추가적으로 치료한다.
- 내복제는 테르비나핀염산염 (라미실)과 이트라코나졸 (Itrizole)을 주로 사용한다. 내복기간은 조백선에는 테르비나핀염산염은 6개월, 이트라코나졸은 펄스요법을 3사이클 실시한다. 각질증식형족백선은 2개월, 그 밖의 병형은 2주~1개월을 기준으로 한다. 양자 모두 부작용이 비교적 적지만, 정기적인 혈액검사가 필요하다. 이트라코나졸 사용 시에는 병용이 금지되는 약물이 다수 존재한다.

Px 처방례 발, 체부, 정강이, 수백선
- Zefnart크림 1일 1회 적당량을 도포 ←피부용 항진균제
- Lulicon크림 1일 1회 적당량을 도포 ←피부용 항진균제

※난치례는 내복제로 변경한다.

Px 처방례 조백선
- 라미실정 (125mg) 1정 分1 (아침식사 후) ←항진균제

※6개월을 기준으로 한다.
- Itrizole캅셀 (50mg) 8캅셀 分2 (아침・저녁식사 후) ←항진균제

※1주간 내복・3주간 휴약을 1펄스 (펄스요법)라고 하고, 3사이클 실시한다.

Px 처방례 각질증식형족백선, 그 밖의 병형의 광범위, 난치성, 재발례
- 라미실정 (125mg) 1정 分1 (아침식사 후) ←항진균제
- Itrizole캅셀 (50mg) 1~2캅셀 分1 (아침식사 후) ←항진균제

족백선의 병기 · 병태 · 중증도별로 본 치료흐름도

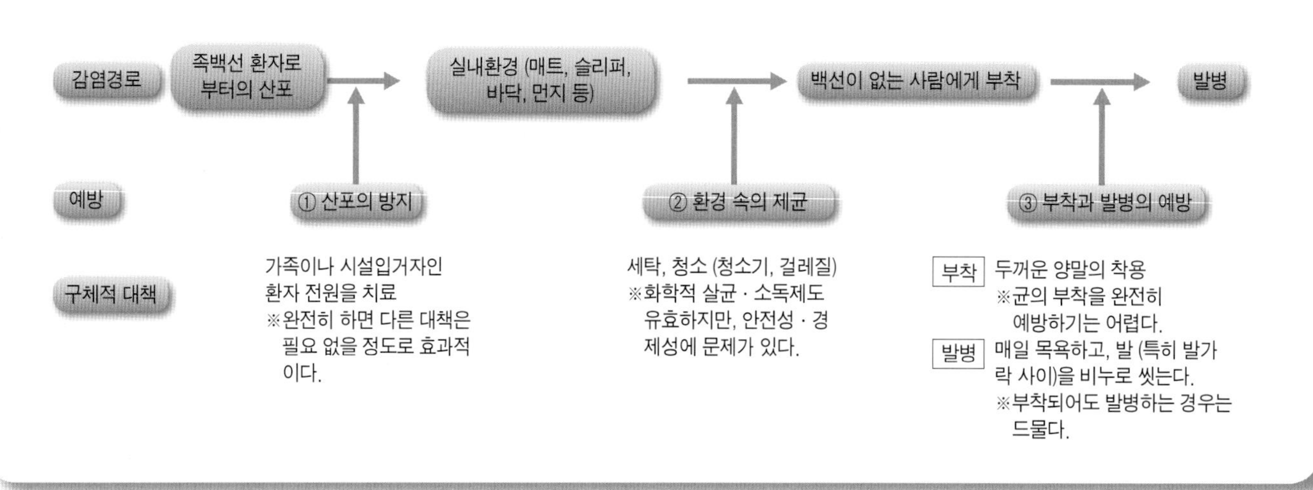

백선의 병기 · 병태 · 중증도별로 본 치료흐름도

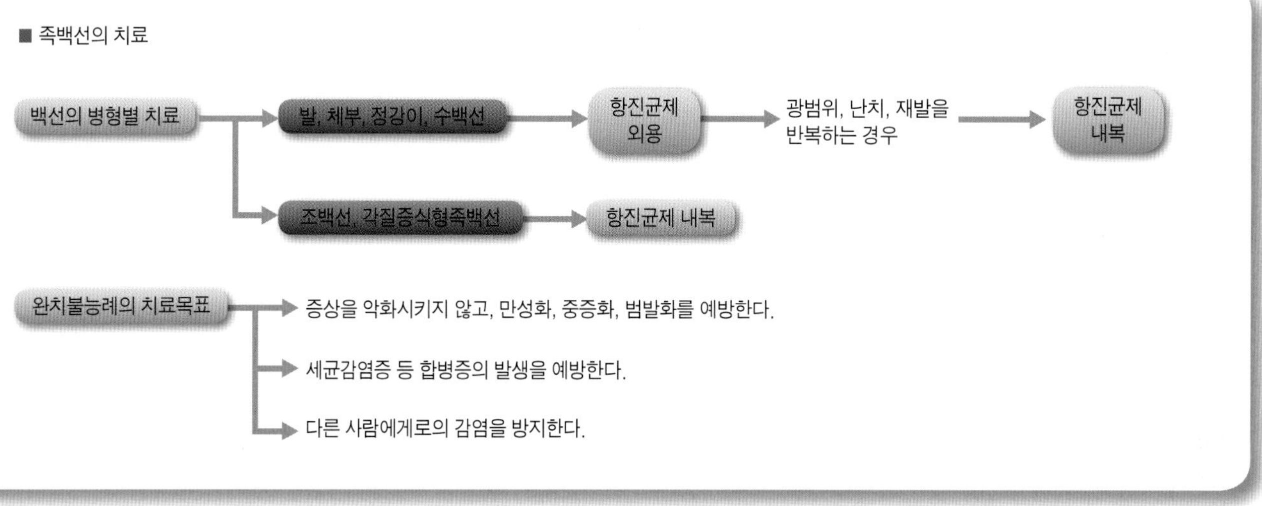

(加藤卓朗)

환자케어

감염대책을 확실히 하면서, 환자 · 가족에 대한 감염예방의 구체적인 대책을 지도한다.

병기 · 병태 · 중증도에 따른 케어

- 피부감염증은 저항력저하숙주 (면역능이 저하된 감염에 취약한 숙주)에게 발생하기 쉽다. 그 때문에 면역능 상태의 파악이 감염증의 예방 또는 감염 확대의 예방에 중요하다. 또 감염증이므로, 다른 사람에게 감염이 확대되지 않도록 하는 예방책이 필요하다. 환자 · 가족에게 감염경로의 이해를 촉구하고, 린넨이나 타월을 공유하지 않는 등 구체적으로 지도하는 것이 중요하다.

【일반형개선】 심한 가려움을 호소한다. 가려움증으로 일상생활이나 수면에 지장을 초래하므로, 가려움증이 환자에게 미치는 영향을 관찰하고, 고통이 경감되도록 돕는다.

【가피 (각화) 형개선】 감염력이 강하므로, 환자를 개인병실에 격리해야 한다. 환자 · 가족은 격리된다는 것에 불안을 느끼므로, 격리의 필요성, 통상형개선과의 차이를 설명하여 심리적으로 지지한다. 또 환자와 접촉이 있었던 사람이 감염되지 않았는지를 확인한다. 동시에, 의료종사자는 환자의 진찰 · 처치 시에 손을 씻고, 장갑을 착용하여 감염확대를 예방하는 것도 잊어서는 안된다.

【백선】 약물요법 (외용요법, 내복요법)이 주체가 되지만, 환부의 청결유지에 힘쓰고, 고온다습한 환경을 피하여 건조한 상태를 유지하는 것이 치료에도, 또 감염예방에도 중요하다. 일본에서 흔히 볼 수 있는 족백선은 2차 감염으로 인해 중증화되기도 하므로, 환부의 경시적 관찰이 필요하다.

케어의 포인트

진료 · 치료에 대한 지지

- 처방된 약물을 적절히 사용하도록, 또는 외용제이면 바르는 법을 지도한다.

피부의 청결유지

- 피부가 위생적일 수 있도록 지지한다. 특히 백선에서는 피부가 습한 상태가 되면 백선균이 증식하므로, 건조한 상태를 유지하도록 한다.
- 감염된 부위의 세균에 의한 2차감염도 일어날 수 있으므로, 가려움증이 있어도 긁지 않고, 손톱을 짧게 자르고, 손을 자주 씻는 등의 지도가 중요하다.

감염의 확대예방

《개선》

- 특히 가피형개선은 감염력이 매우 강하므로, 증상발생과 동시에 감염확대를 예방하기 위한 대책을 강구하는 것이 중요하다. 접촉감염예방책을 신속히 실시한다. 치료 후 24시간 경과했을 때에는 특별한 감염대책은 필요 없다.
- 그 밖에 가피형개선이 발생한 환자를 케어하는 의료종사자를 가능한 한정하도록 한다.
- 일반형개선에서는 표준예방법만으로 충분하다.

《백선》

- 의료관련시설 내에서 발병유행의 보고례는 거의 없다.
- 환자 · 가족에게 개인위생도구, 타월 등을 환자 전용으로 사용하는지를 확인한다.
- 피부가 위생적일 수 있도록 하고, 가능한 건조한 상태를 유지하도록 지도한다.
- 환자와 접촉한 사람 중에서 증상을 나타내는 사람이 있을 때에는 신속히 치료를 받을 수 있도록 한다.

환자 · 가족의 심리 · 사회적 문제에 대한 지지

- 질환에 관하여 환자 · 가족에게 알기 쉽게 설명하고, 불안을 해소하도록 돕는다.
- 피부감염증의 발진출현으로 인해 자기존중감이 저하될 가능성을 고려한다. 환자의 호소를 잘 듣고, 질환에 대해서 어떻게 생각하고 있는가 평가한다.
- 백선, 개선 모두 치료가 가능하다는 점을 환자 · 가족에게 설명한다.

퇴원지도 · 요양지도

- 환자 · 가족에게 질환과 관련된 감염경로를 설명하면, 다른 사람에 대한 감염방지, 재감염방지에 도움이 된다. 백선균이 애완동물을 통해서 감염되는 경우도 있으므로, 애완동물도 치료가 필요하다. 개선인 경우는 환자와 접촉했던 모든 사람에게 치료가 필요하다는 점을 전달한다.
- 백선 환자에게는 몸에 끼는 의류를 삼가여, 피부증상이 악화되지 않도록 한다. 피부에 닿는 의류로는 면제품 (100%)을 입으면 증상의 악화를 예방할 수 있는 점을 설명하고, 가능한 습기가 없는 환경을 조성하도록 한다. 처방된 약물의 바른 사용법을 설명한다.
- 개선치료 후에 가려움증이 있을 때는 냉습포가 효과적이라는 점을 전달한다. 또 처방된 약물의 바른 사용법을 설명한다.
- 합병증을 예방하기 위해서는 피부가 가려워도 가능한 긁지 않는다. 또 손톱을 짧게 잘라서 2차감염을 예방하도록 한다.
- 감염되어 있는 부위에 따라서 다른 사람의 이목이 걱정될 수 있다. 적절히 치료를 받으면 낫는 질환이라는 점을 전달하고, 처방된 약물을 바르게 사용하는 것이 중요함을 강조한다.

(塚本容子)

Memo

14 악성흑색종 (malignant melanoma)

西澤　綾/東風平智江美

전체 map

병인

- 멜라노사이트(melanocyte)가 악성화되는 상세한 내용은 불분명하지만, 자외선 또는 외적자극이 관계된다고 보고 있다.

역학

- 10만명당 연간발생빈도는 백인 10~20명, 일본인 1~2명, 흑인 0.5명이다.

[예후] 림프절로 전이되는 Stage Ⅲ에서의 5년생존율은 약 50~60% 정도이다.

병태생리

- 멜라노사이트 (멜라닌색소를 생산하는 세포) 또는 모반세포 (흑점세포)가 악성화된 종양이다.
- 피부에 가장 호발하지만, 구강, 외음부, 항문 등의 점막, 맥락막, 뇌연막에도 원발하는 수가 있다.
- 초기에는 표피 또는 점막 내에서 수평방향으로 확대되다가, 점차 진피를 향하여 수직방향으로 증식 · 침윤된다.
- 전이가 초래되기 쉬우며 악성도도 높다.

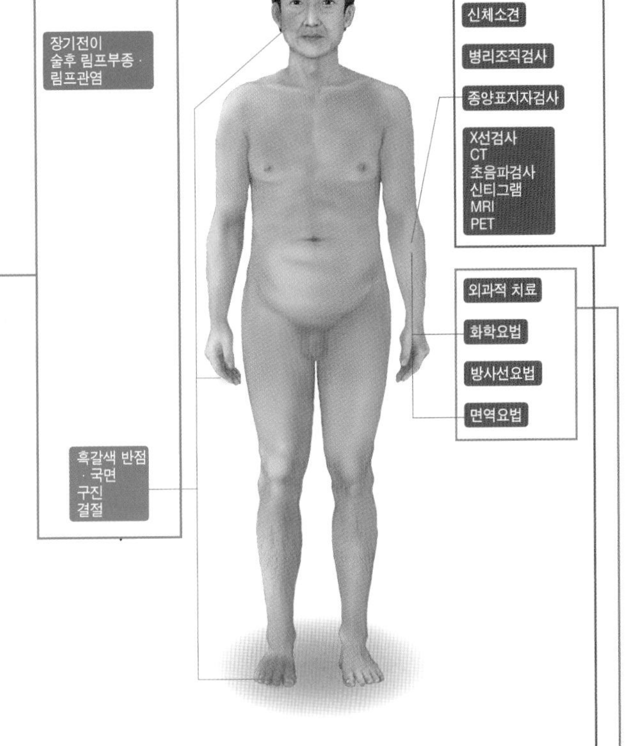

증상

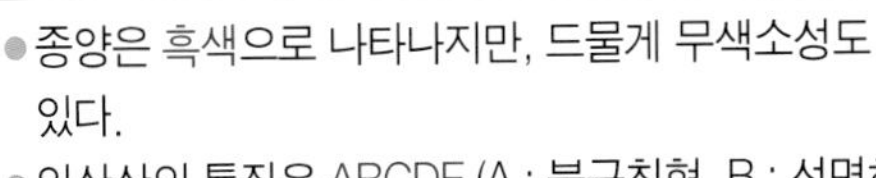

- 종양은 흑색으로 나타나지만, 드물게 무색소성도 있다.
- 임상상의 특징은 ABCDE (A ; 불규칙형, B : 선명하지 않는 경계, C : 다채로운 색조, D : 직경 6mm 이상, E : 표면 융기)로 나타낸다.
- 병형 : 악성흑자형흑색종, 표재확대형흑색종, 결절형흑색종, 말단흑자형흑색종의 4형이 있으며, 일본인의 경우에는 발바닥 · 손바닥 · 손톱에 호발하는 말단흑자형이 가장 많다.

[합병증]

- 다양한 장기전이에 의한 국소증상 또는 전신증상
- 소속림프절곽청 후의 림프부종, 림프관염

진단

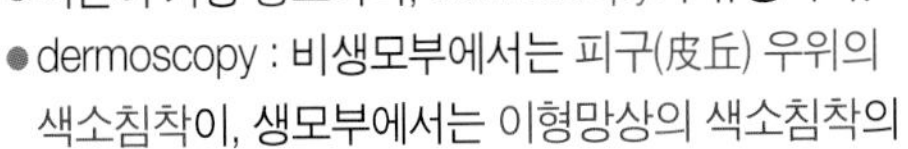

- 시진이 가장 중요하며, dermoscopy가 유용하다.
- dermoscopy : 비생모부에서는 피구(皮丘) 우위의 색소침착이, 생모부에서는 이형망상의 색소침착의 소견이 진단에 유용하다.
- 병리조직진단 : 임상증상으로 진단이 어려운 경우에는 종양을 전체 절제하여 생검하고, 병리조직검사를 실시한다. 악성이라고 진단되면 병기를 평가하고, 확대절제 등의 치료를 한다.
- 종양표지자 : 5-S-cysteinyldopa (5-S-CD)가 유용하다.
- 영상검사 : 림프절이나 내장으로의 전이를 검사하기 위해서 시행한다.

치료

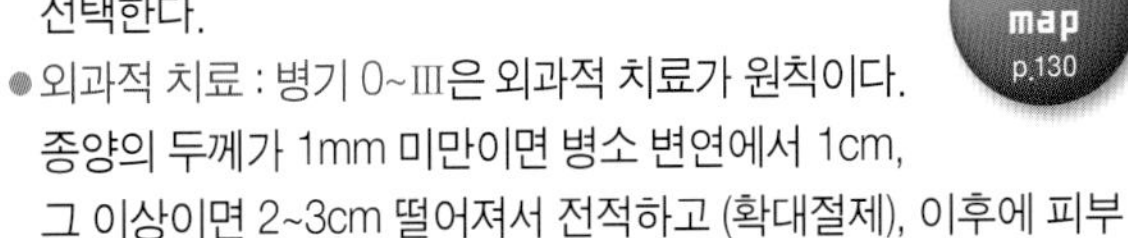

- 치료방침 : 병기에 따라서 적절한 치료법을 선택한다.
- 외과적 치료 : 병기 0~Ⅲ은 외과적 치료가 원칙이다. 종양의 두께가 1mm 미만이면 병소 변연에서 1cm, 그 이상이면 2~3cm 떨어져서 전적하고 (확대절제), 이후에 피부이식 등을 시행한다. 필요에 따라서 전초림프절생검도 시행한다.
- 약물요법 : 수술후 보조화학요법으로 DAVFeron요법이 일반적이다. 증례에 따라서는 DAC-Tam요법을 적응하기도 한다.
- 원격전이가 있는 경우에는 화학요법 외에 방사선요법, 면역요법 등을 실시한다.

병태생리 map

악성흑색종 (malignant melanoma ; MM) 이란 멜라노사이트 또는 모반세포가 악성화된 종양이다.

- 피부의 색과 관련된 멜라닌색소를 생산하는 세포를 멜라노사이트라고 하며, 악성흑색종 (malignant melanoma ; MM)은 이 멜라노사이트 또는 모반세포 (흑점세포)가 악성화된 종양이다.
- 피부에서 MM이 가장 호발하지만, 구강, 외음부, 항문 등의 점막이나 맥락막, 뇌연막에도 원발하는 수가 있다.
- MM은 초기에는 표피 또는 점막에 머물다가, 점차 수평방향으로 확대된다. 다음 단계에서는 진피에 대한 수직방향으로 증식·침윤된다. 전이가 일어나기 매우 쉬우며, 악성도도 높은 종양이다.

병인·악화인자

- 멜라노사이트의 악성화가 일어나는 원인의 상세한 내용은 불분명하지만, 자외선이 관계되어 있을 가능성이 있다.
- 발바닥이나 발톱 등 만성적으로 자극을 받기 쉬운 부위 또는 의류 등에 마찰되는 부위나 외상을 입은 부위 등에 흔히 발생하므로, 외적자극도 병인이라고 생각되고 있다.

역학·예후

- 발생빈도는 인종에 따라서 크게 다르며, 인구 10만명당 연간발생빈도는 백인 10~20명, 일본인 1~2명, 흑인 0.5명 정도이다.
- 과거 10~20년 이래, 특히 백인에게서의 발생빈도의 증가가 현저하다.
- 호발부위로는 백인은 빛에 노출되는 부위에 생기기 쉽고, 흑인은 사지말단에 생기며, 일본인은 그 중간 경향을 띤다.
- 종양의 두께가 1mm 이하인 병변에서는 거의 100%의 생존율이지만, 림프절로 전이되는 Stage III에서는 5년생존율이 약 50~60%까지 저하된다.

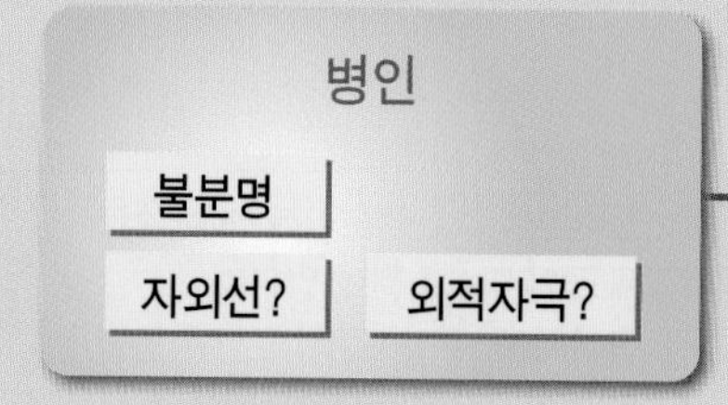

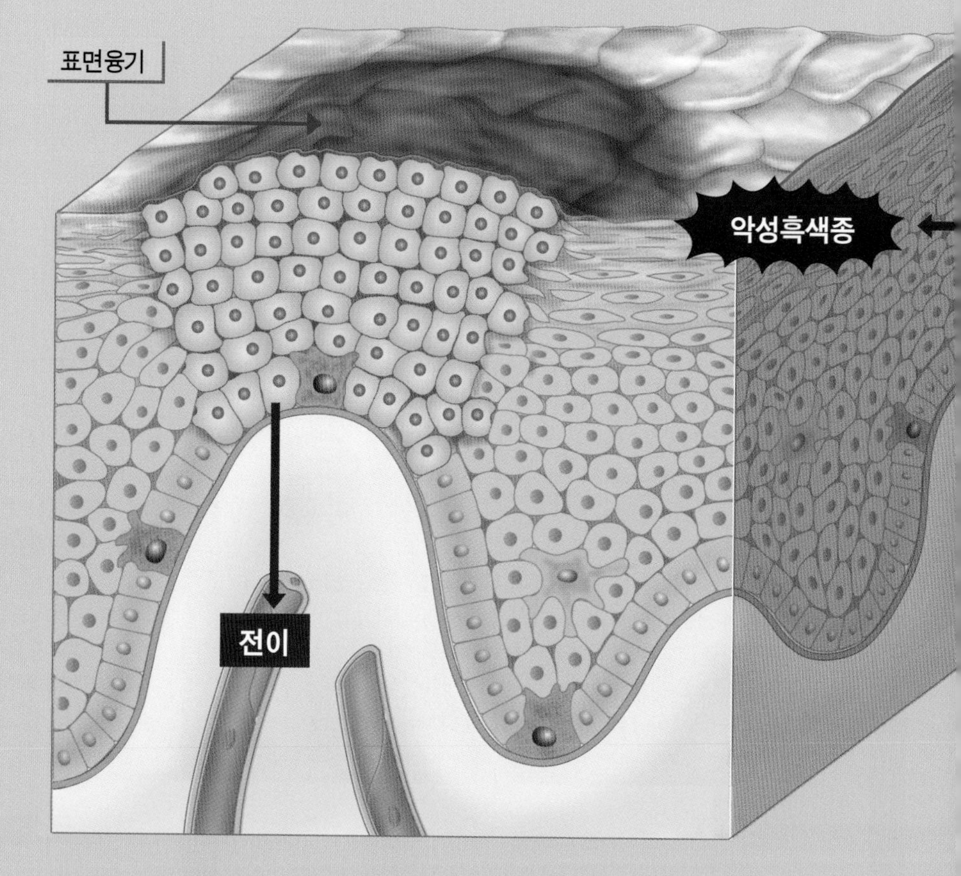

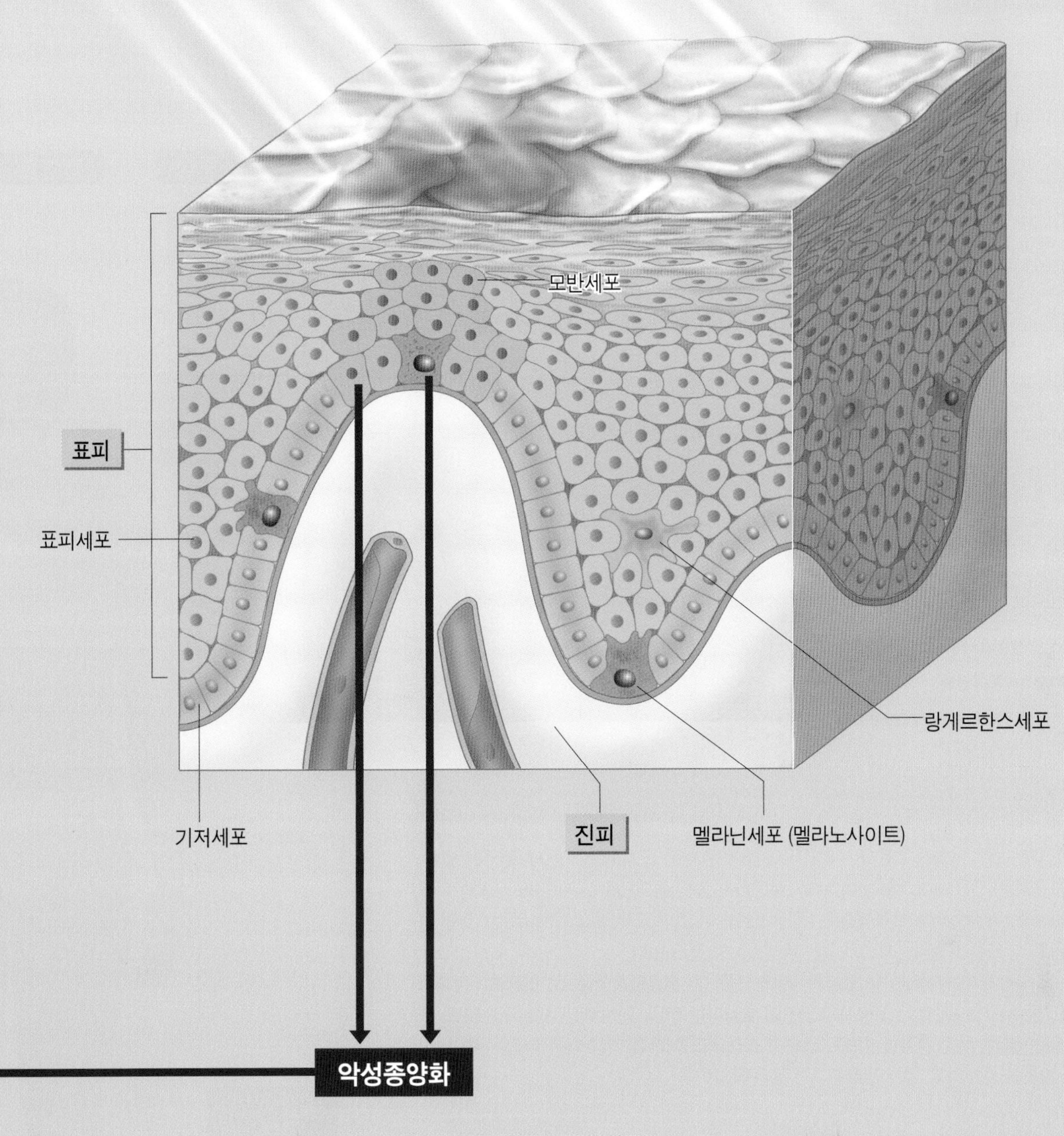

전이되기 쉽고, 예후가 불량하다. 림프절로 전이되는 Stage Ⅲ에서는 5년생존율이 약 50~60% 정도이다.

증상 map

종양세포가 멜라닌색소를 생산하므로, 흑색으로 나타나는 경우가 많다.

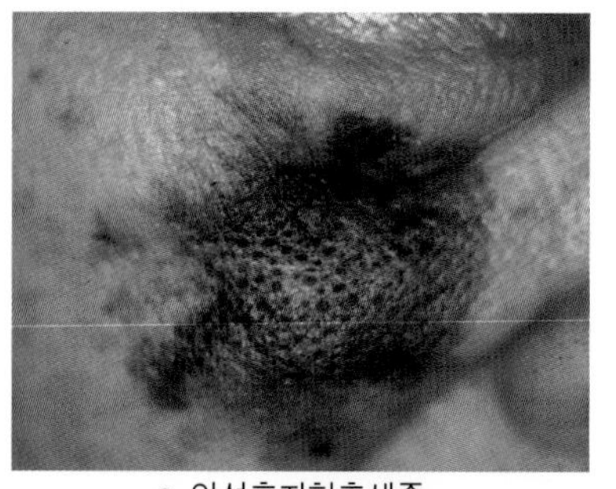

a. 악성흑자형흑색종

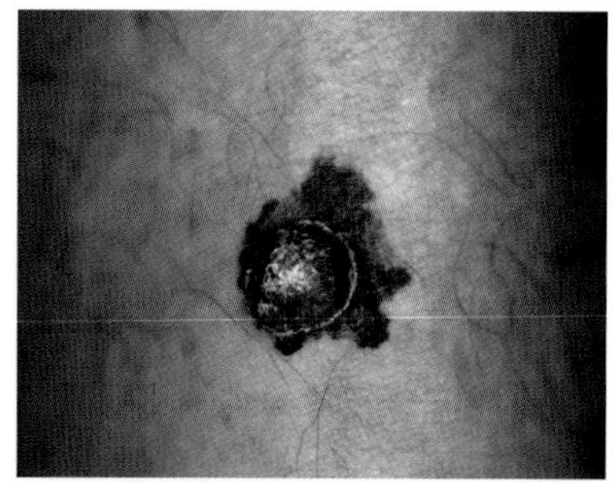

b. 표재확대형흑색종

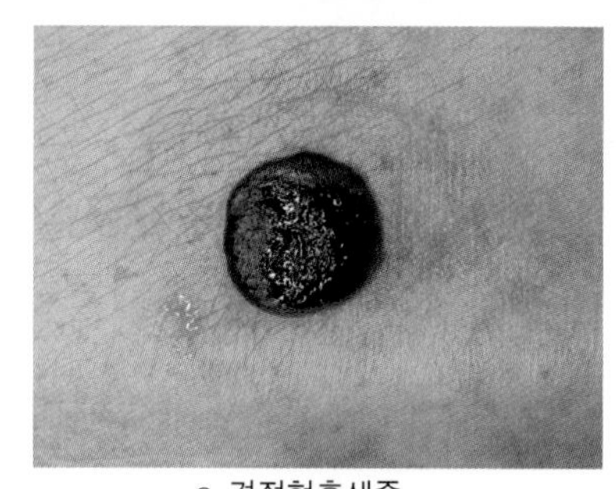

c. 결절형흑색종

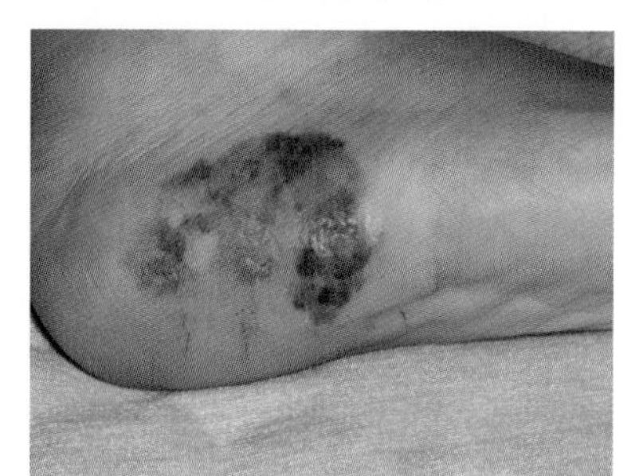

d. 말단흑자형흑색종

■ 그림 14-1 악성흑색종의 병형

증상

- 악성흑색종을 의심케 하는 임상상으로서, ABCDE의 머리문자로 표시되는 5가지 특징이 있다. ① Asymmetry (불규칙형), ② Borderline irregularity (선명하지 않은 경계), ③ Color variegation (다채로운 색조), ④ Diameter enlargement (확대경향 : 직경 6mm 이상), ⑤ Elevation of surface (표면 융기)이 바로 그 내용인데, 드물게 멜라닌색소가 없는 무색소성인 것도 있다.
- MM의 병형에는 ① 악성흑자형흑색종, ② 표재확대형흑색종, ③ 결절형흑색종, ④ 말단흑자형흑색종의 4형이 있다(그림 14-1-a~d). ①은 고령자의 안면에 호발하는 타입, ②는 백인에게 가장 많고, 체간 · 하퇴에 호발하는 타입, ③은 결절병변으로, 급속히 증대되고 예후가 가장 나쁜 타입, ④는 발바닥, 손바닥, 손톱, 발톱에 호발하고, 일본인에게 가장 많은 타입이다.

합병증

- 다양한 장기전이에 의한 국소증상 또는 전신증상, 소속림프절곽청 후의 림프부종, 림프관염 등이 있다.

증상

합병증

장기전이
술후 림프부종 ·
림프관염

흑갈색 반점
· 국면
구진
결절

악성흑색종

진단 map

시진, dermoscopy로 확인되는 색소침착 패턴을 보고 진단한다.
종양표지자인 5-S-cysteinyldopa가 유용하다.

진단　치료

진단·검사치

- 시진이 가장 중요하며, dermoscopy (피부병변에 젤리 등을 바르고, 강한 빛을 쬐어 피부표면확대경을 이용하여 확대하여 보는 방법)가 유용하다. 발바닥 등의 비생모부에서는 피구 우위의 색소침착 소견이 (그림 14-2), 생모부에서는 이형망상의 색소침착 소견 등이 MM의 진단에 유용하다.
- 임상증상에서 진단이 어려운 경우는 수술로 종양 전체를 절제한다. 전적이 불가능한 경우에는 일부를 생검한다. 생검 후에는 신속히 병리조직을 검사하며, 악성이라고 진단된 경우에는 병기 (표 14-1)를 평가하여 확대절제 등의 치료를 실시한다.
- 검사치
- MM의 종양표지자인 5-S-cysteinyldopa (5-S-CD)의 검사치가 유용하다.
- 림프절이나 내장으로의 전이를 검사하기 위해서 X선, CT, 초음파, 신티그램, MRI, PET 등의 영상을 검사한다.

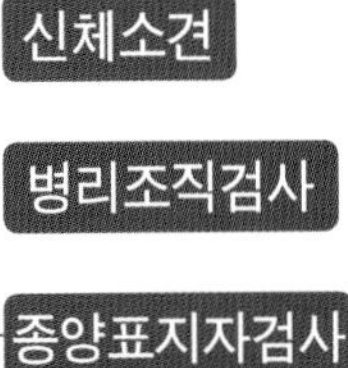

신체소견

병리조직검사

종양표지자검사

X선검사
CT
초음파검사
신티그램
MRI
PET

■ 표 14-1　악성흑색종의 병기분류

병기	병변의 확대
0	종양세포가 표피 내에 국한되어 있는 것
I	종양 자체의 두께가 1mm 이하인 것 , 또는 두께가 1mm 를 넘어도 종양표면의 궤양이 없고 2mm 이하인 것
II	종양 자체의 두께가 1mm 이상 2mm 이하이며 궤양을 수반하는 것 또는 궤양의 유무에 관계없이 2mm 를 넘는 것
III	소속림프절 (초발부위에서 가장 가까운 림프절) 에서 전이가 확인되는 것 또는 초발부위의 주위 (위성병소), 또는 초발부위에서 소속림프절까지 피부전이나 피하전이가 확인되는 것
IV	소속림프절을 넘는 영역에서 피부전이 , 피하전이 , 림프절전이가 확인되는 것 , 또는 내장에서 전이가 확인되는 것

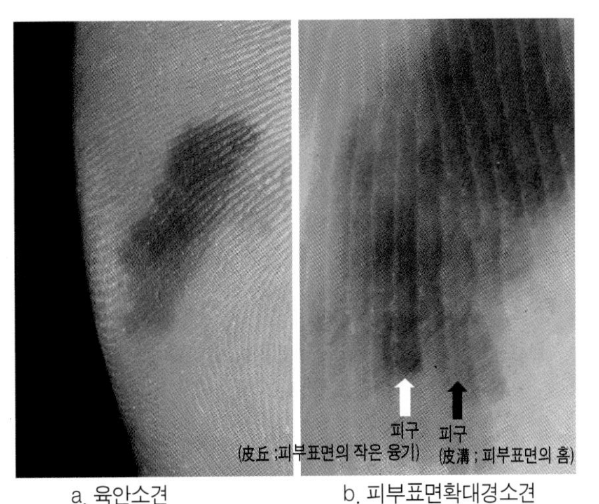

a. 육안소견　　b. 피부표면확대경소견

■ 그림 14-2　악성흑색종 (피구(皮丘) 우위)

외과적 치료

화학요법

방사선요법

면역요법

치료 map

병기에 따라서 원발소절제에 전초림프절곽청이나 화학요법 등의 보조적 요법을 추가한다.

치료방침

- 병기에 따라서 적절한 치료법을 선택한다.

Key word

- 전초림프절생검(sentinel node biopsy)

원발소에서의 림프절이 처음으로 들어가는 림프절을 전초림프절이라고 한다. 전초림프절생검이란 원발소 주위에 색소나 방사성동위원소를 주사하여 동정하고, 생검하는 것을 말한다. 병리조직학적으로 전이의 유무를 검사하고, 전이가 없으면 림프절곽청을 실시하지 않아도 된다.

■ 표 14-2 악성흑색종의 치료지침

병기	원발소 변연에서의 절제범위	소속림프절에 대한 처치
0	0.5cm	없음
I	1~2cm	가능하면 센티넬림프절생검(SNB)을 시행
II	2~3cm	예방적으로 소속림프절을 곽청 (고령자나 수술위험이 높은 증례 등에서는 전초림프절생검으로도 가능)
III	3cm* *피부전이나 피하전이가 있는 경우는 중추측을 더욱 큼직하게 절제한다.	근치적으로 소속림프절 곽청
IV	대부분은 화학요법을 주체로 하는 집학적 치료를 적용하지만, 단발 내지 소수의 원격전이는 외과적으로 적출하거나 감마나이프로 치료하기도 한다.	

■ 표 14-3 악성흑색종의 주요 치료제

분류	일반명	주요 상품명	약효발현의 메커니즘	주요 부작용
알킬화제	다카르바진	다카르바진	알킬화작용으로 항종양효과를 발현	골수억제
	니무스틴염산염	니드란		
알칼로이드계	빈크리스틴 유산염	Oncovin	마이크로튜브기능장애로 유사분열이 중기에서 정지	골수억제, 신경장애
백금제제	시스플라틴	Randa	암세포의 분열을 저해	신독성, 최토작용
호르몬제	타목시펜 구연산염	놀바덱스	항에스트로겐작용을 발현	백혈구 감소
인터페론제	인터페론베타	Feron, IFNβ	항종양작용, 면역증강작용을 발현	간질성폐렴

외과적 치료

- 병기 0~III이면 외과적 치료가 원칙이다. 종양의 두께가 1mm 미만이면 1cm 정도 떨어져서 전적출하고, 이후에 피부이식 등을 실시한다. 또 손가락 등인 경우, 이단술(離斷術)을 실시하기도 한다. 필요에 따라서 소속림프절곽청(최근에는 전초림프절생검을 하는 경우가 많다) 등도 시행한다(표 14-2).

약물요법

- 술후 보조화학요법으로, DAVFeron요법 (다카르바진+니무스틴 염산염+빈크리스틴 유산염+인터페론베타)가 일반적이다. 또 증례에 따라서 DAC-Tam요법 (다카르바진+니무스틴염산염+시스플라틴+타목시펜 구연산염) 등을 적용하기도 한다. 원격전이가 있는 증례에서는 화학요법 외에, 방사선요법, 면역요법 등을 한다.

Px 처방례 DAVFeron요법

- 다카르바진 주 120mg/㎡/일 점적정주 제1~5일 ←알킬화제
- 니드란 주 60mg/㎡/일 점적정주 제1일 ←알킬화제
- Oncovin 주 0.6mg/㎡/일 점적정주 제1일 ←알칼로이드계
- Feron 주 300만IU/일 술창부 피내주 제1~5 내지 10일 ←인터페론베타

Px 처방례 DAC-Tam요법

- Randa 주 85mg/㎡/일 점적정주 제1일 ←백금제제
- 다카르바진 주 160mg/㎡/일 점적정주 제2~5일 ←알킬화제
- 니드란 주 60mg/㎡/일 점적정주 제1일 ←알킬화제
- 놀바덱스정 (10mg) 2정 分2 연일 ←호르몬제

악성흑색종의 병기 · 병태 · 중증도별로 본 치료흐름도

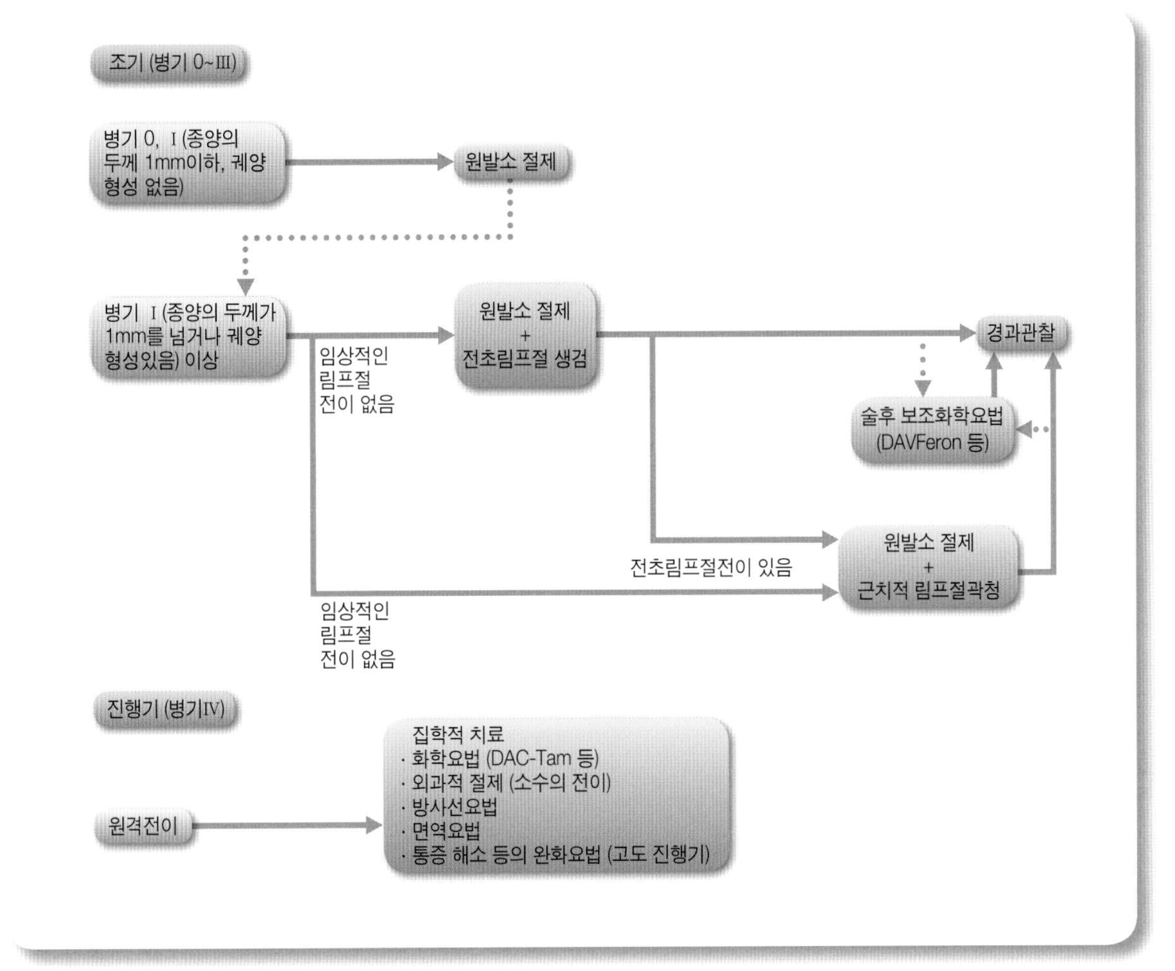

(西澤　綾)

환자케어

수술창의 감염예방과 통증관리, 보조요법 시의 부작용대처를 목표로 케어를 제공한다.

병기·병태·중증도에 따른 케어

【술전】 질환이나 검사·수술에 대해 불안해하기 쉬우므로, 환자의 불안을 수용하고 경감시키기 위해 힘쓴다. 질환에 대한 이해를 촉구하면서, 검사나 수술에 대한 오리엔테이션이나 설명을 충분히 한다.

【술후】 창부의 통증완화와 감염방지에 힘쓴다. 채취피부·이식피부의 관찰이나 셀프케어 부족에 대한 개입, 보조용구의 사용방법을 설명한다. 조기이상에 힘쓴다.

【후요법】 화학요법이나 인터페론, 방사선요법에 의한 부작용에 개입한다. 수술에 의한 신체상의 변화에 대해 설명한다. 사회복귀에 대한 불안을 수용하고, 환자에게 필요한 정보를 제공하거나 사회자원활용에 대해 지지한다.

케어의 포인트

진료·치료 시의 케어

- 유일한 근치적 치료인 외과적 절제에서 원발소의 절제범위는 조기병변이면 변연에서 1cm 정도, 진행병변이면 5cm 이상으로 림프절곽청을 실시한다. 또 화학요법, 면역요법, 방사선요법을 병용한다. 수술 전에 사전동의를 받는 것이 중요하다.

피부절제술·피부이식술 후의 영향

- 수술 직후에는 수술한 부위 (팔이나 발 등)를 고정하여, 창부의 안정을 유지한다.
- 수술 후에 피부이식한 피부의 긴장이 심한 경우에는 압박감이 있게 된다. 또 피부긴장에 의한 운동제한이나 부종이 나타나기도 한다. 이 증상들은 시간의 경과 및 의료처치, 환지의 거상 등으로 경감된다.
- 환지를 베개 등으로 거상하여, 종창을 예방하도록 환자·가족에게 지도한다.
- 적극적으로 통증 완화에 힘써 충분한 수면이나 휴식을 확보한다.
- 효과적인 통증관리는 정기적인 약물투여나 예방적 투여로 약물의 혈중농도를 일정하게 유지하고, 통증을 제거·경감하는 것이다.
- 환자는 간호사가 자신의 통증을 믿어주지 않는다고 느끼면 불안해져서 더 큰 통증을 경험하는 수도 있으므로, 간호사는 환자의 통증을 확인하고, 수용하고 있다는 점을 전달한다.
- 창부의 케어는 무균조작 (미생물의 침입을 최소한으로 하여, 감염의 위험을 감소시킨다)으로 하고, 환자·가족에게도 똑같이 지도한다.

화학요법이나 방사선치료 시의 부작용에 대한 대응

- 부작용 발현시에는 부작용의 특징을 관찰하고, 신속히 의사에게 보고하여, 약의 양이나 시간을 조절한다.
- 오심·구토는 제토제의 투여로 어느 정도 예방할 수 있다. 심리적 요인으로 유발되기도 하므로, 환자의 심리상태를 확인하고, 충분히 휴식을 취할 수 있도록 지지하는 것이 중요하다.
- 식사를 충분히 섭취할 수 없을 때는 환자의 기호에 맞추도록 배려하거나, 영양사나 NST (영양지원팀) 에게 식사의 검토를 의뢰한다.
- 골수억제에 대처하기 위하여 감염증예방대책 (손씻기, 양치질의 권장)을 지도·지지하고, 무균식을 제공하며 병실을 관리하도록 한다.
- 설사여부를 확인하기 위하여 식사섭취량, 복통의 유무, 변의 횟수·성상, 탈수증상의 유무를 관찰하고, 설사 시에는 복부의 보온과 안정을 꾀하도록 한다.
- 신장애를 예방하기 위하여, 충분히 수액을 투여하여 요량을 확보한다. I/O, 체중, 부종의 유무나 정도, 활력징후 (맥박, 혈압)를 관찰한다.
- 대량의 수액으로 배뇨횟수가 증가하므로, 화장실에 가까운 병실을 확보하는 등의 환경조정이 필요하다.
- 골수억제에 의한 출혈경향에 대처하기 위하여, 부드러운 칫솔을 사용하거나 거동 시에 몸을 부딪히지 않도록 유의한다. 피부에 대한 압박·마찰을 삼가는 등의 지도를 한다.
- 방사선을 조사한 피부부위에 국한된 발적, 열감, 가려움증이 나타나기도 한다. 의류 등의 마찰이나 압박, 습포나 반창고의 첩부를 삼가고, 목욕 시에는 비누를 사용하지 않는 등, 피부케어의 방법을 지도한다.
- 탈모로 인한 외모의 변화는 환자에게 정신적인 고통이 되므로, 치료시작 전에 탈모는 가역적인 부작용이라는 점을 설명하여 불안의 경감을 도모한다. 탈모가 시작되면, 머리를 감거나 빗는 방법, 모자·스카프의 사용 등을 지도한다.

셀프케어의 지지

- 하지에 병변이 발생한 경우, 광범위한 절제에 추가하여 서경부의 림프절곽청술을 실시할 가능성도 있다. 수술 직후에는 침상안정을 취해야 하므로, 부족한 셀프케어에 대한 지지가 필요하다.
- 상지나 손가락에 병변이 발생한 경우, 특히 병변이 주로 사용하는 손에 발생한 경우에는 식사, 청결, 정돈,

통증관리

창부의 체크

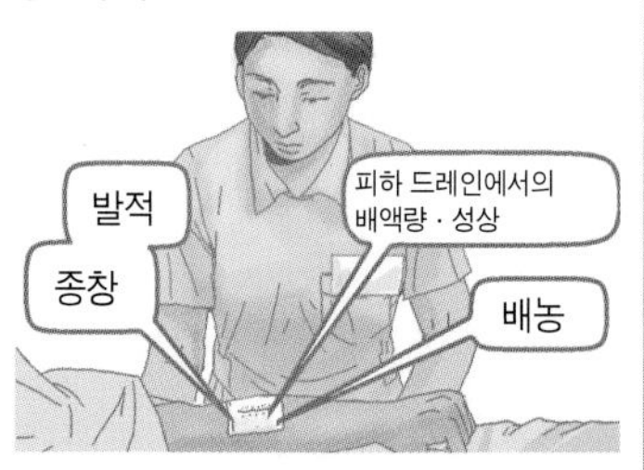

창부의 케어

■ 그림 14-3 수술 후의 케어

배설에 관해 부족해진 셀프케어를 보완해 주어야 한다.
- 액와나 서경부의 림프절곽청을 실시하는 경우에는 상하지의 부종이나 마비가 나타나기도 한다. 경부의 림프절곽청을 받은 경우에는 어깨의 마비나 마비, 일시적인 안면신경마비가 나타나기도 한다. 이 증상들은 시간의 경과와 더불어 경감되어, 자연히 회복된다.
- 셀프케어의 확대에는 고통이나 어려움, 피로가 수반되기도 한다. 충분한 시간을 확보함으로써, 자립도를 높일 수 있다.

환자 · 가족의 심리 · 사회적 문제에 대한 지지
- 환자는 피부암이 발생 (재발)한 것에 쇼크를 받고 치료나 수술에 대한 불안을 안게되므로, 정신적 지지가 필요하다.
- 다른 피부암에 비해서 40~50대에 발생하는 빈도가 높다. 이 세대는 가족이나 사회에서 중심적 역할을 담당하고 있으므로, 환자나 가족의 심리 · 사회적 문제에 관해서 파악 · 대응한다.
- 술후에 예측되는 상태를 설명하여, 환자가 상황을 구체적으로 이미지화할 수 있도록 지지한다.
- 술후에는 외관 (용모)에 변화가 발생하거나 손가락, 발가락 · 사지절단인 경우의 기능적 장애 등의 현실을 받아들여야 하므로 정신적 고통이 수반된다. 심리상태를 확인하고, 적절한 지지를 제공한다.
- 말기환자는 통증이나 쇠약으로 인하여 일상생활 전반에서 지원을 필요로 한다. 환자의 신체적 · 정신적 고통을 파악하고, 가능한 QOL을 존중하며 대증요법 및 케어를 실시한다. 재택요양을 희망하는 경우는 가족의 간호능력이나 사회적 자원의 유무를 검사하여, 간호지지체계를 조정한다.
- 치료나 재발 위험 등에 관해서 품고 있는 불안을 환자 · 가족이 표출할 수 있도록 지지한다. 또 질환에 관해서 환자 · 가족에게 알기 쉽게 설명하고, 불안을 해소하도록 지지한다.
- 환자모임 등을 소개하거나, 고민을 서로 얘기할 수 있는 모임에 대한 정보를 제공한다.

퇴원지도 · 요양지도

- 최소 5년간은 치료를 계속해야 한다는 점, 외래통원으로 경과를 확인해야 하는 점을 설명한다.
- 햇볕에의 노출 (특히 10~15시의 시간대)을 최소한으로 하고, 긴소매나 모자 등의 방호적 의류를 착용하며, 자외선 차단크림을 바르도록 지도한다.
- 재발 위험은 개인차가 있다는 점을 설명하고, 정기적인 외래진찰 및 검사로 조기발견 · 치료가 가능하다는 점을 지도한다.
- 등과 같이 환자 자신이 볼 수 없는 부위는 가족이나 간호인이 봐 주도록 지도한다.
- 약물요법을 지도하면서 내복이 적절하게 이루어지고 있는지에 대한 확인을 약제사에게 의뢰한다.
- 부작용이 나타나면 바로 연락하도록 지도한다.
- 의료비가 보험적용이 되는 점을 설명한다. 또 요망에 따라서 의료사회사업가 (MSW)와의 면담을 설정한다.
- 환자 · 가족 모두 안정된 가정생활을 영위할 수 있도록, 환경의 정비를 지지한다.
- 서서히 외래통원의 횟수도 줄어드는 점, 증상이 안정되면 사회복귀가 가능하다는 점을 설명한다.

(東風平智江美)

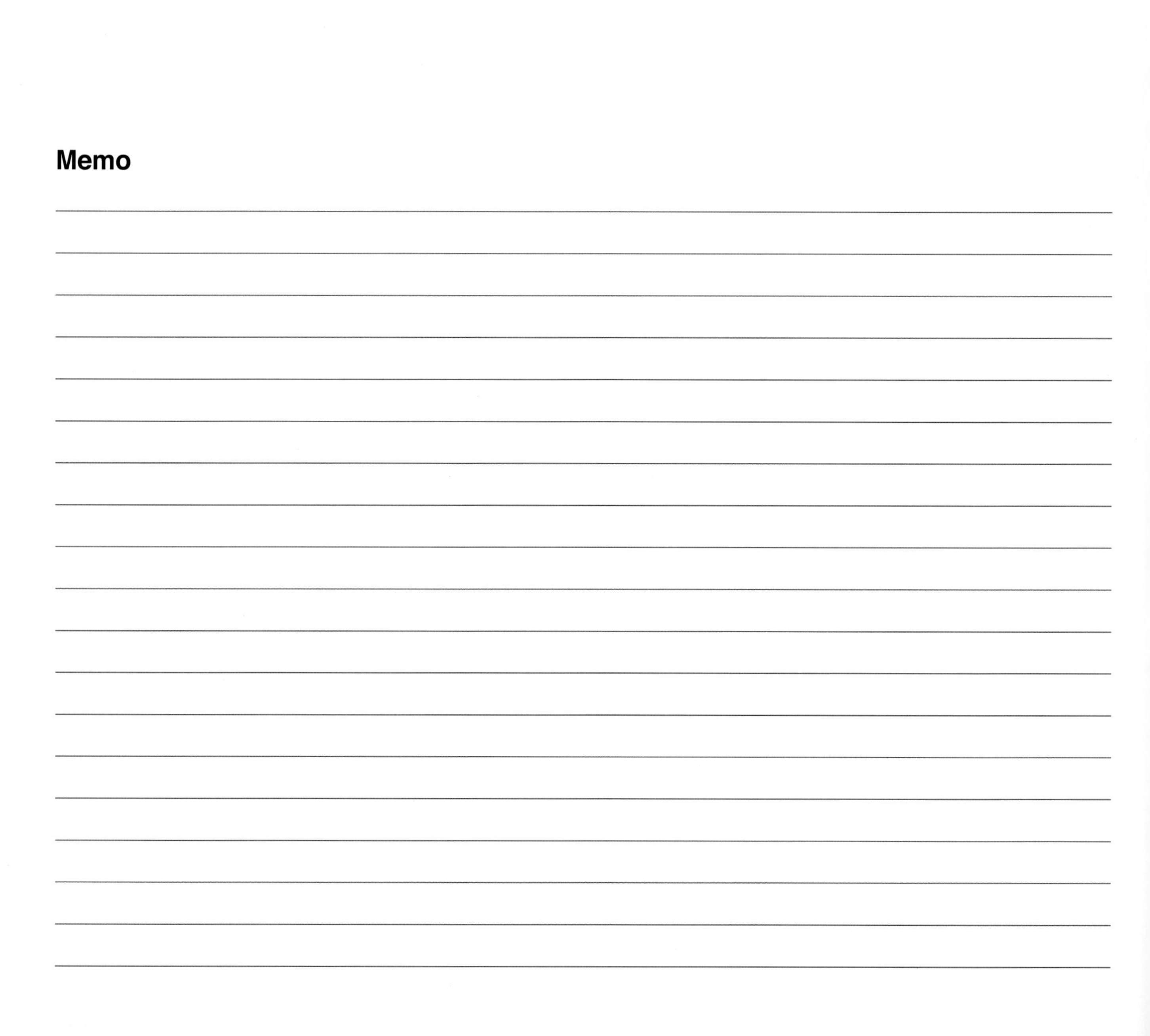
Memo

15 자궁근종 (uterine myoma)

安水洸彦/竹内佐智惠

전체 map

병인

- 정확한 원인은 불분명하지만, 태생기 자궁형성과정에서 근세포에 장애가 생겨서, 성인기에 근종이 발생한다고 보고 있다.

[악화인자] 월경의 반복

역학

- 작은 것도 포함하면 전체 성인여성의 30% 이상에게서 존재한다.
- 근종은 폐경과 함께 축소된다.

[예후] 악성화 (육종화)는 매우 드물다.

병태생리

병태생리 map p.136

- 자궁근층 내의 평활근성분 때문에 발생하는 양성종양이다.
- 현미경적 크기부터 10kg 이상에 이르는 것까지 크기가 다양하며, 구형, 결절상으로 단단하고, 탄성이 있다.
- 근종의 발생부위에 따라서 자궁체부에 발생하는 체부근종 (90~95%)과 자궁경부에 발생하는 경부근종 (5~1-%)으로 분류된다.
- 근종결절부의 점거부위에 따라서는 점막하근종, 근층내근종, 장막하근종으로 분류된다.

증상 합병증 진단 치료

빈혈

종괴감
복부팽만감
요통
하복부통

생식기출혈
월경과다
압박증상
(빈뇨,배뇨
장애,변비)

유산, 조산
근종의 경염전

약물요법

대기요법

외과적 치료

내진
초음파검사
세포진
MRI

증상

- 비정상적인 생식기출혈 (월경과다, 과장월경), 빈혈
- 종괴감, 복부팽만감
- 통증 : 월경통 (하복부, 요부)
- 압박증상 : 빈뇨, 배뇨장애, 변비, 하지의 부종 · 정맥류

[합병증]

- 임신시 : 유산, 조산

진단

- 진단은 내진 (쌍합진)과 초음파검사로 이루어진다.
- 내진 : 자궁의 종대와 변형의 유무를 확인한다.
- 초음파검사 : 근종의 발생부위와 크기를 확인한다. 경질초음파를 시행하면 작은 근종으로도 진단이 가능하다.
- 세포진 : 자궁내막암, 자궁육종 등의 제외진단에 유용하다.
- MRI : 보조진단법으로 유용하다.
- 조직진단 : 육종과의 감별이 어려운 경우에 실시한다.

치료

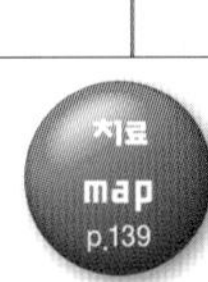

- 치료방침 : 증상, 중증도, 환자배경 (연령, 임신희망의 유무 등)을 고려하여 치료법을 선택한다.
- 대기요법 (경과관찰) : 근종이 작아서 증상이 없으면 3~6개월마다 합병증을 체크하면서 폐경을 기다린다.
- 약물요법 : 경증례에서는 대증요법을, 중증례에서는 GnRH 작용제의 피하주사 또는 비강내분무를 적용한다.
- 수술요법 : 임신을 희망하는 폐경전 여성에게는 근종핵출술을, 임신을 바라지 않는 여성에게는 단순자궁전적출술 (개복 또는 복강경하)을 시행한다.

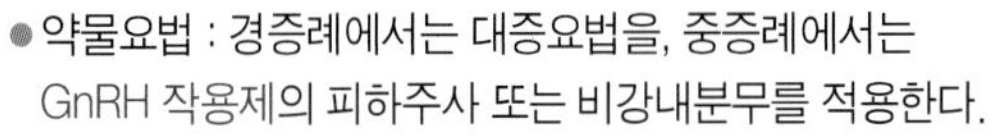

자궁근종

병태생리 map

자궁근종은 자궁에 발생하며, 평활근성분으로 이루어지는 양성종양이다.

- 자궁근종 (이하, 근종)은 여성 생식기에 가장 많이 발생하는 종양으로, 일상임상에서 흔히 볼 수 있다.
- 크기는 현미경으로만 볼 수 있는 것에서부터, 10kg 이상 되는 거대한 것까지 다양하다. 전형적인 근종은 구형, 결절상으로 단단하고, 탄성이 있으며, 주위의 자궁근층과 명료한 경계가 있다. 할면은 회백색 내지 황갈색이며, 특이한 소용돌이상 또는 삭상(索狀)을 나타내는 근섬유다발로 이루어진다.
- 근종의 90~95%는 자궁체부에 발생하고, 나머지 5~10%는 자궁경부에 발생한다. 이 발생부위에 따라서 체부근종, 경부근종으로 분류된다. 또 근종결절의 점거부위에 따라서, 점막하근종, 근층내근종, 장막하근종의 3종으로 분류된다. 근종은 양성종양이므로, 작고 무증상인 것은 치료가 필요 없다. 또 자궁평활근의 악성종양으로 자궁근종이 있지만, 발생빈도가 낮다.
- 체부근종
- 점막하근종 : 근종이 내막에 도달하여 자궁내강으로 돌출하는 것. 출혈이 일어나기 쉽다.
- 근층내 (벽내) 근종 : 근종이 근층 내에 발육하는 것으로 발생빈도가 가장 높다.
- 장막하근종 : 근종이 자궁장막 바로 아래에 발육하여 장막면에서 돌출하는 것으로, 때로는 유경상(有莖狀)이 된다.
- 경부근종
- 방광, 요관, 직장 등 골반내기관과 근접하므로, 근종에 의한 압박증상이 나타나기 쉽다. 또 체부근종보다 근종핵출, 자궁전적출 등의 수술조작이 어렵다.

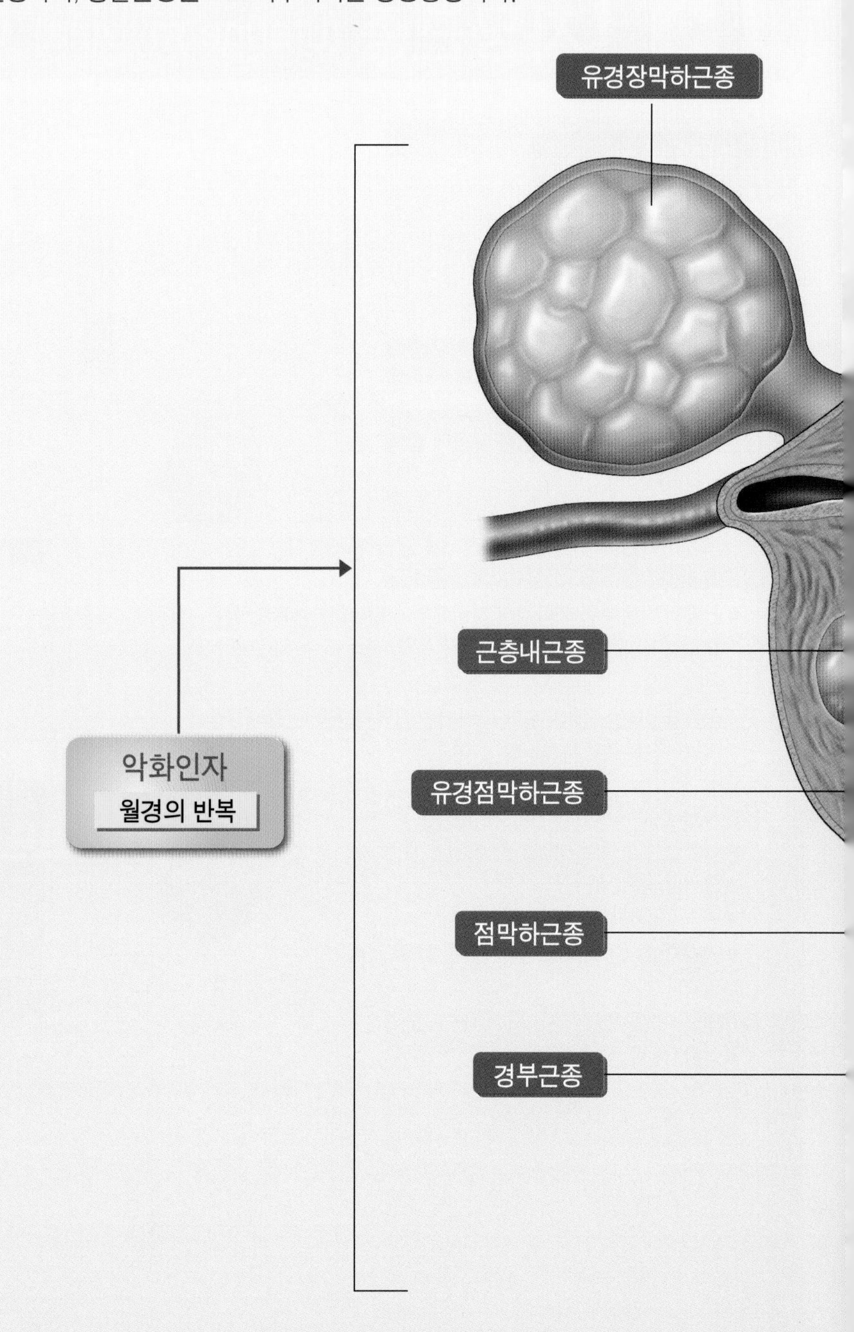

병인·악화인자

- 정확한 발생원인은 아직까지 확실하지 않지만, 태생기 자궁형성과정에서 장애가 생긴 근세포가, 성인기에 난소호르몬인 에스트로겐의 자극으로 비정상적으로 성장하여, 근종이 된다고 여겨지고 있다(그림 15-1).
- 악화인자는 월경의 반복이며, 폐경기나 수유기 등의 저에스트로겐상태에서는 근종이 축소된다.

역학·예후

- 작은 것도 포함하면 전체 성인여성의 30% 이상에게서 근종이 존재한다. 앞에서 기술하였듯이, 근종은 폐경과 함께 축소되므로 무증상인 작은 것은 특별히 치료할 필요가 없다. 또 근종의 악성변화, 즉 육종화는 전혀 없지는 않지만 매우 드물다.

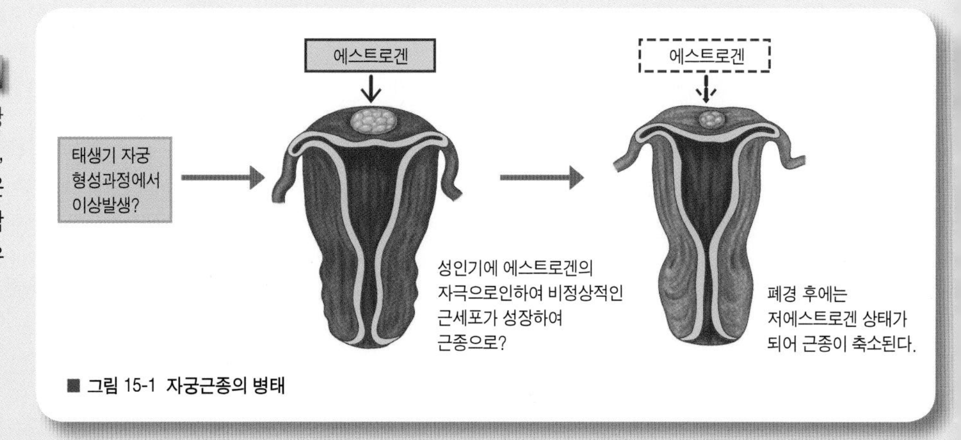

■ 그림 15-1 자궁근종의 병태

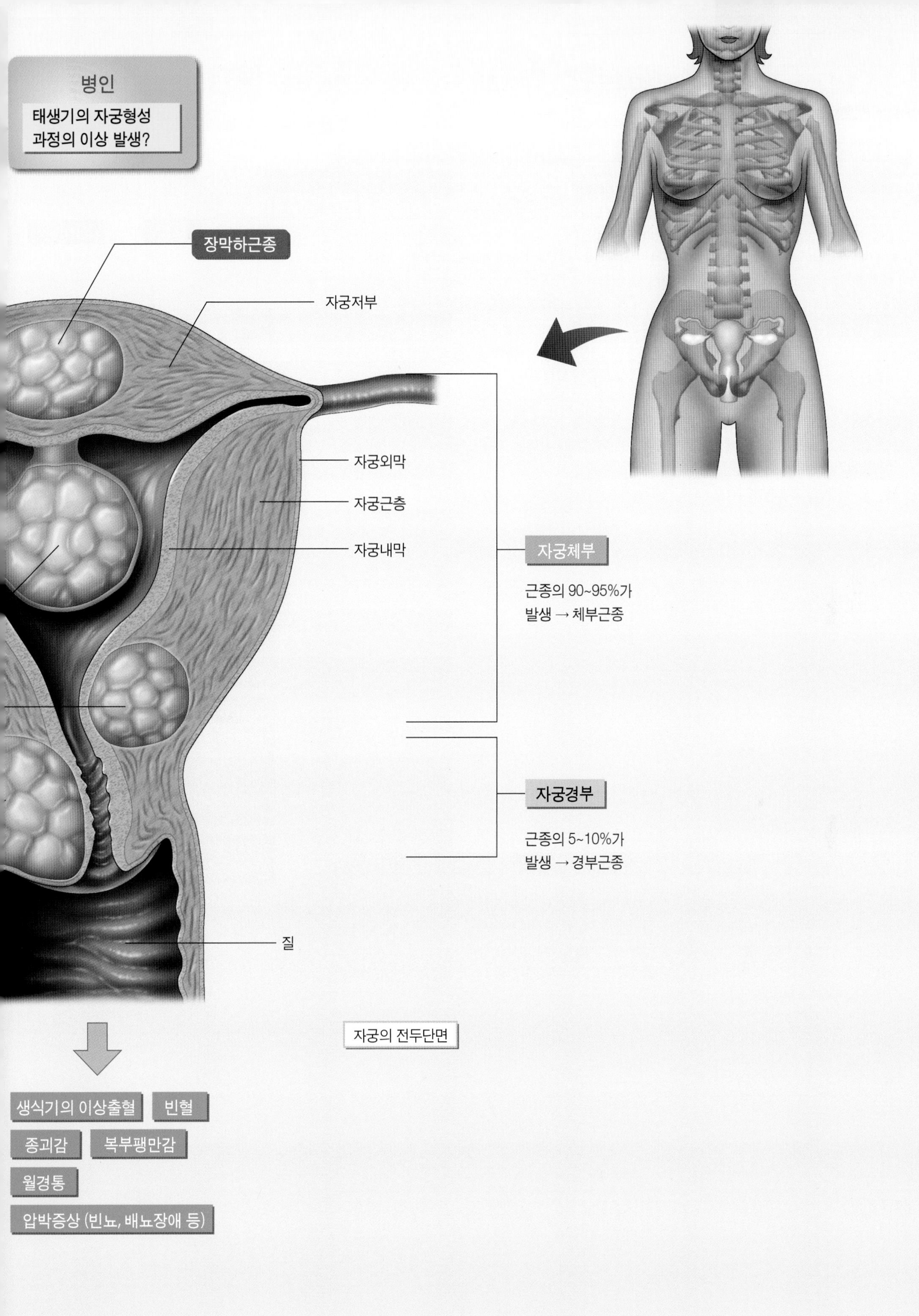
병인
태생기의 자궁형성 과정의 이상 발생?
장막하근종
자궁저부
자궁외막
자궁근층
자궁내막
자궁체부
근종의 90~95%가 발생 → 체부근종
자궁경부
근종의 5~10%가 발생 → 경부근종
질
자궁의 전두단면
생식기의 이상출혈
빈혈
종괴감
복부팽만감
월경통
압박증상 (빈뇨, 배뇨장애 등)

자궁근종

증상 map

주요증상으로는 생식기의 이상출혈과 그에 속발하는 빈혈, 종괴감 · 복부팽만감, 통증, 압박증상 등이 있다.

증상

- 근종의 크기, 점거부위, 변성의 유무 등이 증상과 관련된다. 다음은 근종의 대표적 증상이다.
- 생식기의 이상출혈과 그에 속발하는 빈혈 : 가장 흔히 나타나는 증상은 월경량의 증가 (과다월경)와 월경기간의 연장 (과장월경)이다. 출혈이 심해지면 빈혈이 생긴다. 빈혈로 근종이 발견되는 경우도 많다.
- 종괴감 · 복부팽만감 : 근종이 신생아머리 크기 이상으로 발육되면 골반강에서 돌출하게 되므로, 환자 자신이 종괴를 자각하게 되는 경우가 많다. 이 이하의 크기에서도 복부의 팽만감이나 불쾌감을 느낀다.
- 통증 : 월경통 (하복부통, 요통)이 생긴다. 근종과 마찬가지로 에스트로겐이 악화인자가 되는 자궁선근증이나 자궁내막증이 합병되면 통증이 증가한다. 근종에 괴사, 적색변성, 감염 등이 생기면 지속성 통증이, 또 장막하근종의 경염전이 생기면 급성 통증이 발현한다. 특히 임신 시에는 변성이 생기기 쉽다.
- 압박증상 : 근종이 방광 · 직장 부근에 발생하면, 그 압박으로 빈뇨, 배뇨장애, 변비 등이 생긴다. 또 골반내혈관을 압박하여 하지에 부종이나 정맥류를 일으키기도 하며, 임신 시에는 유산이나 조산의 원인이 되기도 한다.

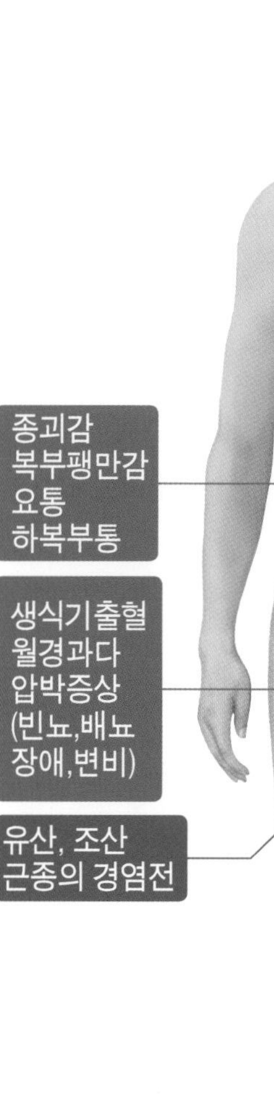

자궁근종

진단 map

주로 내진 (쌍합진)과 초음파검사로 진단한다.

진단 · 검사치

- 근종의 진단은 주로 내진과 초음파검사로 이루어진다. 우선 내진으로 자궁의 종대와 변형의 유무를 스크리닝하고, 계속해서 초음파영상으로 근종의 발생부위와 크기를 관찰한다. 동시에 임신 및 그 관련질환, 난소종양 등과 감별한다. 경질초음파법이 진보됨에 따라 현재는 상당히 작은 근종이라도 진단할 수 있다. 또 세포진으로 자궁내막암, 자궁육종 등의 자궁악성질환을 제외한다(단, 육종은 세포진에서는 발견되지 않는 수도 있다).
- 보조진단으로는 MRI가 매우 유용하며, 근종의 위치, 크기, 자궁내막과의 관계, 근종과 선근증의 감별 등에 관해서 정확한 정보를 얻을 수 있다. 그러나 그 중에는 MRI를 사용해도 육종과 감별하기가 어려워서, 수술검체를 이용한 조직진단이 필요한 경우도 있다.

자궁근종

치료 map

중증도와 환자의 임신희망의 유무에 따라서 치료법을 결정한다.

■ 표 15-1 자궁근종의 주요 치료제

분류	일반명	주요 상품명	약효발현의 메커니즘	주요 부작용
GnRH 작용제	부세레린 초산염	수프리커	GnRH의 down regulation을 이용하여 LH, FSH의 분비를 억제	골량감소
	류프로렐린 초산염	Leuplin		

진단 치료

약물요법

대기요법

외과적 치료

내진
초음파검사
세포진
MRI

치료방침

- 근종치료의 필요성을 결정하는 것은 증상과 그 중증도이다. 이전에는 임신 12주 정도에 종대된 근종자궁은 증상에 관계없이 수술의 적응대상이었다. 그러나 영상진단이나 치료법이 진보된 오늘날에는 증상이 심하거나 사이즈가 이상하게 크거나 (복부에서 돌출될 정도) 급속히 증대되는 (육종일 가능성이 있다) 증례 이외의 근종은 경과를 관찰해도 된다. 단, 임신을 희망하는 여성인 경우, 일정 크기 (일반적으로 장경 8cm 이상)의 근종은 임신 전에 제거할 것을 권장한다.
- 치료법은 경과관찰 뿐인 대기요법, 생식샘자극호르몬방출호르몬 (GnRH) 작용제 등을 이용하는 약물요법, 수술요법의 3가지로 크게 나뉜다. 수술요법에는 자궁을 보존하고 근종만 적출하는 자궁근종적출술 (그림 15-2)과 자궁 전체를 적출하는 단순자궁전적출술이 있다. 증상과 그 정도, 근종의 크기와 발생부위, 환자배경 (연령, 임신희망의 유무, 전신상태 등)을 고려한 후에 최적의 치료법을 선택한다.
- 그 밖의 치료법으로 동맥카테터에 의한 자궁동맥색전술 (그림 15-3), 집속초음파에 의한 근종소작, 전자파를 이용한 자궁내막소작 등이 시도되고 있는데, 아직 확실한 평가가 없기 때문에 보험은 적용되지 않는다.

대기요법

- 자궁근종은 폐경과 함께 축소되므로, 근종이 작고 증상이 없는 경우는 치료할 필요가 없다. 3~6개월마다 근종의 크기와 빈혈 등의 합병증을 체크하면서 폐경을 기다린다. 근종의 증대 또는 증상의 발현이 확인되면 적극적인 치료를 고려한다.

약물요법

- 경증례에서는 월경 시의 진통제 사용, 빈혈에 대한 철분제 사용 등으로 대증적으로 치료한다. 월경 시의 통증과 출혈을 경감시키기 위해서 경구피임약을 사용하기도 한다(보험적용외).
- 중증례에는 저에스트로겐상태를 만들어내어 근종을 축소시키는 GnRH 작용제 (부세레린초산염, 류프로렐린 초산염)를 이용한다. 투여법은 피하주사 (4주간격) 와 비강내분무 (1일 2~3회)가 있으며, 4~6개월 연속하여 사용한다. 증상의 경감, 근종의 축소 등의 목적에는 매우 유효한 치료법이지만, 폐경으로 이행되지 않는 한 재발의 가능성이 있는 점, 사용 중에는 임신이 되지 않는 점, 저에스트로겐 상태에 의한 갱년기장애나 골량의 감소 등이 생기는 점이 단점이다.

Px 처방례 다음 중에서 사용한다.

- Leuplin 주 (1.88mg · 3.75mg) 1회 1.88mg 또는 3.75mg 4주 동안에 1회 피하주 ←GnRH 작용제 (4~6개월 연속투여)
- 수프리커 점비액 1회 1분무 1일 2~3회 편측 비강에 점비분무 ←GnRH 작용제

외과적 치료

- 자궁근종핵출술 : 자궁을 보존하고 근종만을 핵출하는 수술로, 임신을 희망하는 폐경전 여성에게 적용한다. 일반적으로 개복 또는 복강경을 사용하여 근종을 핵출 (근종핵출술) 하지만, 점막하근종인 경우는 절제경을 사용하여 근종을 경경관적으로 절제하는 방법 (경경관적절제 transcervical resection : TCR)도 사용한다.
- 단순자궁전적출술 : 생식능을 보존할 필요가 없는 여성에게는 자궁전적출술을 시행한다. 근치수술이기 때문에 이를 적용하면, 근종의 재발, 자궁경부암 · 내막암 등의 자궁악성종양의 발생 위험이 없어진다. 수술경로에 따라서 복식, 질식, 복강경하수술방식이 있다. 질식수술이나 복강경하수술은 수술침습이 적고, 수술후 회복이 빨라서 입원기간이 단축된다는 등의 장점이 있지만, 일정 이상의 크기나 유착이 심한 것에는 적응할 수 없다. 따라서 수술 전에 충분한 검토가 필요하다.

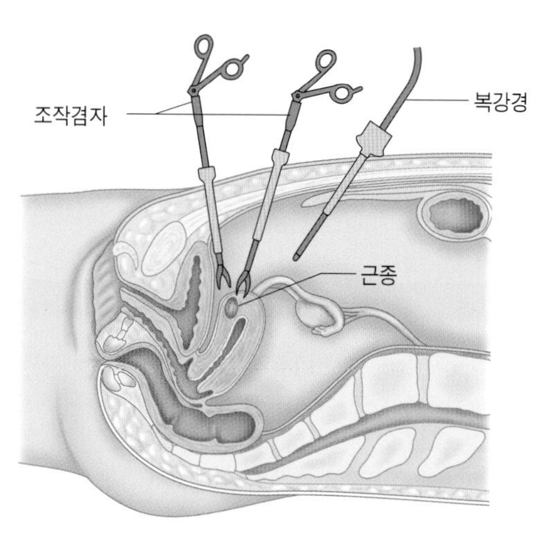

복강경하에서 적출한 근종핵은 분쇄기로 잘게 분쇄한 후 체외로 꺼낸다.

■ 그림 15-2 **복강경하자궁근종핵출술**

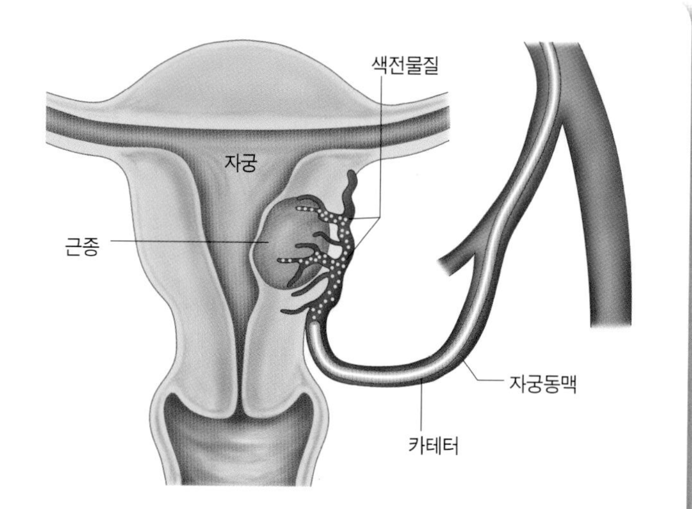

대퇴동맥으로 카테터를 삽입하고, X선투시하에서 자궁동맥, 자궁근종의 영양혈관으로 진행시킨 후, 젤라틴스폰지 (색전물질)를 주입하여, 근종의 혈류를 막는다.

■ 그림 15-3 **자궁동맥색전술**

자궁근종의 병기 · 병태 · 중증도별로 본 치료흐름도

- 증상 없음*
  - 임신계획 없음 → 대기요법 (경과관찰)
  - 임신계획 있음
    - 다음의 ①②에 해당되지 않는다. → 대기요법 (경과관찰)
    - 다음의 ①② 중에 해당
① 근종 장경 8cm 이상
② 근종이 원인이라고 생각되는 유산·조산의 기왕력 → 근종핵출
- 증상 있음
  - 임신계획 없음
    - 경증 → 대증적 약물요법
    - 중증 → GnRH 작용제요법 또는 자궁전적출
  - 임신계획 있음
    - 경증
      - 다음의 ①②에 해당되지 않는다. → 대증적 약물요법
      - ① 근종 장경 8cm 이상
② 근종이 원인이라고 생각되는 유산·조산의 기왕력 → 근종핵출
    - 중증 → 근종핵출

*무증상이라도 근종이 급격히 증대되는 예나 골반에서의 돌출례는 「증상 있음」에 포함된다.

(安水洸彦)

환자케어

자궁을 적출한 환자에게는 심리·사회적 문제의 지지가 중요하다.

병기·병태·중증도에 따른 케어

자궁근종에 의한 빈혈증상이 심하고, 또 월경이 계속되는 연령인 경우에는 수술을 선택하기도 한다. 여기에서는 수술 (단순복부자궁전적출술) 후의 회복과정에서 손상기, 전환기를 수술후 조기라고 하고, 근력회복과정을 맞이하여 실을 제거한 시기를 수술후 회복기라고 하였다. 한편, 경과관찰례는 수술요법을 선택하지 않고, 약물요법을 적용하면서 보존적으로 경과관찰하는 상태를 상정하였다.

【수술후 조기】 수술침습에 의한 합병증이 일어나기 쉬운 상태이며, 또 창상치유의 초기단계에서 나타나는 통증으로 인해 불안이 큰 시기이다. 불안이나 고뇌에 공감하면서, 회복과정을 촉진시키기 위하여 활동성을 높일 필요성이나 적절한 방법에 대한 이해와 실천을 촉구한다.

【수술후 회복기】 자궁을 전적출함으로써, 신체적인 균형이 변화되는 점이나 요누수 등의 후유증이 발생하기 쉽다는 점을 설명하고, 동시에 사회적 지원에 관해서도 설명한다. 이와 같이 퇴원 후의 일상생활이나 건강관리에서 자주성을 높일 수 있도록 격려한다.

【경과 관찰례】 복용의 주의점 (부작용, 효과의 자주적인 관찰)이나 생활상의 주의점 (식사, 활동과 휴식, 청결, 금연)을 환자가 잘 이해하게 한다. 빈혈이나 약물의 부작용에 의한 활동성의 저하 때문에 사회생활에 자신감을 잃기 쉬우므로, 심리적 케어도 배려한다.

케어의 포인트

진찰·치료의 개입

- 수술 전후에 부인과 진찰대에서 진찰을 받는다. 수술 전에는 빈혈로 인한 휘청거림이나 요통 등에 의해, 또 수술 후에는 창부의 통증으로 진찰대를 오르내릴 때에 위험할 수도 있으므로, 안전을 충분히 확보한다.
- 진찰 시에 질내를 세정한다. 진찰할 때에는 처치 후에 사용할 수 있도록 생리용 패드를 준비할 것을 지도한다.
- 자궁적출술 후의 목욕이나 운동 여부는 내진에서 확인된 창부의 치유상태에 따라서 의사가 판단한다. 내진 결과에 근거하여, 의사로부터의 지시를 반드시 확인하고, 이 점을 환자에게 전한다.

수술 후의 건강관리지도

- 수술 후에 복압을 가하는 동작 중, 배변 시에는 창부를 피해서 하복부를 마사지하거나 누르는 등의 도수적인 복압을 가하면 좋은 점을 환자에게 설명한다.
- 수술 후에는 무거운 물건을 들어 올리거나 잡아당기는 동작은 골반강 내부터 회음에 걸쳐서 하중이 가해져서 방광탈(cystocele)의 원인이 되기 쉬우므로 삼가도록 환자에게 전한다. 배변 시의 강한 힘주기(노책)도 똑같은 위험성이 있으므로 변비 시에는 얘기하도록 설명한다.
- 양측 난소를 적출한 경우에는 갱년기장애가 나타날 가능성이 있는 점을 설명하고, 건강체크의 방법을 전한다.
- 자궁적출 후에도 질의 봉합부가 완전히 치유되기까지는 소량의 혈액이 섞인 대하가 계속되는 점을 설명한다.
- 퇴원 후에 가사, 작업, 여행, 운전, 목욕, 성생활, 운동 등의 일반적인 개시시기를 설명한다. 질봉합부의 치유상태에 영향을 미치는 활동에 관해서는 의사와 상담하면서 신중히 진행하도록 전한다.

환자·가족의 심리·사회적 문제에 대한 지지

- 환자는 자궁근종에 의한 큰 고통을 겪고 수술을 선택하기 때문에, 수술로 모든 고통에서 해방되리라 기대하고 있다. 그러나 실제는 수술 후에 갱년기장애나 요누수 등의 새로운 문제를 안게 되어, 심리적인 부담감이 증폭될 가능성이 있다. 이러한 환자의 심리상황을 파악하면서 적절히 대응해야 한다.
- 자궁을 적출함으로써 여성성에 대한 자신감을 상실하거나 파트너가 있는 경우에는 그 관계성에 불안을 느끼기도 한다. 환자의 자존심이나 정체성에 착안한 대응이 중요하다.

퇴원지도·요양지도

- 자궁적출 후에 잔존하는 질의 봉합상황에 따라서, 활동이나 성생활 등의 개시시기를 결정해야 한다. 우선 진찰을 받고, 의사에 지시에 따르도록 한다.
- 입원 시에는 활동성이 저하되기 때문에 증상이 나타나지 않았다가도, 퇴원후 작업의 부하가 커지고, 회복과정상 지방축적기가 되면 골반저근의 헐거움에 의한 요누수가 생기기 쉽다. 입원 시 증상의 유무에 상관없이, 예방법에 관한 지식을 제공하면서 실천을 권장한다.
- 퇴원후 몇 개월이 지나면 회복과정에서 지방축적기가 온다는 것을 설명하고, 서서히 활동을 높여서 운동을 하도록 권장한다.

(竹内佐智惠)

Memo

16 자궁암 (자궁경부암, 자궁내막암; uterine cervical cancer, endometrial cancer)

安水洸彦/竹内佐智惠

A. 자궁경부암 (uterine cervical cancer)

병인

- 주요 병인은 사람유두종바이러스 (HPV) 감염이다.

[악화인자] 흡연, 면역억제제

역학

- 40~50대에 가장 호발하지만, 20~30대에도 발생한다.
- 정기적인 암검진이 예방책으로 유효하다.

[예후] 진행기에 따라서 예후가 불량해진다.

병태생리

- 자궁경부의 편평상피 · 원주상피 이행부 (편평원주 상피 경계)에 발생하는 악성종양이다.
- 조직학적으로는 편평상피암이 압도적으로 많으며 (85%), 선암은 10% 가량을 차지한다.
- 대부분이 HPV감염으로 발생하고, 자궁경부 이형성 때문에 상피내암, 침윤암으로 진행된다. 진행도에 따라서 0~IV기로 분류된다(임상진행기 분류).

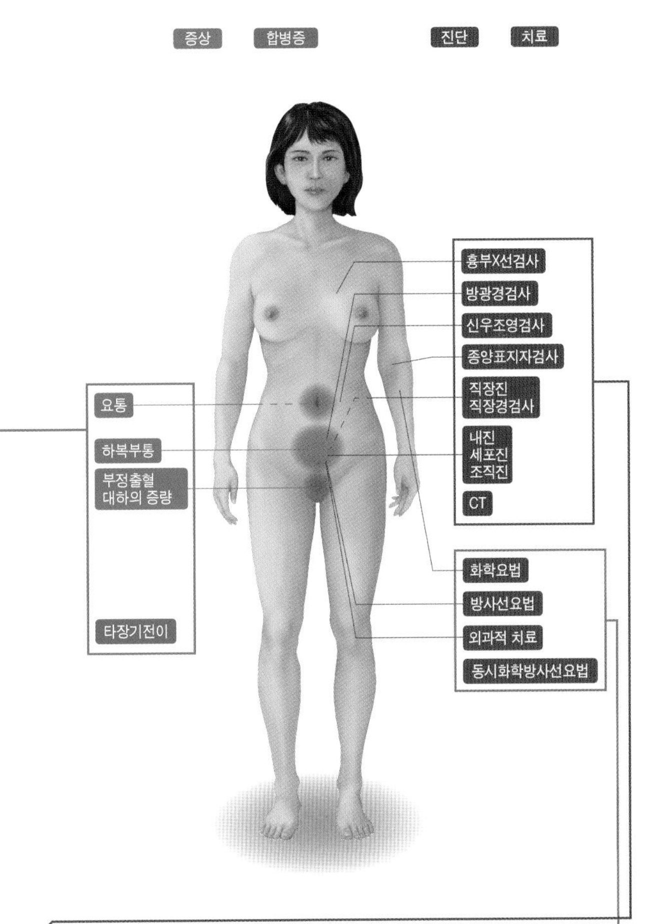

증상

증상 map p.146

- 조기암 (자궁경부 이형성, 상피내암)에서는 무증상으로 지내다가, 암검진에서 발견되는 경우가 많다.
- 침윤암의 초기증상은 부정출혈, 대하의 증량이다.
- 진행됨에 따라 주위장기로 침윤되면서 원격전이되어 심한 출혈, 하복부통, 요통 등의 여러 증상이 나타난다.

진단

- 진단 : 스크리닝에 검사로는 자궁경부의 세포진이 중요하다. 암이 의심스러우면 육안 또는 질확대경 (Colposcope)으로 병변부의 조직을 채취하여 조직진을 시행함으로써 진단을 확정한다.
- 진행도의 진단 : 내진 (쌍합진) · 직장진 소견, 방광경 · 직장경소견, 영상소견 [흉부X선, 점적 신우조영 (DIP), CT] 등에서 진행도 (0~IV기)를 판정한다.
- 종양표지자 : 편평상피암의 진행례에서는 SCC가 유용하다.

치료

- 이형성 · 상피내암 : 경도 · 중등도 이형성에서는 경과관찰만으로도 충분하다. 악화되는 증례나 고도 이형성 · 상피내암에서는 자궁을 온존할 수 있는 자궁질부 원추절제술을 실시한다.
- 침윤암 : I ~ II기에는 단순자궁전적출술, 준광범성 · 광범성자궁전적출술 (+골반강림프절곽청)을 시행한다. 그 이상의 진행암에는 동시화학방사선요법 또는 방사선요법을 시행한다. IV기암이나 재발암에서는 증례에 따라서 화학요법, 방사선요법, 외과적 치료 등을 병용한다(집학적 요법).
- 자궁경부암을 예방하는 HPV백신접종도 시행 중이다.

병태생리 map

자궁경부암 (이하, 경부암)은 자궁경부의 편평상피 · 원주상피 이행부에 발생한다.

총론

- 자궁은 해부학적으로 태아를 육성하는 자궁체부와 태아의 통과관이 되는 자궁경부의 2부분으로 크게 나뉘며, 자궁체부에 발생하는 상피성 악성종양이 자궁내막암, 자궁경부에 발생하는 것이 자궁경부암이다. 이 2가지 암은 자궁암으로 총칭되고 임상증상도 유사하므로, 동종의 암으로 오해되기도 하지만, 발생원인이나 세포형태 등 암으로서의 본질적 성격이 전혀 다르다.
- 양자의 차이를 개략하면, 자궁경부암은 편평상피암이 압도적으로 많으며, 그 발생에는 사람유두종바이러스 (human papilloma virus ; HPV)의 관여가 크므로, 바이러스암이라고 보고 있다. 개발도상국에서 발생률이 높다. 그에 반해서, 자궁내막암은 선암이 대다수이며, 에스트로겐이 발생 · 진행에 관계되는 호르몬의존성 암이라고 보고 있다. 자궁내막암은 선진국에 호발하고, 서구에서는 연간 발생률 제1위의 부인과암이다. 일본에서도 30~40년전까지는 자궁암의 95%를 자궁경부암이 차지했는데, 생활메커니즘의 서구화와 함께 최근에는 자궁내막암이 큰 폭으로 증가하고 있다.
- 자궁경부에는 예비세포라는 활동성이 높은 세포가 있으며, 이 세포는 발암물질에 대한 감수성이 높다. 조직학적으로는 85%가 편평상피암, 10%가 선암, 5%가 그 밖의 암으로 분류된다. 발암물질로서 HPV가 가장 중요하며, 대부분의 경부암은 HPV감염으로 발생한다.
- 경부암의 발생 · 진행은 HPV감염→자궁경부 이형성 (상피에서 이형세포가 확인되지만 상피의 전층에는 미치지 않은 병변. 이형세포의 점거정도에 따라서 경도 이형성, 중등도 이형성, 고도 이형성으로 분류된다)→상피내암 (암이 상피내에 머무는 상태)→침윤암이라는 과정을 거친다. 그 진행도는 그림 16-1, 표 16-1과 같이 0기~Ⅳ기로 분류된다(증상map, 진단map을 참조).

병인 · 악화인자

- 자궁경부암은 발생부터 진행까지의 과정이 상당히 밝혀져 있어서 근절이 가능하다고까지 생각되는 암이다. 주요 병인은 HPV감염이며, HPV는 성교로 감염되므로, ①첫 회 성교연령이 어리다, ②다수의 파트너가 있다 등이 위험인자이다. 흡연이나 면역억제제의 사용도 발생빈도를 높인다.
- HPV에는 다종의 아형이 있지만, 그 중에서도 고위험인 것에 대한 백신이 개발되어 있다. 단, HPV에 감염되어도 경부 이형성이 발생하는 것은 그 중의 소수이며, 그 소수례에도 정기적인 세포진을 실시함으로써 침윤암으로의 진행을 예방할 수 있다.

역학 · 예후

- 일본에서 경부암의 연령분포는 40~50대에 가장 많지만, 20~30대 젊은층에도 발생한다. 앞에서 기술하였듯이 백신접종과 정기적인 암검진이 매우 유효한 예방책이다. 전암병변인 자궁경부 이형성이나 초기암인 자궁경부 상피내암에서 발견된 경우에는 자궁도 온존할 수 있으며, 치료후 임신 · 분만도 가능하지만, 침윤암인 Ⅰ기 이상의 암에서는 그 진행기에 따라서 예후가 불량해진다.
- 일본에서의 5년생존율은 Ⅰa기 95% 이상, Ⅰb기 80%, Ⅱ기 60~70%, Ⅲ기 40%, Ⅳ기 10~20%이다.

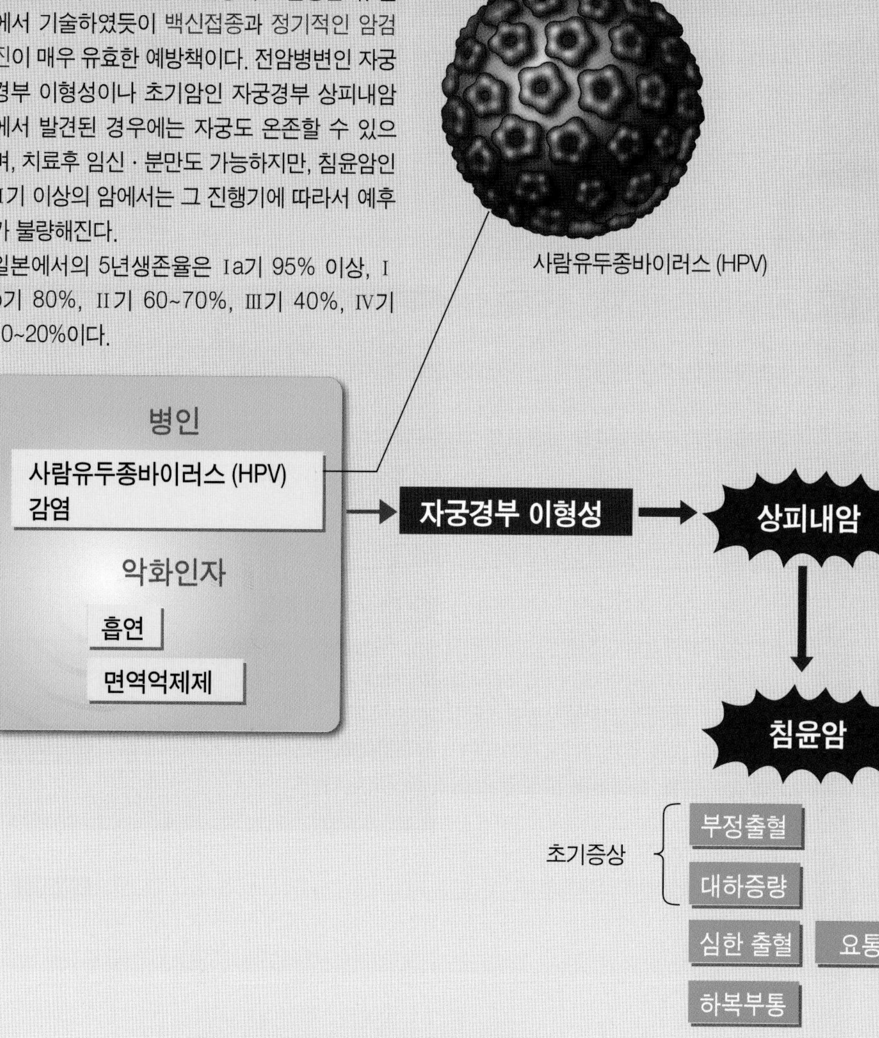

자궁경부암의 발생부위

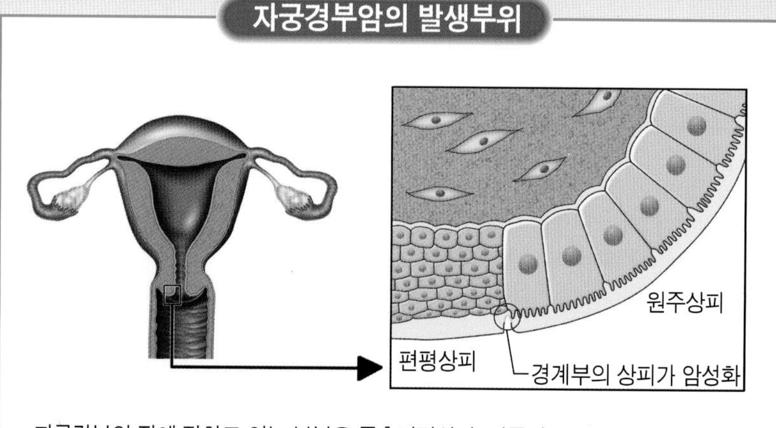

자궁경부의 질에 접하고 있는 부분은 중층편평상피, 자궁경부 부분은 단층원주상피이다. 이 경계부 (편평원주상피 경계)에서 암이 발생하기 쉽다.

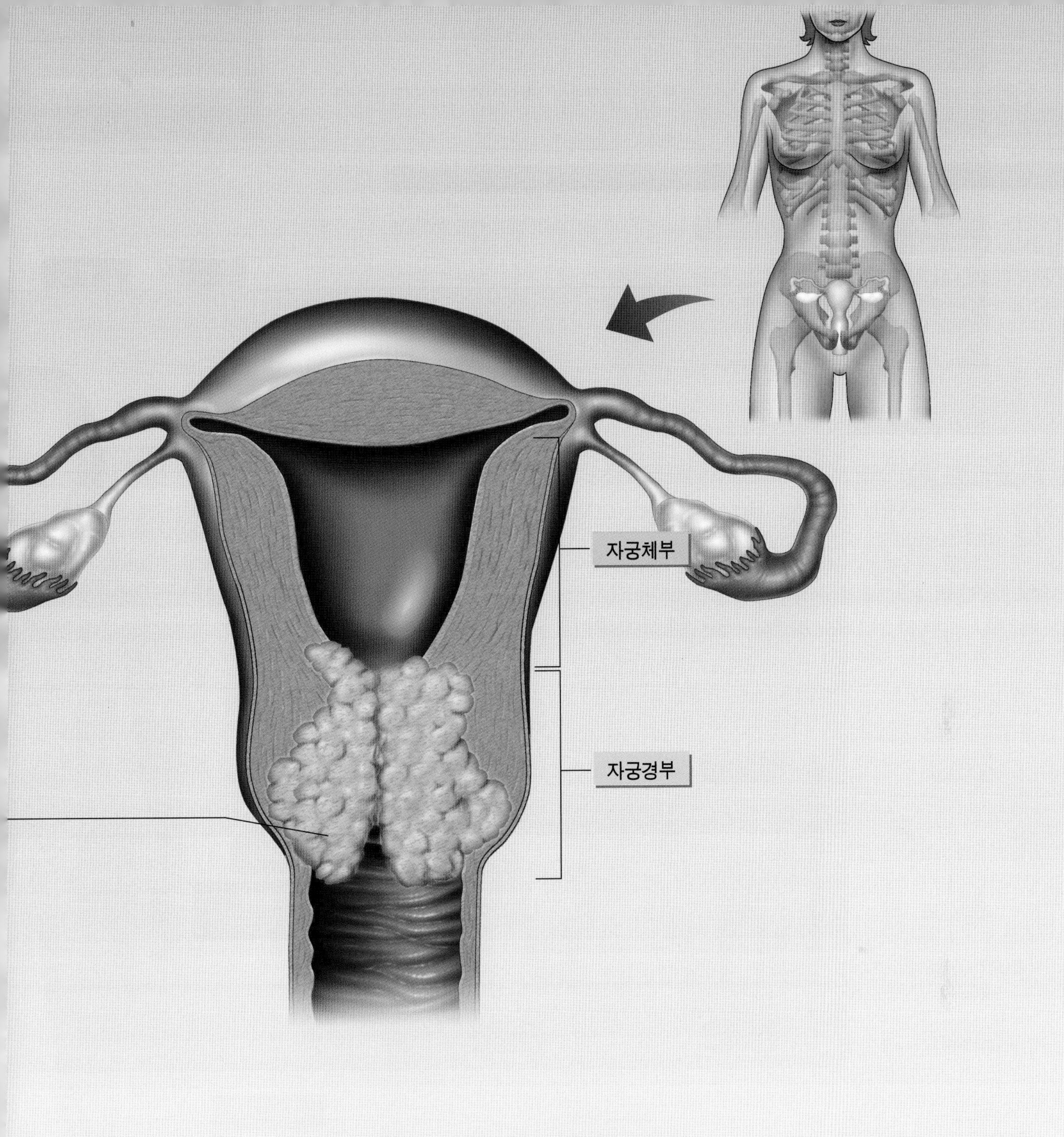

자궁경부암의 경과 (질측에서의 관찰)

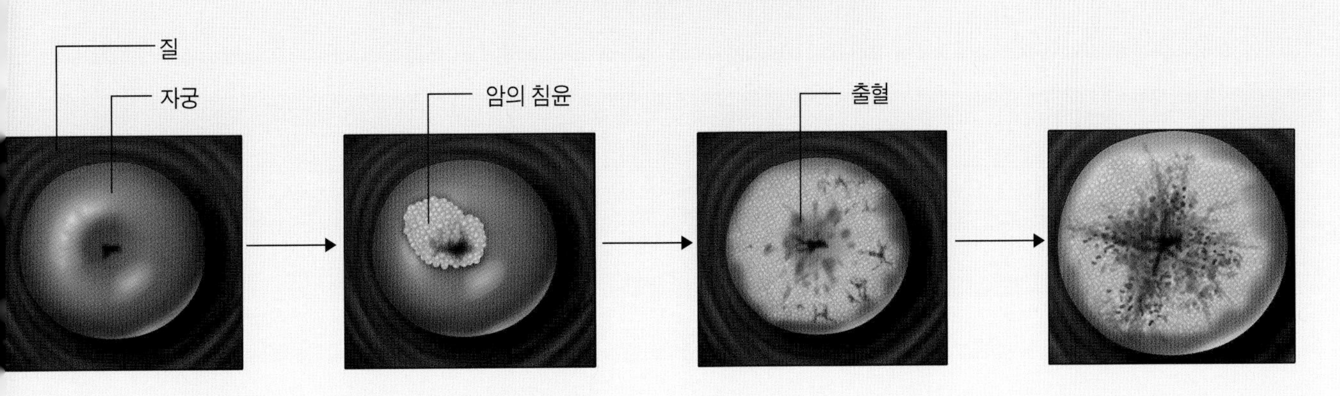

증상 map

침윤암의 초기증상으로는 부정출혈, 대하의 증량이 대표적이다.

증상

- 자궁경부 이형성이나 상피내암 등의 조기암에서는 무증상으로 지내다가, 암검진에서 처음 발견되는 경우가 많다.
- 진행과 더불어 자궁에서 자궁 부근의 림프절, 질, 골반벽, 직장, 방광 등으로 침윤되고 동시에 원격전이가 생겨서 심한 출혈, 하복부통, 요통을 비롯한 여러 증상이 나타난다.

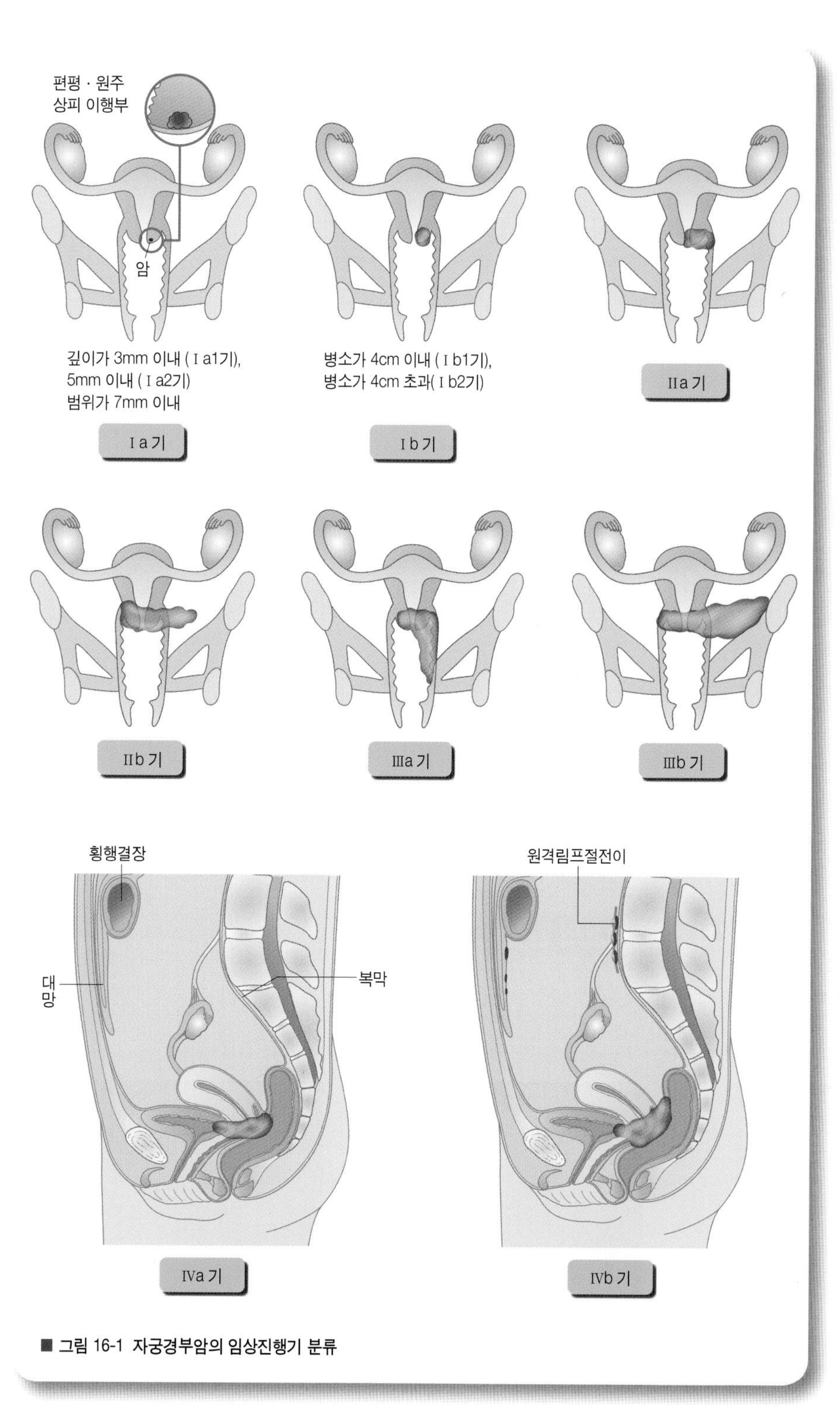

■ 그림 16-1 자궁경부암의 임상진행기 분류

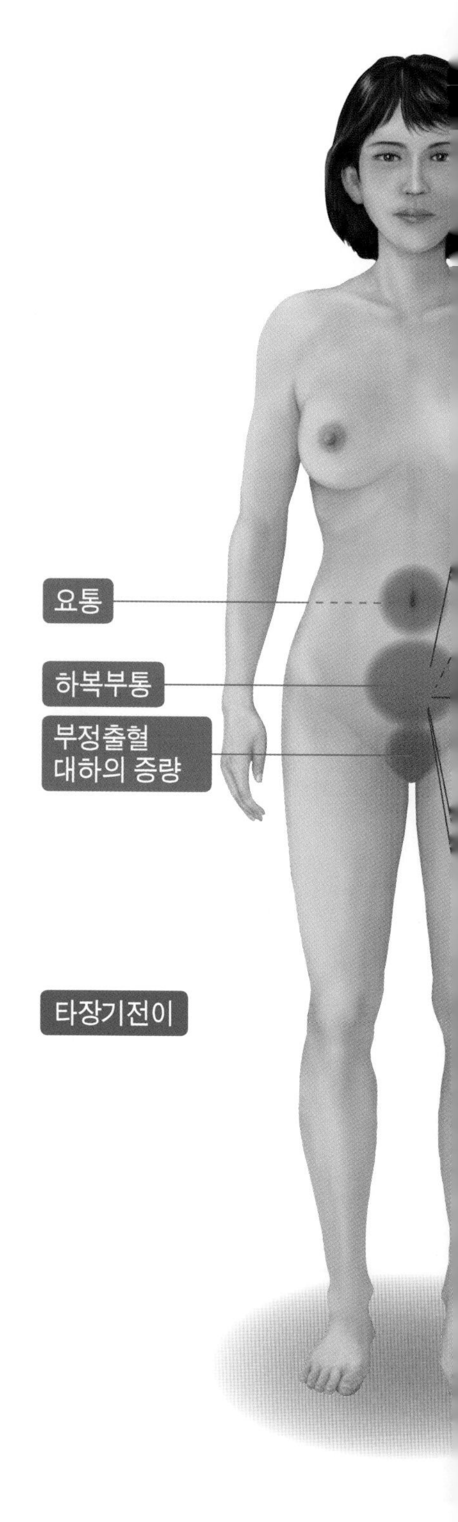

자궁경부암

진단 map

자궁경부의 세포진이 중요하며, 질확대경을 이용한 조직진으로 진단을 확정한다. 영상소견에서 진행도, 전이상태를 진단한다.

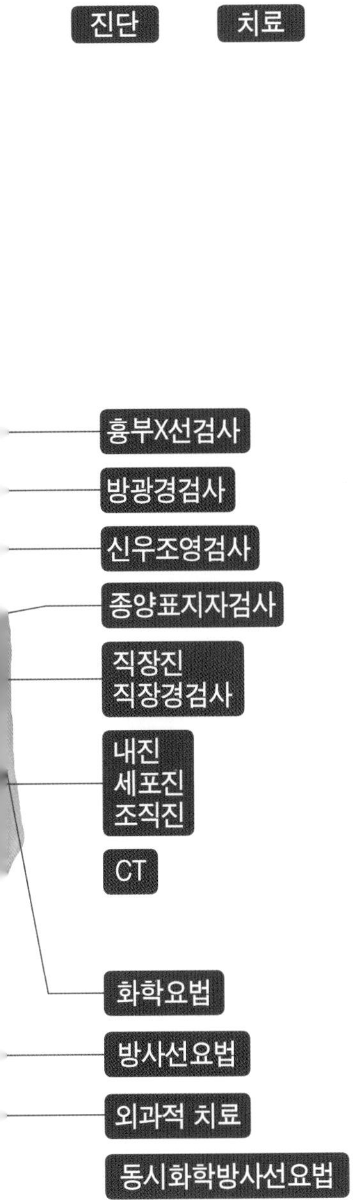

진단　치료

흉부X선검사

방광경검사

신우조영검사

종양표지자검사

직장진
직장경검사

내진
세포진
조직진

CT

화학요법

방사선요법

외과적 치료

동시화학방사선요법

진단·검사치

- 스크리닝 검사로서 자궁경부의 세포진이 매우 중요하며, 진단확정에는 육안 또는 질확대경 (Colposcope)으로 병변부를 확정하는 조직진을 사용한다.
- 진행도는 내진 (쌍합진), 직장진에 추가하여, 방광경 · 직장경소견, 흉부X선, 점적신우조영 (DIP), CT 등의 영상소견으로 진단한다.
- 편평상피암의 진행례에서는 혈액속의 SCC가 종양표지자로서 유용하다.

■ 표 16-1　자궁경부암의 임상진행기 분류 (FIGO 1994년, 일본산부인과학회 1997년)

0기 : 상피내암		
Ⅰ기 : 암이 자궁경부에 국한된다.	Ⅰa기 : 조직학적으로만 진단할 수 있는 침윤암이다.	Ⅰa_1기 : 침윤의 깊이가 3mm 이내이고, 범위가 7mm를 넘지 않는다.
		Ⅰa_2기 : 침윤의 깊이가 3mm 이상 5mm 이내이며, 범위가 7mm 를 넘지 않는다.
	Ⅰb기 : 임상적으로 확실한 병소가 있지만 자궁경부에 국한되거나 임상적으로 확실하지 않지만 조직학적으로 위의 Ⅰa기의 기준을 넘는다.	Ⅰb_1기 : 병소가 4cm 이내이다.
		Ⅰb_2기 : 병소가 4cm 를 넘는다.
Ⅱ기 : 암이 자궁경부를 넘어서 확대되지만, 골반벽 또는 질벽 아래 1/3에는 미치지 않는다.	Ⅱa기 : 암이 질벽으로 확대되어 있지만, 자궁방조직 (자궁경부의 주위조직) 에는 미치지 않는다.	
	Ⅱb기 : 암이 자궁방조직에 미쳐 있지만, 골반벽까지는 도달하지 않는다.	
Ⅲ기 : 암이 골반벽까지 도달하거나, 질벽침윤이 하방부분 1/3을 넘는다.	Ⅲa기 : 질벽침윤은 하방부분 1/3을 넘지만, 골반벽까지는 도달하지 않는다.	
	Ⅲb기 : 암이 골반벽까지 도달해 있거나, 수신증 또는 무기능신장이 확인된다.	
Ⅳ기 : 암이 소골반강을 지나서 확대되거나, 방광 · 직장의 점막을 침윤한다.	Ⅳa기 : 방광 · 직장 점막으로의 침윤이 있다.	
	Ⅳb기 : 소골반강을 넘어선 전이가 있다.	

치료 map

침윤암에는 자궁을 전적출하는 근치수술요법을 시행하고, 병기가 진행되면 여기에 동시화학방사선요법 등을 추가한다.

치료방침

- 이형성 · 상피내암 : 경도 · 중등도 이형성의 대부분은 자연치유되므로 정기검진으로 경과를 관찰하고, 악화되면 병변부를 절제하는 자궁경부 (질부) 원추절제술을 시행한다. 고도 이형성, 상피내암에는 자궁경부 (질부) 원추절제 (그림 16-2)를 시행한다. 이 방법은 자궁을 온존할 수 있어서, 임신이 가능하다.
- 침윤암 : I ~ II기에는 단순자궁전적출술 (그림 16-3), 준광범성 · 광범성자궁전적출술 (골반강림프절곽청을 포함한다) 등의 근치수술요법 (상세한 내용은 표 16-2를 참조)을, 그 이상의 진행암에는 동시화학방사선요법 또는 방사선요법을 실시한다. 동시화학방사선요법은 I b_2~ II b기에 실시해도 된다. IV기암이나 재발암에는 경우에 따라 화학요법, 방사선요법, 대증요법으로서의 수술요법 등을 병용한 집학적 요법을 시행한다.

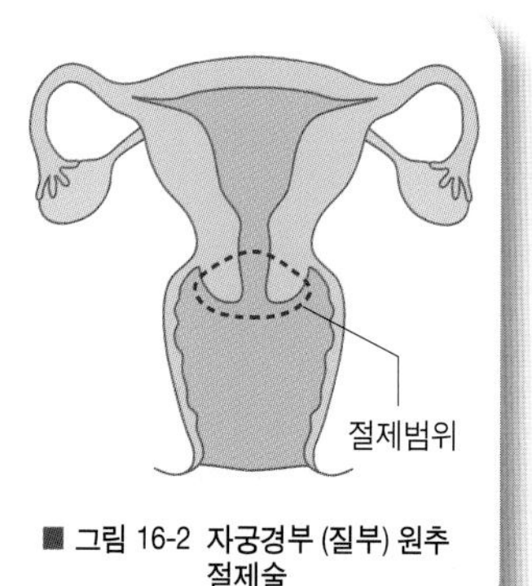

■ 그림 16-2 자궁경부 (질부) 원추절제술

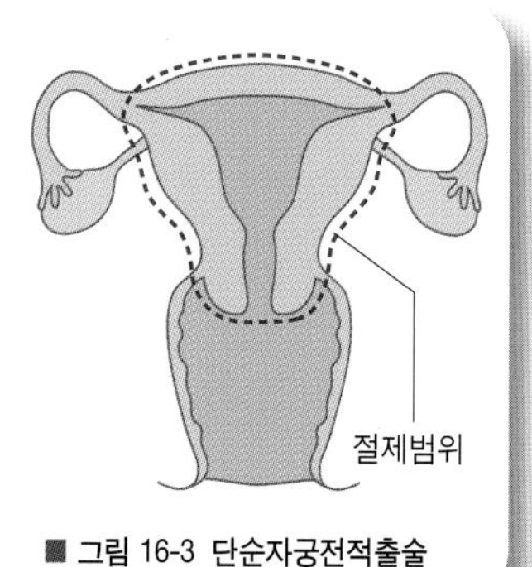

■ 그림 16-3 단순자궁전적출술

■ 표 16-2 자궁암치료에 이용되는 수술방식

수술방식	방법
자궁경부 (질부) 원추절제술	경관상부를 정점으로 하고, 자궁질부를 밑면으로 하는 원추형으로 자궁경부를 절제한다. 전류를 통한 전용 금속루프로 절제하는 LEEP (loop electrosurgical excision procedure) 법도 흔히 사용되고 있다. 자궁경부의 상피내암, 일부 I a_1기암에 적용된다.
단순자궁전적출술	자궁지대를 자궁경부에 접하여 절단한다. 경부암, 내막암 모두 사용한다.
준광범성자궁전적출술	단순자궁전적출술과 광범자궁전적출술의 중간적인 수술방식으로, 자궁지대를 분리하고, 자궁경부에서 조금 떨어진 부위에서 절단한다. 경부암, 내막암 모두에 적용된다.
광범성사궁전적출술	자궁지대를 분리하고, 골반벽측에서 절단한다. 수술조작이 골반저에 미치므로 출혈 등의 술중 · 술후의 합병증이 많다. 경부암, 내막암 모두 적용된다.
광범성경관전적출술	임신을 희망하는 I a_2기, I b_1기의 경부암례에 한다. 자궁지대를 분리하고, 병변부의 경관만을 주위조직을 포함하여 적출한 다음 자궁체부와 질벽을 봉합하여, 자궁을 온존한다. 최근 개발된 수술방식이다.

상기 내용에 추가하여 준광범 이상의 수술에서는 소속림프절곽청(내막암인 경우에는 채취·생검도 가능하다)이 병용된다. 소속림프절은 경부암에서는 골반림프절이고, 내막암에서는 골반림프절·방대동맥림프절이다. 또한 난소는 경부암에서는 온존이 가능하지만 내막암에서는 적출하는 것이 원칙이다(전이가 존재할 가능성이 높기 때문이다).

자궁경부암의 병기 · 병태 · 중증도별로 본 치료흐름도

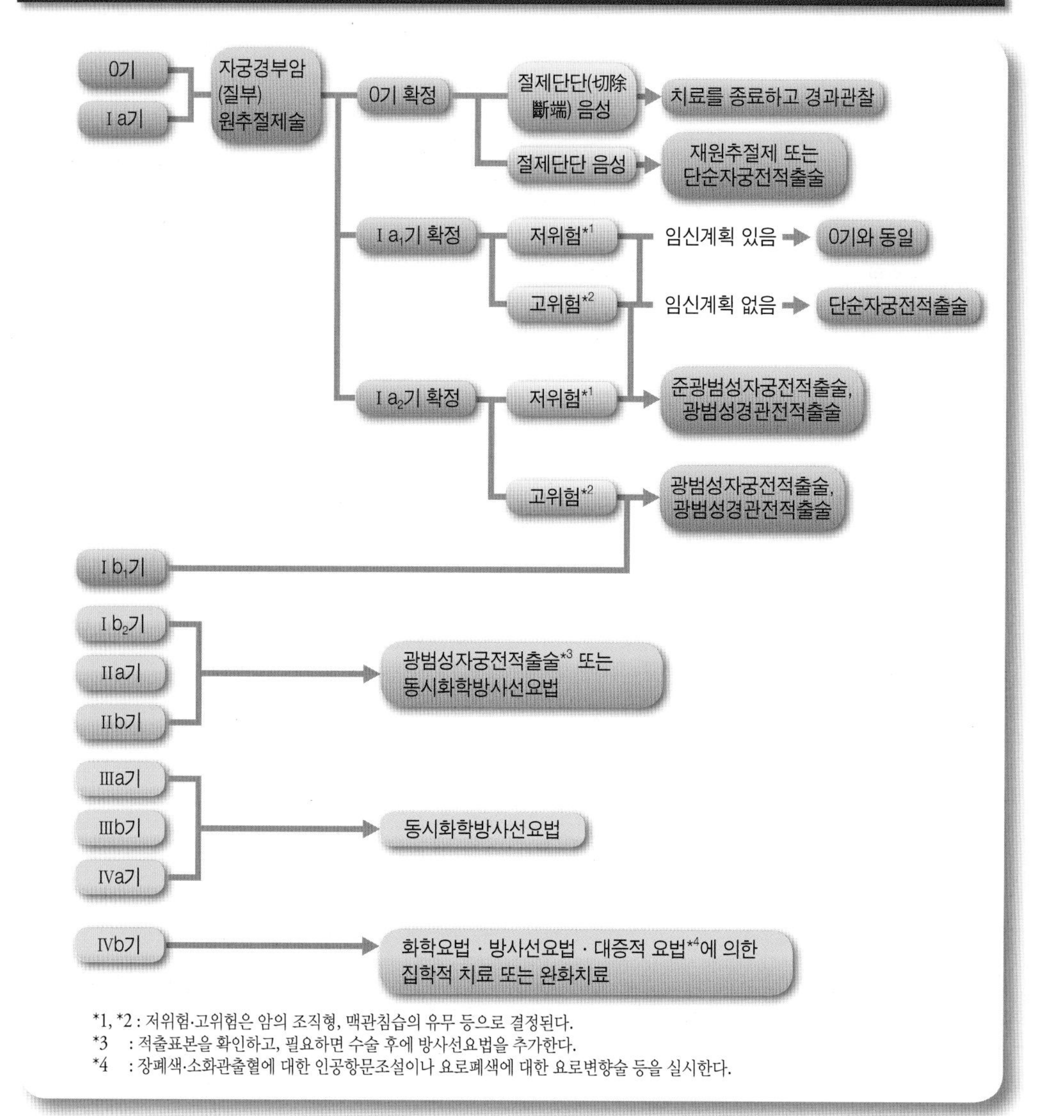

*1, *2 : 저위험·고위험은 암의 조직형, 맥관침습의 유무 등으로 결정된다.
*3 : 적출표본을 확인하고, 필요하면 수술 후에 방사선요법을 추가한다.
*4 : 장폐색·소화관출혈에 대한 인공항문조설이나 요로폐색에 대한 요로변향술 등을 실시한다.

(安水洸彦)

B. 자궁내막암 (endometrial cancer)

병인

- 에스트로겐의 지속적 과잉자극이 병인이다.
[악화인자] 폐경, 미출산력, 불임, 월경이상, 비만, 에스트로겐작용을 하는 약제 · 보충제의 장기사용

역학

- 서구에서는 연간발생률 제1위의 부인과암으로, 일본에서도 증가경향에 있다.
- 50대에 호발하고, 80% 이상이 II기에 발견되므로 예후가 비교적 좋다. 그러나 진행암, 재발암에서는 예후가 불량하다.

병태생리

- 자궁체부의 자궁내막에서 발생하는 상피성 악성종양으로 자궁체부암이라고도 한다.
- 비정상적인 에스트로겐자극이 지속되면 자궁내막증식증을 거쳐서 자궁내막암이 발생한다.
- 조직학적으로는 유내막선암이 85~90%를 차지하며, 유내막선암은 Grade 1~3으로 세분류된다.
- 자궁내막암의 진행도는 수술 시의 개복소견에 근거하여 0~IV기로 분류된다(수술진행기 분류).

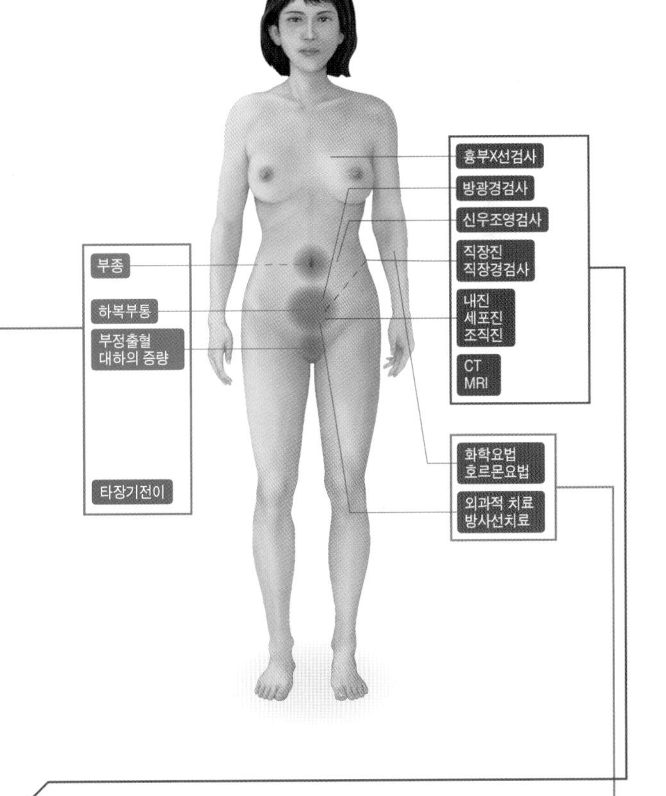

증상

- 자각증상이 있는 경우가 많다.
- 초기증상은 부정출혈, 대하의 증량이고, 간헐적인 하복부통을 호소하기도 한다.
- 진행됨에 따라서 주위장기로 침윤되면서 원격전이 되어 심한 출혈, 하복부통, 요통 등의 여러 가지 증상이 나타난다.

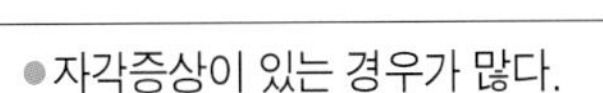
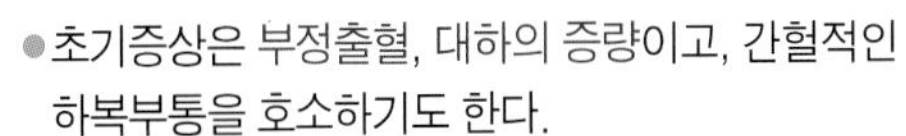

진단

- 진단 : 문진 및 산부인과 진찰에서 본증이 의심스러우면 자궁내막을 생검 (자궁내막소파)하고, 조직검사로 진단을 확정한다. 내막소파에 앞서, 자궁경(hysteroscope)로 자궁강 내를 관찰하면 진단의 정확도가 향상된다.
- 스크리닝법 : 내막세포진, 초음파검사
- 암의 진행도 : 내진 (쌍합진) · 직장진소견, 방광경 · 직장경소견, 영상소견 [흉부X선, 점적신우조영 (DIP), CT]으로 판정한다.
- MRI : 자궁근층으로의 심달도(depth of invasion), 주위장기로의 침윤 진단에 유용하다.
- 종양표지자 : 특이적인 표지자는 없다.

치료

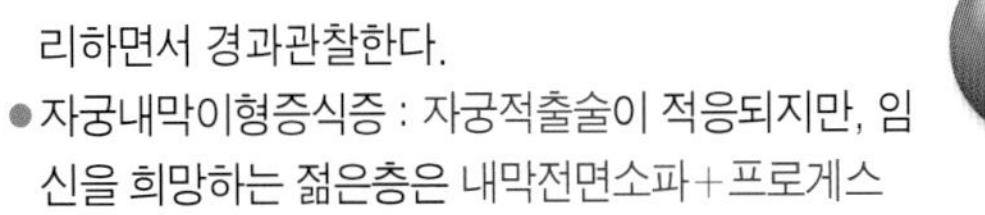

- 자궁내막증식증 : 호르몬요법 등으로 부정출혈을 관리하면서 경과관찰한다.
- 자궁내막이형증식증 : 자궁적출술이 적응되지만, 임신을 희망하는 젊은층은 내막전면소파+프로게스틴(progestin)요법으로 경과를 관찰하기도 한다.
- 자궁내막암 : 환자의 진행도와 전신상태에 따라서 외과적 치료, 방사선요법, 화학요법, 호르몬요법을 병용한다(집학적 치료).

자궁내막암

병태생리 map

자궁내막암 (이하, 내막암)은 자궁체부에서 발생하여, 자궁체부암이라고도 한다.

- 자궁내막의 증식은 난소호르몬인 에스트로겐에 의존하고 있으므로, 비정상적인 에스트로겐자극이 지속되면 자궁내막이 이상증식하여 자궁내막증식증 (상피세포의 이형 유무에 따라서, 자궁내막증식증과 자궁내막이형증식증으로 분류된다)이 생긴다. 이 자궁내막증식증에서 내막암이 발생한다. 그러나 일부는 이형증식증에서의 이행형태를 취하지 않고 정상내막에서 직접 발생하기도 한다.
- 조직학적으로 내막암의 85~90%가 유내막선암이며, 유내막선암은 조직분화도 (분화도란 암이 정상세포·조직에 유사한 정도를 나타내는데, 정상에 가까운 것을 고분화라고 하며, 분화도가 낮을수록 악성이다)에 따라서 Grade 1 (고분화형), Grade 2 (중분화형), Grade 3 (저분화형)으로 세분류된다. 내막암의 진행도는 경부암과 달리, 수술 시 개복소견에 근거하여 분류된다. 그림 16-4, 표 16-3과 같이 0기~Ⅳ기가 있다(중상map, 진단map을 참조).
- 일본에서는 편의상, 자궁육종도 자궁내막암에 포함하고 있다. 그러나 자궁육종은 자궁내막암과는 전혀 다른 타입의 악성종양이므로, 본 항목에서는 자궁육종에 관한 기재는 생략하였다.

병인·악화인자

- 내인성 또는 외인성 에스트로겐의 지속적 과잉자극 환경하에서 호발한다. 한편, 또다른 난소호르몬인 프로게스테론은 자궁내막의 이상증식을 억제한다. 따라서, 내막암발생의 위험인자는 폐경 (양 호르몬을 제어하는 능력이 소실된다)이 최대이며, 그 이외에는 미출산력, 불임, 월경이상 (모두 프로게스테론 분비부전이 생겨있다), 비만 (지방조직에서의 이소성 에스트로겐 분비), 에스트로겐작용을 하는 약제나 보충제의 장기사용 등이 위험인자가 된다.

역학·예후

- 75~80%의 내막암은 폐경 후에 발생하며, 50대가 최호발 연령대이다. 앞에서 기술하였듯이 서구선진국에서 호발하고, 일본에서도 해마다 증가하는 경향에 있다. 내막암은 80% 이상이 Ⅱ기까지의 병기에서 발견되며, 치료성적도 악성종양 중에서는 비교적 양호하다. 그러나 진행암이나 재발암에서 예후가 불량하며, 검진을 포함한 진단면, 치료면 모두 아직 해결해야 할 문제를 안고 있다.
- 5년생존율은 Ⅰ기 90%, Ⅱ기 80%, Ⅲ기 60~70%, Ⅳ기 20% 정도이다.

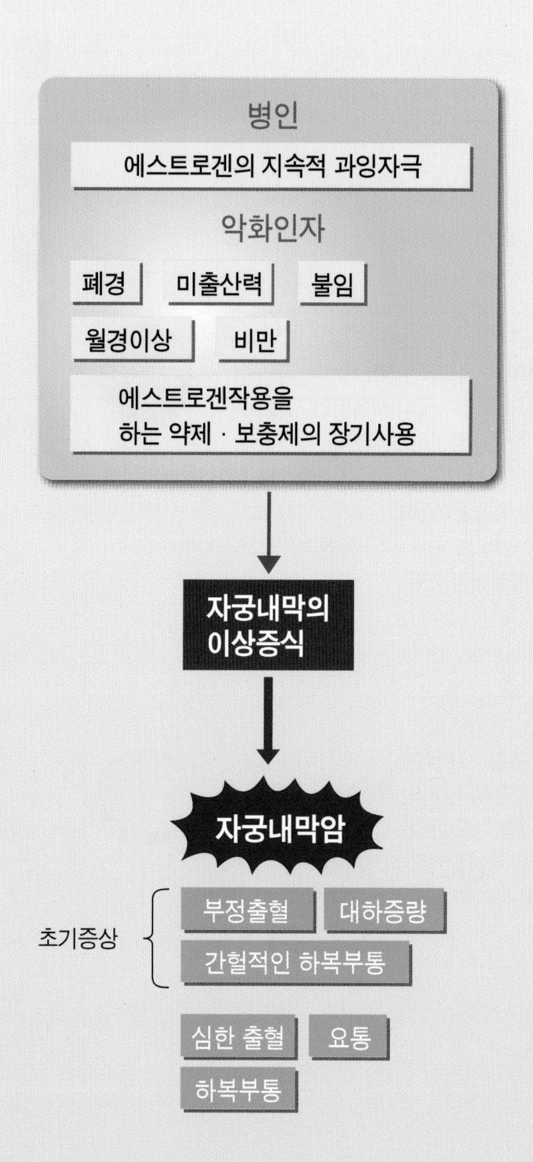

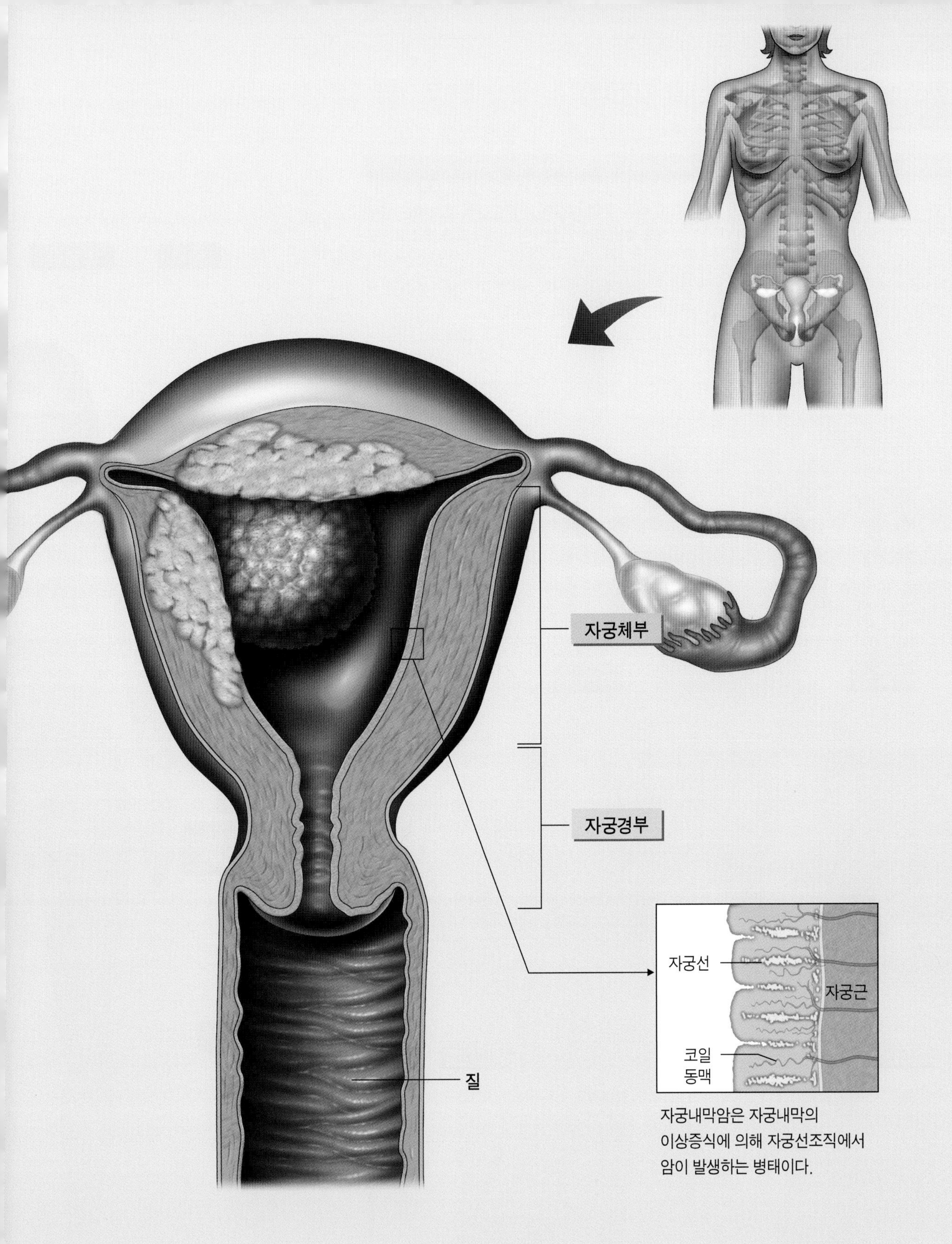

자궁내막암은 자궁내막의
이상증식에 의해 자궁선조직에서
암이 발생하는 병태이다.

증상 map

초기증상으로는 자궁경부암과 똑같이 부정출혈, 대하의 증량이 대표적이다.

증상

- 내막암 환자는 자각증상을 느끼는 경우가 많다. 특히 폐경 후의 여성이 부정출혈을 호소하는 경우에는 본증을 의심해야 한다. 또 출혈이나 대하의 유출에 수반되는 간헐적인 하복부통을 호소하기도 한다.
- 진행됨에 따라서 림프절, 질, 골반벽, 직장, 방광 등으로 침윤되고, 동시에 원격전이가 생겨서 심한 출혈, 하복부통, 요통을 비롯한 여러 가지 증상을 나타내는 것은 경부암과 똑같다.

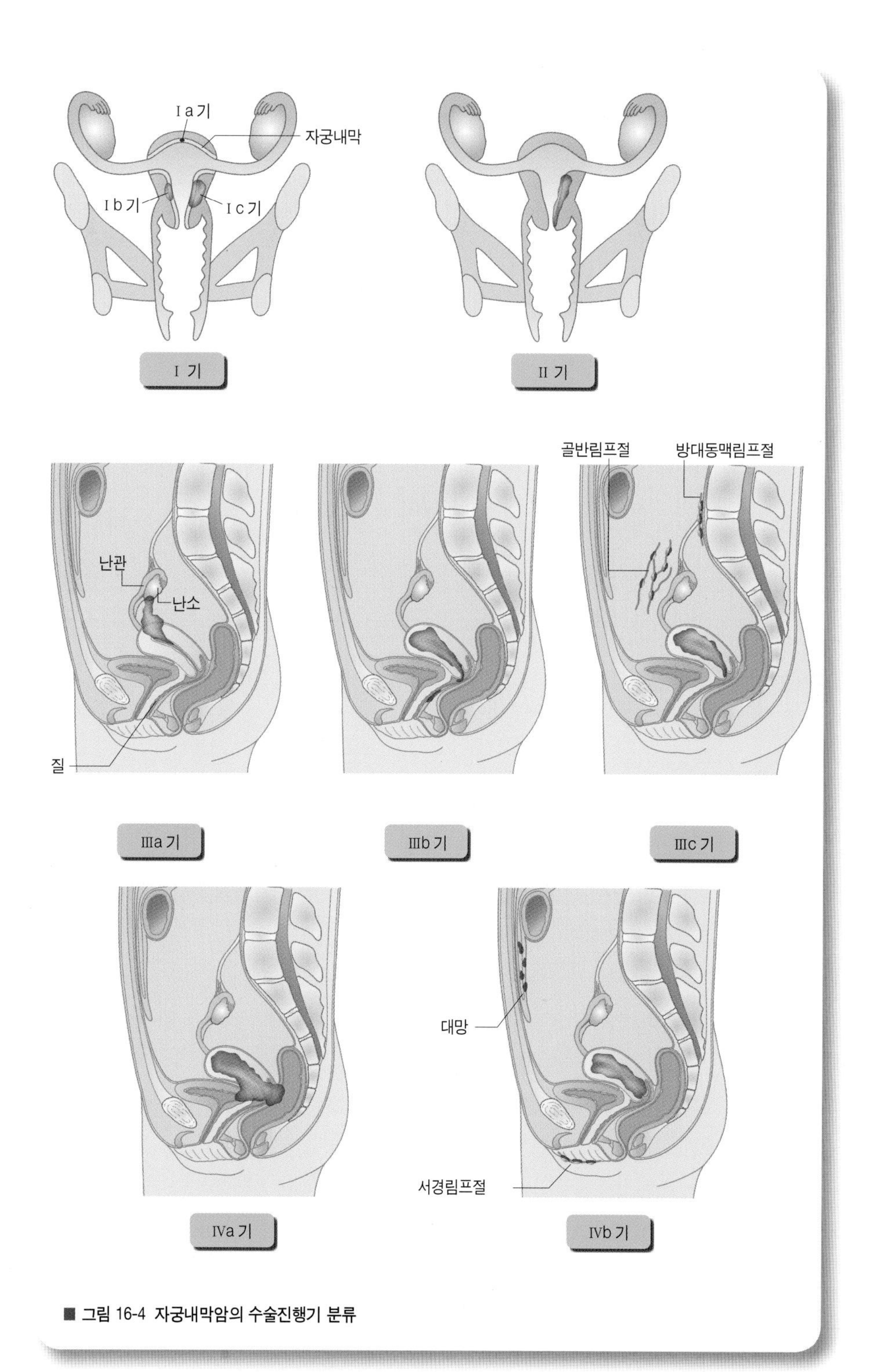

■ 그림 16-4 자궁내막암의 수술진행기 분류

증상

합병증

요통

하복부통

부정출혈
대하의 증량

타장기 전이

진단 map

자궁내막의 조직검사로 진단을 확정한다. 내진 (쌍합진), 직장진, 영상소견에서 진행도, 전이상태 등을 진단한다.

진단 | 치료

흉부X선검사

방광경검사

신우조영검사

직장진
직장경검사

내진
세포진
조직진

CT
MRI

화학요법
호르몬요법

외과적 치료
방사선치료

진단·검사치

- 자궁내막암의 진단은 우선 문진 및 산부인과 진찰에서 본증이 의심스럽다면, 이어서 자궁내막을 생검 (자궁내막소파)하여 그 조직검사에서 확정한다. 조직검사는 마취하에서 자궁구를 확장하여, 자궁질내를 전면 소파하는 것이 원칙이지만 간략법으로 자궁의 전벽, 후벽, 좌우 측벽의 4방향 소파에 의한 내막생검이 행해지는 경우도 많다. 내막소파에 앞서 자궁경 (hysteroscope)으로 자궁강 내를 관찰하면 진단의 정확도가 더욱 향상된다.
- 스크리닝법으로는 내막세포진과 초음파검사 (내막의 비정상적 비후, 자궁의 종대를 확인)가 있는데, 내막세포진은 자궁경부세포진만큼 정확하지는 않다. 암의 확대는 내진, 직장진에 추가하여, 방광경 · 직장경소견, 흉부 X선, DIP, CT 등의 영상소견으로 진단한다. 특히 자궁근층으로의 암의 심달도, 경관침윤, 난소, 난관, 질, 방광, 직장 등 주위장기에 대한 침윤의 진단에는 MRI가 유용하다. 자궁내막암에는 특이한 혈중종양표지자가 없다.

■ 표 16-3 자궁내막암의 수술진행기 분류(FIGO 1988년, 일본산과부인과학회 1995년)

0기 : 자궁내막이형증식증	
Ⅰ기 : 암이 자궁체부에 국한된다.	Ⅰa기 : 자궁내막에 국한된다.
	Ⅰb기 : 침윤이 자궁근층의 1/2 이내이다.
	Ⅰc기 : 침윤이 자궁근층의 1/2를 넘는다.
Ⅱ기 : 암이 자궁체부 및 경부에 미친다.	Ⅱa기 : 경관선만 침윤된다.
	Ⅱb기 : 경부간질이 침윤된다.
Ⅲ기 : 암이 자궁외로 퍼지지만, 소골반강을 넘지 않거나, 소속림프절전이가 있다.	Ⅲa기 : 장막 또는 자궁부속기 (난소 · 난관)가 침윤되거나 복강세포진이 양성이다.
	Ⅲb기 : 질전이가 있다.
	Ⅲc기 : 골반림프절 · 방대동맥림프절전이가 있다.
Ⅳ기 : 암이 소골반강을 넘었거나, 확실히 방광 또는 장점막에 침윤되어 있다.	Ⅳa기 : 방광 또는 장점막침윤이 있다.
	Ⅳb기 : 복강내 또는 서경림프절전이를 포함한 원격전이가 있다.

Key word

- 자궁경 (hysteroscope)

자궁의 경관에서 자궁강 내로 가는 내시경을 삽입하여, 내강을 관찰하거나 수술을 시행한다. 자궁내막암, 점막하근종, 자궁내막폴립 등의 종양성 병변을 관찰할 수 있다. 또 부정자궁출혈, 자궁내 이물, 반흔, 유착, 자궁외임신 등의 보조 진단에도 이용한다.

치료 map

자궁전적출을 전제로 외과적 치료를 실시한다. 병기에 따라서 소속림프절곽청, 방사선요법, 화학요법, 호르몬요법을 추가한다.

치료방침

- 자궁내막증식증 · 자궁내막이형증식증 : 자궁내막증식증은 악성화될 확률이 낮아서, 호르몬요법 등으로 부정출혈을 관리하면서 경과를 관찰한다. 자궁내막이형증식증은 상피내암이라고 생각하며 치료하는 경우가 많다. 일반적으로 자궁적출술을 실시하지만, 약년층에서 임신을 희망하는 경우는 내막전면소파와 프로게스틴(프로게스테론작용을 하는 약제의 총칭) 요법을 병용하며, 경과를 관찰하기도 한다.
- 자궁내막암 : 외과적 치료, 방사선요법, 화학요법, 호르몬요법의 4가지 치료방법이 있으며, 암의 진행도와 환자의 전신상태에 따라서 선택한다.

자궁내막암의 병기 · 병태 · 중증도별로 본 치료흐름도

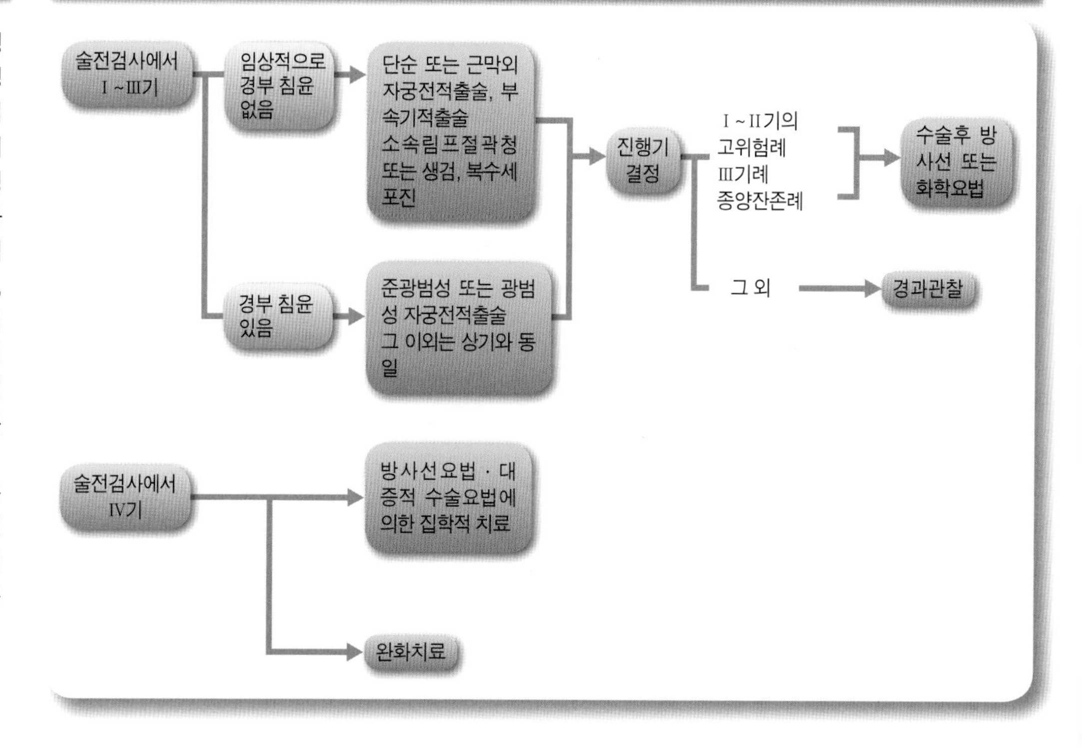

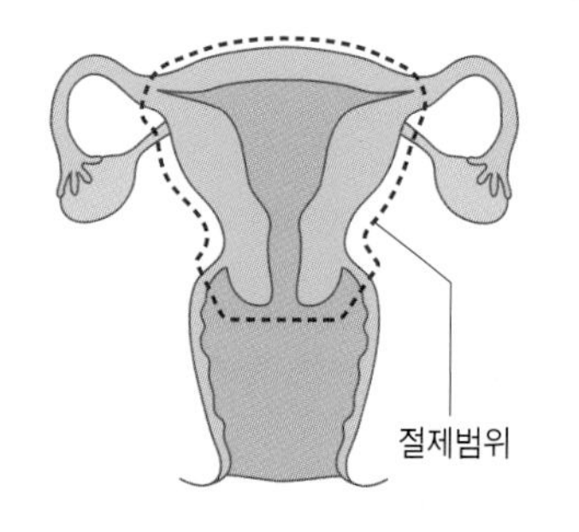

- 근종을 포함하여 자궁을 적출한다.
- 자궁조직이 전혀 잔존하지 않는다.

■ 그림 16-5 단순자궁전적출술(근막외 자궁전적출술)

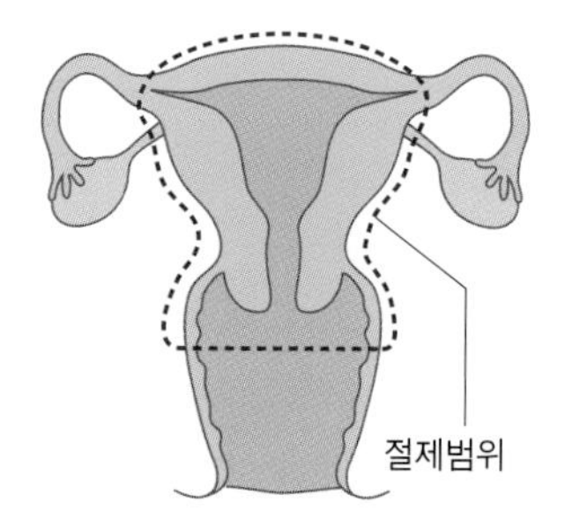

- 림프절곽청을 실시하는 경우도 있다.
- 기인대, 질벽의 일부를 절제한다.

■ 그림 16-6 준광범성자궁전적출술

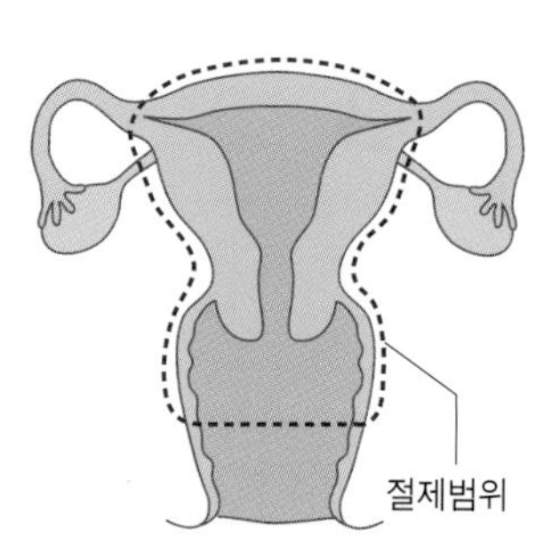

- 골반림프절, 방대동맥림프절까지 곽청한다.
- 기인대, 질벽을 절제한다.

■ 그림 16-7 광범성자궁전적출술

(安水洸彦)

환자케어

수술에 수반하는 심신의 고통완화, 질환이나 자궁상실의 불안 등에 대한 심리적 케어가 중요하다.

병기·병태·중증도에 따른 케어

자궁경부암과 자궁내막암은 모두 침윤의 깊이나 확대를 근거로 병기를 구분하지만, 같은 병기라도 치료법이 다르다. 여기에서는 자궁경부암과 자궁내막암, 각각에 관하여 설명하였다.

자궁경부암

【침윤이 없고 상피에 국한된 상태 : 0기】 0기 자궁경부암에는 일반적으로 자궁저를 남기는 원추절제술을 흔히 실시한다. 자궁체, 난소 등이 남아서, 수술후 현저한 기능장애가 없으며, 임신도 가능하다.

【간질에 국한적으로 침윤된 상태 : I a기】 단순자궁전적출술을 시행하는 경우가 많다. 난소가 잔존하므로, 수술후 갱년기 같은 증상이 적게 나타난다.

【자궁경부의 국한에서 질벽 또는 자궁방조직으로 침윤된 상태 : I b기, II기】 이 상태에는 광범성자궁전적출술을 실시하는 경우가 많지만, 골반신경이나 폐쇄신경의 손상이 수반되기도 한다. 골반신경 손상에는 일과성 또는 영속적인 방광기능장애가 수반되고, 폐쇄신경에는 대퇴내측의 지각이상이 생긴다. 또 이 수술방식은 난소를 적출하므로, 수술 후에 갱년기증상이 나타나기도 한다. 그 밖에 적출병리조직의 검토로 위험인자가 확실해진 경우는 근치적 방사선요법이 검토되며, 림프절전이가 양성인 경우에는 동시화학방사선요법을 적응한다.

【골반벽, 다장기로의 침윤이 있는 경우 : III기, IV기】 수술을 적용하지 않고 동시화학방사선요법 또는 전신화학요법이나 완화요법을 적용한다. 진행암이라는 것에 대한 환자가 불안이나 공포를 느끼고, 신체증상도 다양해진다. 복수(ascites)로 생활에 지장이 생기기도 한다.

자궁내막암

【자궁내막이형증식증 : 0기】 호르몬요법 또는 단순자궁전적출술을 적응한다.

【자궁내막에서 자궁근층, 자궁경부간질로 침윤된 상태 : I 기, II기】 복식단순자궁전적출술에 추가하여, 양측 부속기를 절제하는 경우가 있다. 광범성자궁전적출술 정도의 신경손상은 아니지만 폐쇄신경손상에 의한 대퇴내측의 지각이상이 수반되기도 한다.

【자궁외, 인접장기로의 침윤 또는 원격전이된 상태 : III기, IV기】 복식단순자궁전적출술에 추가하여, 후복막림프절곽청이나 수술 후에 화학요법 또는 방사선요법을 실시할 수 있다. III기인 경우는 근치목적으로 이러한 치료법들을 시도하지만, IV기인 경우는 고식적인 대처를 하기도 한다.

케어의 포인트

진찰 · 치료의 개입

- 수술 전후에 부인과 진찰대에서 진찰을 받는다. 수술 전에는 빈혈로 인한 휘청거림이나 요통 등으로 인해, 또 수술 후에는 창부의 통증으로 진찰대를 오르내릴 때에 위험할 수도 있으므로 안전을 충분히 확보한다.
- 진찰 시에 질내를 세정하는 경우가 있다. 진찰할 때에는 치료 후에 사용할 수 있도록 생리용 패드를 준비할 것을 지도한다.
- 자궁적출술 후 목욕이나 운동 여부는 내진에서 확인된 창부의 치유상태에 따라서 의사가 판단한다. 내진 결과에 입각하여 의사의 지시를 반드시 확인하고, 이 점을 환자에게도 전달한다.
- 수술소견으로 암의 진행도가 확실히 밝혀짐에 따라서, 수술후 방사선요법의 조사량이나 방법을 검토 · 실시한다. 치료법에 추가하여, 신체적 영향의 출현시기, 발현 시의 대처방법을 설명한다.

술후의 건강관리지도

- 술후에 복압을 가하는 동작 중, 배변 시에는 창부를 피하여 하복부를 마사지하거나 누르는 등 도수적인 복압을 보조하면 좋은 점을 환자에게 전한다.
- 술후에는 무거운 물건을 들어 올리거나, 잡아당기는 동작은 골반강 내부터 회음에 걸쳐서 하중이 가해져서 방광탈의 원인이 되기 쉬우므로 삼가도록 환자에게 전한다. 배변 시의 강한 힘주기도 똑같은 위험성이 있으므로 변비 시에는 문의하도록 전한다.
- 자궁내막암은 난소로 전이되기 쉽다. 자궁적출 후에 난소를 온존한 경우에는 그 후에 난소암이 발생할 수 있는 점이나, 양측 난소를 적출한 경우라도 갱년기장애가 나타날 가능성이 있다는 점을 설명하고, 또 전이를 조기에 발견하기 위한 건강체크의 방법을 전달한다.
- 자궁적출 후라도 질의 봉합부가 완전히 치유되기까지는 소량의 혈액이 섞인 대하가 계속되는 점을 설명한다.
- 퇴원 후의 가사, 작업, 여행, 운전, 목욕, 성생활, 운동 등의 일반적인 개시시기를 제시한다. 질봉합부의 치유상태에 영향을 미치는 활동에 관해서는 의사와 상담하면서 신중히 진행하도록 전한다.

심리적 · 사회적 케어

- 자궁을 적출할 뿐 아니라 생식기질환이라는 점에서 자존심의 저하, 수치심이나 죄악감이 수반되기도 한다. 수술 후에 성행위도 가능하지만 출혈이 나타난 경우, 암의 재발에 대한 불안으로 연결되기도 한다. 임신을 희망하는 경우에는 환자 본인 뿐 아니라 파트너에게 제공하는 설명이나 지도도 중요하다.
- 술후 증상에 관한 설명이나 증상관리를 위한 지도가 필요하다. 광범성자궁전적출술 후의 방광기능장애에는 계속적인 골반저근체조나 생활지도가 필요하다. 또 난소기능저하에 의한 갱년기 같은 증상에서 환자가 폐경 전의 연령인 경우에는 신체관리 뿐 아니라 정신적 측면에 대한 대응도 필요하다.
- 암치료를 받는 환자에게는 QOL을 높이기 위한 심신에 대한 배려가 불가결하다. 그 중에서도 진행된 침윤이나 전이가 있어서 보조요법이 필요한 경우, 또는 외과적 치료가 고식적인 대처에 머물러 완화요법이 필요한 경우에는 예후의 심각함에 직면하게 된다. 신체적 고통을 완화하기 위한 증상관리와 함께 보다 잘 살아가기 위한 지원으로서 심리적 케어에 추가하여 정신적 케어에도 눈을 돌리는 것이 중요하다.

퇴원지도 · 요양지도

- 자궁적출 후에 잔존하는 질의 봉합상황에 따라서, 활동이나 성생활 등을 개시해야 한다. 반드시 진찰을 받고, 의사의 지시에 따르도록 촉구한다.
- 입원 시에는 활동성이 저하되므로 증상이 나타나지 않았다가, 퇴원후 노작의 부하가 커지거나 또는 회복과정상, 지방축적상이 되면 골반저근의 헐거움으로 인한 요누수가 생기기 쉽다. 입원 시 증상의 유무에 상관없이 예방법에 관한 지식을 제공하면서 실천을 권한다.
- 퇴원후 암의 재발이나 전이를 확인하기 위한 정기적인 검진의 중요성을 설명하고, 외래진찰을 계속할 것을 전달한다.
- 퇴원후 몇 개월이 지나면 회복과정이 지방축적상으로 접어드는 것을 설명하고, 서서히 활동을 높여서 운동하도록 권한다.

(竹内佐智惠)

Memo

17 자궁내막증 (endometriosis)

原田龍也·久保田俊郎/永澤規子

전체 map

병인

- 병인에는 자궁내막이식설 (월경혈을 포함하는 자궁내막조직이 골반복막에 생착된다), 체강상피화생설 (복막중피세포가 어떤 자극에 의해서 자궁내막으로 변화한다) 등, 몇 가지 가설이 있다.

역학

- 생식연령층 여성의 5~10%에게서 자궁내막증이 발생한다.
- 출산연령의 고령화, 임신 · 분만횟수의 감소로 증가경향에 있다.

[예후] 양성질환이며, 생명예후에는 영향을 미치지 않는다.

병태생리

병태생리 map p.158

- 자궁내막이 자궁 외 (이소성)에 존재하고, 병리학적으로는 양성임에도 불구하고, 침윤되면서 유종양성질이 가지는 기이한 질환이다.
- 이소성 내막증조직은 월경과 비슷한 출혈을 일으키고 낭포형성, 섬유화 · 기질화에 의한 유착을 일으킨다.
- 자궁내막증 병소는 에스트로겐의 주기적 분비에 반응하여 증식 · 진전된다.
- 난소에 발생한 자궁내막증을 난소초콜릿낭포라고 한다.

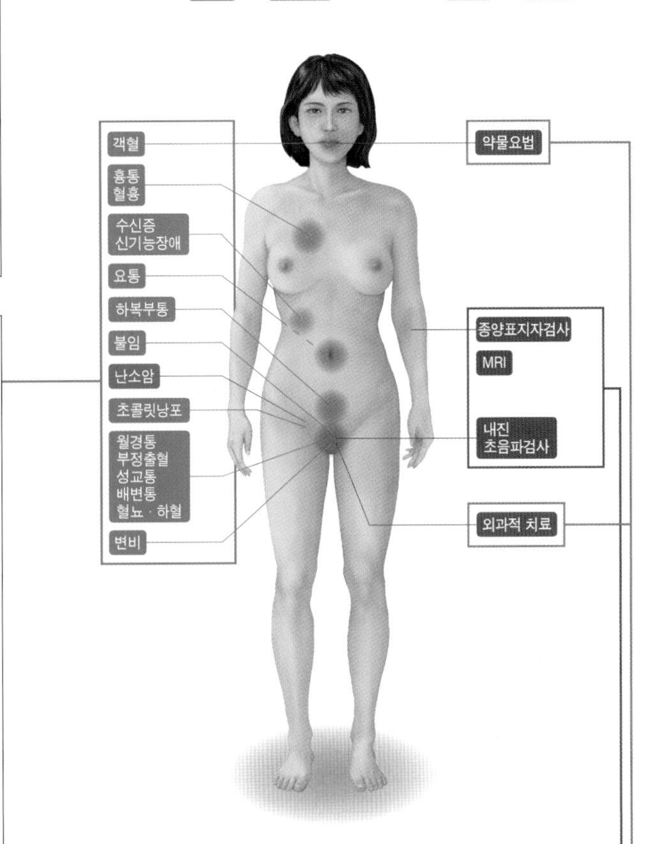

증상

증상 map p.160

- 통증이 주증상이며, 하복부통 (월경곤란증), 성교통, 배변통 등이 나타난다.
- 불임
- 장관, 요로계, 흉곽 내에 발생한 경우 : 소화기증상 (변비 · 설사), 수신증 · 신기능장애, 객혈 · 흉통 · 혈흉

[합병증]

- 난소초콜릿낭포가 있는 경우 : 난소종양

진단

진단 map p.161

- 통증이나 불임을 확인하면 내진 (쌍합진)을 실시하고, 특징적 소견 (압통, 자궁후굴, 자궁가동성 제한, 더글라스와 경결)이 있으면 진단을 확정할 수 있다.
- 진단확정에는 개복 또는 복강경에 의한 복강 내의 관찰이 불가결하지만, 외과적 침습이 수반되므로 전례에서 시행하기는 어렵고, 증상, 내진 · 초음파단층소견에서 임상적으로 자궁내막증이 의심스러우면 임상자궁내막증으로 치료한다.
- MRI : 난소초콜릿낭포의 진단에 유용하다.
- 종양표지자 : 보조진단이나 치료효과의 판정에 CA125, CA19-9를 사용한다.

치료

- 치료대상 : 골반통, 불임, 난소종대
- 치료방침 : 임신기능을 온전히 보전할 필요가 있는 미혼여성, 불임증여성, 자녀계획이 더 이상 없는 경우의 여성으로 나누어 생각한다.
- 약물요법 : 환자의 연령, 사회적 배경에 따라서 비스테로이드성 항염증제 (NSAIDs), 저용량 경구임신제, GnRH 작용제, 프로게스테론제, 한방약에서 선택한다.
- 외과적 치료 : 임신기능의 온전한 보전을 희망하는 경우는 보존수술 (복강경하낭포적출술)을, 임신을 희망하지 않으면 근치수술을 실시한다.

병태생리 map

자궁내막증이란 자궁내막이 이소성으로 존재하는 상태를 말하며, 병리학적으로는 양성임에도 불구하고, 증식 · 침윤되어 유종양성질을 갖는 기이한 질환이다.

- 이소성 내막증조직은 정소성 내막과 마찬가지로 월경과 비슷한 출혈을 일으키므로 신구혈액이 혼재된 낭포를 형성하며, 또 혈액성분으로 인한 자극 때문에 섬유화 · 기질화에 의한 유착이 발생한다. 자궁내막증의 발생과 증식 · 진전에는 난소에서 분비되는 여성호르몬인 에스트로겐이 크게 관여하고 있으며, 그 주기적 분비에 반응하여 자궁내막증병소가 증식되어, 서서히 병상이 진행되게 된다.
- 자궁내막증은 생식연령층에 발생하며, 통증을 주증상으로 하는 질환이지만, 그 병태 때문에 연령의 증가와 더불어 악화경향을 나타낸다. 본증의 월경통은 복막병소에 기인하며, 병소의 범위나 유착의 진행과 더불어 월경 시 이외에도 하복부통이나 성교통 · 배변통 등이 나타나게 된다. 또 최근, 생식의학의 진보로 본증과 불임증의 관련성이 밝혀지면서, 불임인자의 하나로 자리잡게 되었다.

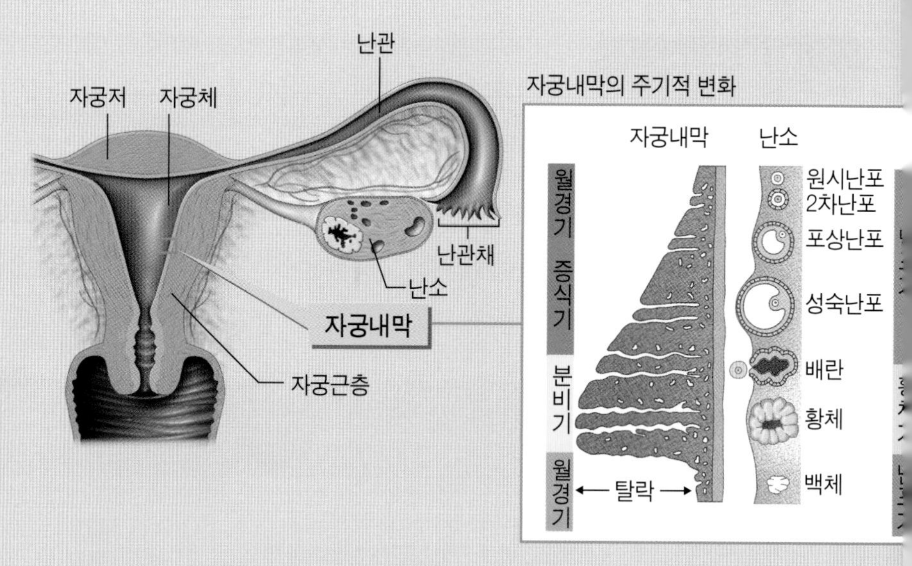

자궁내막은 각 주기마다 두께가 달라지며,
약 28일의 간격으로 월경 시에 탈락된다.

병인 · 악화인자

- 자궁내막증의 발생 메커니즘에 관해서는 몇 가지 설이 있으며, 아직까지 의견의 통일을 보지 못하고 있다. 그 중에는 월경혈이 난관을 거쳐 복강으로 유출되어 자궁내막조직이 골반복막에 생착된다는 자궁내막이식설이나 복막중피세포가 어떤 자극에 의해서 자궁내막으로 변화된다는 체강상피화생설 등이 있다.

역학 · 예후

- 자궁내막증은 양성질환이며, 생명예후에는 영향을 미치지 않는다. 그 때문에 복강내 정밀검사를 위해 적극적으로 외과적 처치를 시행하기에는 한계가 있으며, 본증의 정확한 발생빈도도 확실하지 않다. 다만 여러 가지 조사성적을 종합적으로 판단하면, 생식연령층 여성의 5~10%에게서 본증이 발병한다고 추론할 수 있다. 또 최근, 여성의 만혼화와 출산연령의 고령화, 임신 · 분만횟수의 감소로, 일본에서는 자궁내막증의 발생빈도가 증가하고 있다.

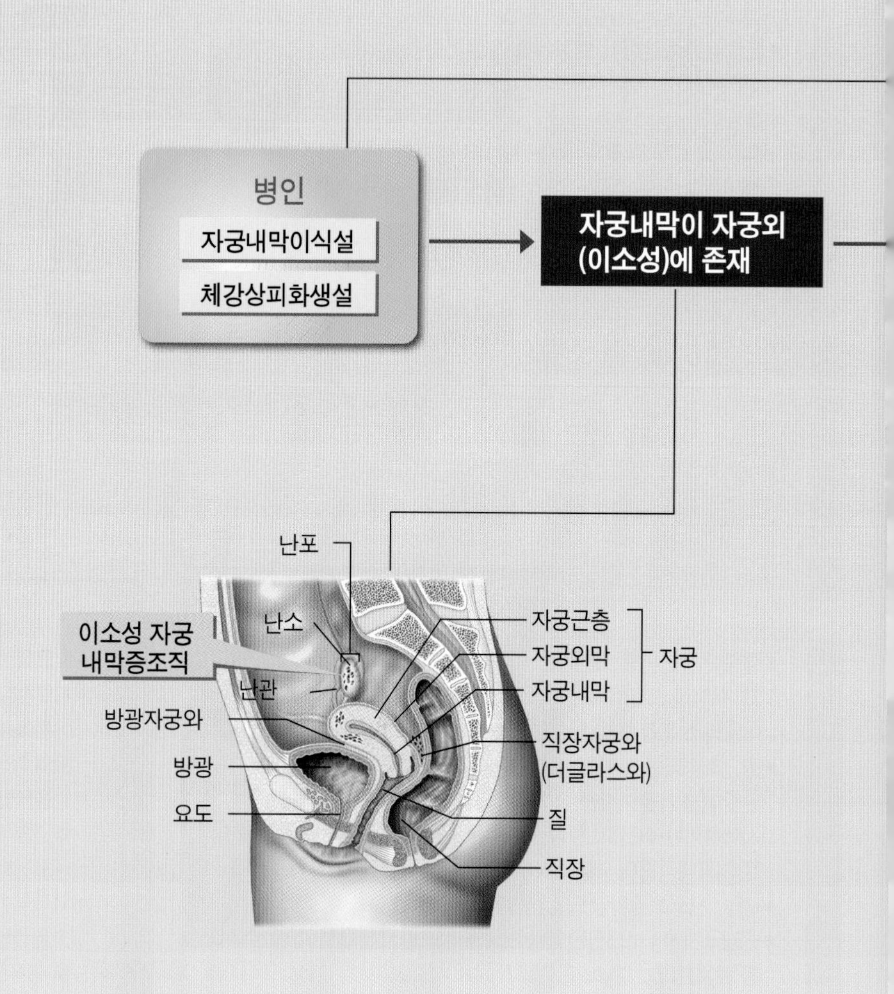

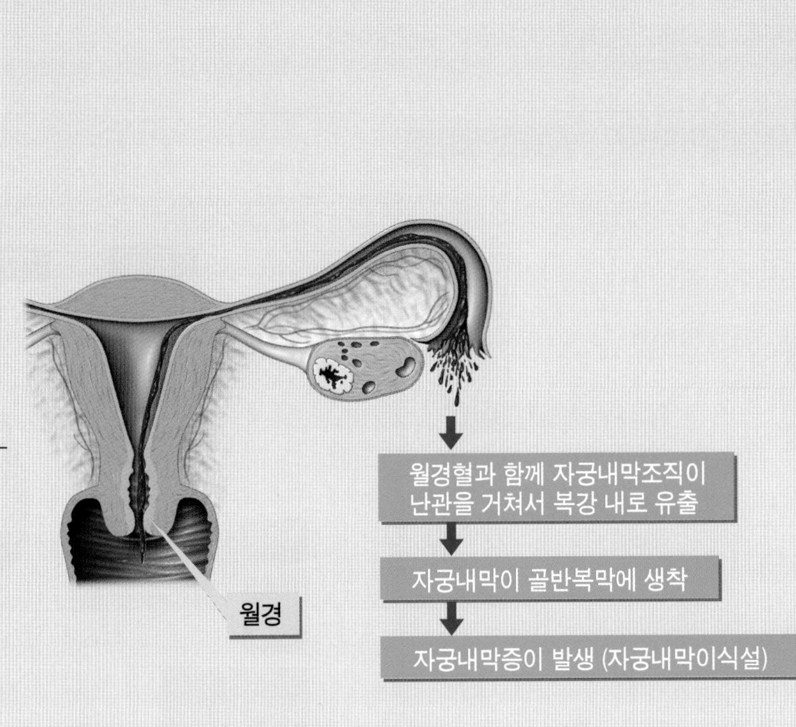

상기 외에, 복막중피세포가 어떤 자극에 의해서
자궁내막으로 변화되어 발생한다는 가설
(체강상피화생설)도 있다.

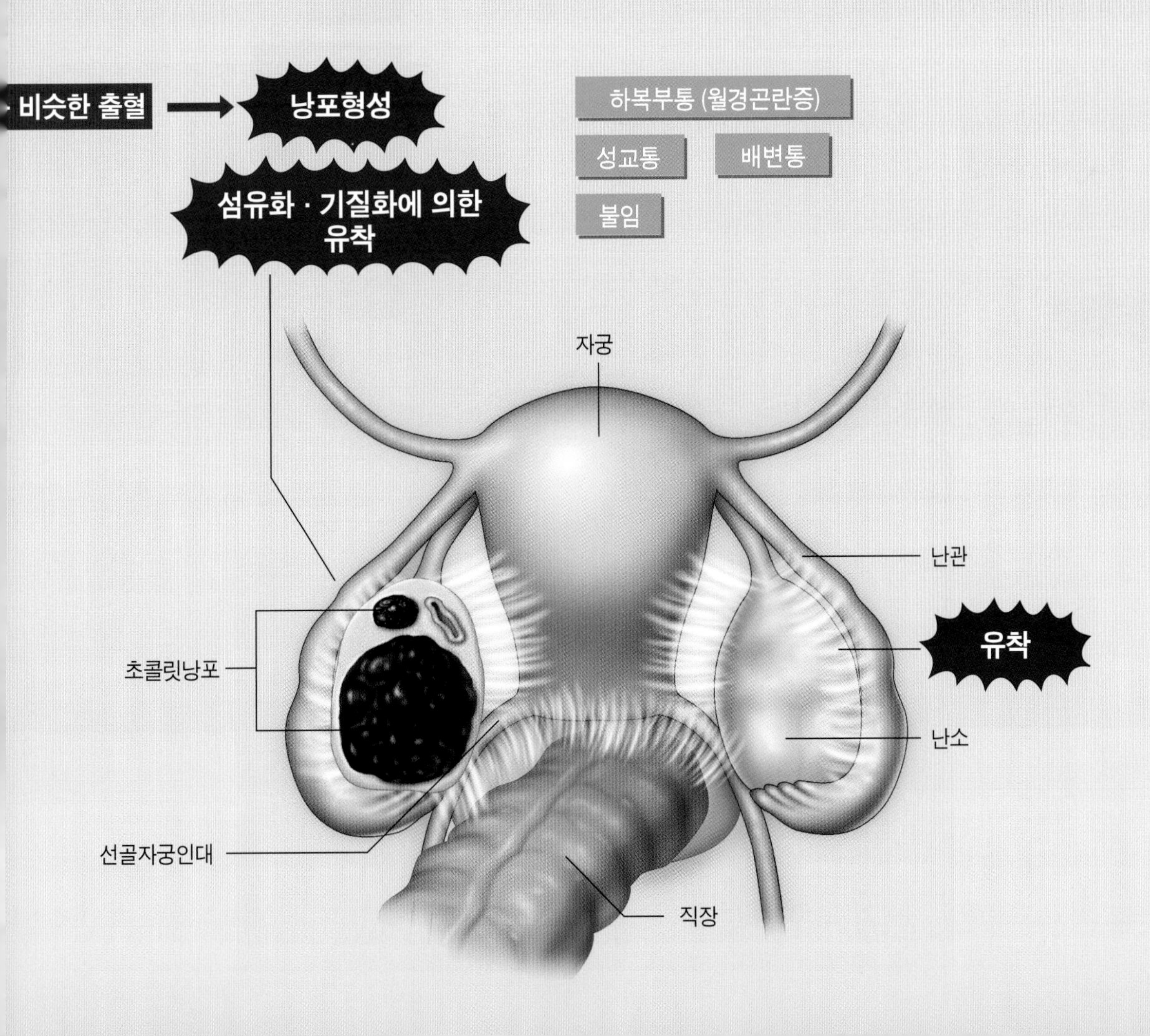

자궁내막증

증상 map

월경곤란증, 하복부통, 성교통, 배변통 등의 통증이 주증상이다.

증상

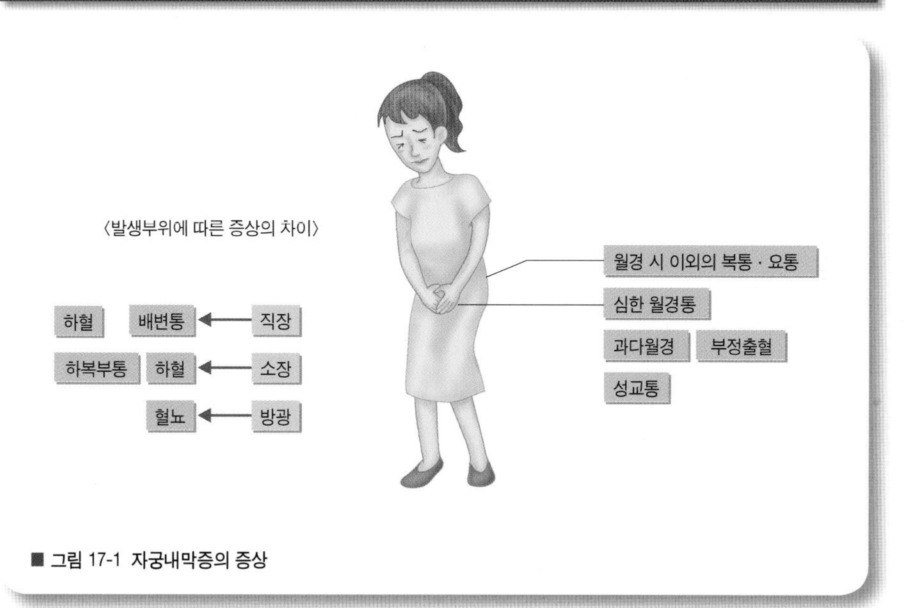

■ 그림 17-1 자궁내막증의 증상

- 자궁내막증의 주증상은 월경곤란증을 비롯한 하복부통, 성교통, 배변통 등의 통증이다. 통증을 주증상으로 한다는 점에서 골반내 염증성 질환 · 종양성 질환 · 술후 유착장애와의 감별이 필요하며, 그 발현시기와 정도 (시판하는 진통제 사용의 유무, 직장생활에서의 곤란 등)를 충분히 파악하는 것이 중요하다. 또 불임을 주증상으로 내원하는 경우도 많아서 임신을 희망하는 경우에는 본 질환을 염두에 두고 치료에 임해야 한다.
- 장관이나 요로계 장기, 또는 흉곽내에도 자궁내막증의 발생이 보고되어 있으며 변비 · 하혈 등의 소화기증상, 수신증이나 신기능장애, 객혈 · 흉통 · 혈흉 등의 증상을 나타내기도 한다.

합병증

- 난소초콜릿낭포가 있는 증례는 폐경 후에도 난소암의 위험이 높다.

Key word

- 난소초콜릿낭포

난소에 생긴 자궁내막 유사조직이 월경 시에 출혈을 일으킴으로써, 난소내에 혈액이 저류되어, 초콜릿낭포라 불리는 난소낭포를 생성한다. 저류하는 혈액에 초콜릿색의 점조가 농후한 액이 많다는 점에서 명칭이 유래되었다.

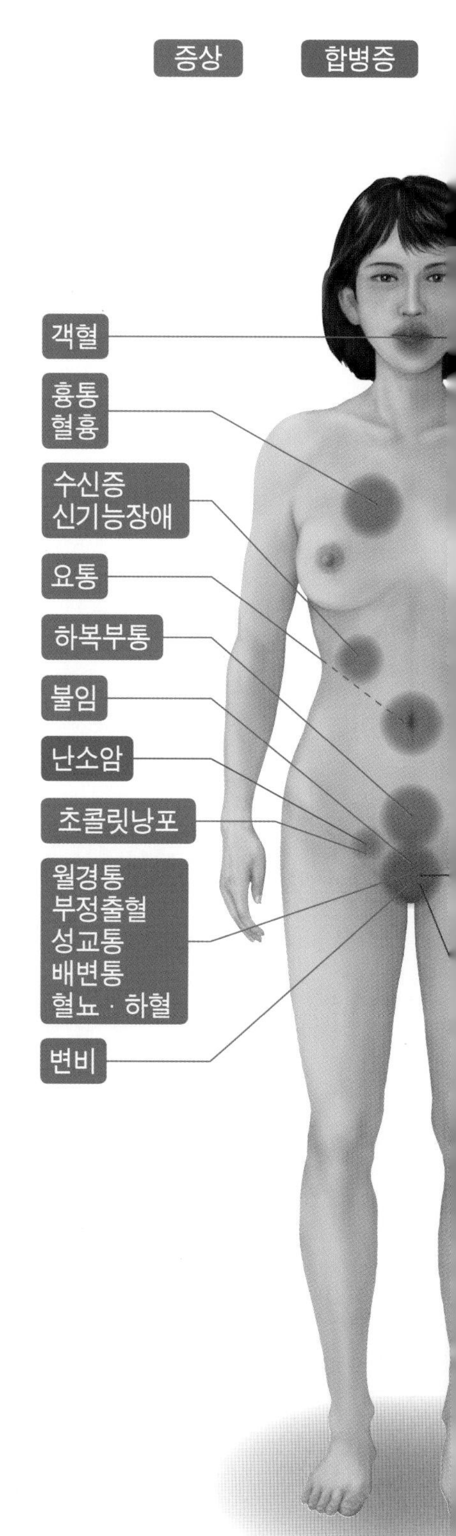

진단 map

내진으로 진단하는데, 진단확정은 복강내 진찰로 이루어진다.

진단 치료

약물요법

종양표지자검사

MRI

내진
초음파검사

외과적 치료

진단·검사치

- 월경통 (월경 시 하복부통 · 요통), 하복부통, 성교통, 배변통 등의 통증이나 불임을 확인한 경우에는 내진 (쌍합진)을 실시하며, 압통 · 자궁후굴 · 자궁가동성의 제한 · 더글라스와 경결 등 자궁내막증에서의 특징적인 소견을 확인하면 본증을 진단한다 [Beecham분류] (표 17-1). 본증의 진단확정에는 복강내 관찰이 필수적이며, 그 중요도는 Re-ASRM분류 (그림 17-2)를 이용하여 판단된다. 그러나 외과적 침습을 수반하는 점에서 전례에 시행하기가 어려우며, 증상이나 내진 · 초음파단층법의 소견에서 임상적으로 자궁내막증이 의심되는 경우는 임상자궁내막증으로서 치료한다.
- 검사치
- MRI는 혈액성분과 그 2차변화의 묘출에 뛰어나며, 난소초콜릿낭포의 진단에 매우 유용하다.
- CA125, CA19-9가 본증의 생화학적 지표가 되지만, 그 진단에 대한 감도 · 특이도 모두 높지 않아서, 보조진단이나 치료효과의 판정 등에 사용되는 경우가 많다.

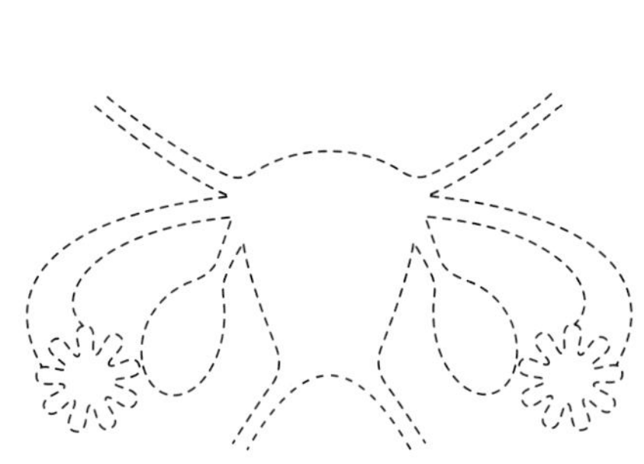

병소			<1cm	1-3cm	>3cm	Points
복막		표재성	1	2	4	
		심재성	2	4	6	
난소	오른쪽	표재성	1	2	4	
		심재성	4	16	20	
	왼쪽	표재성	1	2	4	
		심재성	4	16	20	

유착			<1/3	1/3-2/3	>2/3	Points
난소	오른쪽	필름같다	1	2	4	
		강 고	4	8	16	
	왼쪽	필름같다	1	2	4	
		강 고	4	8	16	
난관	오른쪽	필름같다	1	2	4	
		강 고	4※	8※	16	
	왼쪽	필름같다	1	2	4	
		강 고	4※	8※	16	
더글라스와폐색		일 부	4			
		완 전	40			

Total
- □ 1-5 ; 미증 STAGE I (Minimal)
- □ 6-15 ; 경증 STAGE II (Mild)
- □ 16-40 ; 중등증 STAGE III (Moderate)
- □ >41 ; 중증 STAGE IV (Severe)

※난관채가 완전히 폐색되어 있는 경우는 16점으로 한다.
표재성 병소를 red(R), white(W), black(B)으로 분류하고,
이 병소들이 차지하는 비율을 백분율(%)로 기재한다.
각 병소의 총합은 100%로 한다.
R(　　)%, W(　　)%, B(　　)%

■ 그림 17-2 Re-ASRM분류

■ 표 1-1 Beecham분류 (내진소견에 의한다)

제 I 기	골반내장기 · 장막면에 산재하는 1~2mm의 병변. 개복 시에만 발견된다.
제 II 기	후부 자궁지대, 자궁광간막, 자궁경후벽 또는 난소에서 국한성경결이 만져지고, 유착이 없는 것.
제 III 기	난소가 적어도 정상의 2배 이상으로 종대되고, 후부 자궁지대, 자궁후벽, 직장, 부속기에 유착이 존재하여, 자궁의 가동성이 제한되어 있는 것.
제 IV 기	더글라스와가 폐쇄되고, 골반내 장기가 유착으로 인해 한 덩어리가 되어, 각 장기를 구별할 수 없는 것 (동결골반, frozen pelvis).

(丸尾 猛, 외편 : 표준산부인과학, 제3판, 의학서원, 2004)

치료 map

환자의 연령이나 임신기능의 온존여부 등 환자의 배경과 병기, 증상을 종합하여 치료법을 검토 · 선택한다.

치료방침

- 본증에서는 골반통, 불임, 난소종대의 3가지가 치료대상이 된다. 또 본증은 생식연령 전반에 걸쳐서 발생하므로, 그 치료방침에 관해서는 임신기능의 온전한 보전이 요구되는 미혼여성, 불임증여성, 자녀계획이 더 이상 없는 경우의 여성으로 나누어 생각해야 한다.

GnRH 작용제의 반복투여

GnRH

GnRH 작용제

LH의 분비

FSH의 분비

하수체의 GnRH수용체가 감소
(Down regulation)

LH, FSH생산 · 분비의 저하

난소에서의 에스트로겐
생산 · 분비의 억제

난소에서
에스트로겐의
분비저하

저에스트로겐상태
(위폐경상태)

■ 그림 17-3 GnRH 작용제요법

■ 표 17-2 자궁내막증의 주요 치료제

분류	일반명	주요 상품명	약효발현의 메커니즘	주요 부작용
비스테로이드성 항염증제 (NSAIDs)	록소프로펜나트륨수화물	록소닌, Ollox	프로스타글란딘 생산억제작용	쇼크, 아나필락시스양 증상
	디클로페낙나트륨	Voltaren, Naboal SR		
	에토돌락	하이펜, Osteluc		
	암피록시캄	Flucam		
저용량 경구피임제	레보노르게스트렐 · 에티닐에스트라디올	Ange 28, Libian 28	위임신요법	혈전증
	노르에티스테론 · 에티닐에스트라디올	Ortho M-21 Lunabell		
에스트로겐 · 프로게스테론합제	노르게스트렐 · 에티닐에스트라디올	Planovar		
프로게스테론제	디에노게스트	Dinagest		생식기출혈
GnRH 작용제	부세레린 초산염	수프리커, 수프리커 MP	위폐경요법	골량감소
	초산 나파렐린	Nasanyl		
	류프로렐린초산염	Leuplin		
한방약	당귀작약산	당귀작약산	월경곤란증에 대한 한방요법	과민증
	가미소요산	가미소요산		-
	도핵승기탕	도핵승기탕		
	작약감초탕	작약감초탕		위알도스테론증

약물요법

- 환자의 연령 · 사회적 배경을 고려하여 비스테로이드성항염증제 (NSAIDs), 저용량 경구피임제, GnRH 작용제, 한방약 등을 선택한다.

Px 처방례 진통제

- 록소닌정 (60mg) 3정 分3 ←NSAIDs
- Voltaren정 (75mg) 3정 分3 ←NSAIDs
- Voltaren좌약 (25mg) 3개 分3 ←NSAIDs

Px 처방례 호르몬요법

- Ange 28정 1정 分1 28일간 연속투여 (7일분의 위약 포함) ←저용량 경구피임제 (3상성)
- Libian 28정 1정 分1 28일간 연속투여 (7일분의 위약 포함) ←저용량 경구피임제 (3상성)
- Ortho M-21정 1정 分1 21일간투여, 7일간 휴약 ←저용량 경구피임제 (1상성)
- Lunabell 1정 分1 21일간투여, 7일간 휴약 ←저용량 경구피임제 (1상성)
- Dinagest정 (1mg) 2정 分2 ←프로게스테론제

Px 처방례 위폐경요법

- 수프리커점비액 1일 900㎍ 1일3회 양측 비강에 분무 ←GnRH 작용제
- Nasanyl점비액 1회 200㎍ 1일2회 편측 비강에 점비분무 ←GnRH 작용제
- Leuplin주 (1.88mg) 1회 1.88mg 월1회 피하주 ←GnRH 작용제
- 수프리커 MP 1.8주 (1.8mg) 1회 1.8mg 월1회 피하주 ←GnRH 작용제

Px 처방례 한방약

- 당귀작약산 (2.5g) 3포 分3 (식전)
- 계지복령환 (2.5g) 3포 分3 (식전)
- 작약감초탕 (2.5g) 3포 分3 (식전)

외과적 치료

- 보존수술 : 자궁내막증은 생식연령의 여성에게 호발하므로 장래 임신기능의 보존을 희망하는 증례가 많아서 난소 · 난관 · 자궁을 온존하는 보존수술을 실시한다. 보존수술은 자궁내막증의 병소 제거와 그에 기인하는 유착을 박리하고, 또 수술후 유착방지책을 강구하여, 임신기능의 개선과 통증의 경감을 목적으로 하는 것이다. 최근, 저침습적인 복강경으로 시행하는 경우가 많아지고 있다.
- 근치수술 : 자궁내막증에 기인하는 중증 월경곤란증이나 골반통이 있으며 장래 임신을 희망하지 않는 증례에는 증상을 완전히 치료하기 위해서 자궁적출과 난소초콜릿낭포나 더글라스와를 중심으로 하는 침윤성 병변을 절제하는 근치수술을 실시한다.

자궁내막증의 병기 · 병태 · 중증도별로 본 치료흐름도

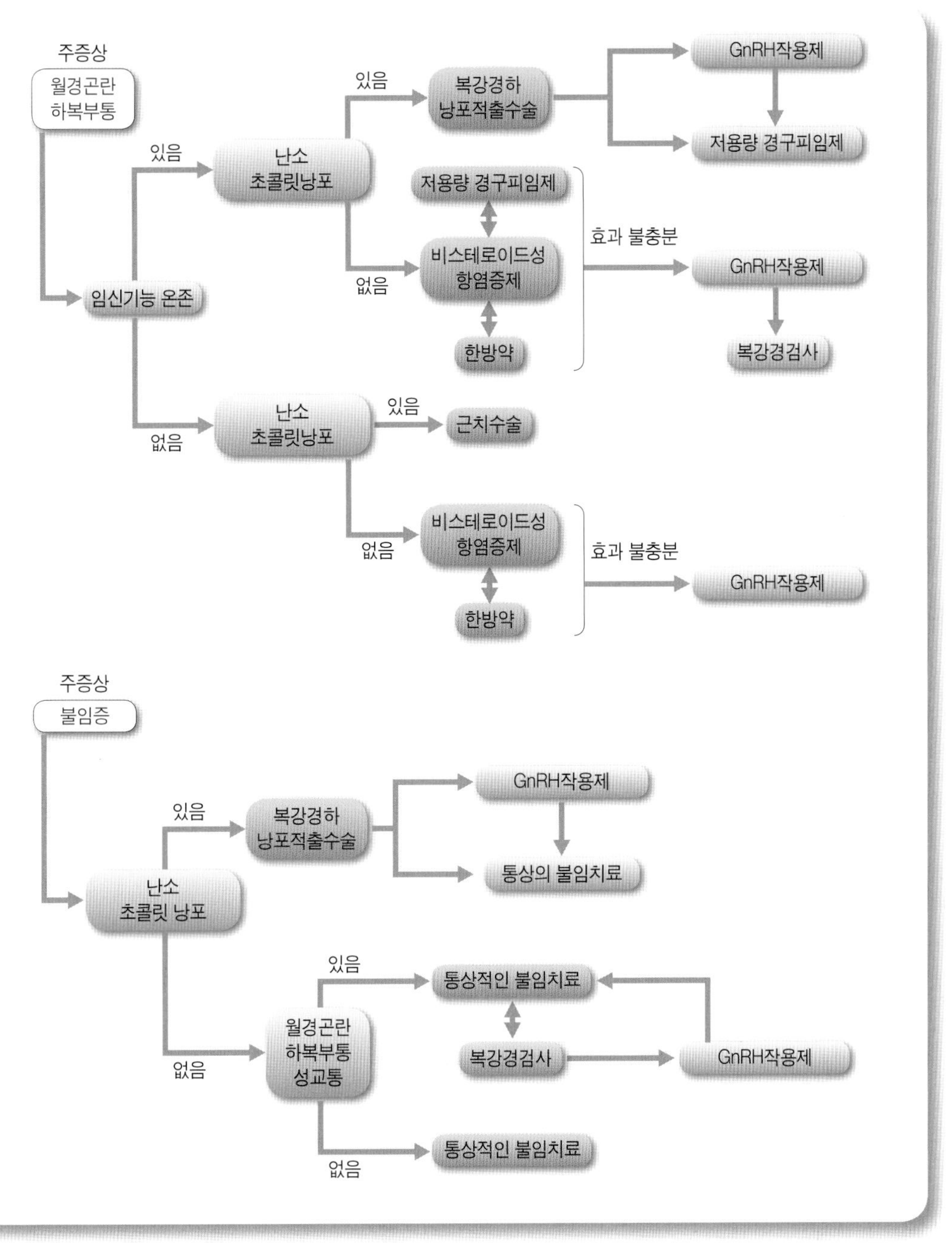

(原田龍也·久保田俊郎)

환자케어

질환에 관한 바른 정보를 제공하고, 환자가 보다 나은 치료를 받을 수 있도록, 심신 양면으로 지지한다.

병기·병태·중증도에 따른 케어

자궁내막증은 진행도에 따라서 4기로 나뉜다.

【제1기 (미소병변)】 이 시기는 월경통도 경도여서 환자가 자각하지 못하는 경우가 많다. 원인불명의 불임으로인해, 복강경하검사를 실시했을 때 발견되는 경우가 많다. 약물요법이 행해지는 경우는 적고, 불임증에 관해서도 대기요법을 취하는 경우가 많다. 환자에게 자궁내막증에 관한 바른 지식을 제공하여, 불필요한 불안을 가지지 않도록 지지한다.

【제2기 (경증)】 월경통이 조금씩 심해진다. 유착은 그다지 보이지 않으므로, 월경 시 이외는 무증상인 경우가 많다. 월경통에는 신통제 등으로 통증을 관리하여, 일상생활에 지장이 없도록 지지한다. 약물요법이 행해지는 경우에는 그 목적, 내용, 일어날 수 있는 부작용에 관하여 설명하고, 중도에 치료를 중단하지 않고 효과적으로 받을 수 있도록 지지한다.

【제3기 (중등증)】 골반내 장기의 유착이 생기고, 월경 시 이외에도 하복통이나 불쾌감, 배변통, 성교통 등이 나타난다. 약물요법을 제1선택으로 하여 치료하지만, 증상이 심한 경우에는 복강경하 또는 개복수술로 유착박리나 이소성 내막의 레이저소작을 실시한다. 임신을 희망하는 경우에는 체외수정 등의 적극적 불임치료가 행해지는 경우가 많다. 환자의 배경을 파악하고, 각각의 문제점에 맞는 치료방침이 효과적으로 행해지도록 지지한다.

【제4기 (중증)】 골반강 내의 유착이 중증으로, 골반강내 장기가 한 덩어리가 되어 버린다. 월경통도 진통제로는 관리가 어려운 경우가 많다. 약물요법과 수술요법을 병용하여 치료한다. 환자의 고통이 중증이어서 사회생활을 하지 못하여 여러 가지 문제가 생기는 경우가 많다. 치료에 대한 지지과 함께, 환자가 가지고 있는 문제를 파악하여, 심신 모두 지지하는 것이 더욱 필요하다.

케어의 포인트

진료 · 치료의 지지

- 자궁내막증 진단을 위한 내진, 초음파검사, CT검사, MRI검사를 지지한다.
- 약물요법에는 내복 · 점비 · 주사법이 있다. 내복 · 점비법이 행해지는 경우에는 환자가 자가중단하지 않도록 치료의 목적, 내용, 효과, 일어날 수 있는 부작용에 관하여 설명한다. 주사에 의한 경우는 1개월에 1회 간격이므로 진찰을 때맞춰 정확히 받을 수 있도록 내복 · 점비법 지도와 마찬가지로 치료의 목적 등을 설명한다.
- 치료효과의 유무 여부를 관찰한다.
- 약의 부작용을 관찰하고, 의사에게 정보를 전달한다.
- 수술요법이 행해지는 경우는 그 지지를 제공한다.

통증완화에 대한 지지

- 통증을 완화하기 위한 체위연구나 마사지, 온엄법(hot compress) 등을 실시한다.
- 의사의 지시에 따라서 진통제가 투여되는 경우는 정확히 한다.

셀프케어에 대한 지지

- 셀프케어상태를 평가한다.
- 셀프케어가 부족한 경우에는 신체적인 내용을 파악하고, 그 내용에 맞는 적절한 해결법을 지도한다.

환자 · 가족의 심리 · 사회적 문제에 대한 지지

- 자궁내막증에 관하여 바른 정보를 제공하고, 치료에의 적극적인 참여를 촉구한다.
- 자궁내막증에 대한 환자 · 가족의 불안을 완화하도록 지지한다.

퇴원지도 · 요양지도

- 월경통 등의 신체적 고통을 자기관리할 수 있도록 진통제의 사용방법을 지도한다.
- 월경 시 지내는 법, 성교시 주의사항, 변비예방 등 불쾌감을 완화하는 방법을 지도한다.
- 내복을 지도한다.
- 규칙적인 생활을 할 수 있도록 지도한다.
- 외과적 치료를 받은 후에 퇴원하면 수술 후의 체력회복을 위해서 균형적인 식사를 섭취하고, 퇴원후 2주 정도는 자택에서 안정을 취하도록 지도한다. 또 그 지지를 가족이 할 수 있도록 가족도 한다.
- 퇴원후 진찰을 받아야 하는 증상 (출혈 · 감염징후 등)에 관하여 설명하고, 이상 시에는 바로 진찰 받도록 지도한다. 또 특별한 문제가 없어도 의사가 지시한 날짜에는 진찰을 받도록 지도한다.

(永澤規子)

갱년기증상
(얼굴이 화끈거리거나 빨개짐, 현기증, 초조, 다한 등)

골다공증

우울증

체중증가

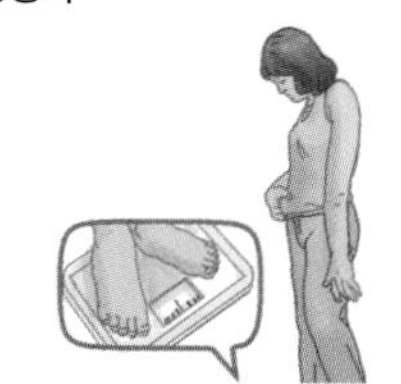

간기능이상

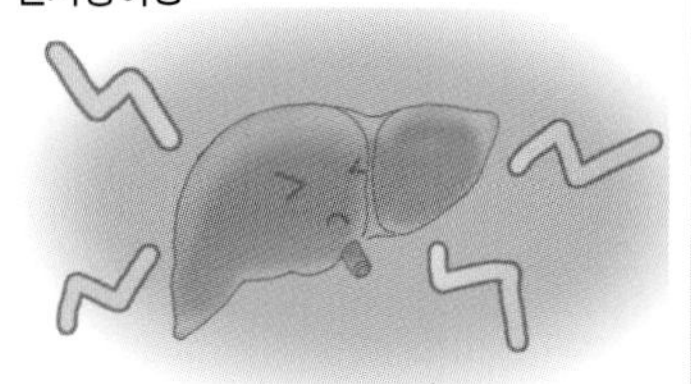

■ 그림 17-4 위폐경요법에서 나타나는 부작용

18 난소종양 (ovarian tumor)

谷口義實·久保田俊郎/永澤規子

전체 map

병인

- BRCA1 유전자의 변이
- 유내막선암이나 명세포암의 발생과정에는 자궁내막증과의 관련성이 지적되고 있다.

[악화인자] 난소암 · 유방암의 가족력, 미출산력

역학

- 50대가 난소암의 최다발생 연령대이다.
- 난소암의 연령조정 이환율은 유방암의 1/5로, 인구 10만명당 약 9명이다.

[예후] 조직형, 진행기에 따라서 다르다.

병태생리

- 난소의 표피 · 간질조직, 성삭, 원시배세포에서 양성 · 경계악성 · 악성종양이 발생한다. 표층상피성 · 간질성종양인 악성종양이 난소암이다.

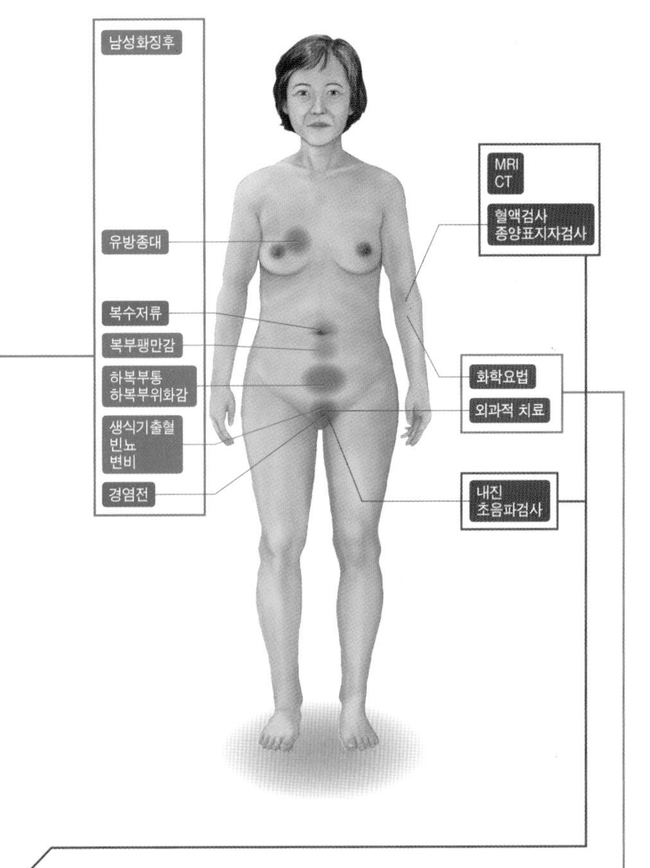

증상

- 종양의 지름이 5~6cm 정도인 경우에서는 무증상일 때도 많다.
- 하복부통, 하복부위화감
- 복부팽만감
- 주변장기의 압박증상 : 빈뇨, 변비
- 호르몬분비증상 : 생식기출혈, 유방종대, 남성화징후

[합병증]

- 경염전
- 복수저류

진단

- 내진 (쌍합진)에서 종괴가 촉지되면, 경도나 형상도 확인한다.
- 경질초음파단층법 : 경질프로브를 사용한 초음파단층법이 유용하며, 종양내강에서 Ⅳ~Ⅵ형 충실성분이 확인되면 악성일 가능성이 높다.
- MRI : 종양 형상의 관찰에 유용하다. 조영 MRI로 양성 · 악성의 감별, 조직학적 추정이 가능하다.
- CT : 원격전이 · 림프절전이의 유무, 진행도의 진단에 사용된다.
- 종양표지자 : CA125, CA19-9, CA546, AFP, SCC 등을 확인하여 MRI 등의 영상진단과 병용한다.

치료

- 치료방침 : 난소종양에서는 종양지름 · 조직형에 따라서 경과관찰 또는 외과적 치료를 선택한다. 악성종양이 의심스러우면 원칙적으로 외과적 치료를 적응한다.
- 외과적 치료 : 난소종양에서는 개복 또는 복강경하의 부속기절제술, 난소적출술, 난소종양절제술이, 난소암에서는 양측 부속기적출술+자궁전적출술+대망절제술+후복막림프절 곽청이 적응된다.
- 약물요법 : 수술후 화학요법으로 TC요법 (파크리탁셀+카보플라틴), BEP요법 (브레오마이신+에토포시드+시스플라틴)을 시행한다.

병태생리 map

난소종양은 난소에 발생하는 종양이다. 그 발생유래에 따라서, 표층상피성 · 간질성종양, 성삭간질성종양, 배세포종양으로 분류되며, 각각에 양성종양, 경계악성종양, 악성종양이 존재한다.

- 성성숙기 여성의 정상난소는 엄지손가락 정도의 상단부 크기이며, 조직학적으로 표피 · 간질조직, 성삭, 원시배세포가 존재한다. 각각에 양성종양, 경계악성종양, 악성종양이 발생하므로, 조직학적으로 매우 많은 종류의 종양이 존재하게 된다. 표피상피성 · 간질성종양의 악성종양이 이른바 난소암이다(표 18-1).

병인 · 악화인자

- 암억제유전자의 하나인 BRCA1의 변이가 가족성유방암 · 난소암의 원인이 된다고 알려져 있다. 따라서 근친 혈연자 중에 난소암 · 유방암 환자가 있는 경우에는 난소암의 발생률이 높아진다.
- 분만력이 없는 경우는 분만력이 있는 경우에 비해 난소암의 발생률이 높다는 보고가 있다. 또 경구피임약의 내복자는 난소암의 발생률이 낮다는 보고도 있다. 임신 중이나 경구피임제 내복 중에는 배란이 억제된 상태로, 배란 시 난소에 가해지는 스트레스가 난소암의 유인이 될 가능성이 있다.
- 유내막선암이나 명세포선암은 그 발생과정에서 자궁내막증과의 관련성이 지적되고 있다.

역학 · 예후

- 배세포종양은 20대 젊은층에게 발생하는 경우가 많다. 배세포종양계 양성종양으로 분류되는 성숙낭포성기형종 (피양낭포종)은 전체 난소종양의 약 1/4를 차지하며, 30세까지 발견되는 경우가 많다. 성숙낭포성기형종은 태생기의 3배엽조직 (내 · 중 · 외배엽)에서 형성되며, 적출된 종양의 내용물에 지방덩어리나 모발 등이 포함되는 경우가 많다.
- 난소암은 연령과 더불어 발생빈도가 높아지고, 50대가 최다발생 연령대이다. 또 주요 부위별 연령조정 이환율 (1년간 새로 발생하는 환자수)은 인구 10만명당 약 9명이다. 이것은 여성에게서 제1위를 차지하는 유방암의 1/5 정도에 해당한다.
- 난소암의 5년생존율은 일반적으로 Ⅰ기 80~90%, Ⅱ기 60~70%, Ⅲ기 30~60%, Ⅳ기 약 15%이다. 조직형의 차이나 같은 진행기라도 a~c (예를 들어 Ⅲa기와 Ⅲc기) 중 어디에 해당하는지에 따라서 생존율이 상당히 달라진다.

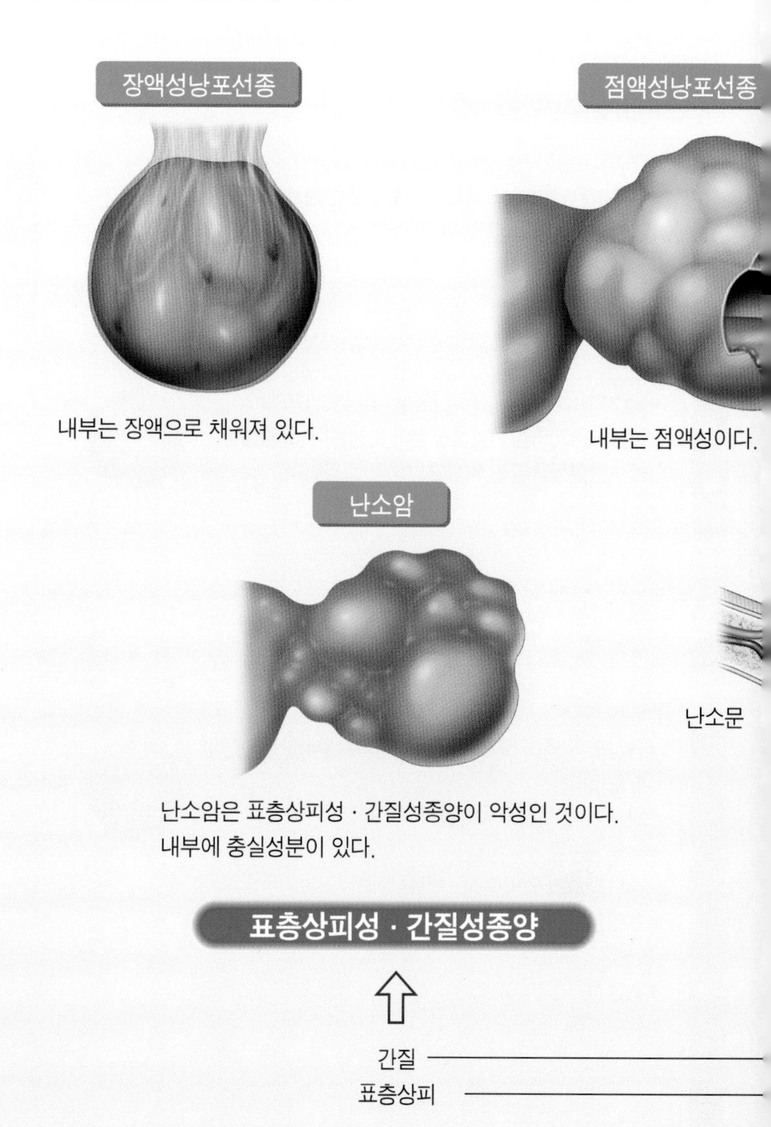

■ 표 18-1 대표적인 난소종양의 임상병리학적 분류

	양성종양	경계악성종양	악성종양
표층상피성 · 간질성종양	장액성낭포선종 점액성낭포선종 유내막선종 명세포선종	장액성낭포성종양 점액성낭포성종양 장내막종양 명세포종양	장액성(낭포)선암 점액성(낭포)선암 유내막선암 명세포선암
성삭간질성종양	협막세포종 섬유종 세르톨리 · 간질세포종양 (고분화형) 라이디히세포종	과립막세포종 세르톨리 · 간질세포종양 (중분화형)	섬유육종 세르톨리 · 간질세포종양 (저분화형)
배세포종양	성숙낭포성기형종 [피양낭포종]	미숙기형종 (G1, G2)	미분화배세포종 난황낭종양 태아(胎芽)성암 [태아(胎兒)성암] 악성전화를 수반하는 성숙낭포성기형종 미숙기형종 (G3)
기타			2차성[전이성]종양

(난소종양취급규약)

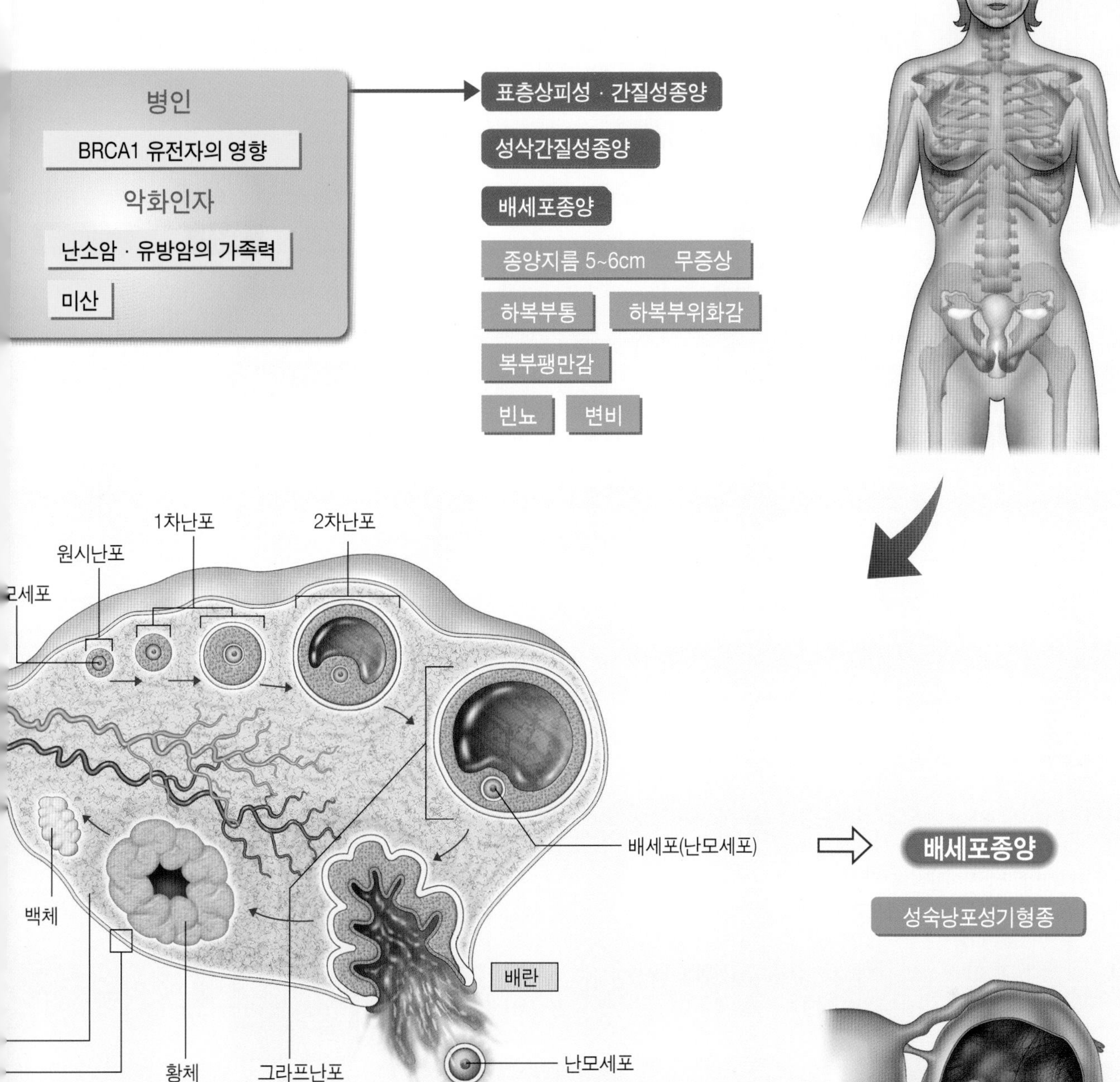

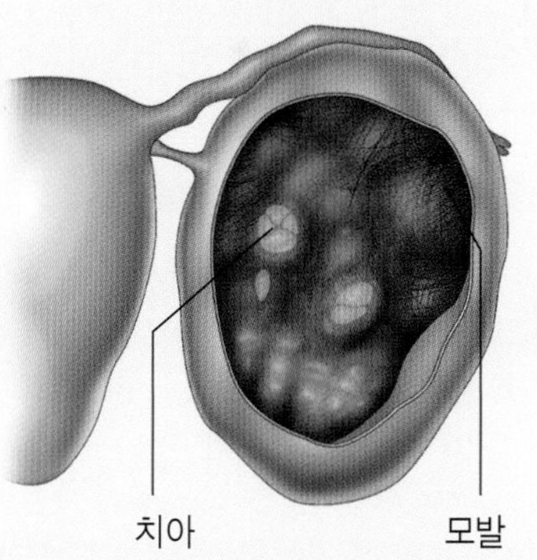

성삭간질성종양

협막세포종, 과립막세포종

에스트로겐을 생산하고, 여성화징후 (조숙이나 폐경후 출혈) 등을 나타낸다.

세르톨리 · 간질세포종양, 라이디히세포종(leydig cell tumor)

안드로겐을 분비하고, 남성화징후 (다모 등)을 나타낸다.

성숙한 난포의 배세포에서 발생한다. 내용물에 지방덩어리나 모발, 치아 등이 포함되는 경우도 많다.

난소종양

증상 map

종양이 작을 때는 무증상이지만, 증대됨에 따라서 하복부통이나 주변장기의 압박증상이 확인된다. 호르몬생산종양인 경우에는 호르몬분비증상도 나타난다.

증상

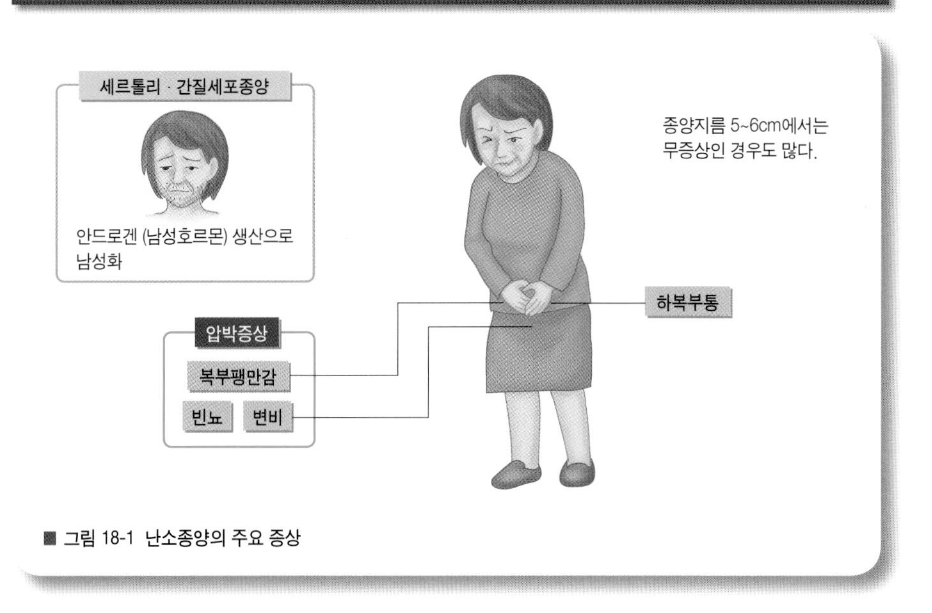

■ 그림 18-1 난소종양의 주요 증상

- 무증상 : 난소는 골반강 속에 존재하고 있어서, 종양이 일정 크기 이상이 아니면 자각증상이 나타나지 않는 경우가 많다. 종양지름이 5~6cm 정도에서는 무증상인 경우도 많다. 외래에서의 초음파단층법에서 우연히 발견되는 케이스도 있다.
- 하복부통 : 종양이 증대됨에 따라서 하복부통, 하복부위화감이 나타나기도 한다.
- 압박증상 : 악성종양이나 양성 점액성낭포선종 등의 경우에서는 종양이 거대화되는 수가 있다. 그 경우는 복부팽만감의 자각이나 주변장기의 압박증상이 나타나기도 한다. 종양이 방광을 압박하여 빈뇨가 나타나거나, 직장을 압박하여 변비가 유발되기도 한다.
- 호르몬분비증상 : 난소종양 중에는 에스트로겐 (여성호르몬)을 생산할 가능성이 있는 협막세포종이나 과립막세포종, 안드로겐 (남성호르몬)을 생산할 가능성이 있는 세르톨리 · 간질세포종양 등의 호르몬생산종양이 있다. 이 호르몬생산종양에서는 생산된 에스트로겐에서 유래하는 생식기출혈이나 유방종대 등의 증상이나, 생산된 안드로겐에서 유래하는 남성화징후를 확인하기도 한다.

합병증

- 경염전 : 난소종양이 회선되어 염전을 일으켜서, 교액상태가 되어 있는 것을 말한다. 조직형은 성숙낭포성기형종이 많고, 크기는 중간정도 (5~15cm 정도)인 경우가 많다. 종양의 순환이 차단되므로, 종양 자체가 울혈된 상태에 있으며, 시간의 경과와 더불어 괴사에 빠지기도 한다. 심한 하복부통을 자각하고, 복막자극증상으로 오심 · 구토 등을 호소하기도 한다.
- 복수저류 : 악성종양에서는 종양의 진행에 수반되며, 특히 복막파종을 일으키게 되면 복수저류를 확인하는 경우가 많다. 또 양성종양에서도 Meigs증후군이라고 하여, 복수 · 흉수의 저류가 합병되는 경우도 있다.

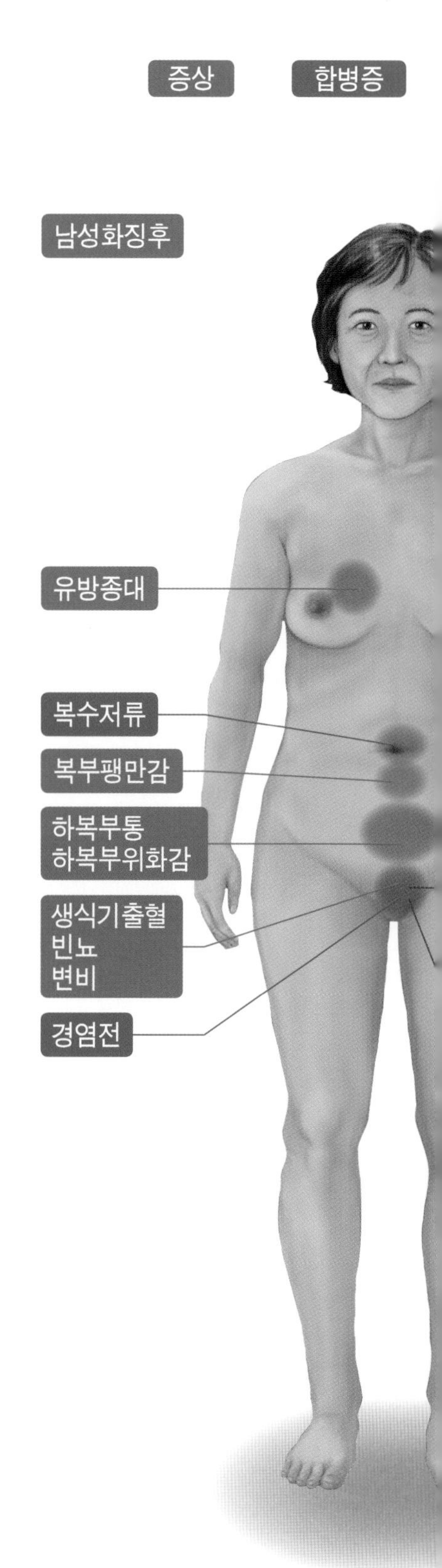

진단 map

내진 (쌍합진), 경질초음파단층법이나 MRI를 이용하여 종괴의 형상을 확인하고, 종양표지자를 보아 진단한다. 수술로 양성・악성의 감별・진단확정이 가능하다.

진단　치료

MRI
CT

혈액검사
종양표지자검사

화학요법

외과적 치료

내진
초음파검사

진단・검사치

- 내진을 통해 종괴의 유무를 확인하고, 종괴를 촉지한 경우는 다시 경도나 표면의 매끄러움 등 종괴의 형상도 확인한다.
- 초음파단층법, 특히 경질프로브를 이용한 경질초음파단층법은 난소종양의 진단에 매우 유용하다. 종양의 유무, 크기를 파악할 뿐 아니라, 종양내강을 확인할 수 있다. 특히 종양내강의 충실성분의 유무를 확인하는 것이 중요하다. 충실성분이 확인되는 경우는 악성종양일 가능성을 염두에 두어야 한다. 초음파단층법에 의한 난소종양의 형상패턴을 분류한 일례를 표18-2에 나타냈다. IV~VI형 충실성종양은 악성종양일 가능성이 높다.
- MRI도 난소종양의 형상을 관찰하는 데에 유용하다. 충실성분의 유무, 종양내용액의 추정, 조영제를 사용했을 때는 조영효과의 유무 등에 따라서, 양성・악성의 감별을 포함하여 상세한 조직학적 추정이 가능하다.
- CT에서도 난소종양의 형상을 어느 정도 확인하는 것이 가능하다. 또 CT는 악성종양일 가능성이 높은 경우에 폐나 간으로 원격전이의 유무, 림프절전이의 유무 등, 병변의 진행정도를 진단할 때에도 사용된다.
- 임상적 검사 및 외과적 검색, 또는 그중 한 방법으로 판정되는 난소암의 진행기 분류를 표 18-3에 나타냈다.
- 검사치
- 혈액 속의 종양표지자의 측정은 양성・악성의 감별, 치료효과의 판정, 재발의 유무 등의 진단 시에 유용하다. 대표적인 종양표지자에는 난소암에 사용하는 CA125, CA19-9, CA546, 배세포종양계 악성종양에 사용하는 AFP, 악성전화를 수반하는 성숙낭포성기형종에 사용하는 SCC 등이 있다.
- 난소암에서도 종양표지자가 정상치인 케이스, 양성종양에서도 CA19-9가 높은 수치를 나타내는 경우의 성숙낭포성 기형종 등의 케이스가 있다. 따라서 종양표지자는 초음파단층법이나 MRI 등의 영상적 진단과 병용하여 사용하는 것이 중요하다.

■ 표 18-2 난소종양의 초음파상의 분류

형	초음파상	패턴
I 형		낭포성 패턴 (내부에코 없음)
II 형		낭포성 패턴 (내부에코 있음)
III 형		혼합패턴
IV 형		혼합패턴 (낭포성 우위)
V 형		혼합패턴 (충실성 우위)
VI 형		충실성 패턴
분류불능		

(일본초음파의학회 : 난소종양의 에코패턴분류의 공시에 관하여, Journal of Medical Ultrasonics 27 : 913,2000)

■ 표 18-3 난소암 (임상)의 진행기 분류 (FIGO, 1988년)

진행기	내용
I 기	난소국한
	I a기 : 일측 난소국한 I b기 : 양측 난소국한 I c기 : 난소국한으로 난소피막 파탄 or 암성복수
II 기	골반내 만연
	II a기 : 자궁 or 난관전이 II b기 : 그 밖에 골반내장기 전이 II c기 : II a or II b에서 난소피막 파탄 or 암성복수
III 기	복강내 만연
	III a기 : 복막 표면에 현미경적 파종 III b기 : 2cm 이하의 복강내 파종 III c기 : 2cm를 넘는 복강내 파종 or 후복막림프절・서경림프절전이
IV 기	원격전이

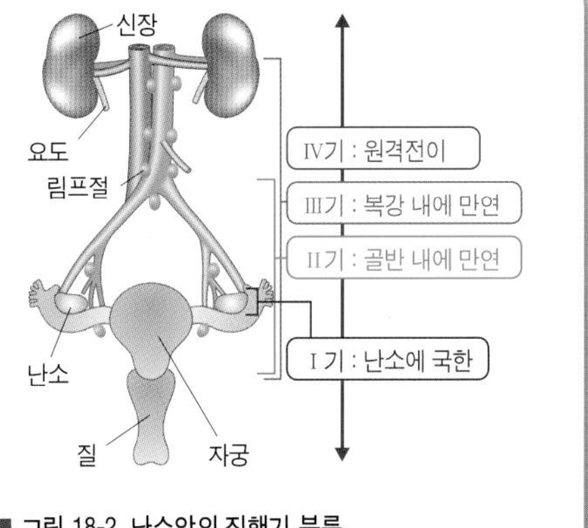

■ 그림 18-2 난소암의 진행기 분류

치료 map

양성종양에서는 종양지름의 크기가 일정 수준 이상인 경우에 외과적 치료를 선택하고, 악성종양이 의심스러운 경우에는 원칙적으로 자궁전적출, 림프절곽청까지 포함한 근치술을 시행하고 진행기에 따라서 화학요법 등을 추가한다.

치료방침

- 악성종양인지 확인할 수 없는 난소종양의 경우에는 종양지름이 폐경전 7cm, 폐경후 5cm 이하이면 경과를 관찰한다. 크기가 이 이상인 케이스에서는 외과적 치료를 선택하는 경우가 많다. 또 크기뿐 아니라, 추정되는 조직형 등도 고려한 후에 외과적 치료를 선택할 것인지를 판단하기도 한다.
- 난소암을 비롯한 악성종양일 가능성이 의심스러우면, 원칙적으로 외과적 치료를 선택한다. 적출된 종양이 병리학적 진단에 따라서 악성종양이라고 확정된 경우에는 수술 후에 화학요법을 실시하는 케이스가 많다.

■ 표 18-4 난소암의 주요 치료제

분류	일반명	주요 상품명	약효발현의 메커니즘	주요 부작용
항생물질항암제	블레오마이신 염산염	Bleo	DNA합성을 저해	간질성폐렴, 폐섬유증
토포이소메라제저해제	에토포시드	라스텟트, Vepesid	DNA합성을 저해	골수억제
	이리노테칸 염산염수화물	캄토프, Topotecin		
알칼로이드계	파크리탁셀	탁솔	세포분열을 정지	골수억제, 신경장애
	도세탁셀 수화물	탁소텔		
백금제제	시스플라틴	Briplatin, Randa	DNA합성을 저해	신독성, 최토작용
	카보플라틴	Paraplatin		골수억제

외과적 치료

- 난소낭종에서는 연령이나 낭종의 성상에 따라서, 부속기적출술 (난소 전체와 난관의 적출), 난소적출술 (난소 전체의 적출), 난소낭종절제술 (난소낭종만 적출)이 선택된다. 이 수술법 모두 개복하는 경우와 복강경하에 시행하는 경우가 있다.
- 난소암에서는 기본적으로 양측 부속기적출술+자궁전적출술+대망절제술+후복막림프절 (골반 · 방대동맥림프절) 곽청술을 선택한다(그림 18-3). 단, 암의 진행정도에 따라서는 종양감량수술이나 시험개복에 머무는 케이스도 있다. 또 젊은층에게 발생한 Ⅰa기 난소암이나 배세포종양계 악성종양에서는 임신기능 (임신의 가능성)을 고려하여, 자궁과 건측 난소의 온존을 도모하는 경우도 있다.

약물요법

- 수술후 화학요법에 사용하는 대표적 항암제를 표18-4에 나타냈다.
- 난소암을 수술한 후에는 TC요법 (파크리탁셀+카보플라틴)이 3~6코스로 시행되는 경우가 많다. 재발난소암은 TC요법의 재개 또는 도세탁셀 수화물이나 이리노테칸 염산염수화물의 투여로 치료한다. 도세탁셀 수화물, 이리노테칸 염산염수화물 중의 하나와 다른 약제를 병용하는 케이스도 있다. 배세포종양계 악성종양과 일부의 경계악성종양에서는 수술 후에 BEP요법 3~5코스가 시행되는 경우가 많다.

Px 처방례 TC요법, 2제병용
- 탁솔 주 175~180mg/m^2 3시간에 걸쳐 점적정주 제1일 ←알칼로이드계
- Paraplatin 주 AUC 5~6 1~2시간에 걸쳐 점적정주 제1일 ←백금제제

※ 3~4주 간격으로 반복한다.

Px 처방례 재발난소암인 경우는 TC요법의 재개, 또는 다음 1), 2) 중에서 사용한다.

1) 탁소텔 주 70mg/m^2 1시간 이상 소요하여 점적정주 제1일 ←알칼로이드계
2) 캄토프 주 또는 Topotecin 주 100mg/m^2 90분 이상 소요하여 점적정주 제1, 8, 15일 ←토포이소머라아제저해제

※ 4주 간격으로 반복한다. 또 위의 용량은 단제 투여인 경우이다.

Px 처방례 BEP요법, 3제병용
- Bleo 주 30mg/body 점적정주 제2, 9, 16일 ←항생물질항암제
- Vepesid 주 또는 라스텟트 주 100mg/m^2 점적정주 제1~5일 ←토포이소머라아제저해제
- Briplatin 주 또는 Randa 주 20mg/m^2 1시간에 걸쳐 점적정주 제1~5일 ←백금제제

※ 3주 간격으로 반복한다.

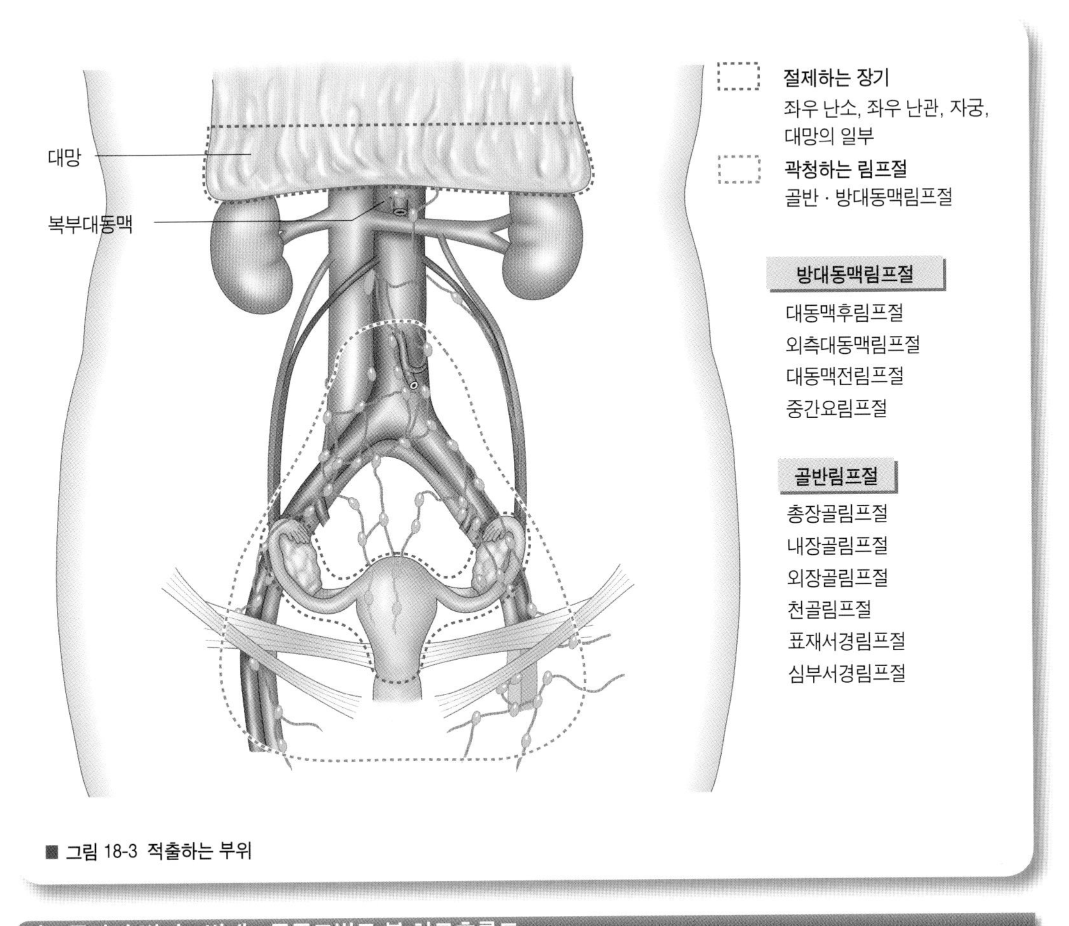

■ 그림 18-3 적출하는 부위

난소종양의 병기 · 병태 · 중증도별로 본 치료흐름도

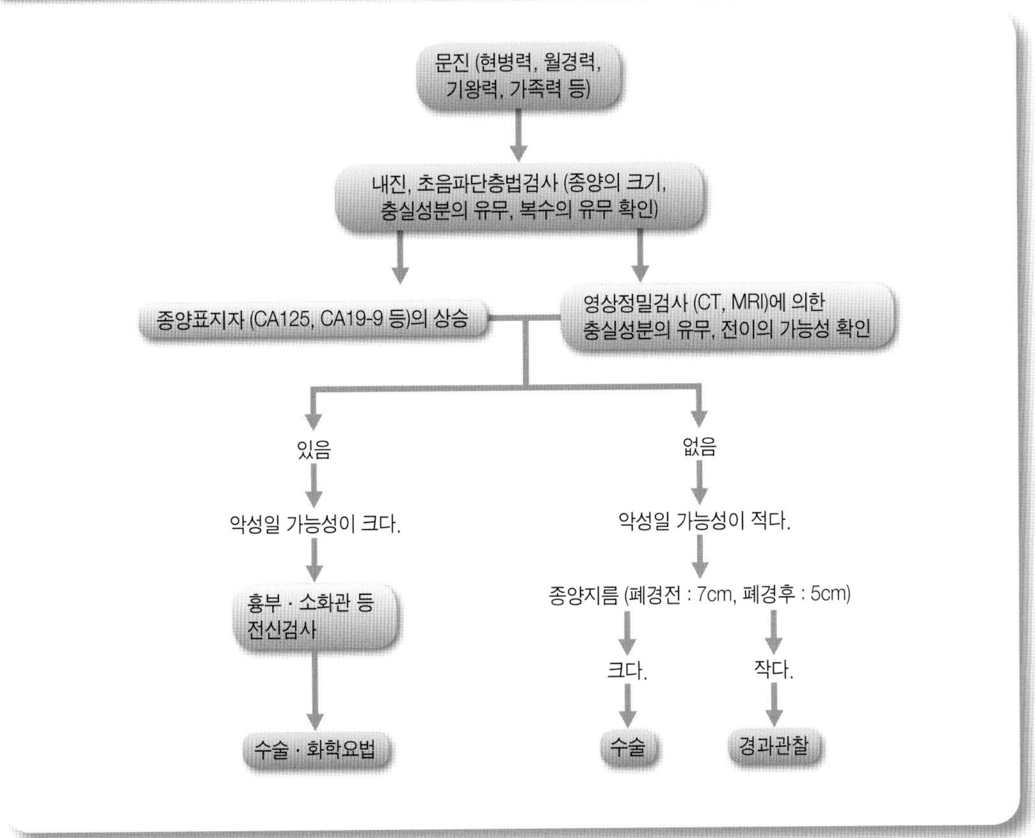

(谷口義實·久保田俊郎)

환자케어

악성종양 환자에게는 예후에 대한 불안, 여성생식기 상실이나 신체상의 변화 등의 심리 · 사회적 문제에 대한 지지가 필요하다.

병기·병태·중증도에 따른 케어

【양성종양】 종양이 작은 경우에는 보존적으로 경과를 관찰하는 경우가 많다. 어느 정도 커진 경우는 경염전, 파열방지를 위해서 종양적출술을 실시한다. 양성종양에서는 외과적 치료가 근치요법이 되므로, 외과적 치료를 받는다면 이후 계속적으로 치료하는 경우는 적다. 보존적으로 경과를 관찰하는 경우는 환자가 정기적 진찰을 받을 수 있도록 지도해야 한다. 또 외과적 치료를 받는 경우에는 그에 대하여 지지를 제공해야 한다. 급격한 하복통으로 발생하는 경염전이나 파열의 경우에는 순환부전에 빠지거나, 격렬한 통증으로 신체적 고통이 매우 심하므로, 치료를 신속히 받을 수 있도록 진찰을 돕고 환자의 불안을 완화하기 위한 지지를 제공해야 한다.

【악성종양】 환자는 질환의 예후에 대한 불안감이 크다. 질환에 대한 진료 시의 지지는 양성종양일 때와 똑같이 하지만, 환자가 가지는 생명예후나 치료의 내용, 치료에 의한 신체상의 변화, 사회적 역할의 변화 등에 관한 여러 가지 불안을 완화시키기 위해서, 환자 · 가족의 심리 · 사회적 배경을 충분히 파악하여 케어하는 것이 중요하다. 또 화학요법 등의 계속적 치료를 실시하는 경우가 많아서, 그 부작용도 심한 편이다. 치료를 효과적으로 하기 위한 지지를 제공하는 것도 중요하다.

케어의 포인트

진료 · 치료 시의 케어
- 난소종양의 진단을 위한 내진, 초음파검사, CT검사, MRI검사를 지지한다.
- 외과적 치료를 실시하는 경우는 그에 맞춰 지지를 제공한다.
- 약물요법에서는 난소종양의 병태에 따라서 호르몬요법과 화학요법이 행해진다. 치료의 목적, 내용, 효과, 일어날 수 있는 부작용 (그림 18-4)에 관하여 설명하고, 중도에 치료가 중단되지 않고 효과적으로 행해지도록 지지한다.
- 방사선요법이 행해지는 경우에도 약물요법과 똑같은 지지를 제공한다.
- 치료효과가 있는지의 여부를 관찰한다.
- 약의 부작용 여부를 확인하여, 의사에게 정보를 전달한다.

통증의 완화지지
- 진통제가 투여되는 경우는 의사의 지시에 따라서 정확하게 투여한다.

셀프케어의 지지
- 셀프케어상태를 평가한다.
- 셀프케어가 부족한 경우에는 구체적인 내용을 파악하고, 그 내용에 맞는 적절한 해결법을 지도한다.

환자 · 가족의 심리 · 사회적 문제에 대한 지지
- 난소종양에 관하여 바른 정보를 제공하고, 치료에 대한 적극적인 참여를 촉구한다.
- 난소종양에 대한 환자 · 가족의 불안이 완화되도록 지지한다.

퇴원지도·요양지도

- 외과적 치료를 받은 후에 퇴원하면 체력회복을 위해서 균형적인 식사를 섭취하고, 퇴원후 2주 정도는 자택에서 안정을 취하도록 지도한다. 또 그 지지를 가족이 할 수 있도록 자족지도도 한다.
- 퇴원후 진찰을 받을 필요성이 있는 증상 (출혈, 감염징후 등)에 관하여 설명하고, 이상 시에는 바로 진료를 받도록 지도한다. 또 특별히 문제가 없어도 의사가 지시한 날짜에 진료 받도록 지도한다.
- 보존적으로 경과관찰하는 경우에는 급격한 하복통 등, 증상에 변화가 있다면 즉시 진료 받도록 지도한다.
- 내복, 투약이 있는 경우에는 그에 대하여 지도한다.
- 규칙적인 생활을 하도록 지도한다.

(永澤規子)

백혈구, 혈소판의 감소

빈혈

오심 · 구토

식욕저하

탈모

손발의 저림

■ 그림 18-4 화학요법 시에 발생할 수 있는 부작용

19 유방암 (breast cancer)

長内孝之/國府浩子

전체 map

병인

- 확실한 병인은 불분명하지만, 유방암 가계에서 책임유전자 (*BRCA1, BRCA2*)가 동정되고 있다.

[악화인자] 감염증

역학

- 유방암은 여성에게 발생하는 악성종양 중에 제1위를 차지한다.
- 일본인 여성의 약 20명에 1명에게 발생한다.

[예후] 병기IV의 10년생존율은 40% 이하이다.

병태생리

p.174

- 유선조직의 유관세포 또는 소엽세포에서 발생하는 악성종양 (유관암은 약 90%, 소엽암은 몇 %)이다.
- 유방암이 유관의 벽내에 머무는 비침윤암 (조기암)과, 벽외로 침윤하는 침윤암이 있다.

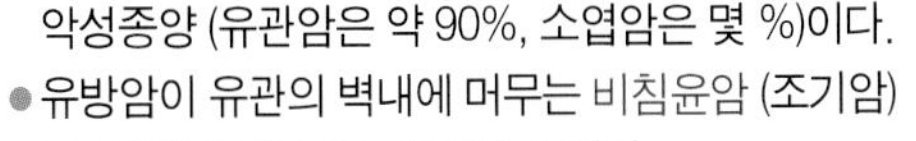

- 유방암의 진전형식 : 유관내진전 (유관내를 따라 확대된다), 침윤 (유관벽을 깨고 주위로 확대된다)

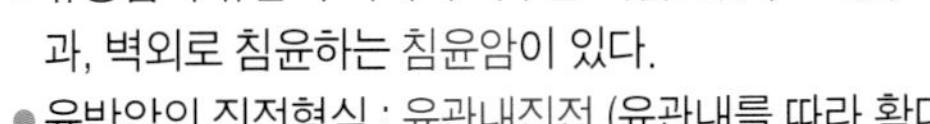

- 유방암의 전이형식 : 림프행성전이, 혈행성전이

증상

p.176

- 종괴 촉지
- 유방통
- 피부의 변화 (보조개징후), 유두의 변화 (함요 · 변형)
- 유두에서의 혈성분비
- 전이에 수반되는 증상

[합병증]

- 치료에 수반되는 합병증 : 유방의 변형 · 결손 등 미용상의 문제, 림프부종, 탈모, 오심, 권태감, 말초신경장애, 발열, 설사, 핫 플래시(hot flash), 피부염, 창부의 경화, 우울증, 불안신경증

증상 | 합병증 | 진단 | 치료

우울증
불안신경증

종괴
유방통
보조개징후 등의 피부의 변화
유두의 변화 (함요, 변형)
유두에서의 혈성분비

골신티그래피
PET

시진
촉진
유방X선촬영검사
세포진
병리조직검사
MRI (유방암)

외과적 치료
방사선요법

종양표지자검사

호르몬요법
화학요법

진단

p.177

- 시진 · 촉진, 유방X선촬영검사 (유방촬영술, mammography), 유방초음파검사에서 이상소견의 유무를 확인한다.
- 천자흡인세포진 : 종괴가 확인된 경우, 양성 · 악성을 판별하기 위해서 실시한다.
- 세포진은 필수적인 항목은 아니며, 침생검을 제1선택으로 해도 무방하다.
- 침생검 : 세포진으로 진단을 내릴 수 없는 경우에 시행한다.
- 맘모톰(mammotome)생검 : 유방촬영술에서 확인된 병변의 진단에 유용하다.
- 유방암이라고 진단되면 전신상태를 확인하여, 병기를 파악한다.

치료

치료 map p.178

- 치료방침 : 원발성유방암은 병기에 따라서 치료법이 달라진다. 병기0~II는 수술을 선행하고, 병기III은 수술 전에 화학요법을 시행한 후 수술을 적용한다. 병기IV와 전이성유방암에는 화학요법, 호르몬요법이 적용된다.
- 외과적 치료 : 유방온존술 (부분절제), 유방절제술, 유방절제후 1기적유방재건술이 있다.
- 약물요법 : 호르몬요법과 화학요법이 있다. 세인트 갈렌 (St.Gallen)의 권장치료 레지먼 (호르몬감수성, 액와림프절 전이의 유무 등에 의한 치료방침)을 참고로 치료법을 선택한다.

병태생리 map

유방암은 유선조직의 유관세포 또는 소엽세포에서 발생하는 악성종양이다.

- 유방암의 발생부위 : 유방암의 대부분은 유관(모유가 지나는 관)에서 발생한다(유관암, 약 90%). 또 모유를 생성하는 선엽에서 발생하기도 한다(소엽암, 몇 %).
- 비침윤암과 침윤암 : 유암이 유관 내의 벽내에 머물러 있는 상태가 비침윤암 (비침윤성유관암, 비침윤성소엽암 : 조기암) 이며, 유관의 벽외로 침윤된 상태가 침윤암이다. 따라서 유관 내에 머문 채 광범위하게 확대되는 비침윤암도 있지만, 지름 1mm인 유방암이라도 벽을 관통하면 침윤암으로 분류된다.
- 국소로의 진전형식 : 유관 내나 선엽 내에 발생한 유방암은 유관 내를 따라서 (진전하여) 확대되거나, 또 유관벽 (기저막)을 뚫고 주위로 침윤되어, 주위의 간질이나 지방조직으로 확대 · 증식되어 가는 경우도 있다. 어느 정도 크기 이상으로 증식되면, 「종괴 · 종양」으로 촉지된다. 또 종양이 피하 근처에 도달하면, 피부가 당겨지는 「보조개증상」이나 유두의 함요가 나타난다. 또 증식 · 증대되면 피부에 미쳐서, 피부의 발적, 부종, 궤양 등을 형성하게 된다. 또 종양이 등측 (흉근측)으로 증식되면 흉근침윤 · 피부고정 (종양이 촉지되어도 움직임이 나빠진다)의 상태가 된다.
- 림프행성 전이 : 유방암이 국소부위에서 증식 · 증대되는 과정에서, 유방암세포가 주위 림프관으로 파급된다. 림프관에 도달한 유방암세포가 림프관 내로 「들어가서」, 림프절로 전이를 일으킨다. 림프절 중에서도 가장 전이가 일어나기 쉬운 부위는 액와림프절이다. 또 그곳을 기점으로 쇄골상림프절이나 경부림프절로 진전되기도 한다. 그 밖에 흉골방림프절로의 전이가 일어나기도 한다(그림 19-1).
- 혈행성전이 : 주위로 침윤된 유방암은 그 주변 혈관으로 직접 들어가거나, 또 림프관 · 림프절을 통해서 혈관내로 들어간다. 그 혈관에서 혈류를 타고 타장기에 이르러, 그 곳에서 전이병소를 형성하기도 한다. 전이되기 쉬운 장기는 골, 폐, 간, 뇌 등이지만, 체내의 어떤 장소에도 전이될 가능성이 있다.

병인 · 악화인자

- 유방암에 걸리는 확실한 병인은 불분명하다. 그러나 가족성유방암이 있는 가계에서는 그 책임 유전자 (*BRCA1* 또는 *BRCA2*)가 동정되고 있어서, 유전자진단을 시행하기도 한다.
- 유방암의 예후를 규정하는 인자로서, 종양지름(암의 크기), 림프절전이의 유무, 타장기로의 전이의 유무가 중요하다. 또 호르몬감수성 (에스트로겐, 프로게스테론)의 여부가 호르몬요법을 시행할 것인지의 판단에 중요한 요소이다. 최근 들어 유방암의 증식표지자 (HER2 단백질)의 유무가 악성도를 진단하는 데에 중요시되고 있다. (HER2 단백질에 관해서는 p.179 참조)

역학 · 예후

- 역학조사에서는 ①도시 > 농촌, ②고학력, ③미혼 · 미출산력, ④초경연령의 저연령화, ⑤폐경시기의 지연, ⑥비만체형 (특히 폐경후 비만)의 상승추세가 확인되고 있다. 식생활에서는 동물성 단백질을 많이 섭취하는 경향이나 알콜섭취 등이 관련되고 있다.
- 최근 유방암증례가 급증하고 있으며, 일본에서도 여성에게 발생하는 악성종양에서 제1위를 차지하고 있다. 일본인 여성의 약 20명에 1명에게 발생한다.
- 유방암이라고 진단받는 단계 (병기, stage)가 중요하다. 10년생존율은 병기0 : 98%, 병기 I : 약 90%, 병기II : 약 80%, 병기III : 약 60%, 병기IV : 40% 이하이다.

병인

유방암 가계에서의 *BRCA1*, *BRCA2* 유전자

유방암

- 종양촉지
- 유방통
- 피부의 변화 (보조개징후)
- 유두의 변화 (함요 · 변형)
- 유두에서의 혈성분비
- 전이에 수반되는 증상

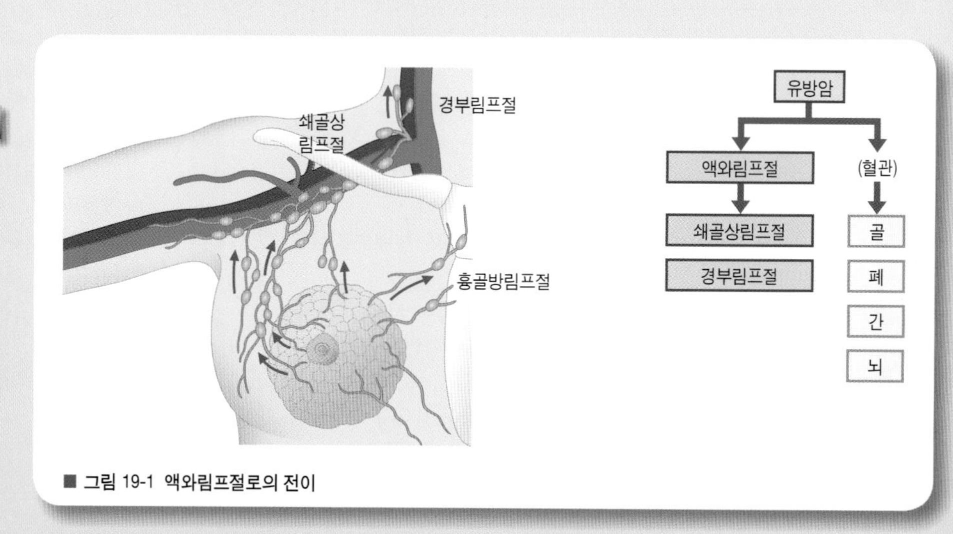

■ 그림 19-1 액와림프절로의 전이

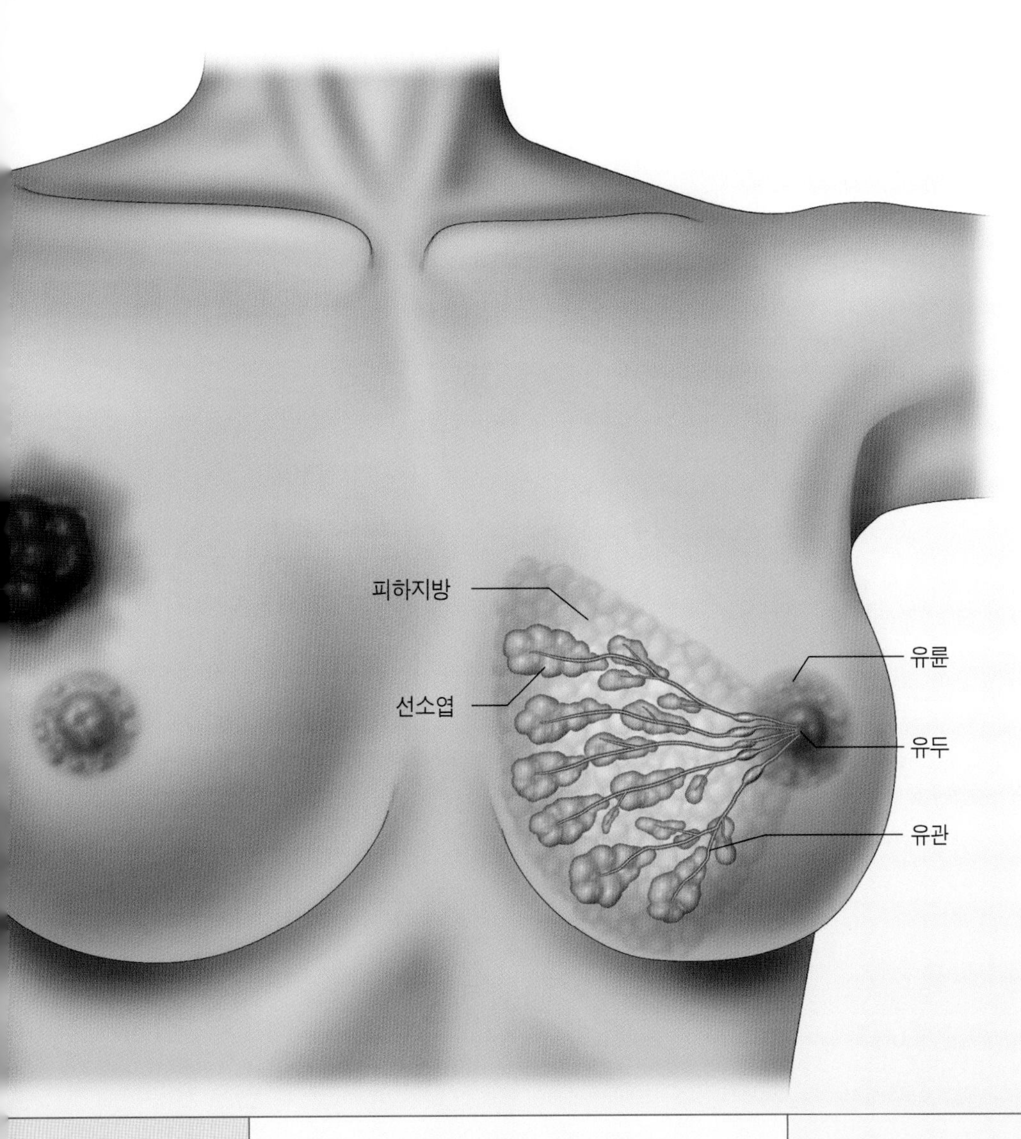

	유관암	소엽암
비침윤암 유관이나 소엽 속에 암세포가 머물러 있다.	괴사암석화 단층유관상피 (유관의 단면) 비침윤성유관암	유관 비침윤성소엽암
침윤암 암세포가 유관이나 소엽에 머물지 않고, 혈관이나 림프관으로 퍼져 있다.	침윤성유관암	침윤성소엽암

증상 map

종괴의 촉지, 유방통이나 유방의 보조개징후, 유두의 함요나 변형 등의 자각증상이 있다.

증상

- 자각증상 : 유방암의 자각증상으로 가장 많은 것이 종괴촉지이다. 그 밖에 유방통이나 피부의 변화 (보조개징후), 유두의 변화 (함요, 변형) 등을 계기로 진료 받기도 한다. 또 조기에 유관의 초발증상으로서 유두에서의 혈성분비가 발견되는 케이스도 있다.
- 전이에 수반하는 증상 : ①골전이 : 전이병변 주위의 통증, 전이골골절에 수반되는 통증이나 마비 등. ②폐전이 · 흉막전이 : 기침, 흉통, 호흡고, 숨참 등. ③뇌전이 : 두통, 마비, 현기증 등 여러 가지. ④간전이 : 둔통 이외에는 환자가 자각증상을 그다지 느끼지 못한다. ⑤다발성장기전이 : 식욕부진, 체중감소, 권태감 등의 전신증상을 나타낸다.

합병증

- 수술에 수반되는 것 : 유방의 변형, 결손 등 미용성의 문제, 림프부종 등.
- 화학요법에 수반되는 것 : 탈모, 오심, 권태감, 말초신경장애, 발열, 소화기증상 (설사 등), 분자표적치료제에 의한 오한 · 발열, 쇼크증상 등.
- 호르몬치료에 수반되는 것 : 갱년기증상 같은 저림, 핫 플래시 등(부정수소(indefinite complaint)도 있다).
- 방사선치료에 수반되는 것 : 피부염, 창부의 경화 등.
- 유방암치료의 모든 국면에서 가장 중요한 점은 정신적 측면의 지지이다. 어느 치료든 간에, 환자가 매우 불안해 하는 케이스가 많으며, 전반적 부작용으로서 우울증, 불안신경증도 나타날 수 있다.

증상 합병증

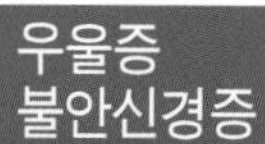

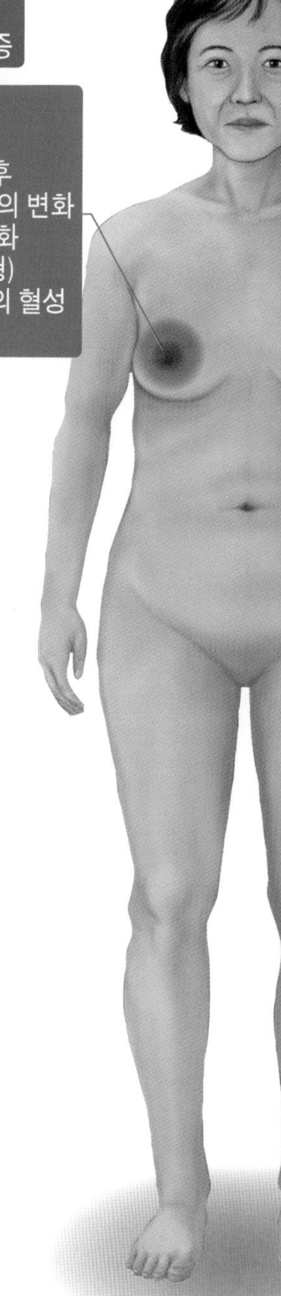

T : 원발소[주1)]

		크기 (cm)	흉벽 고정[주2)]	피부의 부종, 궤양 위성피부결절
TX		평가가 불가능하다.		
Tis		비침윤암 또는 파제트병		
T0		원발소를 확인할 수 없다.[주3, 4)]		
T1[주5)]		≦ 2.0	-	-
T2		2.0< ≦5.0	-	-
T3		5.0<	-	-
T4	a	크기를 불문하고	+	-
	b		-	+
	c		+	+
	d	염증성유방암[주6)]		

TNM 분류

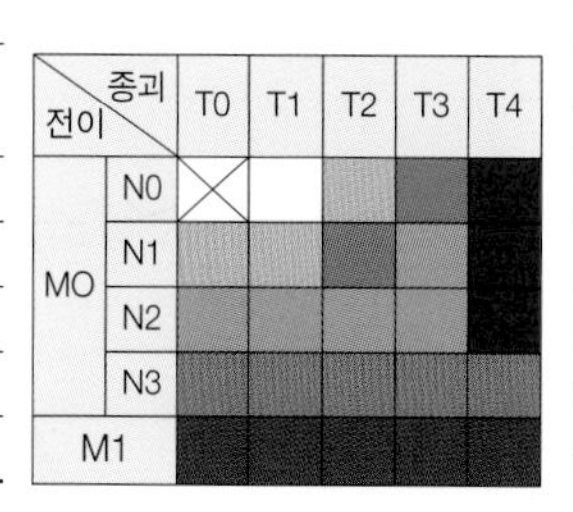

병기0 — Tis 비침윤암
해당되지 않음
병기 I
병기 II A
병기 II B
병기 III A
병기 III B
병기 III C
병기 IV
(병기 I ~ 병기 IV) 침윤암

주1 : T는 시진·촉진, 영상진단을 통해 종합적으로 판단한다.
주2 : 흉벽이란 늑골, 흉골, 늑간근 및 전거근을 가리키며, 흉근은 포함되지 않는다.
주3 : 시진·촉진, 영상진단 (유방촬영술, 초음파)에서 원발소를 확인할 수 없다.
주4 : 유두분비례, 유방촬영술의 석회화례 등은 T0이라고 하지 않고 판정을 보류하며, 최종 병리진단에 따라서 Tis, T1 mic 등으로 분류를 확정한다.
주5 : a (≦0.5), b (0.5< ≦1.0), c (1.0< ≦2.0)으로 아분류한다.
단, 조직학적 침윤지름이 0.1mm 이하인 것은 T1mic라고 부기한다.
주6 : 염증성유방암에서는 통상적으로 종괴가 확인되지 않고, 피부의 미만성발적, 부종, 경결이 나타난다.

(일본유방암학회편 : 임상·병리 유방암취급규약, 제16판, 가네하라(金原)출판, 2008)

■ 그림 19-2 유방암의 TNM병기분류

진단 map

병변부의 천자흡인세포진 또는 침생검으로 양성 · 악성을 감별하고, MRI, PET 등의 영상검사로 병기, 전이 등을 진단한다.

진단 치료

골신티그래피
PET

시진
촉진
유방X선촬영검사
세포진
병리조직검사
MRI (유방암)

외과적치료
방사선요법

종양표지자검사

호르몬검사
화학요법

진단 · 검사치

- 시진촉진 : 유방의 좌우차, 유두의 변형, 종괴의 크기 · 경도 · 가동성, 유두에서의 분비, 액와림프절의 종대 등을 중점적으로 진찰한다.
- 유방X선촬영검사 (유방촬영술) : 유방을 압박하여 촬영한다.
- 유방초음파검사 : 유방에 직접 초음파의 탐촉자를 대고, 내부 상황을 확인한다.
- 천자흡인세포진 (ABC) : 유방 내에서 종괴를 확인한 경우, 양성 · 악성을 구별하기 위해서 바늘을 자입하여 세포를 채취, 검사한다.
- 침생검 : 세포진으로 진단을 내릴 수 없는 경우, 16G 정도의 굵은 바늘을 사용하여 조직을 채취한 후, 병리검사를 실시한다.
- 맘모톰생검 : 유방촬영술만으로 확인이 가능한 석회화병변을 정확히 천자하여 (흡인식 유방침생검) 조직을 채취하는 방법이다.
- 기타 : 유방 MRI검사 (유방내 다발병변의 유무 확인 및 확대진단, 질적진단 실시), 전신상태의 확인 (골신티그래피, 전신 PET검사 등).
- 유방암이라고 진단을 내리면, 치료를 시작하기 전에 전신상태를 확인하여 병기를 판단하고, 그 병기나 증상에 따라서 적절한 치료방침을 결정한다(모든 유방암에서 수술을 초기치료로 적용하지는 않는다).
- 검사치
- 유방암진단을 위한 특이적 검사방법은 없다. 예외적으로 가족성유방암을 진단하는 유전자진단이 있지만, 유전자검사는 여러 과정 (카운슬링, 윤리위원회, 본인 뿐 아니라 가족의 동의 등)을 거쳐야 하며, 안이하게 할 수 있는 검사가 아니다.
- 유방암치료 시의 정기적 검사 : 종양표지자에는 CEA, CA15-3, BCA225, NCCST-439, 1CTP 등이 있다. 또 재발진행유방암에서는 빈혈, 간기능, 골대사표지자, LDH, ALP 등도 유용하다.

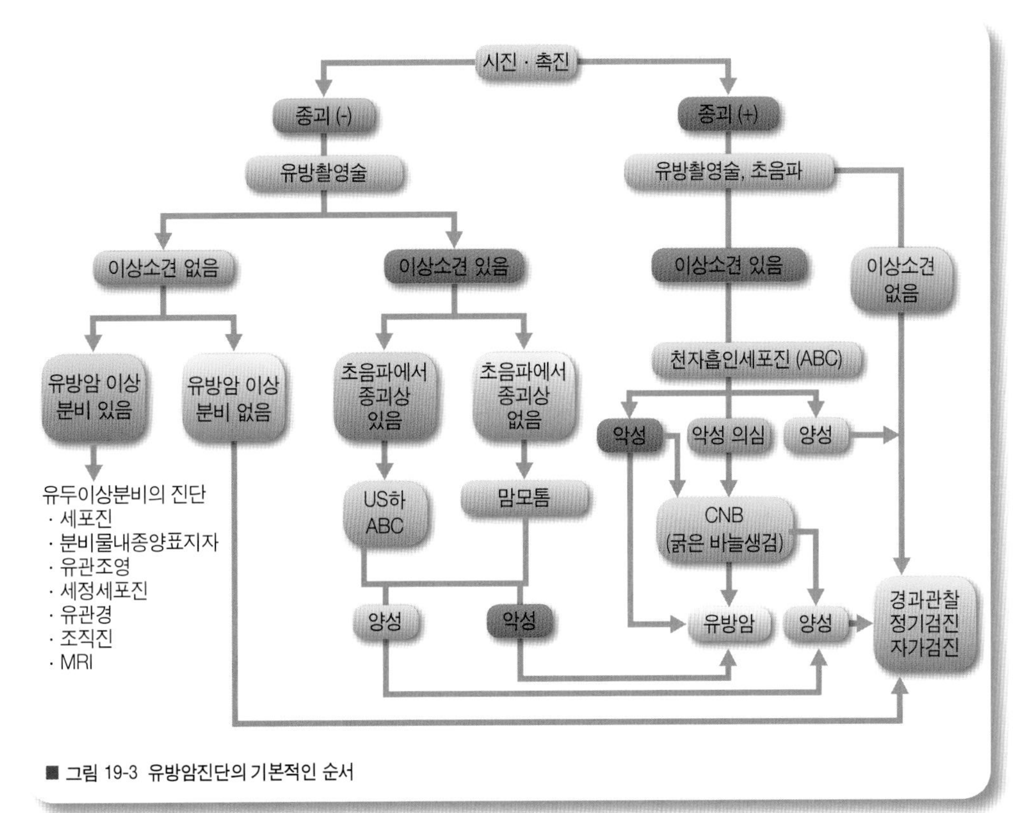

■ 그림 19-3 유방암진단의 기본적인 순서

치료 map

원발성유방암에서는 병기에 따라 외과적 치료를 적용하고, 재발예방을 위해 호르몬요법 · 화학요법을 실시한다.

치료방침

- 원발성유방암 : 치료방침은 병기에 따라서 다르다. 또 시설에 따라서 수술전 화학요법의 적용에 다소 차이가 있다.
  - · 병기0, Ⅰ: 수술을 선행하고 (유방온존술인 경우에는 온존유방 방사선치료), 수술 후에는 수술표본 병리결과에 따라서 호르몬요법을 실시한다. 또 병기Ⅰ의 침윤암에서도 항암제치료를 실시하기도 한다.
  - · 병기Ⅱ : 수술을 선행하거나 수술 전에 화학요법을 실시한다 (술전 화학요법의 경우에는 항암제치료를 통해 종양의 크기를 줄인 후에 수술한다). 수술 후에는 필요에 따라서 온존유방에 방사선치료, 호르몬요법 등을 시행한다.
  - · 병기Ⅲ : 수술 전에 화학요법을 실시한 후에 외과적 치료 등을 적용한다.
  - · 병기Ⅳ : 항암제치료 또는 호르몬요법을 시행한다. 국소부위에는 필요에 따라서 수술을 하기도 한다.
- 전이성유방암 : 전이 후의 치료방침에 따라서 호르몬요법 및 항암제치료, 항체요법 (분자표적치료제)을 실시한다.

■ 표 19-1 유방암의 주요 치료제

분류	일반명	주요 상품명	약효발현의 메커니즘	주요 부작용
대사길항제	플루오로우라실	5-FU	세포의 증식에 필요한 대사산물과 유사한 구조를 가지므로, 정상 대사산물로 오인되어 세포 속으로 흡수되고, DNA의 합성을 저해하고, 세포를 사멸	오심 · 구토, 식욕부진, 설사, 장염, 구내염, 골수기능억제 (백혈구 감소, 혈소판 감소 등), 간기능장애, 전신권태감, 취각장애, 피부의 색소침착, 휘청거림, 마비감 등
	테가푸르	Futoraful		
	테가푸르 · 우라실	유에프티		
	카르모푸르	미푸롤		
	독시플루리딘	후트론		
	메토트렉세이트	메소트렉세이트		골수기능억제 (백혈구 감소, 혈소판 감소 등), 간 · 신기능장애, 오심 · 구토, 식욕부진, 구내염, 탈모 등
알킬화제	시클로포스파미드	엔독산	DNA의 구조를 변화시킴으로써, 세포를 사멸	골수기능억제 (백혈구 감소, 혈소판 감소 등), 출혈성방광염, 오심 · 구토 등의 소화기장애, 탈모, 무월경 등
항생물질 항암제	독소루비신 염산염 (아드리아마이신)	Adriacin	DNA와 결합하여 DNA나 RNA의 합성을 저해하여, 세포를 사멸	심근장애, 심전도이상 · 부정맥, 골수기능억제 (백혈구 감소, 혈소판 감소, 빈혈 · 적혈구감소), 오심 · 구토, 식욕부진, 구내염, 탈모 등
	에피루비신염산염	Farmorubicin		독소루비신과 유사하지만, 증상은 다소 경도
	염산피라루비신	Therarubicin, 피노루빈		
	미토마이신 C	미토마이신		골수기능억제 (백혈구 감소, 혈소판 감소 등), 식욕부진, 오심 · 구토, 전신권태감, 체중감소 등
알칼로이드계	도세탁셀 수화물	탁소텔	세포분열을 저해하여 세포를 사멸	골수기능억제 (백혈구 감소, 혈소판 감소 등), 발열, 식욕부진, 오심 · 구토, 전신권태감, 체중감소 등
	파크리탁셀	탁솔		
호르몬제	타목시펜 구연산염	놀바덱스	항에스트로겐작용을 나타내어 항유방암작용을 발휘	백혈구 감소, 빈혈, 혈소판 감소

외과적 치료

- 유방온존술 (부분절제) : 주병변을 중심으로 원상 또는 부채상으로 절제하는 방법. 온존수술에 관한 가이드라인이 있으며, 그에 따라서 실시한다. 또 수술후 온존유방에 대한 방사선조사를 전제로 한다.
- 유방절제술 : 한쪽 유방을 모두 절제하는 방법.
- 유방절제후1기적유방재건술 : 유방을 절제한 직후에 유방을 성형하는 방법. 성형방법은 근피판을 이용하는 방법과 임플란트 (인공물)를 이용하는 방법이 있다.

약물요법

유방암치료에 사용하는 항암제 일람을 표 19-1에 나타냈다.

1) 유방암 수술후 재발예방에 대한 치료방침

- 유방암 수술 후의 보조요법 : 유방암수술에서 적출표본을 검사하고, 그 유방암의 호르몬감수성 유무를 판단한다. 림프절전이의 유무나 다른 위험카테고리 (맥관침습, 암악성도 평가 등)를 하고, 그 결과, 호르몬감수성이 있는 증례에 관해서는 호르몬요법을 제1선택으로 한다. 호르몬감수성이 없는 증례에 관해서는 화학요법을 제1선택으로 한다. 화학요법이란 화학물질에 의한 약물요법으로, 이른바 항암제에 의한 치료이다. 항암제는 한 가지 약제를 정해진 분량으로 사용하는 것보다, 복수 약제를 병용하여 사용하는 경우가 많아서, 병용하는 약제의 종류와 분량, 1회 치료의 단위 (코스, 쿠르, 사이클 등이라고 한다) 기간, 그것을 몇 회 실시하는가의 패턴 (레지먼, regimen)이 임상연구에 의해서 몇 가지 확립되어 있다(표 19-2).
- 유방암은 저위험, 중위험, 고위험으로 크게 분류되는데, 중위험증례 및 고위험증례가 수술후 항암제의 적응대상이다. 중위험과 고위험증례 (호르몬 비반응성, 폐경전/폐경후)에 대한 세인트 갈렌 2005의 권장치료 (세인트 갈렌이란 유방암 국제회의에서 기본이 되는 치료방침을 결정하는 시스템)의 레지먼은 다음과 같다.

Key word

- 전초림프절생검

전초림프절 (sentinel node ; SN)은 암세포가 원발소에서 림프류를 타고 처음 도달하게 되는 림프절을 말하며, 파수림프절 또는 전초(前哨)림프절이라고도 한다. 림프절전이는 우선 SN에 발생한다. SN을 확인했을 때, 전이 음성인 경우에는 다른 림프절에 전이를 일으킬 가능성이 낮아서, 림프절곽청이 불필요하다. 유방암치료에서는 일반적으로 액와림프절 (20~30개 정도 존재한다) 중 1, 2개가 해당된다. 이전에는 넓게 림프절을 절제하는 액와곽청이 행해졌으나, 그 때문에 상완부종이나 가동역제한이 초래되는 경우도 있었다. 현재는 이러한 림프절곽청의 후유증을 극복하고 개선하는 과정에 있다.

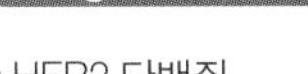

● HER2 단백질

HER2 (human epidermal growth factor receptor type 2) 단백질은 세포의 생산에 관계되는 사람상피세포증식인자수용체와 유사한 구조를 가진 유전자단백질으로, 과잉출현하거나 활성화되어 세포의 증식이나 악성화와 관련된다고 여겨진다. 유방암에서는 약 20~30%로 과잉발현이 확인된다.

유방암의 예후인자 중 하나이기 때문에, HER2 단백질이 과잉 존재하면, 재발할 위험성이 높아진다. HER2 양성유방암에 관해서는 예후인자와 치료제 선택에서 의미가 있으며, 분자표적치료 (trastuzumab요법)를 실시할 수 있다. trastuzumab (상품명은 Herceptin)은 HER2 단백질을 표적으로 하며, 암세포의 증식을 억제한다. 이 분자표적제 (항체요법)는 수술후 보조 및 재발원위병변에 모두 사용한다.

■ 표 19-2 유방암에서 사용되는 화학요법의 레지먼

AC (EC)	FEC100→ 도세탁셀 수화물
· 독소루비신 염산염 (A) 또는 에피루비신 염산염 (E)+시클로포스파미드 (C) · 21일마다 4사이클	· 플루오로우라실+에피루비신 염산염 (100mg/㎡)+시클로포스파미드를 21일마다 3사이클 후, 도세탁셀 수화물을 21일마다 3사이클
CMF	TAC
· 시클로포스파미드 (C)+메토트렉세이트 (M)+플루오로우라실 (F) · 28일째마다 6사이클	· 도세탁셀 수화물 (T)+독소루비신 염산염 (A)+시클로포스파미드 (C) · 21일마다 6사이클
AC or A → CMF	CAF (day 1 및 day 8, 21일마다)
· AC 후에 CMF, 또는 A 후에 CMF · 21일마다 4사이클 후, 21일마다 8사이클	· 시클로포스파미드+독소루비신 염산염+플루오로우라실 · 21일마다 6사이클
FEC (day 1, 21일째)	CEF (day 1 및 day 8, 21일마다)
· 플루오로우라실 (F)+에피루비신 염산염 (E)+시클로포스파미드 (C) · 21일마다 6사이클	· 시클로포스파미드 (C)+에피루비신 염산염 (E)+플루오로우라실 (F) · 21일마다 6사이클
AC or A → 파크리탁셀	
· AC 후에 파크리탁셀, 또는 A 후에 파크리탁셀 · 14일마다 4사이클 후, 14일마다 4사이클	

■ 표 19-3 재발위험의 분류

위험카테고리	
저위험	● 액와림프절전이 음성으로 다음의 전부에 해당되는 증례 병리학적 종양지름 2cm 이하 Grade 1 종양범위가 광역인 맥관 습윤이 없다. ER and/or PgR 발현 있다. HER2 단백질 과잉발현/유전자 증폭이 없다. 연령 35세 이상
중간위험	● 액와림프절전이 음성으로 다음 중에 해당되는 증례 병리학적 종양지름 2cm를 넘는다. Grade 2, 3 종양범위가 광역인 맥관 습윤이 있다. ER, PgR 발현이 없다. HER2 단백질 과잉발현/유전자 증폭이 있다. 연령 35세 미만
	● 액와림프절전이 1~3개 양성으로 다음의 전부에 해당하는 증례 ER and/or PgR 발현이 있다. HER2 단백질 과잉발현/유전자 증폭이 없다.
고위험	● 액와림프절전이 1~3개 양성으로 다음 중에 해당되는 증례 ER and PgR 발현이 없거나 HER2 단백질과잉발현/유전자 증폭이 있다.
	● 액와림프절전이 4개 이상 양성

(세인트 갈렌, 2007)

● 세인트 갈렌 2007에서는 표 19-3과 같이 위험도가 더욱 세분화되었다. 또 세인트 갈렌 2009에서는 다유전자검사에 의한 스코어도 권장하고 있다.

(1) 중위험인 경우

① AC, CMF.

② AC 또는 A → CMF.

③ FEC (21일을 1사이클로 1일째에 투여).

④ 탁산계 약물 함유 레지먼 : AC 또는 A → 파크리탁셀, FEC100 → 도세탁셀, TAC.

(2) 고위험인 경우

① AC 또는 A → CMF.

② CEF 또는 CAF (1일째 및 8일째, 21일마다).

③ FEC (21일을 1사이클로 1일째에 투여).

④ 탁산계 약물 함유 레지먼 : AC 또는 A → 파크리탁셀, FEC100 → 도세탁셀, TAC.

⑤ 용량강화 레지먼.

● 호르몬반응성이 전혀 없는 유방암으로 고위험인 경우에는 중위험인 경우보다 강력한 레지먼이 선택사항에 들어 있다.

2) 재발유방암에 대한 치료방침

● 유방암의 재발치료에 관해서도 환자의 유방암조직의 호르몬감수성의 유무에 따라서 치료방침을 결정한다. 또 재발부위 및 환자의 증상 (생명이 위기에 처했는가의 여부)이 중요하다.

유방암의 병기 · 병태 · 중증도별로 본 치료흐름도

■ 기본적인 치료방침

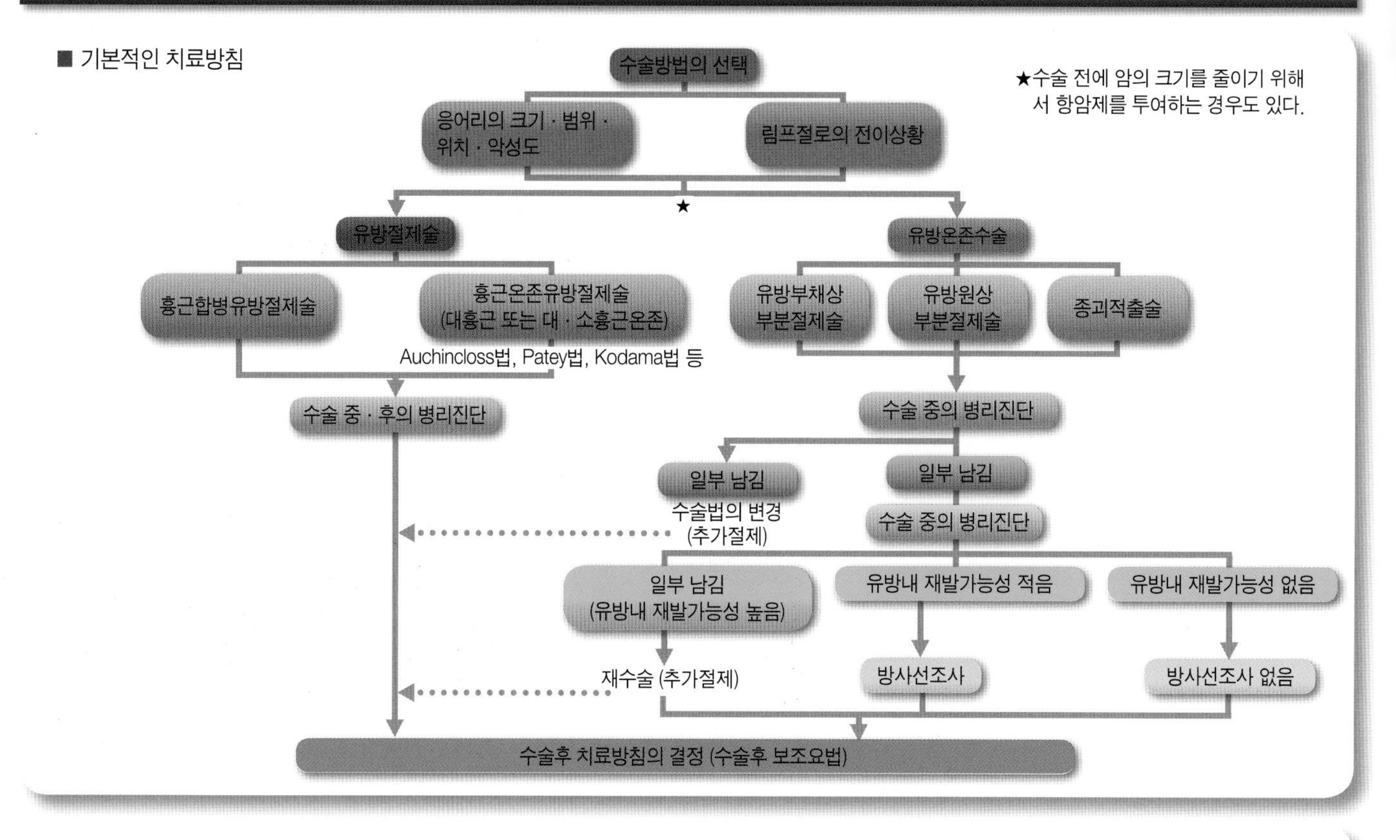

★수술 전에 암의 크기를 줄이기 위해서 항암제를 투여하는 경우도 있다.

■ 전이성유방암에 대한 치료 견해 (Hortobagyi)

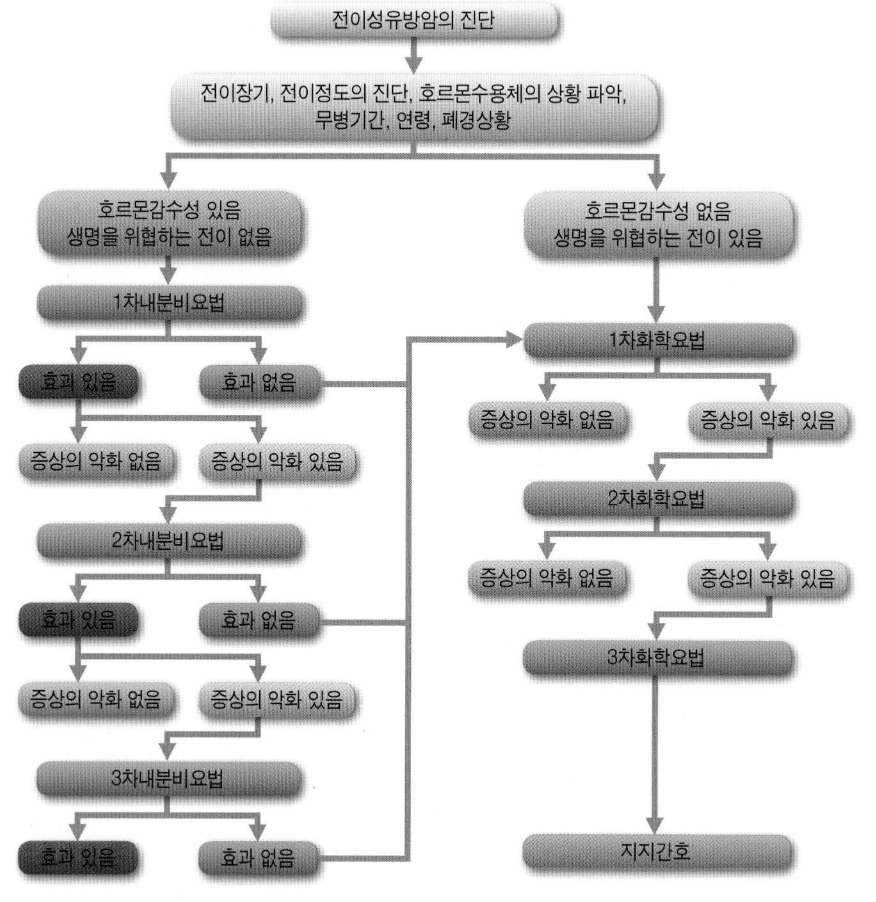

(Hortobagyi GN : Treatment of breast cancer. N Engl J Med 339 : 974-984, 1998)

(長內孝之)

환자케어

술후 합병증의 조기발견과 대처, 신체상의 변화에 따른 심리적 문제에 대한 지지, 술전·술후의 보조요법에 따르는 부작용의 완화 등, 치료시기에 따라 알맞은 케어를 실시한다.

병기·병태·중증도에 따른 케어

【수술전】 유방암이라고 진단 받은 환자는 충격을 받고 혼란스러워 하는 경우가 많다. 그와 같이 정신적으로 불안정한 상태에서 치료법을 선택해야 하므로, 환자를 심리적으로 지지하면서, 앞을 내다보는 정확한 정보의 제공이 중요하다.

【수술 직후】 마취나 수술침습으로 신체적 변화가 일어나기 쉬우므로, 수술후 합병증이나 통증 등 이상징후를 조기에 발견하고 대처하여, 합병증을 일으키지 않도록 케어한다.

【수술후】 유방암 특유의 문제인, 신체상의 변화나 견관절의 운동장애, 부종이 생기는 수가 많다. 기능훈련이나 생활지도를 실시하면서, 환자의 기분을 표출시키고 그를 수용하는 지지를 제공한다.

【보조요법 시】 수술후 보조요법으로 화학요법, 방사선요법, 호르몬요법을 받는 환자가 많다. 각 치료의 필요성에 관하여 이해를 촉구하면서, 치료에 따른 부작용과 그 대처방법에 관해 설명하고, 환자가 치료를 계속 받을 수 있도록 지지해 간다.

케어의 포인트

질환이나 치료에 대한 심리적 문제의 지지
- 환자 자신의 수용법이나 이해도를 충분히 확인한다.
- 환자의 감정을 추스릴 수 있도록 불안이나 의문점을 천천히 서로 얘기하는 시간을 갖는다.
- 부부간이나 의사와의 커뮤니케이션을 지지한다.
- 증상이나 치료방법에 관하여 편견 없는 정확한 정보를 제공한다.

신체상
- 수술 후의 모습을 이미지화 할 수 있도록 설명하고, 예측되는 비탄에 대하여 지지한다.
- 환자의 기분을 배려하면서 창부나 유방을 직시할 수 있도록 격려한다.
- 보정구를 설명하며, 상실된 유방을 적절히 보정할 수 있도록 상담한다.
- 남편의 지지를 촉구한다.

술후 합병증의 예방
- 일어날 수 있는 합병증을 예측하면서, 이상의 조기발견에 힘쓴다.
- 호흡기 합병증이나 견관절운동장애를 예방하면서, 통증관리를 실시한다.

재활치료를 촉구하는 지지
- 재활치료를 방해하는 요인을 제거하면서, 수술후 경과에 따라서 단계적으로 실시한다.
- 일상생활 속에 수용하여 계속 할 수 있도록 한다.
- 목표 설정과 평가를 하여, 재활치료에 대한 의욕을 이끌어낸다.

퇴원지도·요양지도

- 보정속옷의 판매처 소개나 보정구의 제작법, 복장에 관하여 설명한다.
- 퇴원후의 재활치료방법과 몇 개월은 계속해야 한다는 점을 설명한다.
- 자택에서의 가사활동이나 직장에서의 근로를 고려한 일상생활프로그램을 함께 작성한다.
- 환측 상지에 부담을 가해 피로해지지 않도록 지도한다.
- 손톱을 바짝 깎지 말고, 환측에서의 채혈이나 주사를 삼가는 등 피부가 상처를 입지 않는 방법에 관해 설명한다.
- 고무가 들어간 소매가 달린 의복, 반지나 팔목시계를 삼가는 등, 환측 상지가 조이지 않도록 설명한다.
- 림프부종의 초기증상 (팔의 나른함, 중압감, 저림, 피로도 증가, 위화감, 부종, 마비)을 설명하고, 조기에 발견하도록 한다.
- 수술후 보조요법의 필요성이나 스케줄, 부작용 등을 설명하고, 금후 치료의 준비를 조정한다.

(國府浩子)

Memo

20 백내장 (cataract)

吉田武史·大野京子/大音清香

전체 map

병인

- 여러 가지 요인에 의한 수정체내 단백질의 변성이 병인 또는 악화인자이다.

역학

- 노인성백내장의 초발연령에는 개인차가 있지만, 70~80세 고령자에서는 모든 사람에게 확인된다.

[예후] 양호하다.

병태생리

- 수정체의 전낭하, 후낭하, 피질, 핵이 국소적 또는 조합하여 혼탁해지는 상태로, 침침함 또는 눈부심 등의 시력장애가 생긴다.
- 선천성백내장 : 유전적 배경이나 체내감염에 의한다.
- 후천성백내장 : 노인성백내장, 외상성백내장, 합병성백내장, 방사선백내장, 당뇨병백내장, 약물성백내장 등이 있다.
- 노인성백내장은 부위별로 피질백내장, 핵백내장, 낭하백내장의 3형으로 분류된다.

증상 합병증 진단 치료

무시
수명
단안복시
시력저하

폐쇄우각녹내장
수정체융해녹내장

문진

시력검사
세극등현미경검사

초음파검사
CT
MRI

약물요법
외과적 치료

증상

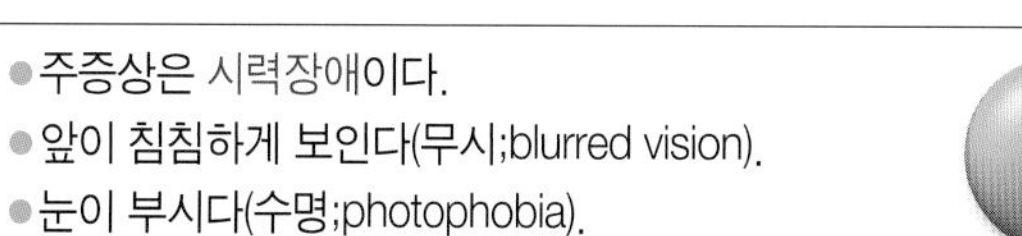

- 주증상은 시력장애이다.
- 앞이 침침하게 보인다(무시;blurred vision).
- 눈이 부시다(수명;photophobia).
- 가까운 곳이 잘 보인다.
- 이중으로 보인다.

[합병증]

- 폐쇄우각녹내장
- 수정체융해녹내장

진단

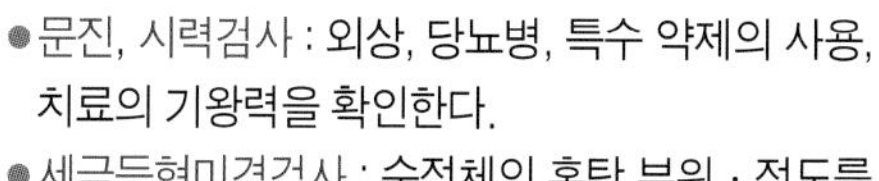

- 문진, 시력검사 : 외상, 당뇨병, 특수 약제의 사용, 치료의 기왕력을 확인한다.
- 세극등현미경검사 : 수정체의 혼탁 부위 · 정도를 확인한다.
- 일반적으로 50세 이상이며 그 밖에 요인이 없으면, 노인성백내장이라고 진단한다.
- 혼탁이 진행되어 안저의 투시가 어려운 경우에는 미리 초음파검사, CT, MRI로 망막에 이상이 없는지를 검사한다.

치료

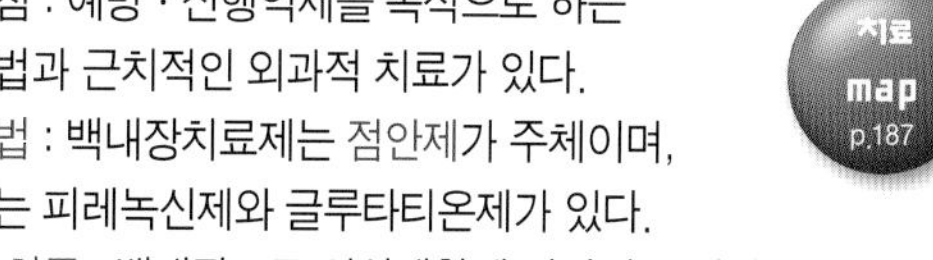
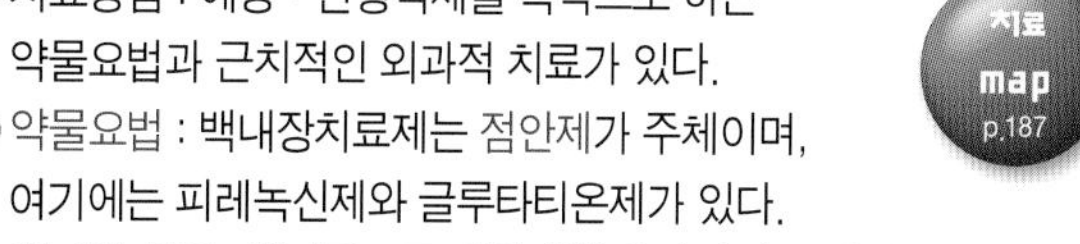

- 치료방침 : 예방 · 진행억제를 목적으로 하는 약물요법과 근치적인 외과적 치료가 있다.
- 약물요법 : 백내장치료제는 점안제가 주체이며, 여기에는 피레녹신제와 글루타티온제가 있다.

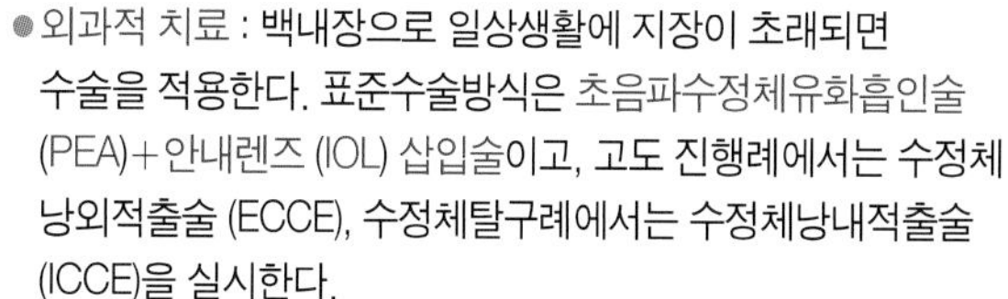

- 외과적 치료 : 백내장으로 일상생활에 지장이 초래되면 수술을 적용한다. 표준수술방식은 초음파수정체유화흡인술(PEA)+안내렌즈 (IOL) 삽입술이고, 고도 진행례에서는 수정체낭외적출술 (ECCE), 수정체탈구례에서는 수정체낭내적출술(ICCE)을 실시한다.

백내장

병태생리 map

백내장은 수정체의 전낭하, 후낭하, 피질, 핵이 국소적으로 또는 조합되어 혼탁해진 상태이며, 「침침함」이나 「눈부심」 등의 시력장애가 나타난다.

- 원인별로는 선천성과 후천성이 있으며, 후천성 원인으로는 임상적으로 가장 많은 노인성 (고령)이나 외상성, 합병, 방사선, 당뇨병, 약물성을 들 수 있다.
- 노인성백내장은 부위별로 피질백내장, 핵백내장, 낭하백내장의 3형으로 분류된다.

- 후천성 백내장
- 노인성백내장 : 수정체는 25세가 지날 무렵부터 투명성이 줄어들고, 황색 색조를 띠게 된다. 이를 노화현상이라 하며, 원인은 자외선에 의한 영향이다. 이 색조의 변화, 즉 백내장은 수정체 내 단백질의 변성에 의하며, 연령 증가와 더불어 혼탁의 정도가 심화된다.
- 외상성백내장 : 외상으로 수정체낭이 파손됨으로써, 수정체섬유가 변성, 팽화되고, 혼탁해진다.
- 합병성백내장 : 장기간 포도막염, 망막박리, 망막색소변성, 아토피성피부염 등의 안구병변에 의해 수정체의 영양장애가 발생하고, 혼탁해진다.
- 방사선백내장 : 방사선에 의해서 수정체세포의 DNA가 손상되면서, 혼탁이 발생한다. 후낭하백내장이 많다.
- 당뇨병백내장 : 당뇨병 환자에게는 백내장이 발생하기 쉽고, 혈당관리 불량례에서는 발생빈도가 더욱 증가한다. 당질은 수정체에서 투명성 유지를 위한 중요한 성분이지만, 과잉 당질은 수정체막이나 핵산의 합성저해를 유발하여, 단백질의 당화에 의한 혼탁이 생긴다. 후낭하나 피질백내장이 많다.
- 약물성백내장 : 후낭하혼탁을 일으키는 부신피질호르몬제가 유명하지만, 이 외에도 난치성부정맥치료제인 아미오다론 염산염이나 항말라리아제인 유산클로로퀸, 페노티아진계 향정신제인 클로르프로마진 등, 몇 가지 약제의 투여로 수정체의 혼탁이 초래된다고 알려져 있다.

- 선천성백내장
- 선천적 요인으로 유전배경이 확인되기도 한다. 또 태내감염에 의한 경우도 있으며, 대표적인 것으로 임신초기 모체의 풍진감염에 의한 선천성풍진증후군이 있다.

병인·악화인자

- 상기와 같이 여러 가지 인자에 의한 수정체내 단백질의 변성이 병인 또는 악화인자이다.

역학·예후

- 수정체는 25세가 지날 무렵부터, 투명성이 저하되어 황색 색조를 띠게 된다. 노인성백내장의 초발연령에는 개인차가 있지만, 연령의 증가와 더불어 이환율이 증가하고, 70~80세의 고령자가 되면, 모든 사람에게서 조금씩 확인된다.

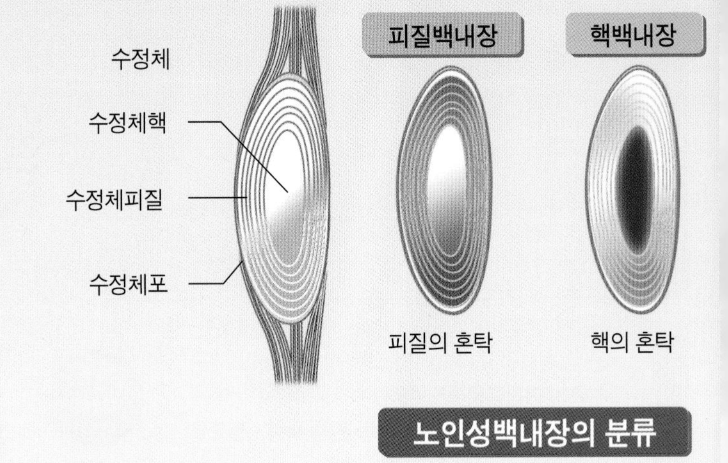

노인성백내장의 분류

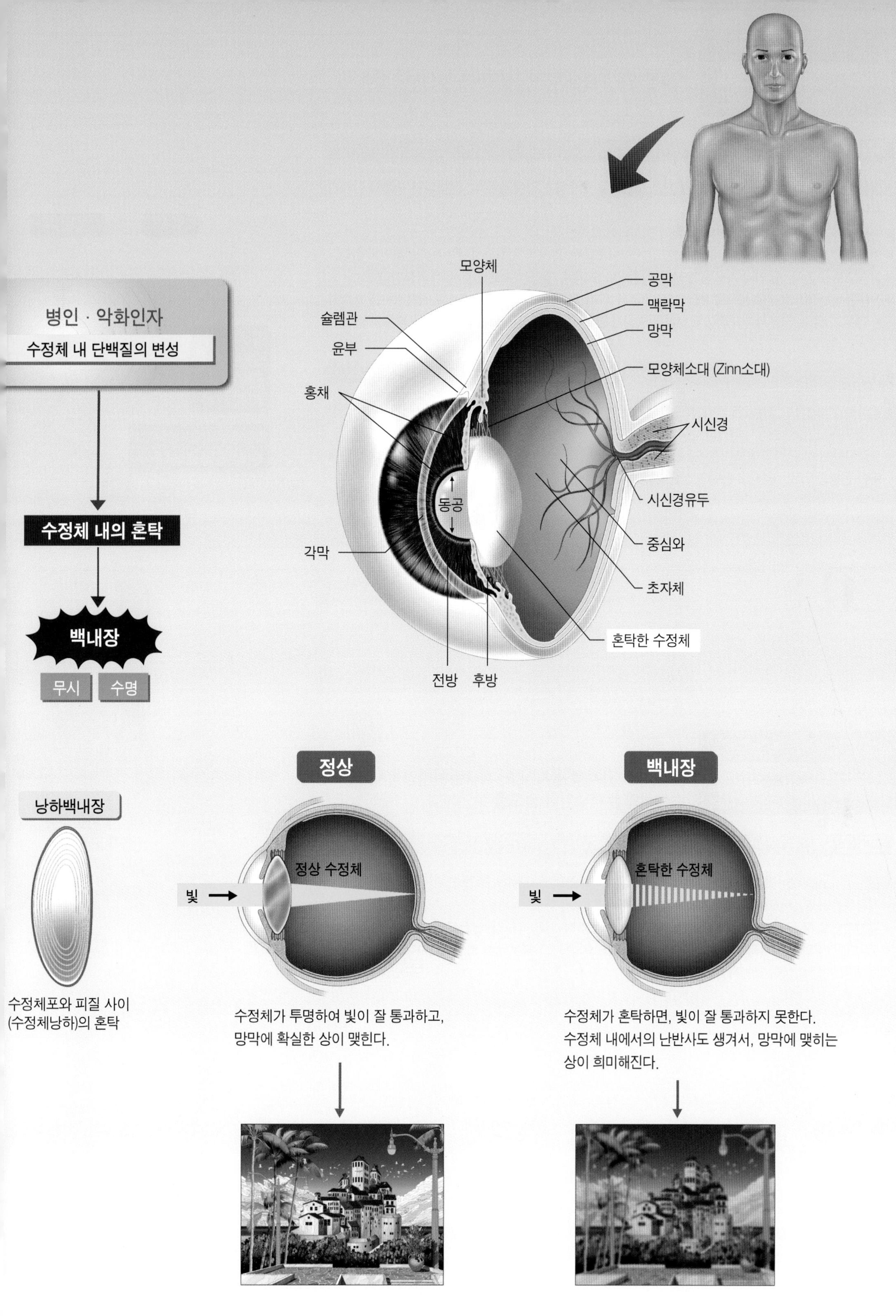
병인 · 악화인자
수정체 내 단백질의 변성
수정체 내의 혼탁
백내장
무시
수명
모양체
슐렘관
윤부
홍채
동공
각막
공막
맥락막
망막
모양체소대 (Zinn소대)
시신경
시신경유두
중심와
초자체
혼탁한 수정체
전방
후방
정상
백내장
낭하백내장
정상 수정체
혼탁한 수정체
빛
빛
수정체포와 피질 사이
(수정체낭하)의 혼탁
수정체가 투명하여 빛이 잘 통과하고,
망막에 확실한 상이 맺힌다.
수정체가 혼탁하면, 빛이 잘 통과하지 못한다.
수정체 내에서의 난반사도 생겨서, 망막에 맺히는
상이 희미해진다.

백내장

증상 map

시력장애가 주증상이지만, 정도에는 개인차가 있다.

증상

- 침침하게 보인다(무시) : 안개가 낀 것처럼 보인다고 호소하는 경우가 많다. 진행되면 수정체 전체가 혼탁해지면서 증상이 악화된다.
- 눈부시다(수명) : 수정체의 혼탁으로 빛이 반사되어 초래된다.
- 가까운 것이 잘 보인다 : 핵백내장에서는 근시화됨으로써, 일시적으로 근시시력이 개선되기도 한다.
- 이중으로 보인다 : 달이나 가로등이 이중, 삼중으로 보이며, 편안성(片眼性)인 것이 특징이다.
- 진행은 일반적으로 양측성으로 완만하다. 교정시력이 0.6~0.7이 되면 환자 스스로 시력저하를 호소하는 경우가 많고, 교정시력이 좋아도 수명감이 심한 경우에는 생활상의 불편을 호소하는 경우가 많다.

합병증

- 폐쇄우각녹내장 : 진행됨에 따라서, 수정체가 팽화되어 동공블록이 생기므로 속발성폐쇄우각녹내장이 생기며, 안압상승이 나타난다. 원시안인 중년여성에게 호발한다.
- 수정체융해녹내장 : 과숙백내장 (백내장이 과도하게 진행된 상태)이 되며, 진행되면 수정체 내의 단백질이 전방중으로 누출되고 안압이 상승되어, 녹내장 증상을 나타낸다.

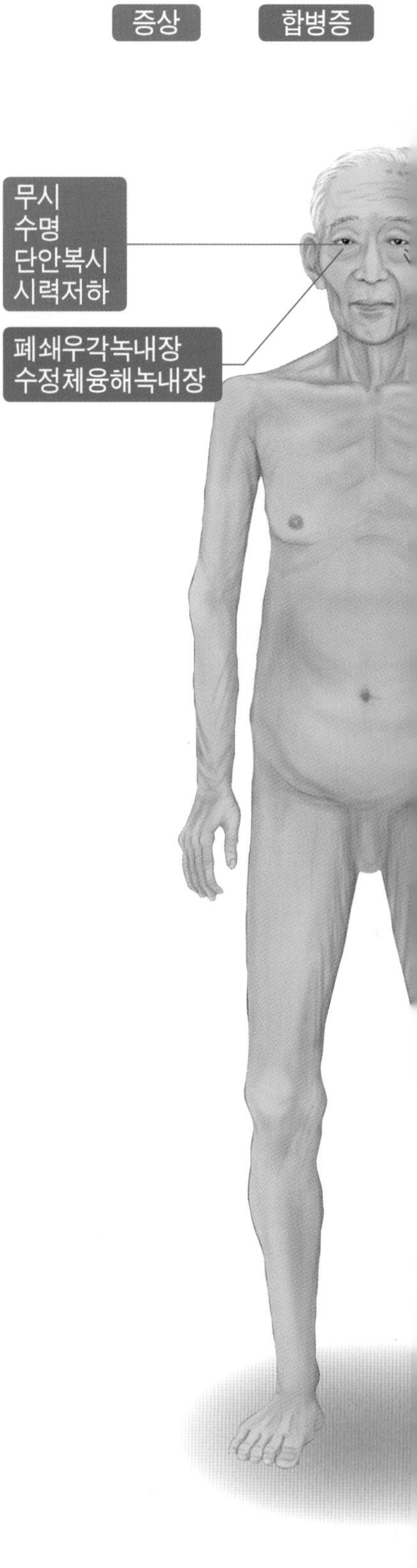

백내장

진단 map

문진, 시력감사를 실시하고, 세극등현미경검사로
수정체의 혼탁부위나 정도를 확인한다.

진단·검사치

- 문진이나 시력검사를 실시하여, 외상이나 당뇨병, 특수 약제의 사용이나 치료의 기왕력을 확인한다.
- 세극등현미경검사로 수정체의 혼탁부위, 정도를 확인한다.
- 일반적으로 50세 이상에서 다른 원인이 없으면, 노인성 백내장이라고 진단한다.
- 혼탁이 진행되면 안저의 투시가 어려워지는 예도 있으므로, 그 경우에는 초음파검사나 CT 또는 MRI로 망막에 큰 이상이 없는지 미리 검사해야 한다.

치료 map

일상생활에 지장이 없으면, 혼탁의 예방과 진행을 늦추는 것을 목적으로 점안치료를 적용하고, 지장이 있는 경우에는 수술에 의한 근치적 치료를 실시한다.

진단 치료

문진

시력검사
세극등현미경검사

초음파검사
CT
MRI

약물요법
외과적 치료

■ 표 20-1 백내장의 주요 치료제

분류	일반명	주요 상품명	약효발현의 메커니즘	주요 부작용
백내장치료제	피레녹신	가리유니, Catalin	키노이드물질의 작용을 저해하여, 수정체의 투명성을 유지	과민증 (안검염, 접촉성피부염 등), 미만성 표층각막염, 결막출혈
	글루타티온	타치온 점안용	안조직의 대사를 개선	눈의 자극감 · 가려움증

치료방침

- 백내장치료법에는 예방이나 진행의 지연을 목적으로 하는 점안에 의한 약물요법과 근치적인 수술요법이 있다. 이미 혼탁해진 수정체를 투명하게 하는 근치적인 약물요법은 현재 확립되어 있지 않으며, 진행례에 대해서는 수술요법을 선택하고 있다.

약물요법

- 백내장치료제는 점안제가 주체이며, 현재 피레녹신 (가리유니, Catalin)과 글루타티온제 (타치온 점안용)가 있다.
- 피레녹신은 수용성 단백질과 키노이드물질의 혼합을 저해함으로써 백내장의 진행을 억제한다. 글루타티온에는 항산화작용이 있어서, 백내장의 진행을 억제할 수 있다. 어느 약제나 백내장의 진행을 예방, 지연시키는 효과는 있지만, 이미 혼탁해진 수정체를 투명하게 하는 효과는 없다.

Px 처방례 예방 또는 진행을 지연시키기 위해서

- 가리유니 점안액 0.005% (5mL/병) 1일 3~4회 점안 ←백내장치료제
- Catalin-K 점안용 (과립) 0.75mg/P 1일 3~4회 점안 ←백내장치료제
- 타치온 점안용 (액) 환원형 글루타티온 2% 1일 3~4회 점안 ←백내장치료제

외과적 치료

- 기본적으로 백내장으로 일상생활에 지장이 초래되면 수술을 적용한다.
- 초음파수정체유화흡인술 (phacoemulsification and aspiration ; PEA)

3mm 정도의 소절개창으로 수술하는 저침습적인 방법과 인공안내렌즈 (intraocular lens ; IOL) 삽입술이 보급됨에 따라서, 현재는 표준수술방식으로 이용되고 있다. 수정체의 전낭을 원형으로 절개한 다음, 초음파로 수정체핵을 유화분쇄하면서 핵 및 피질을 흡인하고, 수정체낭내에 IOL을 삽입・고정한다. 창구가 작아서 저침습적이며, 수술 후 난시의 발생 가능성도 적다(그림 20-1).

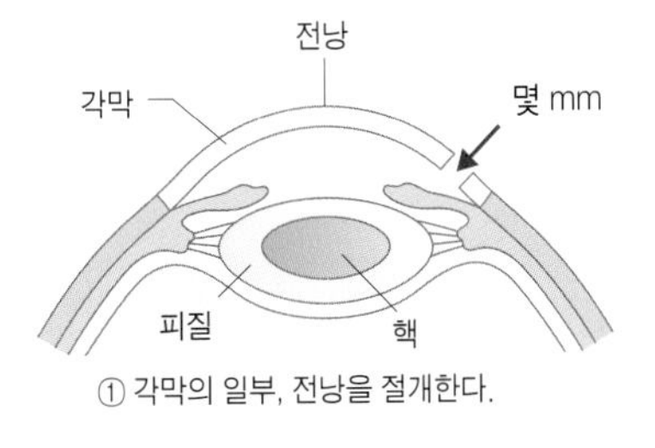

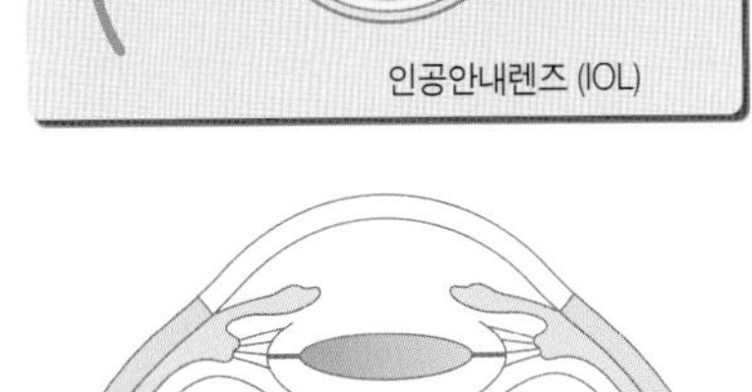

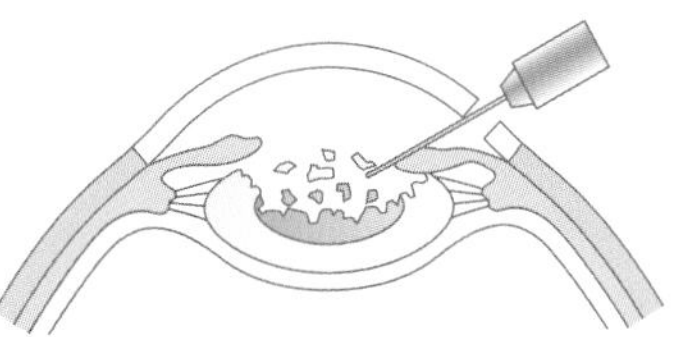

■ 그림 20-1 초음파수정체유화흡인술

● 수정체낭외적출술 (extracapsular cataract extraction ; ECCE)

PEA로 치료할 수 없는 고도로 진행된 증례에 시행한다. 각막륜부를 따라서 약 1/2을 절개하고, 수정체의 전낭을 원형으로 절개한 다음, 수정체핵을 창구에서 압출하여 수정체낭 내에 IOL을 삽입 고정한다. PEA와 비교하면 수술후 난시가 나타나기 쉽다.

● 수정체낭내적출술 (intracapsular cataract extraction ; ICCE)

수정체를 캡슐째 적출하는 방법이다. 수정체탈구, 아탈구나 모양체소대취약례 등에 적용된다. ECCE와 마찬가지로 각막륜부를 따라서 약 1/2을 절개한 다음, 수정체 전면의 일부를 동결용 팁으로 동결고정하여 수정체를 꺼낸다. 필요하면 IOL을 안구 내에 봉착하여 고정한다.

【합병증】 기술이나 기기의 향상으로 수술 그 자체의 위험도는 낮아졌지만, 감염증에 주의해야 한다. 또 드물지만, 구축성출혈 등 중증의 술중합병증도 있다.

백내장의 병기 · 병태 · 중증도별로 본 치료흐름도

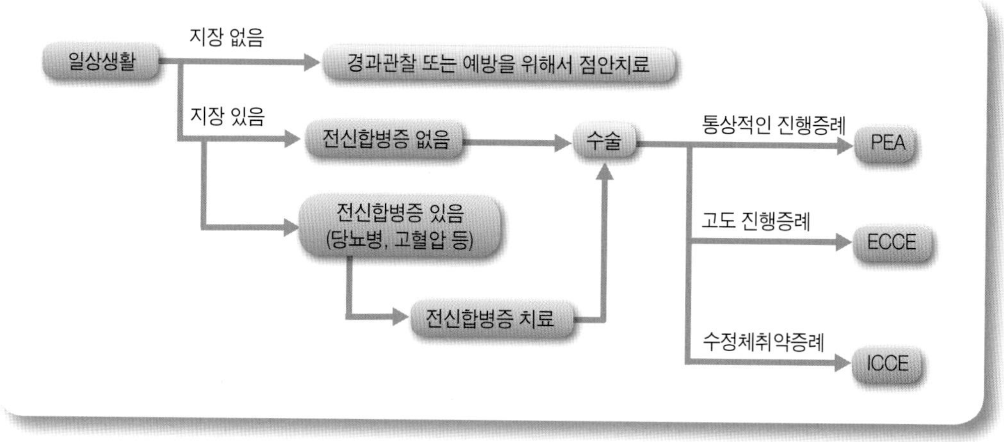

일상생활
지장 없음
경과관찰 또는 예방을 위해서 점안치료
지장 있음
전신합병증 없음
수술
통상적인 진행증례
PEA
전신합병증 있음
(당뇨병, 고혈압 등)
고도 진행증례
ECCE
전신합병증 치료
수정체취약증례
ICCE

(吉田武史·大野京子)

환자케어

노인성 백내장에서는 환자의 연령이나 생활배경, 기타 질환의 유무, 이해수준 등에 맞춘 케어가 필요하다.

병기·병태·중증도에 따른 케어

【수술전】 기왕력, 백내장의 상태를 파악하고, 사전동의를 받으며, 환자 · 가족의 불안을 경감시킨다. 검사 목적이나 수술순서를 설명하고, 주의사항을 지도하며, 수술 후를 이미지화 할 수 있도록 지지한다. 환자 · 가족과 의료자의 신뢰관계를 구축함으로써, 환자가 안심하고 검사, 수술을 받을 수 있게 된다.
【수술중】 전신상태, 국소마취 시의 상태를 관찰하고, 처치를 신속하고 안전하게 실시할 수 있도록 돕는다.
【수술후】 눈 주위의 청결상태를 유지하고 (특히 수술후 3일간은 관찰이 요구된다), 시력경과의 관찰, ADL 등에 지장이 초래되는 경우에는 지지한다.

케어의 포인트

수술 전의 간호

- 백내장 환자에게는 내과질환이 합병하는 경우가 많으므로, 그 질환이나 치료에 관하여 이해할 수 있도록 설명한다.
- 고령자에게 난청 등이 있으면 설명을 이해하는 데에 시간이 걸린다. 이해할 수 있도록 반복해서 정중하게 설명하고, 환자의 불안을 경감시키도록 힘쓴다.
- 수술후 시력이 개선되지만, 개선 정도에는 개인차가 있다고 전달한다.

수술 중의 간호

- 수술 중의 공포심, 불안에 대한 케어를 중심으로 환자의 안전, 안녕을 고려하여 간호한다.

수술 후의 간호

- 수술경과나 수술 후의 치료방침에 관해서 이해할 수 있도록 설명한다.
- 점안지도, 퇴원지도 등, 일상생활상의 필요사항이나 유의사항에 관하여 지도한다. 같은 질환이라도 환자에 따라서 사용하는 약의 종류가 다른 경우가 있는 점을 설명하고, 약은 지시대로 사용하도록 전달한다.

퇴원지도 · 요양지도 (수술 후 당일에 퇴원하는 경우의 지도)

- 일상생활상의 주의점을 지도한다.
- 청결상태를 유지하면서, 수술한 눈 주위는 만지지 않도록 주의한다.
- 샤워를 권한다. 목욕하는 경우는 오래 탕에 있지 말 것, 수술한 눈에 물이 들어가지 않도록 주의한다.
- 균형있는 식사를 명심하고, 기초질환의 상태개선을 우선한다.
- 수술한 눈을 보호하기 위해서 사람이 많은 곳은 피하고, 선글라스를 착용한다.
- 보는 것이 안정될 때까지 무리하지 않는다 : 수술후 시력회복에는 개인차가 있다. 시력이 안정된 후 안경을 끼도록 전달한다. 또 생활환경에 익숙해질 때까지는 무리하지 않도록 지도한다.
- 점안약의 관리방법을 지도한다. 점안약의 필요성, 점안약의 작용 · 부작용, 청결조작의 습득, 점안제의 보관법, 수기, 셀프케어법을 환자 · 가족과 함께 얘기한다. 외래통원 시에는 점안을 적절히 하고 있는지 확인을 받도록 지도한다.
- 이상 시에는 병원에 연락하고, 반드시 제때 진찰받도록 지도한다.
- 안과질환의 기왕력이 있는 경우에는 특히 자각증상에 주의하고, 정기적인 진찰을 받도록 전달한다.
- 갑자기 안보이거나 안구통증 등이 나타나면 병원에 연락하여 신속히 진찰받도록 지도한다.

(大音清香)

올바른 방법

- 점안 전에 반드시 비누와 흐르는 물로 손을 씻는다.
- 정해진 점안횟수·종류를 지킨다(점안은 1방울로 충분).
- 점안 후에는 1~5분 정도 눈을 감는다.
- 보관장소 등에 관한 보존방법을 준수한다.
- 2종류 이상의 점안제를 사용하는 경우에는 5분 이상 간격을 둔다.

잘못된 방법

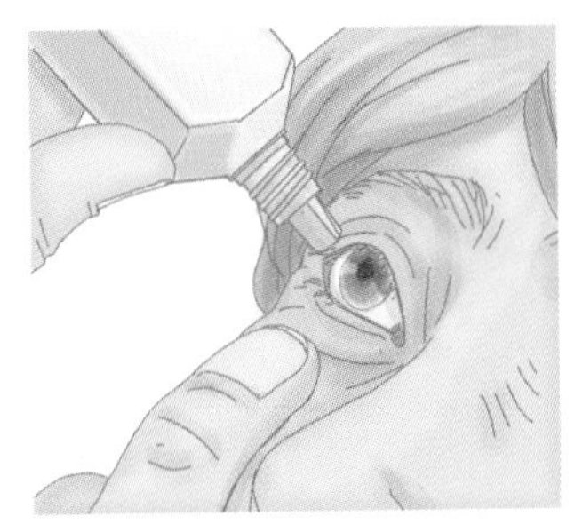

- 용기 끝을 눈에 너무 바짝 댄다.
- 용기 끝을 눈꺼풀 언저리, 눈썹 등에 댄다.
- 점안후, 자주 눈을 깜빡거린다.
- 여러 방울 넣는다.

■ 그림 20-2 점안법의 지도

Memo

21 녹내장 (glaucoma)

鴨居功樹·大野京子/大音清香

전체 map

병인

- 안압상승은 병인 중 하나이지만, 안압과 관련없는 경우도 있다.

[악화인자] 연령(고령)

역학

- 40세 이상에서의 유병률은 남녀 모두 5%이다.
- 조기치료로 진행을 억제할 수 있다.

[예후] 시신경장애가 서서히 진행되어, 장기적으로 약물요법이 시행되기도 한다.

병태생리

- 시신경과 시야에 특징적인 변화가 나타나며, 통상적으로, 안압을 충분히 강하시킴으로써 시신경장애를 개선 또는 억제할 수 있는 눈의 기능적, 구조적이상을 특징으로 하는 질환이다.
- 분류 : 원인을 따로 찾을 수 없는 원발녹내장 (원발개방우각녹내장, 정상안압녹내장, 원발폐쇄우각녹내장), 다른 안질환, 전신질환, 약물에 의한 속발녹내장, 태생기의 우각발달이상에 의한 발달녹내장, 이렇게 3병형이 있다.

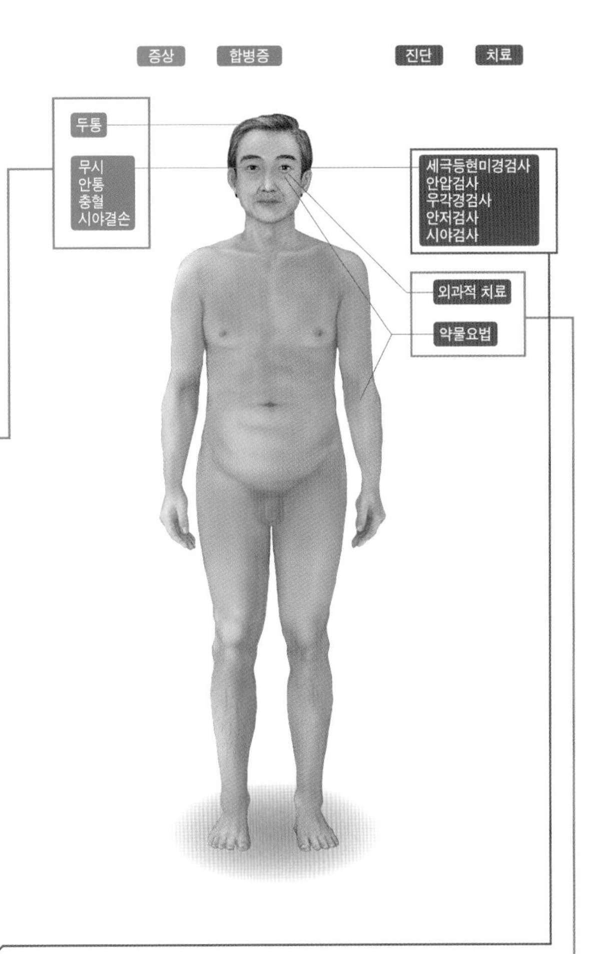

증상

- 안압상승으로 인한 안통, 두통, 무시, 충혈
- 시신경장애로 인한 시야결손

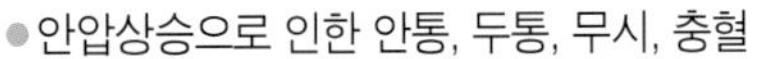

진단

- 세극등현미경검사 : 얕은 전방인지 정상 전방인지를 관찰한다.
- 안압검사 : 안압이 21mmHg를 넘으면 녹내장이 의심스럽지만, 정상역이라도 정상안압녹내장일 가능성이 있다.
- 우각경검사 : 광우각인지 협우각인지를 관찰한다.
- 안저검사 : 시신경 유두의 함요 · 위축의 유무를 확인한다.
- 시야검사 : 시야장애 (Bjerrum암점, 비측계단암점), 구심성협착의 유무를 본다.

치료

- 안압강하를 목적으로 하는 약물요법이 주체가 된다.
- 약물요법 : 녹내장치료제를 단독사용하거나 병용하고, 3제로도 안압강하가 불충분할 때는 외과적 치료를 실시한다.
- 외과적 치료 : 섬유주대절제술, 섬유주대절개술, 주변홍채절제술 외에, 비관혈적인 레이저홍채절개술도 있다.

병태생리 map

녹내장에는 시신경과 시야에 특징적 변화가 있으며, 통상적으로 안압을 충분히 강하시킴으로써 시신경장애를 개선 또는 억제할 수 있는 눈의 기능적, 구조적 이상을 특징으로 하는 질환이다.

- 녹내장은 원인을 따로 찾을 수 없는 원발녹내장, 다른 안구질환, 전신질환 또는 약물이 원인이 되어 생기는 속발녹내장, 태생기의 우각발달 이상으로 안압상승을 일으키는 발달녹내장, 이렇게 3병형으로 분류된다(그림 21-1).
- 원발녹내장은 주로 우각소견의 차이에서 원발개방우각녹내장, 원발폐쇄우각녹내장으로 분류된다.
- 원발개방우각녹내장 : 원발성으로 우각이 넓은 타입의 녹내장을 말한다. 만성으로 진행되어, 경과와 더불어 시야결손이 진전된다.
- 정상안압녹내장 : 원발개방우각녹내장 중 안압이 항상 정상치에 머무는 타입을 말한다.
- 원발폐쇄우각녹내장 : 얕은 전방, 좁은 우각을 가지며, 방수의 흐름이 차단되는 타입의 녹내장을 말한다. 안압이 급격히 현저하게 상승하면 급성녹내장발작이 일어난다.
- 속발녹내장 : 개방우각안에 나타나는 스테로이드녹내장이나 폐쇄우각안에 나타나는 포도막염에 의한 속발녹내장, 혈관신생녹내장 등이 있다.
- 발달녹내장 : 우각의 발육부전에 의한 조기형 발달녹내장이나 Sturge Weber증후군 등의 선천적 이상을 수반하는 발달녹내장이 있다. 조기형 발달녹내장의 치료는 수술이 제1선택이다.

역학·예후

- 일본에서 행해진 역학조사 (일본녹내장학회 다지미(多治見)녹내장 역학조사, 2000년 9월~2001년 10월 실시) 에서는 40세 이상의 남녀 모두 5%의 유병률로 확인되었다.
- 조기치료로 안압이 정상역으로 관리되면 녹내장의 증상진행을 방지할 수 있다. 그러나 원발개방우각녹내장이나 정상안압녹내장에서는 서서히 시신경장애가 진행되므로, 장기적으로 적절한 약물요법을 적용해야 한다.

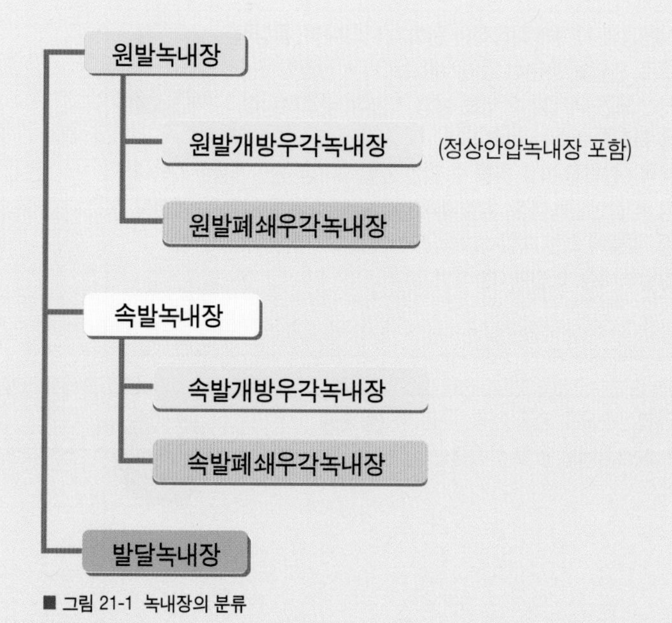

■ 그림 21-1 녹내장의 분류

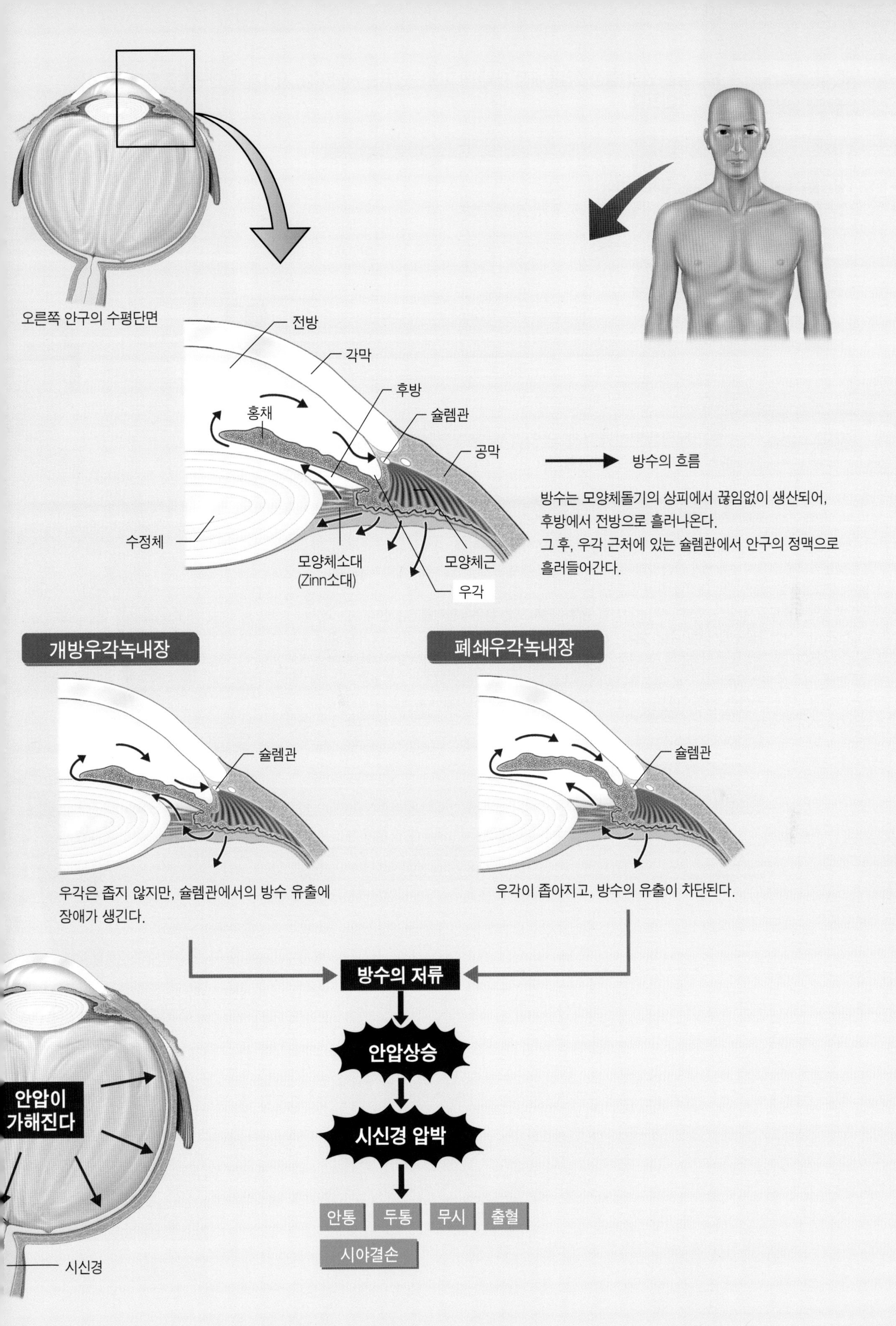
오른쪽 안구의 수평단면
전방
각막
후방
홍채
슐렘관
공막
수정체
모양체소대
(Zinn소대)
모양체근
우각
방수의 흐름
방수는 모양체돌기의 상피에서 끊임없이 생산되어,
후방에서 전방으로 흘러나온다.
그 후, 우각 근처에 있는 슐렘관에서 안구의 정맥으로
흘러들어간다.
개방우각녹내장
슐렘관
우각은 좁지 않지만, 슐렘관에서의 방수 유출에
장애가 생긴다.
폐쇄우각녹내장
슐렘관
우각이 좁아지고, 방수의 유출이 차단된다.
방수의 저류
안압상승
시신경 압박
안통
두통
무시
출혈
시야결손
안압이
가해진다
시신경

녹내장

증상 map

높은 안압 (정상안압녹내장 제외)과 그에 수반되는 시야이상, 시력저하, 안구통증 등의 증상이 확인된다.

증상

- 안압이 상승함으로써, 안구통증, 두통, 무시, 출혈이 나타난다.
- 시신경장애로 시야결손이 확인되지만, 초기에는 자각하지 못하는 경우가 많다.

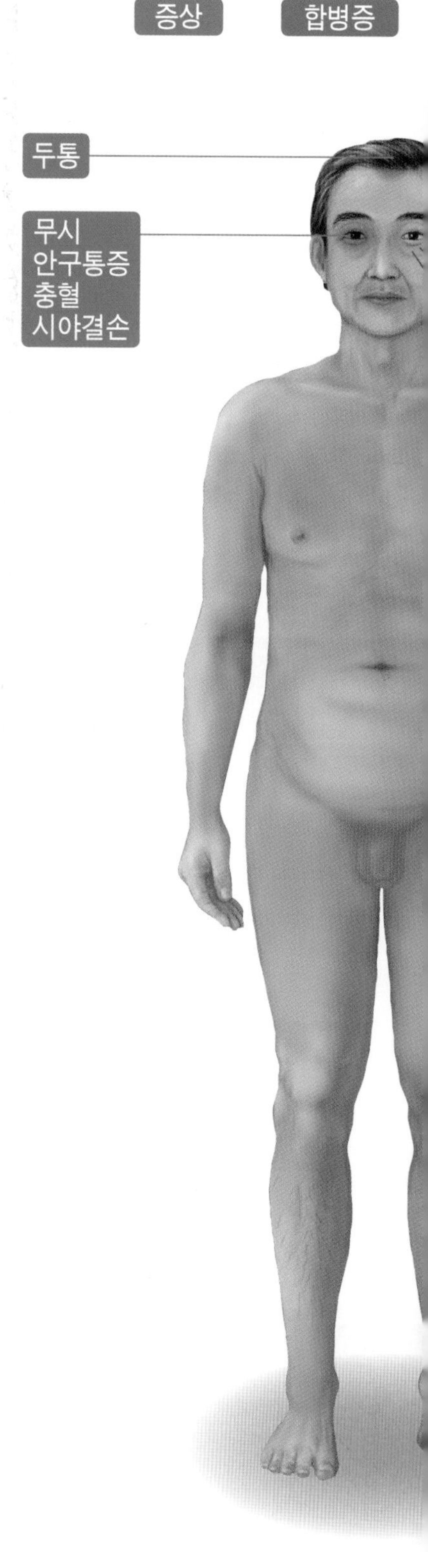

녹내장

진단 map

세극등현미경검사, 안압검사, 우각경검사, 안저검사, 시야검사로 진단한다.

진단·검사치

- 세극등현미경검사로 전방을 잘 확인하여, 얕은 전방인지 정상인지를 판단한다.
- 안압은 일반적으로 10~21mmHg가 정상안압이며, 21mmHg보다 높은 경우에는 녹내장이 의심스럽다. 또 정상역이라도 정상안압녹내장일 가능성도 있다.
- 우각은 방수의 유출로로서 중요하므로 우각경검사로 광우각인지 또는 협우각인지를 관찰한다.
- 안저소견에서는 시신경유두에서 특이적인 함요 및 위축이 확인된다. 시신경유두의 함요 크기는 함요/유두의 직경비 (C/D비)로 표시되는데, 녹내장에서는 이 비율이 커진다. 또 무적색빛을 사용하여 안저를 보면, 유두 주위의 망막에서 시신경섬유다발의 결손을 확인할 수 있다.
- 시야검사에서는 Bjerrum암점 (방중심암점), 비측계단암점이라 불리는 시야장애가 확인되며, 말기에는 구심성협착이 보여진다.

약물요법으로 안압의 강하를 도모하지만, 충분한 효과를 얻지 못할 때는 수술을 실시한다.

진단 치료

세극등현미경검사
안압검사
우각경검사
안저검사
시야검사

외과적 치료

약물요법

치료방침

- 안압강하를 목적으로 하는 약물요법이 주체가 된다. 또 안압상승 원인의 치료가 가능하면, 안압강하와 더불어 원인에 대한 치료를 실시한다.

■ 표 21-1 녹내장의 주요 치료제

분류		일반명	주요 상품명	약효발현의 메커니즘	주요 부작용
안과약(녹내장치료제)	β차단제	티몰롤말레산염	Timoptol	방수생성억제	심기능억제, 천식 등
	αβ차단제	니프라딜롤	하이파딜, Nipranol	방수생성억제+포도막공막 유출촉진	
	α1차단제	부나조신염산염	Detantol	포도막공막 유출촉진	안검염
	프로스타글란딘관련제	라타노프로스트	잘라탄		안검색소침착, 첩모난생
	부교감신경자극제	필로카르핀 염산염	Sanpilo	섬유주대 유출촉진	축동, 동공유착
	교감신경자극제	디피베프린 염산염	Pivalephrine		안유천포창
이뇨제	탄산탈수효소저해제	도르졸라미드 염산염	트루솝	방수생성억제	안검염 등
		아세타졸아마이드	다이아목스		
수액제	고장침투압제	D-만니톨	만니톨, Mannigen, Mannite T15	초자체용적의 감소	

약물요법

Px 처방례 조기 또는 경증례
- Timoptol 점안액 (0.5%) 1회 1방울 1일 2회 점안 ←녹내장치료제

Px 처방례 상기에서 안압강하가 불충분할 때
- Timoptol 점안액 (0.5%) 1회 1방울 1일 2회 점안 ←녹내장치료제
- 잘라탄 점안액 (0.005%) 1회 1방울 1일 1회 점안 ←녹내장치료제

Px 처방례 2제로도 안압강하가 불충분할 때
- Timoptol 점안액 (0.5%) 1회 1방울 1일 2회 점안 ←녹내장치료제
- 잘라탄 점안액 (0.005%) 1회 1방울 1일 1회 점안 ←녹내장치료제
- 트루솝 (1%) 1회 1방울 1일 3회 점안 ←녹내장치료제

※ 3제로도 안압강하가 불충분할 때는 외과적 치료를 실시한다.

Px 처방례 급성녹내장 발작시
- 20% 만니톨 주 30~45분에 점적정주 ←수액제
- 다이아목스정 (250mg) 1정 分1 ←이뇨제
- 2% Sanpilo 점안액 자주 점안 ←녹내장치료제

※ 상기에 추가하여 레이저홍채절개술을 실시한다.

외과적 치료

- 섬유주대절제술 : 여과수술로서, 전방과 결막하조직 사이에 새로운 방수유출로를 만드는 수술. 가장 일반적인 녹내장수술이다.
- 섬유주대절개술 : 방수유출로의 재건술로서, 섬유주대를 외측에서 절개하고, 슐렘관으로의 방수유출의 촉진을 목적으로 하는 수술.
- 주변홍채절제술 : 원발폐쇄우각녹내장 등 동공블록이 원인인 녹내장에 관혈적으로 주변홍채를 절제함으로써, 동공블록을 해소한다.
- 레이저홍채절개술 : 원발폐쇄우각녹내장 등 동공블록이 원인인 녹내장에 비관혈적으로 레이저로 홍채를 절개한다.

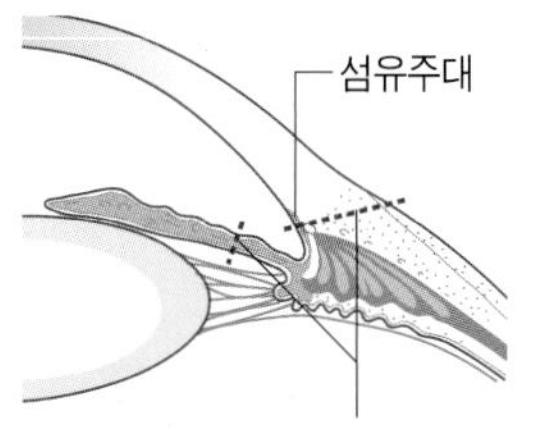

결막, 공막과 섬유주대 및 홍채의 일부를 절개한다.

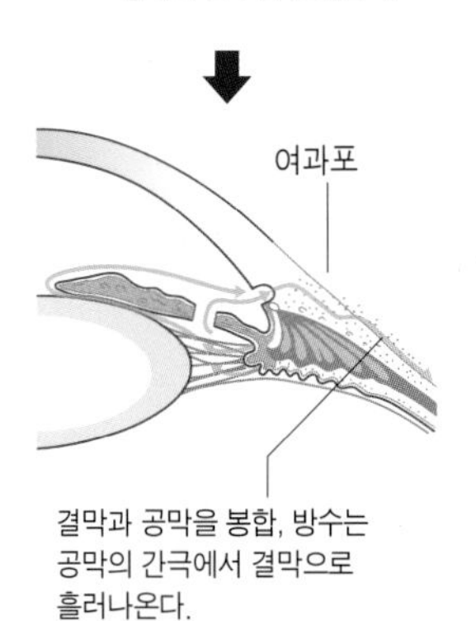

결막과 공막을 봉합, 방수는 공막의 간극에서 결막으로 흘러나온다.

■ 그림 21-2 섬유주대절제술

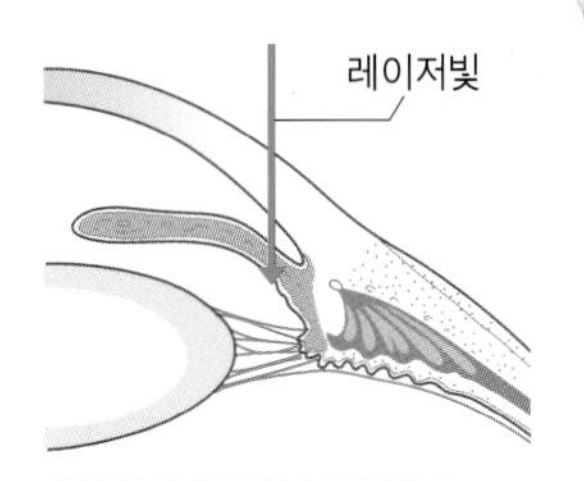

홍채 끝에 레이저를 조사하고 작은 구멍을 뚫어서 바이패스를 만든다.

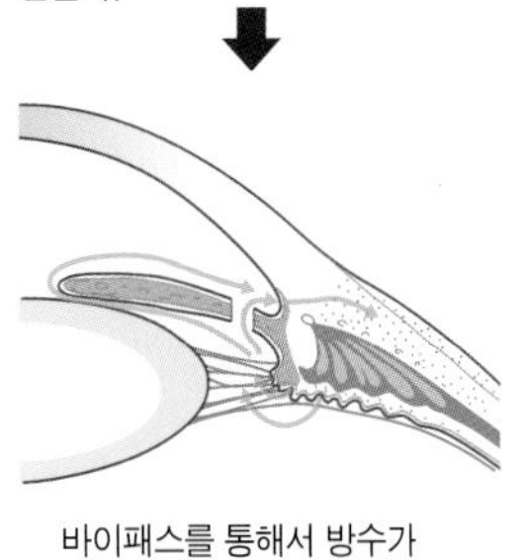

바이패스를 통해서 방수가 유출된다.

■ 그림 21-3 레이저홍채절개술

녹내장의 병기 · 병태 · 중증도별로 본 치료흐름도

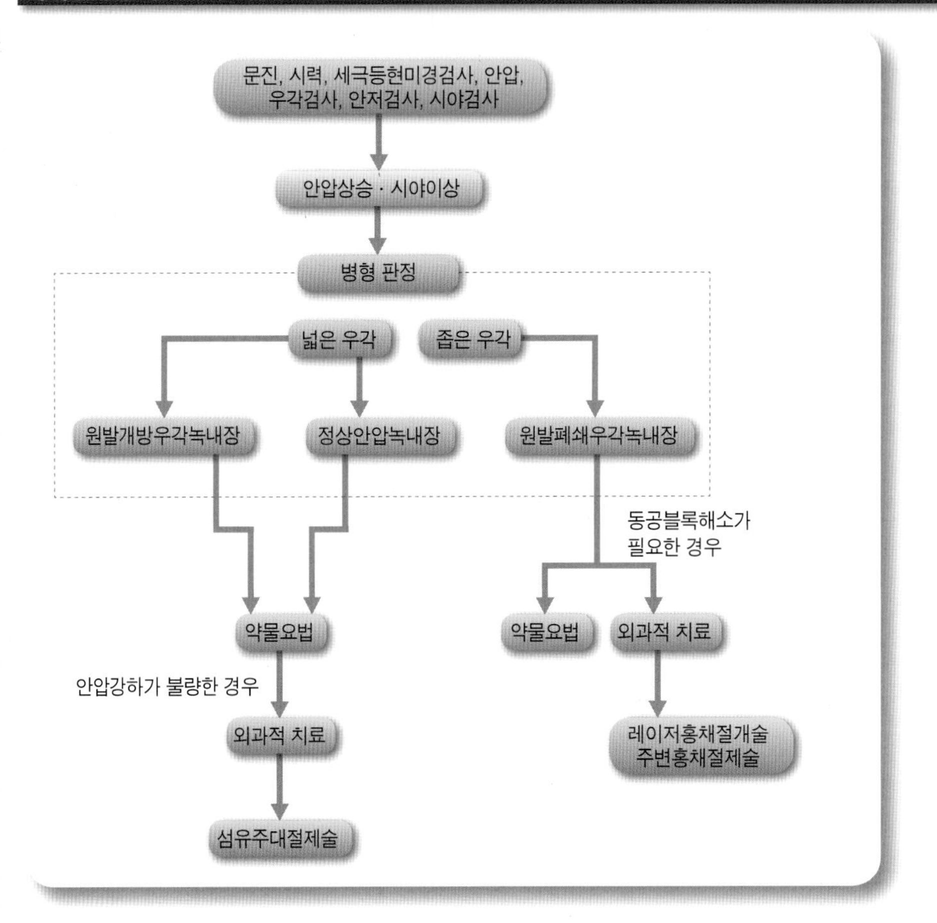

(鴨居功樹·大野京子)

환자케어

약물요법을 실시하는 환자에게는 정기적인 진찰과 안압관리의 필요성에 관해서, 수술을 받는 환자에게는 감염예방과 시력기능저하에 따른 위험요소 회피에 관해서 이해할 수 있도록 지지한다.

병기·병태·중증도에 따른 케어

녹내장시야의 진전에 따른 분류

【수술전】 Bjerrum암점 : 자각증상에 나타나지 않기 때문에 치료를 중단하기 쉽지만, 정기적으로 진찰받으며 지시대로 점안하는 것이 중요하다.

【중기】 시야협착진행 : 조기발견이나 계속적인 치료로 안압이 내려가면, 진행이 멈추거나 지연된다는 점을 충분히 이해할 수 있도록 설명한다.

【말기】 이측(耳側) 잔존시야 : 시각상실에 대한 불안이 커지므로, 환자의 언동 · 행동에 주의하며, 위험한 상황이 발생되지 않도록 배려한다.

케어의 포인트

수술 전의 간호

- 치료방침이나 수술에 관하여 이해와 동의를 얻을 수 있는지 환자의 상태를 파악한다. 특히 응급수술인 경우, 불안이나 공포심의 경감에 힘쓴다.
- 수술경험의 횟수에 따라서 심리상태에 변화가 있으므로, 환자의 심리상태를 파악한다.

수술 직후의 간호

- 술후의 안통이나 두통 등에 대해서 조기에 경감을 도모한다.
- 술중의 경과에 관하여 환자 · 가족에게 설명한다.

수술 후의 간호

- 안정유지가 필요하거나 활동제한이 있는 경우, 환자의 요구에 대해 지지한다.
- 안대착용 중에는 위험한 상황을 피할 수 있도록 환경을 조정 · 개선한다.
- 이후 치료방침에 관하여 환자 · 가족이 이해할 수 있도록 지지한다.

회복기의 간호

- 저시력(low vision)에 대한 케어를 요하는 환자에게는 보유기능의 유지라는 간호목적을 설정하고, 환자가 사회자원을 활용할 수 있도록 간호사가 지지한다.

퇴원지도·요양지도

자립심의 유지

- 보유기능을 유지하고, 현상태를 유지하도록 격려한다.
- 현상유지가 어려운 경우에는 지지체계 (지역사회체계, 시력갱생시설 등)을 지도한다.
- 가족이나 주위의 이해와 협력을 구하도록 격려한다.
- 장기적으로 안압을 관리해야 하는 필요성을 지도한다.
- 지시받은 점안을 바르게 실시하도록 지도한다.

점안의 지도

- 점안의 필요성이나 점안종류, 횟수, 청결조작, 점안방법 등을 환자의 이해도에 따라서 지도한다.
- 점안보조구의 소개나 무리없이 할 수 있는 방법 등을 환자의 상황에 따라서 설명, 지도한다.
- 점안을 혼자하기 어려운 경우에는 가족이나 주위의 협력을 구한다. 통원 시마다 점안법을 확인하고, 필요시에 지도한다.

(大音清香)

시야

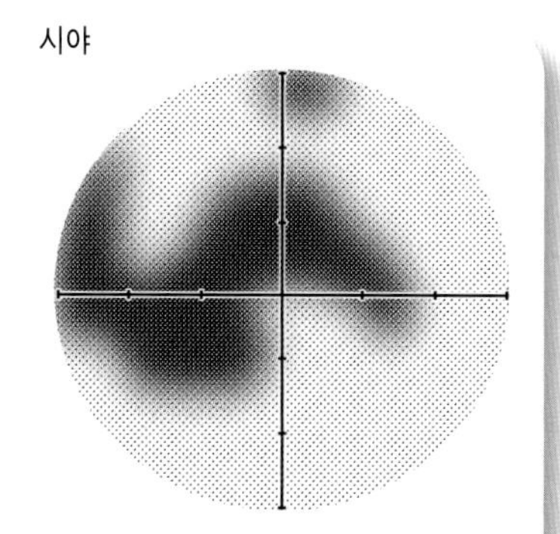

이미지상

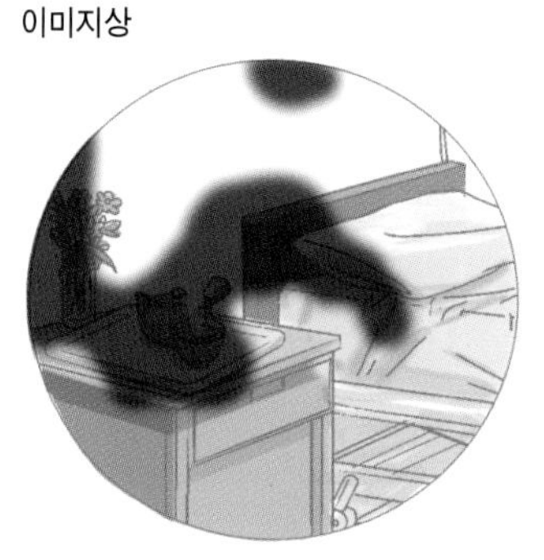

■ 그림 21-4 녹내장 환자의 시야(일례)

Key word

● 저시력(low vision)

세계보건기구 (WHO) 에서는 교정시력 0.05 이상 0.3 미만으로 정의하고 있다. 그러나 실제로는 수치에 구애되지 않고, 일상생활에 지장이 초래되는 경우나 전맹을 포함하여 시력기능 또는 시각이 있는 사람을 말한다.

Key word

● 저시력 케어(low vision care)

보존되고 있는 시력기능을 최대한으로 활용하여, 환자가 자립적으로 가능한 쾌적한 생활을 영위할 수 있도록 지원하는 케어.

Memo

22 유행성각결막염 (epidemic keratoconjunctivitis)

深水　眞·村上喜三雄/大音清香

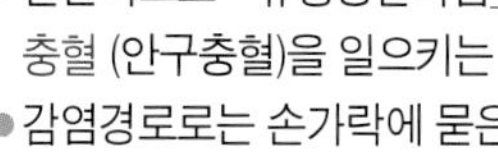

병인

- 아데노바이러스 (8형, 19형, 37형)의 감염에 의한다.

역학

- 이환자수는 연간 100만명 정도이다.
- 겨울철보다 여름철에 호발하긴 하지만, 연중 내내 발생하며, 감염력이 매우 강하다.

[예후] 일반적으로 2주 정도에 걸쳐 치유된다.

병태생리

- 아데노바이러스의 전안부 감염으로 생기는 각막결막염이다.
- 일반적으로 「유행성결막염」이라고 하며, 급성결막충혈 (안구충혈)을 일으키는 대표적 질환이다.
- 감염경로로는 손가락에 묻은 눈곱(안지)이나 누액에 의한 것이 가장 많고, 공기감염은 일으키지 않으며, 건조한 상태라도 2주 정도는 감염성을 상실하지 않는다.
- 잠복기는 1~2주이다.

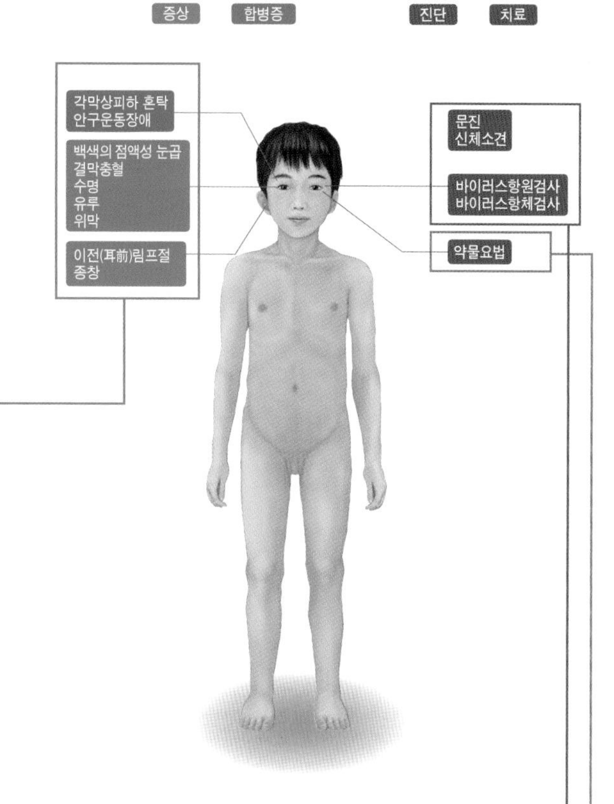

증상

- 급격한 결막충혈, 백색의 점액성 눈곱으로 발생한다.
- 유통성이전(耳前)림프절종창, 안검결막의 여포형성 · 점상출혈, 각막상피하 혼탁이 나타난다.
- 중증례에서는 위막형성, 각막미란, 안구유착이 나타난다.

[합병증]

- 각막상피하 혼탁
- 안구운동장애

진단

- 전형적인 경과를 밟는 경우, 가족내 발생이 있는 경우에는 소견과 아울러 쉽게 진단할 수 있다.
- 신속진단법 : 면역크로마토그래피를 이용하는 신속진단키트 (아데노체크® 등 여러 종류가 있다)는 10~15분만에 진단이 가능하다.
- PCR을 이용하여 바이러스 DNA를 검출한다.
- 혈청항체를 측정한다.
- 진단확정을 하지 못한 증례는 며칠간 유행성각결막염에서의 생활지도를 실시하여, 감염의 확대를 방지한다.

치료

- 치료방침 : 대증적인 치료를 실시한다.
- 약물요법 : 증상이 소실될 때까지 항균제와 비스테로이드성항염증제를 계속 점안한다. 증상이 소실되어도 각막상피하 혼탁이 지속되는 경우에는 장기적으로 스테로이드를 점안한다. 위막(僞膜)은 점안마취하에서 제거한다.

유행성각결막염

병태생리 map

유행성각결막염은 아데노바이러스에 의한 각막·결막의 감염증이다.

- 유행성각결막염은 아데노바이러스의 전안부 감염으로 생기는 각결막염이다. 일반적으로 「유행성결막염」이라고 하며, 급성결막충혈 (이른바 안구충혈)을 일으키는 대표적인 질환이다.

병인·악화인자

- 아데노바이러스는 DNA바이러스의 일종으로, 50형 이상의 혈청형이 존재한다. 그중에 일반적으로 유행성각결막염의 원인이 되는 것은 8형, 19형, 37형이다.
- 감염경로로는 손가락에 묻은 눈곱이나 누액에 의한 것이 가장 많으며, 공기감염은 일으키지 않는다. 건조해도 2주 정도는 감염성을 상실하지 않는 것이 큰 특징이다.

역학·예후

- 일본에서 유행성각결막염의 이환자수는 연간 100만명 정도이며, 겨울철보다 여름철에 호발하긴 해도 연중 발생한다. 그 감염력이 매우 강력하여, 일단 원내감염을 일으키면 진정화가 어려워서, 일시적으로 병동폐쇄에 이르는 경우도 드물지 않다.
- 일반적으로 2주 정도로 치유되는 예후가 좋은 질환이지만, 부적절한 치료로 각막혼탁, 각막천공, 안구운동장애 등이 나타나므로 주의해야 한다.

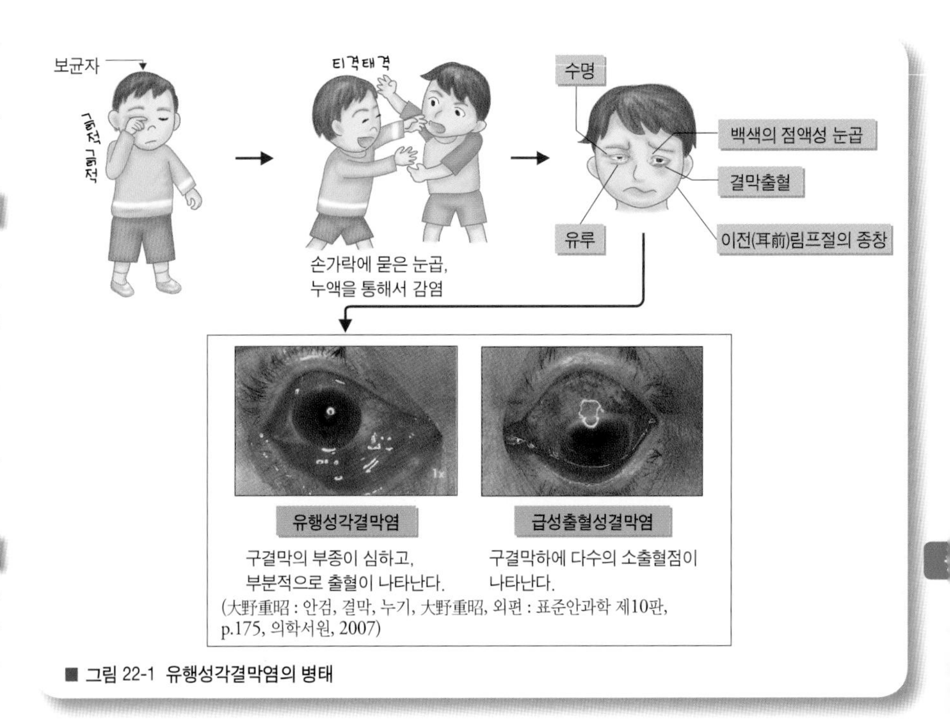

■ 그림 22-1 유행성각결막염의 병태

각막상피하 혼탁
안구운동장애

백색의 점액성 눈곱
결막충혈
수명
유루
위막

이전(耳前)림프절
종창

유행성각결막염

증상 map

1~2주의 잠복기를 거쳐서 급격한 결막충혈, 백색의 점액성 눈곱으로 발생한다.

증상

- 전형적으로 이전림프절의 종창 (압통을 수반한다), 검결막의 여포형성, 각막상피하 혼탁을 수반하며, 우선 한쪽 눈에 발생하고, 며칠 후에 반대측에도 발생한다. 반대측 안구는 비교적 증상이 가벼운 경우가 많다.
- 중증례에서는 검결막에 위막을 형성하고, 각막미란이나 검구유착이 합병되기도 한다.
- 증상은 3일~1주 정도에 최고조가 되고, 2주 정도로 자연치유되지만, 각막상피하 혼탁이 만연하여 장기간 수명상태가 유지되는 경우도 자주 있다.
- 입원환자에게 이환된 경우, 안과수술 후의 항염증제 점안 등으로 인해 전형적인 증상이 없는 경우가 적지 않으므로, 이후 서술하는 신속진단키트 등을 적극적으로 활용하기 바란다.

합병증

- 각막상피하 혼탁 : 염증이 심한 증례에서 종종 발생하여, 어쩔 수 없이 장기적으로 스테로이드를 점안하게 된다. 또 결막염증상이 종식되면 다른 사람에게는 감염되지 않는다.
- 안구운동장애 : 위막이 형성된 중증례를 안일하게 치료한 경우, 안구유착을 일으켜서 발생하기도 한다.

진단 map

증상의 경과와 가족력을 보고 진단한다. 신속진단키트에 양성으로 나타나면 진단이 확정된다.

합병증 진단 치료

문진
신체소견

바이러스항원검사
바이러스항체검사

약물요법

진단·검사치

- 전형적인 경과를 밟는 경우 (며칠 간격을 둔 양안성), 가족내 발생이 있는 경우 등은 소견과 아울러 용이하게 진단할 수 있다. 특이성이 높은 증상으로, 유통성이전림프절종창, 안검결막의 점상출혈을 들 수 있다(그림 22-1).
- 여포를 형성하는 결막염으로, 편안성인 경우는 헤르페스바이러스나 클라미디아에 의한 것, 양안에 동일한 증상이 나타날 경우에는 급성출혈성결막염 (엔테로바이러스, 콕사키바이러스)을 고려한다.
- 검사법으로 현재 외래에서 널리 사용되고 있는 것은 면역크로마토그래피를 이용한 신속진단키트이며, 그림 22-2의 아데노체크® (삼천제약) 외에, BD Adeno examen® (일본 벡톤 · 디킨슨), 퀵체이서 Adeno® (미즈호메디) 등 여러 종이 판매되고 있다. 모두 면봉으로 결막을 문질러서 검체추출액 내에서 섞은 후, 검사플레이트에 소량을 떨어뜨리는 간편한 방법을 취하고 있다(그림 22-3). 이것들은 10~15분만에 진단이 가능하다는 점에서 자주 사용되는데, 거의 100%의 특이도에 비해 감도가 낮아서, 처음에는 50~60%에 불과하였다. 이는 양성으로 나오면 진단이 확정되지만, 음성이라도 부정할 수 없음을 의미한다. 최근에는 70%대로 감도가 상승했지만, 보다 고감도의 키트 개발이 요구되는 바이다.
- 그 밖의 방법에는 폴리메라아제연쇄반응 (PCR)에 의한 바이러스 DNA의 추출, 혈청항체가 측정 등이 있는데, 이러한 방법은 널리 보급되지는 않았다.
- 진단확정에 이르지 못한 증례라도 감염의 확대를 방지하기 위해서, 적어도 며칠간은 유행성각결막염에 대한 일상생활 지도를 실시한다.

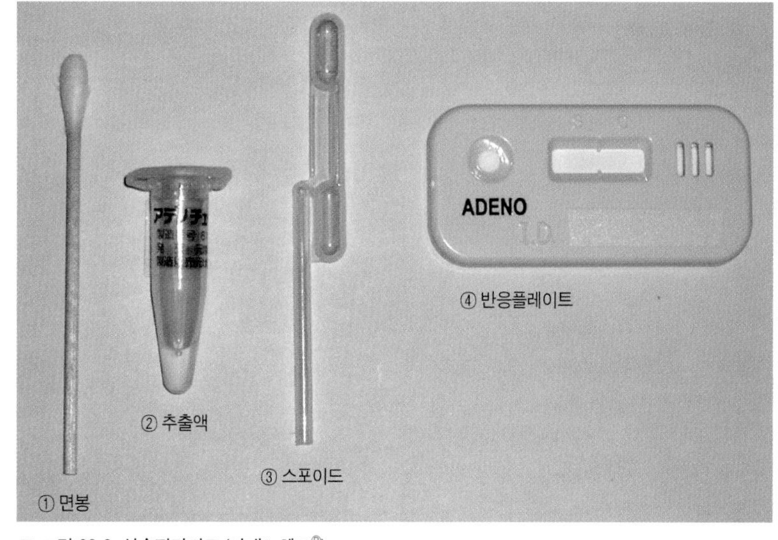

■ 그림 22-2 신속진단키트 (아데노체크®)

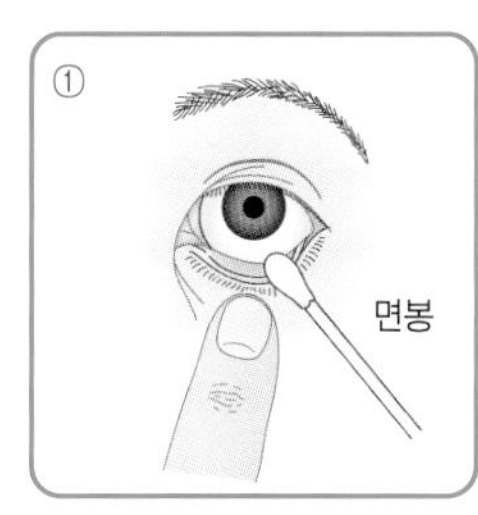

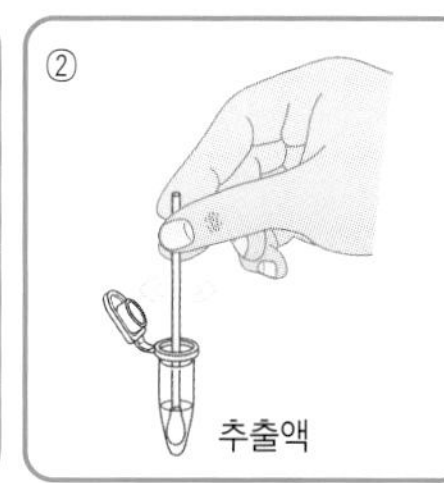

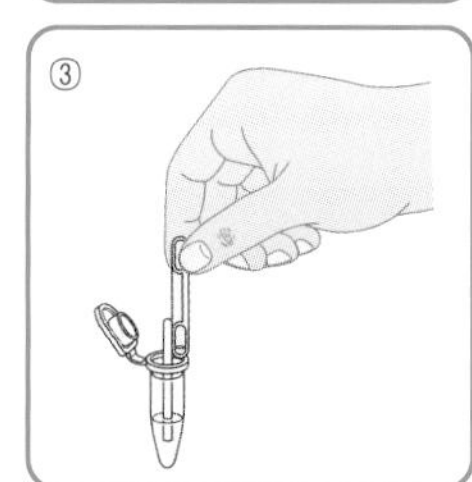

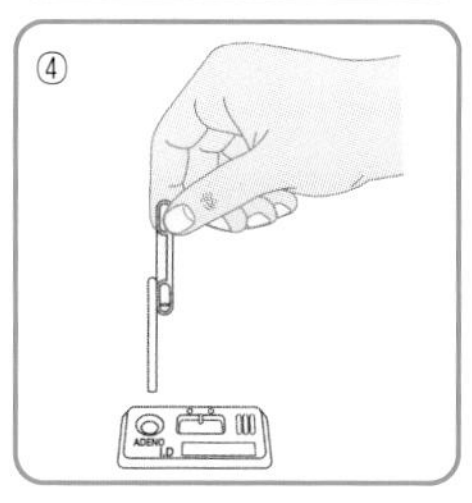

① 청결한 면봉으로 각결막에서 상피를 문지른다.
② 면봉을 추출액에 넣고, 튜브의 내벽에 문지르면서 섞어서 찰과물을 추출한다.
③ 부속 스포이드로 액체를 빨아 올린다.
④ 반응플레이트의 원형부분에 몇 방울 떨어뜨린다.

10~15분 후에 판정한다. 세로의 붉은 선이 2줄 나타나면 양성, 1줄이면 음성이라고 판단한다. 점안마취는 검출감도가 저하되므로 원칙적으로 사용하지 않는다. 사용 후에는 감염성 의료폐기물로 신속히 폐기한다.

■ 그림 22-3 신속진단키트를 이용한 검사순서 (아데노체크®의 예)

치료 map

아직까지 아데노바이러스에 대한 특이 약제가 없기 때문에, 대증적인 치료를 실시한다.

치료방침

- 치료는 혼합감염예방을 위한 항균제의 점안 및 비스테로이드성 항염증제의 점안이 중심이 된다. 충혈 · 안지와 같은 결막염증상이 소실될 때까지 치료를 계속한다.

■ 표 22-1 유행성각결막염의 주요 치료제

분류	일반명	주요 상품명	약효발현의 메커니즘	주요 부작용
뉴퀴놀론계 항균	레보플록사신 수화물	크라비트	세균의 DNA합성을 특이적으로 저해하고 살균적으로 작용	쇼크, 과민증
	오플록사신	타리비드		
비스테로이드성항염증제 (점안)	프라노프로펜	Niflan	프로스타글란딘 합성저해	과민증
합성부신피질호르몬제	플루오로메톨론	플루메토론, Odomel, Fluometholone, Pitos	염증성 외안부질환에 효과를 발휘	녹내장

약물요법

- 합성부신피질호르몬제 (스테로이드 점안제)를 사용함으로써 임상증상을 완화시킬 수 있지만, 그 때는 헤르페스결막염의 제외가 필수적이다. 헤르페스결막염의 초기증상은 유행성각결막염과 유사하며, 안이하게 스테로이드 점안제를 사용하면 중증 헤르페스각막염으로 이행되는 원인이 된다. 그 때문에 진단이 확정되지 않은 초기에는 강력한 스테로이드 점안제는 사용하지 말고, 어쩔 수 없이 사용하는 경우에는 가능한 저농도로 해야 한다.
- 반대로 결막염증상이 거의 소실되고, 각막상피하 혼탁만 지속되는 경우는 1일 4회 정도의 스테로이드 점안을 장기간 계속해야 한다. 단기간에 휴약하면 몇 번이고 재발하여, 환자가 반복적으로 수명을 호소하게 된다.
- 중증으로 안검결막에 위막이 생긴 경우 (소아나 젊은층에게 호발한다), 방치하면 반흔화되어 검구유착의 원인이 될 수 있다. 그 때문에, 어느 정도 이상의 크기라면 위막을 섭자로 제거해야 하는데, 이는 상당한 통증 · 출혈을 수반하는 수기이다. 점안마취하에서 가능한 신중히, 최소한도로 한다. 사용한 점안마취는 폐기하고, 섭자류를 철저하게 소독하는 배려도 필요하다.

Px 처방례 초기 또는 경증례
- 크라비트 점안액 1일 3회 점안 ←뉴퀴놀론계 항균제
- Niflan 점안액 1일 3회 점안 ←비스테로이드성항염증제 (점안)

Px 처방례 중증례 또는 각막상피하 혼탁이나 위막이 생긴례
- 크라비트 점안액 1일 4회 점안 ←신퀴놀론계 항균제
- 0.1% 플루메토론 점안액 1일 4회 점안 ←부신피질호르몬제 (저역가 스테로이드)

※경과 등에서 진단을 확정할 수 있고, 자각증상이 매우 강하게 느껴지는 경우에는 더욱 강한 스테로이드 (0.1% Rinderon 점안액 등)를 사용한다.

Px 처방례 각막미란 등 각막증상이 심한 예에는 상기에 다음의 약제를 추가한다.
- 타리비드 안연고 1일 1회 취침 전에 점입 ←신퀴놀론계 항균제

Px 처방례 각막상피하 혼탁이 지연되는 예
- 0.1% 플루메토론 점안액 1일 4회 점안 ←부신피질호르몬제 (저역가 스테로이드)

※장기간 투여한다. 휴약까지 몇 개월이 소요되는 경우도 있다.

유행성각결막염의 병기 · 병태 · 중증도별로 본 치료흐름도

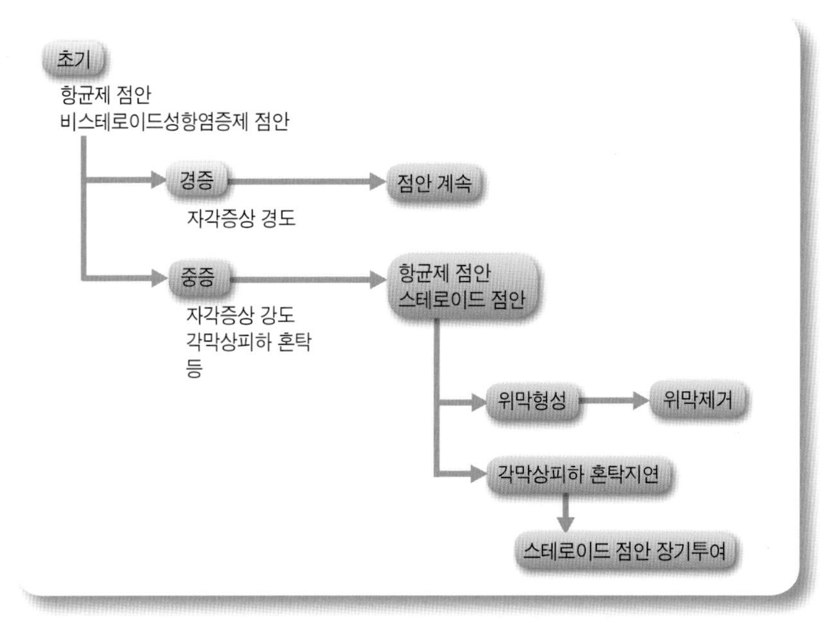

(深水 眞·村上喜三雄)

환자케어

2차감염을 방지하기 위해서 감염예방대책이 중요하다.

병기·병태·중증도에 따른 케어

【잠복기】 아데노바이러스의 잠복기간은 1~2주이다. 주위에 결막염증상이 있는 사람이 있는지 확인한다.
【감염기】 감염기간은 통상적으로 발생 후 2주 정도이다. 이 기간 중의 감염예방대책이 중요하며, 이를 통해 2차감염방지가 가능하다. 환자지도, 의료자에 대한 지도와 교육활동이 필요하다.
【회복기】 직장 (학교) 복귀에서 감염예방의 필요성을 인식하고, 감염예방을 위한 손씻기, 소독, 건조를 철저히 하면서, 주위에도 철저히 주지시킨다.

■ 그림 22-4 유행성각막염의 감염원

케어의 포인트

진료 · 치료의 간호

- 잠복기가 4, 5일부터 2주 정도 유지되므로, 감염경로의 대부분이 불분명하지만, 접촉감염, 비말감염에 의한다고 알려져 있다. 아데노 체크에서 양성이라고 판정된 경우에는 다른 환자에게 옮기지 않도록 소독용 알콜로 깨끗이 닦는 등 감염예방 대책을 철저히 실시한다.
- 아데노바이러스는 감염력이 강하므로, 의료스태프는 손씻기, 소독을 철저히 한다.
- 환자의 누액, 눈곱 등을 닦은 거즈나 티슈는 비닐봉지 등에 넣어서, 밀봉하여 폐기한다.
- 환자가 접촉한 의자나 책상, 의료기기 등은 소독용 알콜로 충분히 닦아내고, 건조시킨다.

감염확대의 회피

- 발생후 7일간은 누액 속에서 바이러스가 활성화되므로, 누액, 눈곱 등이 묻은 물건 · 장소는 모두 감염원으로 여긴다.
- 환자와 가족에게 감염의 특징을 설명하고, 생활상의 감염에 대한 주의점을 지도한다.

환자 · 가족의 심리 · 사회적 문제에 대한 지지

- 질환에 대해서 환자 · 가족에게 알기 쉽게 설명하고, 불안을 해소하도록 지지한다.
- 학교보건안전법에서 유행성각결막염은 제3종으로 분류되어 있으므로, 의사가 진찰한 후에 등교 · 출근하도록 설명한다. 일을 쉬는 것이 어려운 경우에는 출근할 수 없다는 점을 전달하고, 감염확대를 방지하기 위한 주의점을 설명한다.

생활지도

- 불필요한 불안감을 조성하지 않도록 주의한 후에 환자 자신이 감염원이 되어 주위사람에게 감염 확대될 가능성이 있는 점을 설명한다.
- 세면대나 비누 등을 불필요하게 만지지 말고, 흐르는 물이나 비누로 충분히 손을 씻어서, 손가락에 부착되어 있는 오염물질을 씻어내도록 지도한다. 또 일반적인 타월은 사용하지 말고 대신 쓰고 버리는 종이타월 등으로 손가락의 물기를 닦아내어, 다른 사람이 접촉하지 않도록 지도한다.
- 타월이나 세면기를 개인전용으로 사용하고, 세탁은 가족과 따로 하도록 지도한다.
- 감염자가 사용한 목욕물은 모두 버리고, 욕실을 충분히 세정하도록 지도한다. 그 때, 100℃에서 3초간, 56℃에서 5분 간의 가열로 바이러스를 불활성화할 수 있으므로, 마지막에 뜨거운 물로 흘려보내도록 지도한다.
- 학교나 직장은 의사의 허가가 있을 때까지 휴학 · 휴무해야 한다. 또 사람이 많은 곳은 피하도록 지도한다.

평가의 포인트

- 손씻기의 필요성, 방법을 이해하고, 바르게 행하고 있는가?
- 점안의 필요성을 이해하고 바르게 행하고 있는가?
- 누액, 안지 등이 묻은 거즈나 티슈 등의 폐기나 타월의 구분사용 등, 그 필요성을 이해하고 바르게 행하고 있는가?
- 가족이나 주위사람에 대한 감염확대를 방지할 수 있는가?

(大音清香)

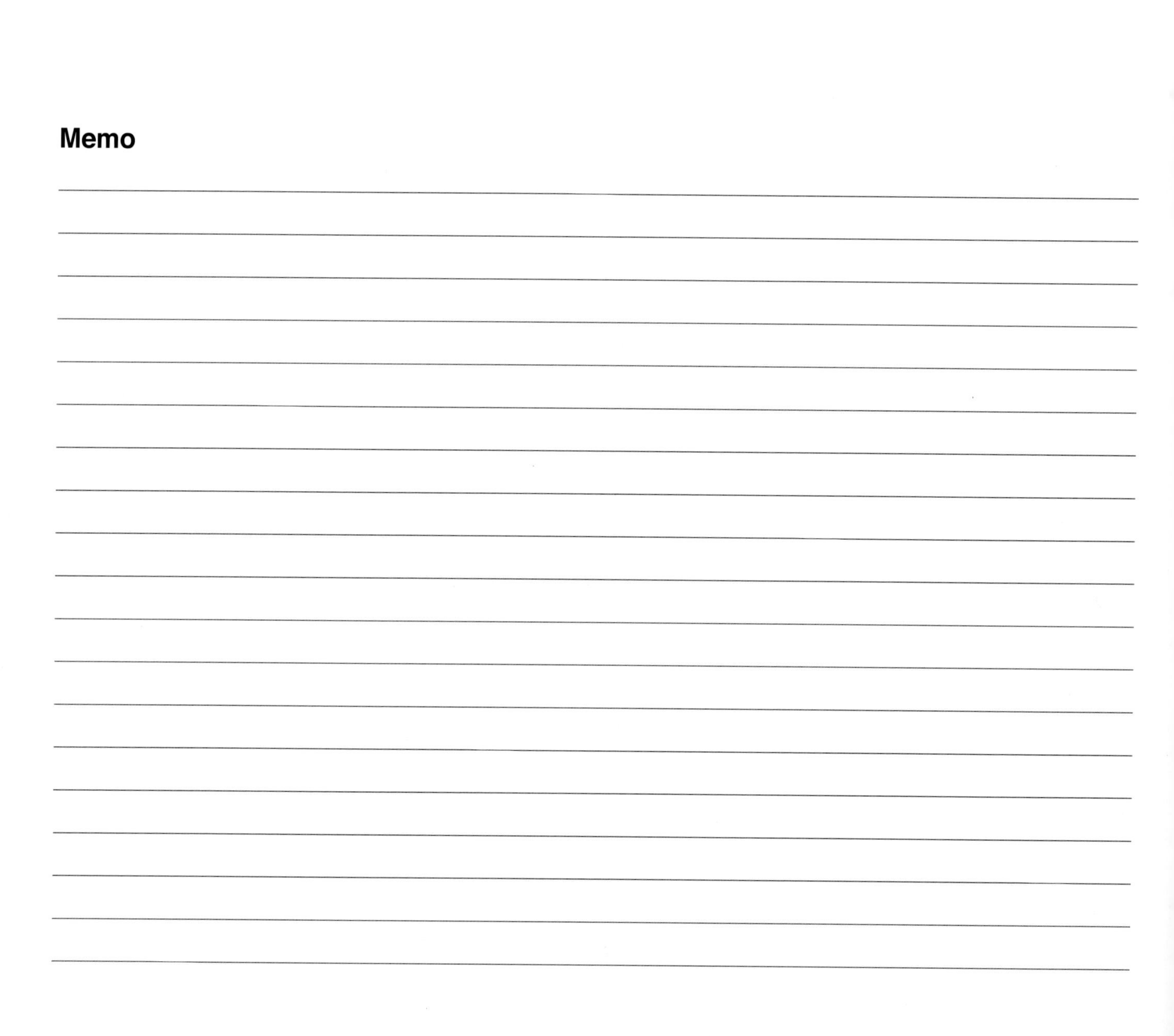
Memo

23 망막박리 (비문증 포함; retinal detachment)

吉田武史·大野京子
/大音清香

전체 map

병인

- 후부 초자체박리, 망막격자상 변성, 둔적 외상, 아토피성피부염 등에 의한다.

[악화인자] 연령 증가, 근시

역학

- 망막열공에 의한 것은 중년 · 고령층에 호발하며, 급속히 진행된다. 망막원공에 의한 것은 젊은층에게 많으며, 서서히 진행된다.

[예후] 장기방치례, 황반부박리례에서는 시력의 예후가 불량한 경우도 있다.

병태생리

- 감각망막이 망막색소상피와 떨어지면서, 망막이 망막벽층에서 박리된 상태이다.
- 망막공 (망막열공, 망막원공)이 있는 열공원성망막박리는 연령 증가 등으로 인해 액화된 초자체가 망막공에서 망막하로 침입하여 생긴다.
- 망막공이 없는 비열공원성망막박리는 망막혈관이나 망막색소상피의 장애, 또는 증식막의 견인에 의해서 생긴다.

증상 합병증 진단 치료

초자체출혈
증식초자체망막증

비문증
광시증
시야결손
시력저하

문진

시력검사
안저검사
초음파검사
안와 CT

외과적 치료
약물요법
전자파요법
(투열요법)
광선요법
(광응고)
냉각요법
(냉동응고)

증상

- 열공원성망막박리의 초기증상은 비문증으로, 광시증(photopsia)이 보이기도 하지만, 비열공원성 망막박리에서는 광시증을 자각하지 못한다.
- 진행되면 시야결손, 시력저하가 나타난다.
- 비문증(vitreous floaters) : 망막박리에 의한 비문증은 조기치료를 요하지만,
  생리적 비문증이나 후부 초자체박리에 의한 비문증은 양성이면 방치 가능하다.

[합병증]

- 초자체출혈
- 증식성초자체망막증

진단

- 문진, 시력검사 : 비문증이나 광시증, 시력저하, 시야결손이 있으면 망막박리를 의심한다.
- 안저검사 : 망막박리의 확인, 원인열공의 유무와 범위를 확인한다.
- 초음파, CT검사 : 안저검사가 어려운 증례는 초음파, CT에서 박리의 유무를 확인한다.
- 평상시에 급격한 비문증이나 광시증이 나타나면, 시력저하가 나타나지 않아도 안과에서 진찰을 받도록 지도한다.

치료

- 열공원성망막박리 : 외과적 치료로 망막열공을 폐쇄한다. 공막버클링술이 제1선택이며, 외과적 전기투열요법, 냉동응고, 광응고를 병용하기도 한다. 초자체막이나 황반원공이 있으면 초자체수술을 적용한다.
- 비열공원성망막박리 : 원인질환에 따라서 치료법이 다르며, 스테로이드 약물요법, 광응고, 여러 가지 수술요법을 적용한다.

병태생리 map

망막박리는 어떠한 원인에 의해 망막하, 즉 감각망막이 망막색소상피와 떨어지면서 벗겨지는 상태를 말한다.

- 발생 메커니즘은 망막에 망막공이 생기는 것과 생기지 않는 것으로 분류한다. 전자를 열공원성망막박리 (rhegmatogenous retinal detachment), 후자를 비열공원성망막박리 (nonrhegmatogenous retinal detachment)라고 한다.
- 열공원성망막박리는 연령 증가 등에 의해서 액화된 초자체가 망막에 생긴 망막공 때문에, 감각망막과 망막색소 상피층 사이로 들어감으로써 생긴다.
- 망막공에는 그 형태에 따라서 망막열공 (retinal tear)과 망막원공 (retinal hole)이 있다.
- 망막열공은 후부 초자체박리가 생길 때에, 망막격자상 변성 등의 망막과 초자체의 강한 유착부에 견인이 가해져서 생기는 판상의 열공이다.
- 망막원공은 망막의 위축이나 비박화로 생긴다. 망막격자상 변성에 수반되는 경우가 많다. 황반부에 생긴 망막원공은 황반원공 (macular hole)이라고 하며, 강도 근시안에서 흔히 볼 수 있다.
- 비열공원성망막박리는 망막혈관이나 망막색소상피 등의 장애로 망막 아래로 삼출, 누출이 생겨서 박리가 일어난다. 증식망막증에서는 증식막 등에 의한 망막의 전방 견인에 의해서 박리가 생긴다. 포도막염, 안내종양, 당뇨병망막증 등의 증식망막증이 원인이 된다.

병인·악화인자

- 후부 초자체박리, 망막격자상 변성, 둔적 외상, 아토피성피부염 등.

역학·예후

- 망막열공에 의한 망막박리는 중년 · 고령층에게 호발한다. 호발부위는 이측(耳側) 상방이며, 급속히 진행되어 포상망막박리가 되는 경우가 많다.
- 망막원공에 의한 것은 젊은층에게 많으며, 망막박리는 편평하고 진행이 완만하다. 황반원공은 강도 근시에 많고, 중심시력은 초기부터 저하된다. 조기에 발견하여 치료하면 시력의 예후가 양호하지만, 장기방치례나 망막박리가 진행되어 황반부위가 박리된 증례에서는 시력의 예후가 불량하다.

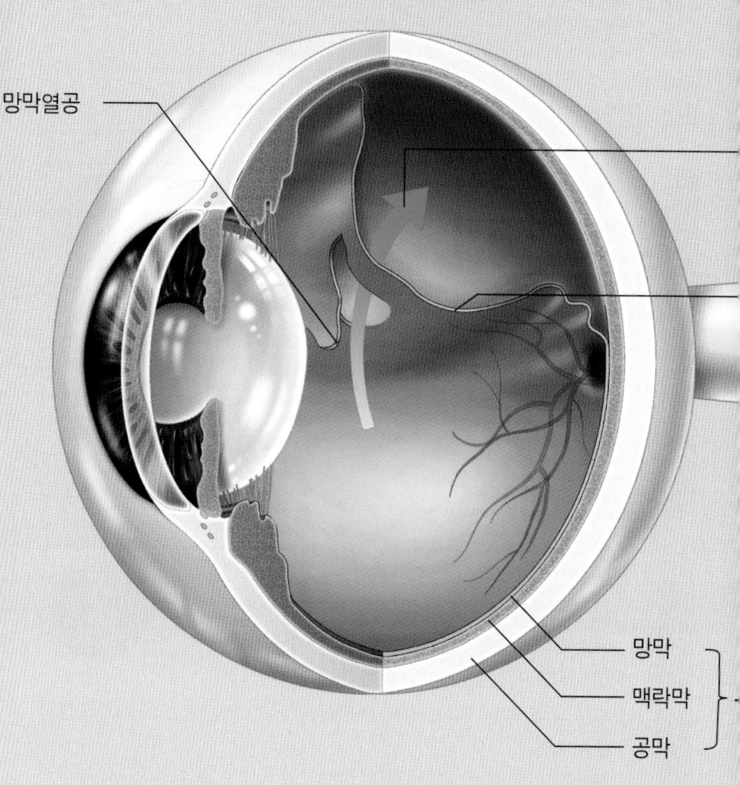

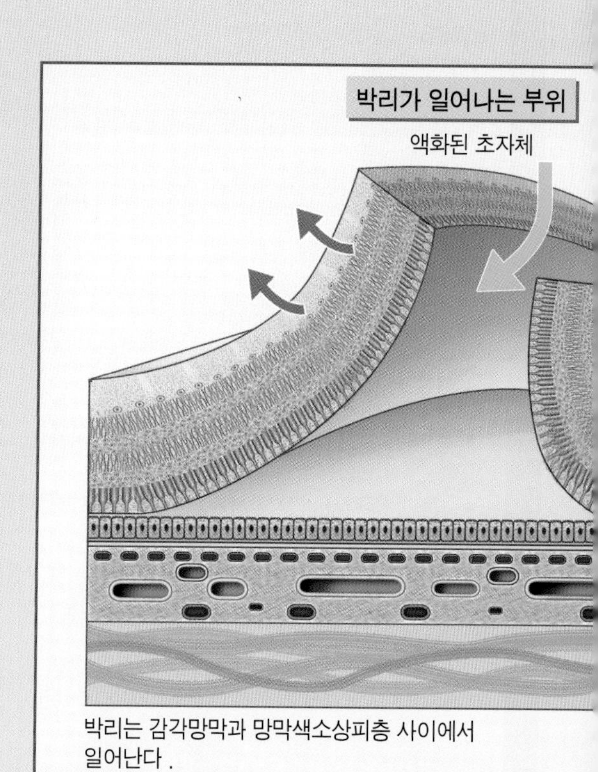

박리는 감각망막과 망막색소상피층 사이에서 일어난다 .

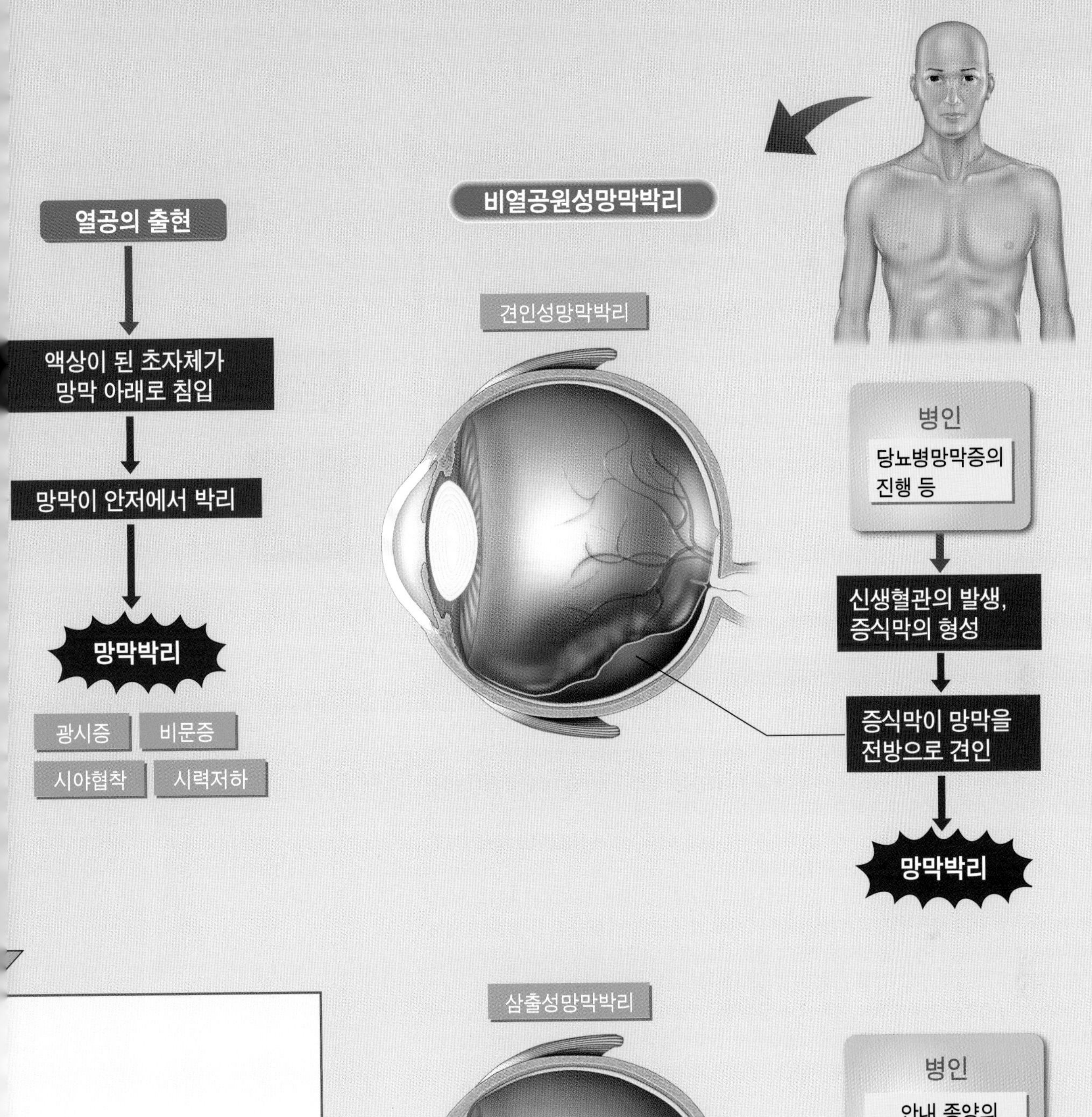
비열공원성망막박리
열공의 출현
액상이 된 초자체가
망막 아래로 침입
망막이 안저에서 박리
망막박리
광시증
비문증
시야협착
시력저하
견인성망막박리
병인
당뇨병망막증의
진행 등
신생혈관의 발생,
증식막의 형성
증식막이 망막을
전방으로 견인
망막박리

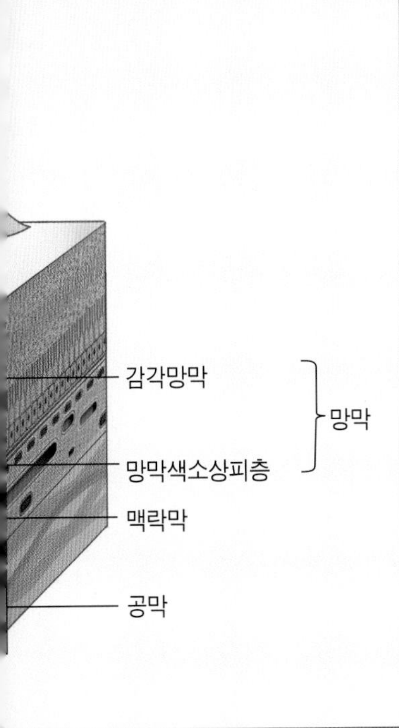
감각망막
망막
망막색소상피층
맥락막
공막

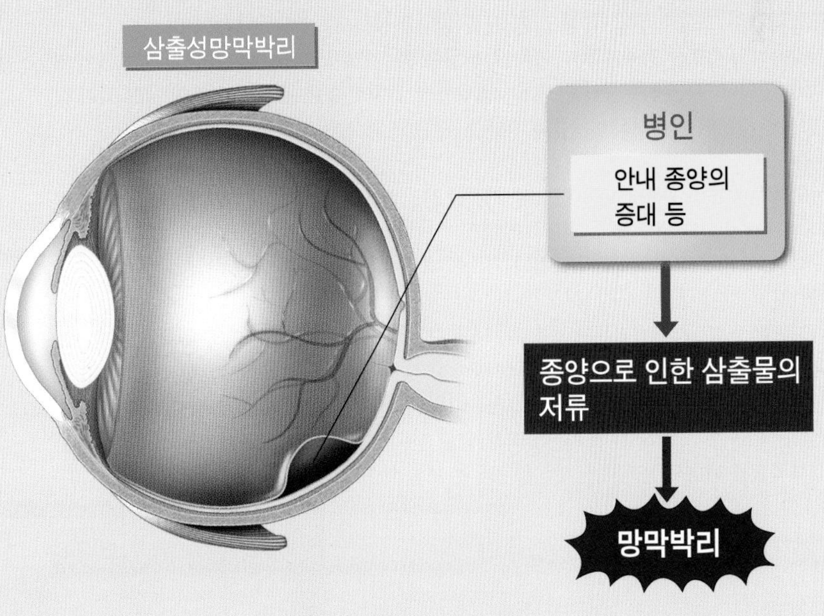
삼출성망막박리
병인
안내 종양의
증대 등
종양으로 인한 삼출물의
저류
망막박리

증상 map

열공원성망막박리의 초기증상은 비문증이며, 광시증이 나타나기도 한다. 비열공성망막박리에서는 광시증을 자각하지 못한다. 양자 모두 진행되면 시야결손이 초래되는데, 중심에 미치면 시력저하가 나타난다.

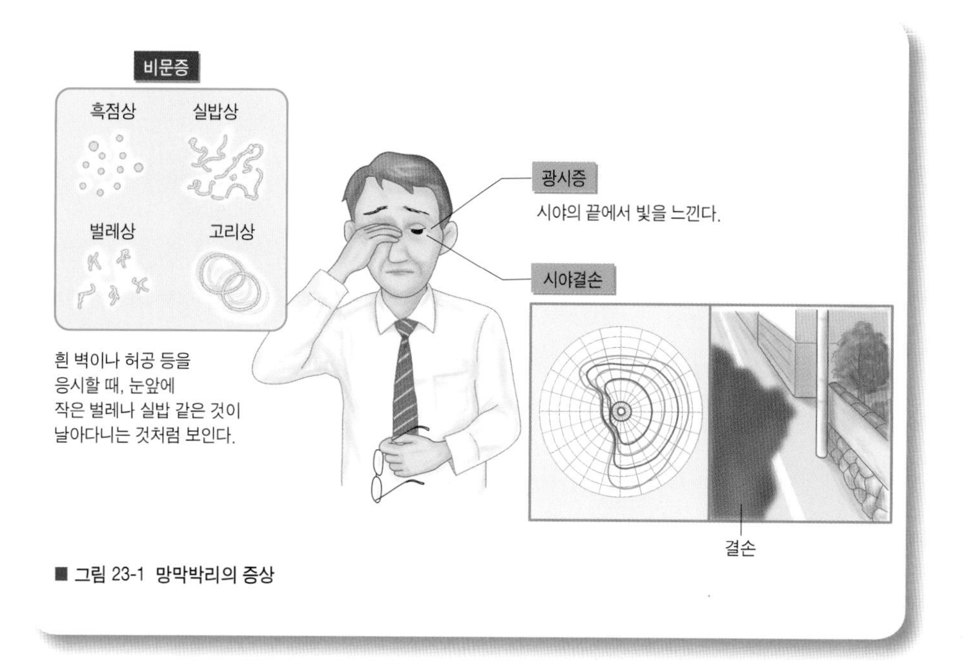

■ 그림 23-1 망막박리의 증상

증상 합병증

초자체출혈
증식초자체망막증

비문증
광시증
시야결손
시력저하

증상

- 열공원성망막박리의 초기증상으로 비문증 (날파리증)을 호소한다(그림 23-1). 비문증은 모기나 끈 같은 것이 눈앞에 보이는 것으로, 이는 초자체의 혼탁에 의한 증상이다. 광시증이 나타나기도 하며, 진행되면 박리범위에 따라서 시야결손을 자각하게 된다. 박리범위가 진행되면 시야결손이 확대된다. 안저를 관찰하면 박리부위가 파랗게 혼탁해 보이며, 융기되어 주름을 형성한다. 박리부위의 주변에는 열공이나 원공이 1개에서 여러 개 존재한다. 박리부위가 황반부에 도달하지 않으면 중심시력이 유지되지만, 황반부에 미치면 급격한 시력저하를 일으킨다.
- 비열공원성망막박리에서는 초자체의 견인이 없으므로 통상적으로 광시증을 자각하지 못한다. 박리의 형태는 초자체강에 대해 볼록하고, 열공원성망막박리에서 볼 수 있는 주름형성이 나타나지 않는다. 질환에 따라서는 체위의 변경 시에 망막하액의 이동이 나타난다. 열공은 통상적으로 존재하지 않고, 형광안저조영검사, 초음파검사, CT 등의 영상진단이나 전신검사가 진단에 유용하다.
- 비문증은 망막박리의 전조인 경우가 적지 않지만, 비문증에는 생리적인 원인에 의한 것과 병적인 원인에 의한 것이 있다. 병적인 비문증의 원인에는 망막박리, 초자체출혈, 포도막염 등의 여러 가지 질환이 있다. 양성인 경우에는 생리적 비문증과 후부 초자체박리에 의한 것이 있다.
- 생리적 비문증
- 질환이 없어도 비문증을 느끼는 경우가 있으며, 이것을 생리적 비문증이라고 한다. 초자체는 본래 투명하지만, 태생기에 소실되어야 할 초자체 속의 조직이 남아서 비문증으로 느껴진다. 이 경우, 정도가 가볍고, 진행되지 않아서 방치해도 무방하다.
- 후부 초자체박리
- 비문증의 원인으로 가장 많다. 초자체는 노화나 근시안으로 서서히 수축된다. 이 수축으로 초자체와 망막이 떨어져서, 후부 초자체박리가 발생한다. 이때 떨어진 본래 접착부위가 초자체혼탁이 되어, 그 자취가 비문증으로 보인다. 접착부분의 형태에 따라서 고리나 흑점, 끈상으로 보이며, 서서히 적어지는 경우도 많다. 후부 초자체박리는 노화현상이며, 강도 근시인 경우에는 반드시 발생하게 된다. 또 눈을 맞거나 부딪혔을 때에도 생기지만, 이러한 경우는 보통 치료의 대상이 되지 않는다.

합병증

- 초자체출혈 (망막에 견인이 가해질 때에 망막혈관이 견인되어 출혈이 생긴다)
- 증식초자체망막증 (망막박리를 장기간 방치하면 초자체의 섬유성 성분의 증식이 진행되어, 난치성이 된다)

망막박리 (비문증 포함)

진단 map

신체소견과 안저검사에서 망막박리의 확인으로 진단한다. 열공의 유무와 범위를 확인한다.

진단·검사치

- 문진과 시력검사를 실시하는데, 비문증이나 광시증, 시력저하, 시야결손이 있으면 망막박리를 의심한다.
- 안저검사를 하여 망막박리를 확인하면, 원인열공의 유무, 범위를 확인한다.
- 백내장이나 초자체출혈 등으로 안저검사가 어려운 증례에서는 초음파검사나 안와 CT 등으로 박리의 유무를 확인한다.
- 평상시에 급격한 비문증이나 광시증이 나타나면, 시력저하가 없어도 안과의에게 진찰받도록 지도하는 것도 중요하다.

진단 치료

문진

시력검사
안저검사
초음파검사
안와 CT

외과적 치료
약물요법
전자파요법
(투열요법)
광선요법
(광응고)
냉각요법
(냉동응고)

망막박리 (비문증 포함)

치료 map

열공원성망막박리에서는 외과적으로 망막열공을 폐쇄하는 공막버클링술을 제1선택술로 한다.
비열공원성 공막박리인 경우에는 원인질환을 치료한다.

치료법

- 열공원성망막박리
- 외과적 치료로 망막열공을 폐쇄함으로써 치료한다. 원칙적으로 공막버클링술이 제1선택술이다(그림 23-2). 박리의 원인이 되는 열공연(裂孔緣)을 공막의 융기에 따라서 접근하여 접착시키기 위해서나, 초자체강의 용적을 감소시켜서 초자체의 견인을 약화시키기 위해서, 공막측부터 실리콘밴드를 충전하고 그에 따라 고리상 체결 등을 실시한다. 또 열공폐쇄 때문에 외과적 전기투열요법 (열작용을 이용한 투열요법 장치를 사용하여, 공막측에서 응고한다)이나 냉동고정, 광응고를 병용하기도 한다. 이것은 반흔조직을 형성하여 열공연을 유착시킬 목적으로 한다. 초자체수술은 한정된 증례에 행해 왔지만, 최근에는 기술의 진보로 위수정체안이나 포상망막박리 등에서는 첫 회부터 적극적으로 행해지게 되었다. 황반원공에서는 초자체수술이 유일한 치료법으로, 견인의 원인이 되는 초자체를 제거한다.
- 비열공원성망막박리
- 원인질환에 따라서 치료법이 달라지며, 질환에 따라서 스테로이드제를 이용하는 약물요법, 광응고, 여러 가지 외과적 치료를 실시한다.

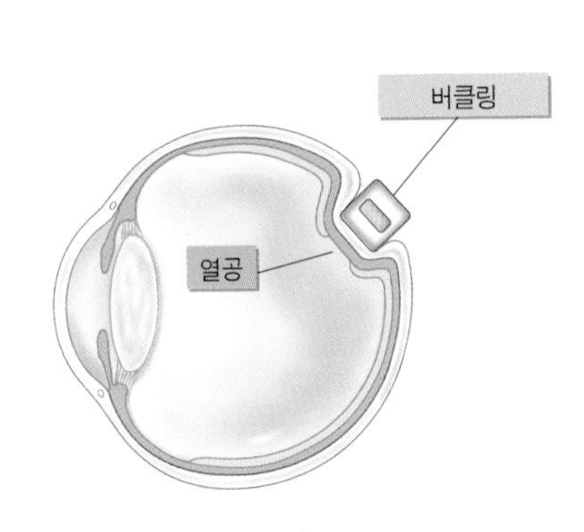

공막버클링술
공막측에서 버클링을 꽉 누르고, 공막을 내함(內陷)시켜서 망막을 복위시키는 방법

열공폐쇄수술
투열요법장치나 냉동응고장치를 사용하여 공막측에서 망막을 응고시키거나, 광응고장치를 사용하여 초자체측에서 응고시키는 방법

■ 그림 23-2 망막박리에 적용되는 수술

망막박리의 병기 · 병태 · 중증도별로 본 치료흐름도

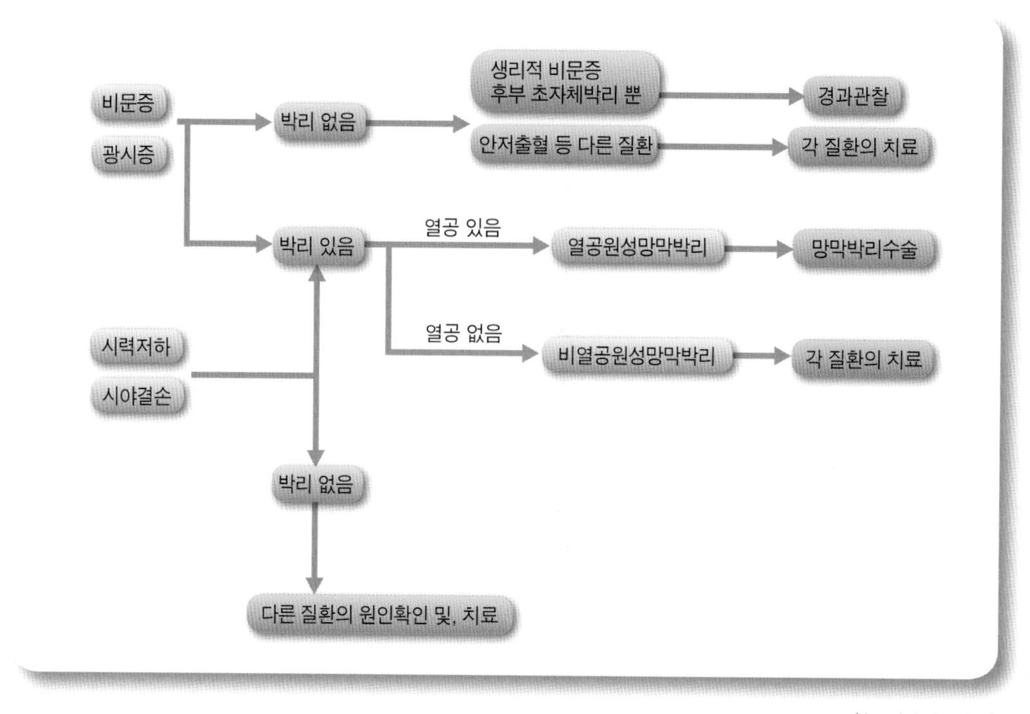

(吉田武史·大野京子)

환자케어

응급입원, 응급수술의 가능성이 있으므로, 환자의 불안경감과 수술 후의 감염증예방, 재박리예방을 목표로 케어한다.

병기·병태·중증도에 따른 케어

【급성기】 갑작스런 시력장애로 충격을 크게 받은 환자에게 정신적 지지를 제공한다. 사전동의를 받고, 환자와 의료자의 신뢰관계를 유지하면서, 치료방침의 이해와 협력을 구한다. 기왕력, 원인질환의 상태, 치료의 경과, 사용약물을 파악한다.

【만성기】 재박리예방과 생활환경면에 대하여 지도한다.

【회복기】 보유기능의 유지에 힘쓰면서, 심한 운동이나 눈의 지나친 사용에 주의한다. 일상생활의 주의점과 사회자원활용에 대한 정보를 제공한다.

안통, 두통, 오심은 감염, 염증, 안압상승의 가능성을 시사한다.

■ 그림 23-3 수술후 합병증의 증상

케어의 포인트

영양상태의 유지・개선

- 망막박리로 인해 갑자기 시력이상이 나타나는 경우와 서서히 시력이 저하되는 경우가 있으며, 신속한 대처가 필요하다. 응급입원이나 수술이 필요한 경우에는 침착하게 설명하고, 환자의 불안경감을 도모하면서 상담에 응한다.
- 포도막염이나 당뇨병망막증, 안내종양, 외상 등이 원인으로 일어나는 2차적 비열공원성망막박리에서는 원인질환을 치료한다.
- 검사 시에는 여러 번 산동제를 점안하여 상태를 관찰하므로 필요한 검사의 취지를 설명하고, 검사, 처치를 지지한다.

환경의 정비・셀프케어의 지지

- 수술 후에는 감염증 등 합병증이 나타날 위험성이 있으므로, 조기에 발견할 수 있도록 관찰한다(그림 23-3). 또 수술후 회복을 촉진할 수 있도록 식사나 수면 등 생활환경을 정비한다.
- 초자체수술은 눈 속에 가스를 주입하므로, 수술 후에는 엎드린 자세 (그림 23-4)를 유지하면서 안정을 취해야 한다. 수술 후부터 복와위나 측와위 등의 체위를 유지하므로, 머리, 어깨, 허리의 통증 등 술안부 이외의 압통이나 동일체위 유지에 따른 고통이 수반되기도 한다. 체위유지의 필요성을 설명하고, 이해와 협력을 구한다. 또 베개나 쿠션 등을 사용하여, 편한 자세를 유지할 수 있도록 지지가 필요하다.

안락베개나 쿠션을 이용하여 편안한 자세를 취한다.

■ 그림 23-4 엎드린 자세

환자・가족의 심리・사회적 문제에 대한 지지

- 수술 후의 시력예후 : 시력회복의 과정 등에 관한 불안이 크므로, 환자의 생각을 경청하며, 치료방침, 시력예후에 관한 의사로부터의 설명을 이해하고 동의하고 있는지를 관찰한다. 또 정신적 안정을 도모하도록 지지한다.
- 한쪽 안대의 착용으로 시야가 좁아지므로 낙상에 주의하고, 필요하면 지지한다.
- 직장 (학교) 복귀에 관해서는 시력상태나 환자의 심리적 측면을 관찰하여, 무리없이 복귀할 수 있도록 의료를 연계・지지한다.

퇴원지도・요양지도

- 점안제나 내복제의 적용, 안정체위 유지나 행동제한 등을 실시하고, 환자의 이해도를 높이기 위해 그 중요성에 관하여, 몇 번이고 알기 쉽게 설명한다. 특히 점안은 장기간 계속하므로, 그 종류나 방법을 설명하고, 점안 전에는 반드시 손을 씻고 청결한 상태로 점안할 것을 지도한다.
- 필요 시에는 가족의 협력을 구하여, 환자가 적절한 요양생활을 유지할 수 있도록 가족에게 지켜보게 한다.
- 시력의 회복은 백내장과 달리, 각각 상태에 따라서 회복과정에 차이가 있는 점을 설명하고, 환자의 감정을 파악하여 생각을 공유한다.
- 수술로 주입한 가스가 눈 속에 잔류되어 있는 상태에서도 퇴원이 가능하지만, 가스가 소실될 때까지 자택에서 복와위 등 지시받은 안정법을 유지하도록 지도한다.
- 수술 후의 염증이나 감염을 방지하기 위해서, 수술 후에는 눈에 물이 들어가지 않도록 주의하고, 손가락은 항상 청결을 유지하도록 지도한다.
- 머리감기는 의사의 허가가 있을 때까지 미용실을 이용하거나 가족에게 의뢰하고, 혼자서 세수하거나 머리를 감지 않는다.
- 사람이 많은 곳을 피한다.
- 장시간의 비행은 기압이 영향을 미칠 수도 있으므로, 의사에게 확인한다.
- 비문증, 광시증의 출현, 시력저하, 시야의 변화를 자각했을 때는 신속히 진찰 받도록 지도한다.

(大音清香)

Memo

24 난청 (hearing loss)

清川佑介·喜多村健/上田稚代子

전체 map

병인

- 청각전도로에 장애가 생기면 부위와 상관없이 난청이 출현하며, 원인은 여러 가지이다.

역학

- 난청은 소아부터 고령자까지 폭넓게 존재한다.
- 50대부터 고음역의 청력이 저하된다.

[예후] 소아에게 발생한 난청은 조기에 발견 · 치료하지 않으면 언어 · 사회성의 발달을 저해한다.

병태생리

- 여러 원인에 의해서 잘 들리지 않는 상태이다.
- 장애부위에 따라서, ①외이 · 중이에 원인이 있는 전음성난청, ②감각신경성난청 (내이에 원인이 있는 내이성 난청, 내이보다도 중추에 원인이 있는 후미로성 난청), ③전음성난청과 감각신경성난청이 동시에 일어나는 혼합성난청으로 분류된다.

병태생리 map p.214

증상

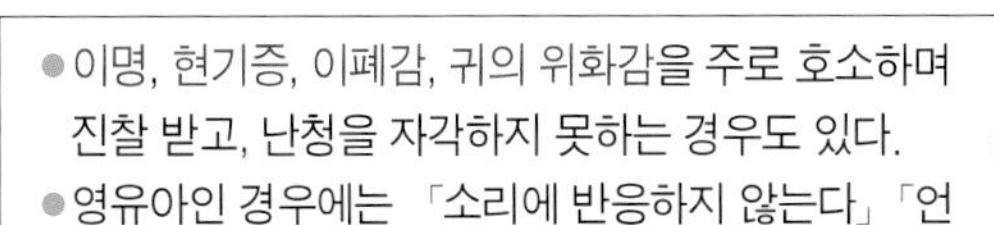

- 이명, 현기증, 이폐감, 귀의 위화감을 주로 호소하며 진찰 받고, 난청을 자각하지 못하는 경우도 있다.
- 영유아인 경우에는 「소리에 반응하지 않는다」「언어발달이 늦다」 등이 확인된다.

증상 map p.216

[합병증]

- 난청의 원인질환에 따라서 다양한 수반증상이 확인된다.
- 귀에 관련된 수반증상 : 이통, 이출혈, 이루(otorrhea), 이폐감, 이명, 현기증, 안면신경마비

증상 | 합병증 | 진단 | 치료

현기증

이명
이폐감
귀의 위화감

CT
MRI

외과적 치료
약물요법

순음청력검사
고실측정법
변조이음향방사검사
뇌파청력검사
유아청력검사
어음변별검사
문진
신체소견

진단

- 문진 : 한쪽 · 양쪽, 발생시기, 급성 · 만성, 경과, 가족력, 기왕력, 증상의 유무 외에, 소아인 경우에는 임신 중의 경과, 생후의 발달 등도 묻는다.
- 진찰 : 이내소견, 안모, 두부 · 안면의 기형 유무를 확인한다.
- 순음청력검사 : 청력계를 사용하여 기도청력과 골도청력을 측정한다.
- 그 밖의 청력검사 : 필요에 따라서 고실측정법, 변조이음향방사검사 (DPOAE), 유아청력검사, 뇌파청력검사 (ABR), 영상검사 (CT, MRI), 어음변별검사를 실시한다.

진단 map p.216

치료

- 치료방침 : 전음성난청에는 약물요법이나 수술이, 감각신경성난청에는 약물요법이 중심이 된다.
- 약물요법 : 중이염 · 외이염에서는 항균제를, 메니에르병에서는 이뇨제를, 감각신경성난청에서는 뇌순환개선제 등을 사용하는 등, 원인질환에 따라서 사용약제가 달라진다.
- 외과적 치료 : 전음성난청이 적응대상이며, 원인질환에 따라서 등골수술, 외이도형성술, 고실형성술, 외림프루폐쇄술, 내림프낭수술 등을 실시한다.
- 보청기 : 다른 치료법으로 청력이 개선되지 않아서 대화에 불편함을 느끼는 경우에 착용한다.
- 인공내이 : 보청기로도 효과가 없는 중증례나 선천성난청에 적용한다.

치료 map p.217

난청

병태생리 map

난청이란 여러 가지 원인에 의해서 잘 들리지 않게 된 상태를 말한다.

- 청각전도로 : 음자극은 외이로 들어가서, 고막 · 이소골 · 와우 · 청신경 · 뇌간을 따라서 대뇌측두엽의 청각영역에 도달하여 소리로 인식된다.
- 외이 : 외이는 이개, 외이도, 고막으로 구성되며, 외이도는 공명강으로 작용하며, 고막에서 소리가 진동으로 변환된다.
- 중이 : 중이에는 이소골, 이관 등이 있다. 이소골은 추골 · 침골 · 등골로 구성되며, 추골은 고막에 접하고, 등골은 내이의 전정창에 접하고 있으며, 고막에서의 진동을 증폭시켜서 내이로 전달한다.
- 내이 · 청신경 · 중추 (뇌간 · 대뇌 등) : 내이에 전달된 진동은 와우에서 음의 고저 · 크기가 변별되며, 전기적인 자극으로 변환되어, 청신경을 거쳐서 대뇌로 전달된다.

병인 · 악화인자

- 난청의 원인 : 청각전도로에 장애가 발생하면 부위에 상관없이 난청이 출현한다. 그 때문에 난청의 원인은 여러 가지이다. 난청은 장애부위에 따라서, ①전음성난청, ②감각신경성난청 (내이성난청, 후미로성난청), ③혼합성난청으로 분류된다. 전음성난청은 외이 · 중이에 장애가 있는 경우이다. 감각신경성난청은 내이에 원인이 있는 경우는 내이성난청, 그보다 중추에 원인이 있는 경우는 후미로성난청으로 나뉜다. 혼합성난청이란 전음성난청과 감각신경성난청이 동시에 발생한 경우이다(표 24-1).

역학 · 예후

- 난청을 호소하는 환자는 소아에서 고령자까지 폭넓게 존재하며, 연대마다 빈도가 높은 질환이 다르다.
- 언어의 발달은 1세부터 시작되어 3세까지 급속히 발달한다. 그 때문에 소아에게 발생하는 난청은 조기 발견하여 적절한 치료가 행해지지 않으면, 언어나 사회성의 발달을 저해한다.
- 청각은 20대에 가장 좋으며, 그 이후에는 서서히 나빠진다. 청력검사를 하면 개인차가 크지만, 50대부터는 고음역이 저하된다.

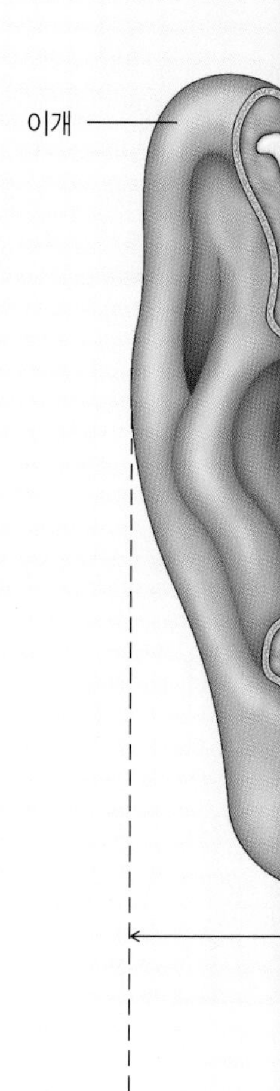

■ 표 24-1 각 난청의 대표적인 원인질환

구분		원인질환
전음성난청		외이도이물, 이구(귀지)색전, 선천성외이도폐색, 외이도염, 외이도종양 고막염, 외상성고막천공 이소골이단, 이소골기형, 측두골골절 급성 · 만성중이염, 삼출성중이염, 이경화증, 고실경화증, 중이종양
감각신경성 난청	내이성	급성음향외상 · 소음성난청, 두부외상, 측두골골절 약제성난청, 내이염, 돌발성난청, 메니에르병, 외림프루, 종양 노인성난청, 기능성난청 선천성감염 (톡소플라즈마증, 풍진, 사이토메갈로바이러스감염증, 헤르페스바이러스감염증, 매독) 유전성, 내이기형, 전신질환 (혈액질환, 당뇨병, 자가면역질환)
	후미로성	종양, 뇌혈관장애 (뇌경색, 뇌출혈) 염증성 질환 (뇌염, 수막염 등), 두부외상 탈수질환 (다발성경화증 등), 유전성
혼합성난청		측두골골절 만성중이염

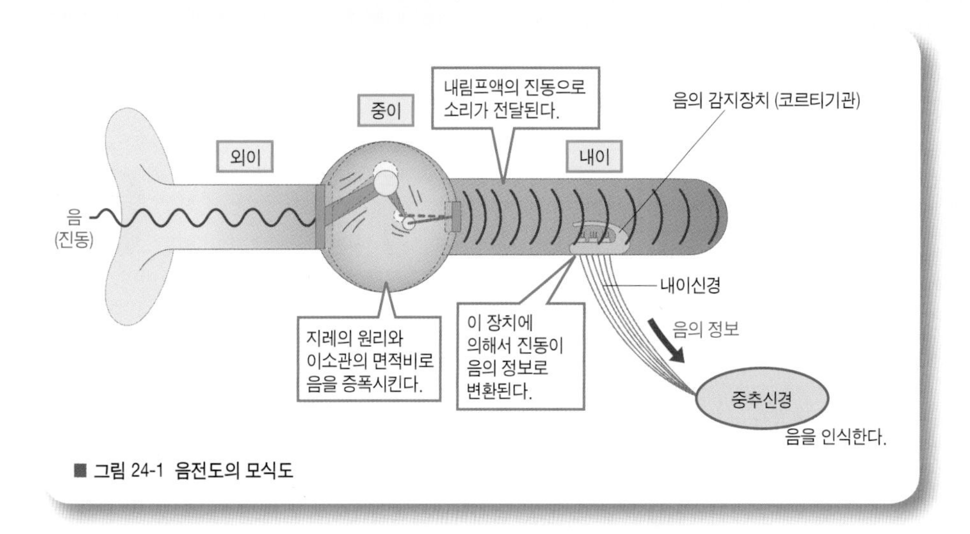

■ 그림 24-1 음전도의 모식도

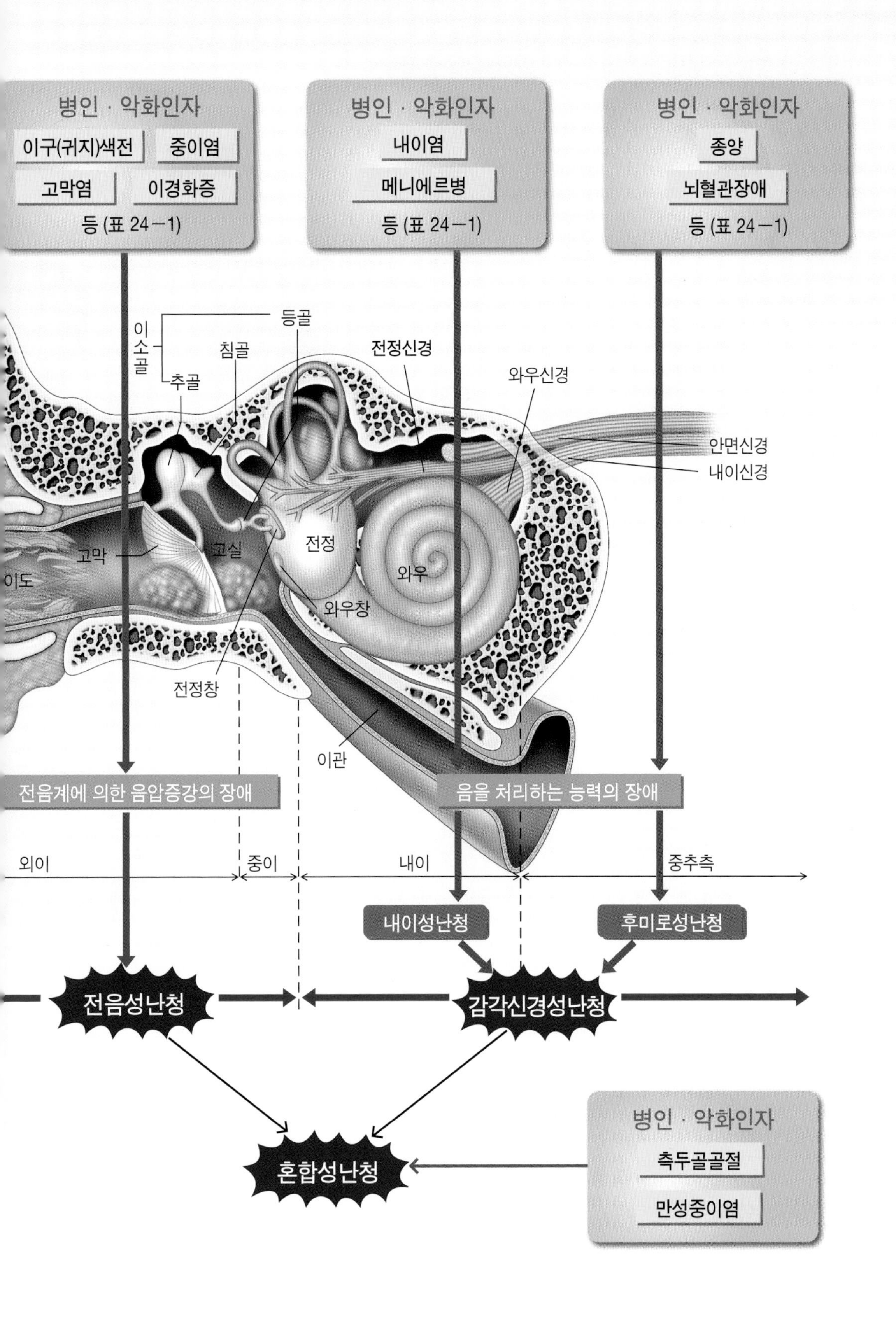

병인 · 악화인자
이구(귀지)색전
중이염
고막염
이경화증
등 (표 24−1)
병인 · 악화인자
내이염
메니에르병
등 (표 24−1)
병인 · 악화인자
종양
뇌혈관장애
등 (표 24−1)
이소골
등골
침골
추골
전정신경
와우신경
안면신경
내이신경
고막
고실
전정
와우
이도
와우창
전정창
이관
전음계에 의한 음압증강의 장애
음을 처리하는 능력의 장애
외이
중이
내이
중추측
내이성난청
후미로성난청
전음성난청
감각신경성난청
혼합성난청
병인 · 악화인자
측두골골절
만성중이염

난청

증상 map

이명・현기증・이폐감・귀의 위화감 등의 증상을 주로 호소하며 진찰 받고, 난청을 자각하지 못하는 경우도 있으므로 주의가 필요하다.

증상

- 영유아인 경우에는「소리에 반응하지 않는다・언어발달이 늦다」등이 확인되어 보호자가 난청을 의심하면서 발견하기도 한다.
- 난청의 원인질환에 따라서 여러 수반증상이 확인된다.
- 귀와 직접 관련되는 것에는 이통, 이출혈, 이루, 이폐감, 이명, 현기증, 안면신경마비 등이 있다.

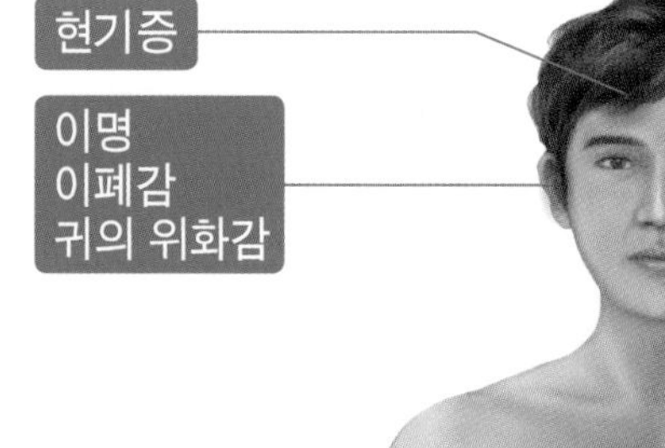

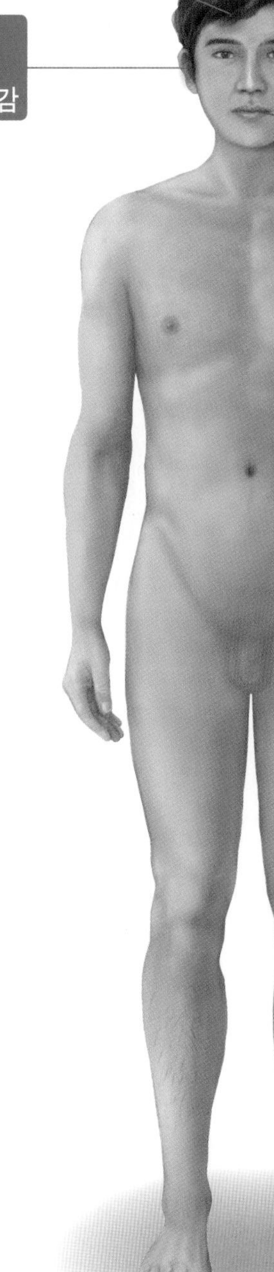

난청

진단 map

문진, 신체소견, 각종 청력검사에서 병인, 정도를 진단한다.

진단・검사치

- 문진 : 한쪽 또는 양쪽・발생시기・발생 메커니즘 (급성・만성)・경과・가족력 (유전성에 관한 의심)・기왕력・난청에 수반되는 증상의 유무를 청취한다. 소아인 경우는 임신 중의 경과나 생후부터 지금까지의 발달에 관해서도 묻는 것이 중요하다.
- 진찰 : 귀의 소견 뿐 아니라, 안모나 두부, 안면의 기형 유무 등에도 주의한다.
- 검사치
- 순음청력검사 : 청력계를 사용하여, 각 주파수 (음의 높이)에서 소리가 들리는 최소역치 (음의 크기)를 기록한 것이다. 기도청력 (외이도에서 고막, 이소골을 통해서 내이로 전달하는 경로), 골도청력 (두부에서 골을 따라서 직접 내이로 전달되는 경로)의 2가지를 측정한다. 정상 청력에서 들을 수 있는 음역은 20~20,000Hz 사이이다(그림 24-2). 난청의 정도 분류는 문헌에 따라서 다르며 통일된 것이 없는 것이 현상황이다. WHO (세계보건기구)의 분류를 표 24-2에 나타냈다.

■ 표 24-2 WHO의 난청의 정도 분류

분류	평균청력레벨
정상 (no impairment)	25 dBHL 이하
경도 난청 (slight impairment)	26~40 dBHL
중등도 난청 (moderate impairment)	41~60 dBHL
고도 난청 (severe impairment)	61~80 dBHL
중증 난청・귀먹음 (profound impairment including deafness)	81 dBHL 이상

dBHL : decibels hearing level

진단 치료

CT
MRI

외과적 치료

약물요법

순음청력검사
고실측정법
변조 이음향방사검사
뇌파청력검사
유아청력검사

어음변별검사

문진
신체소견

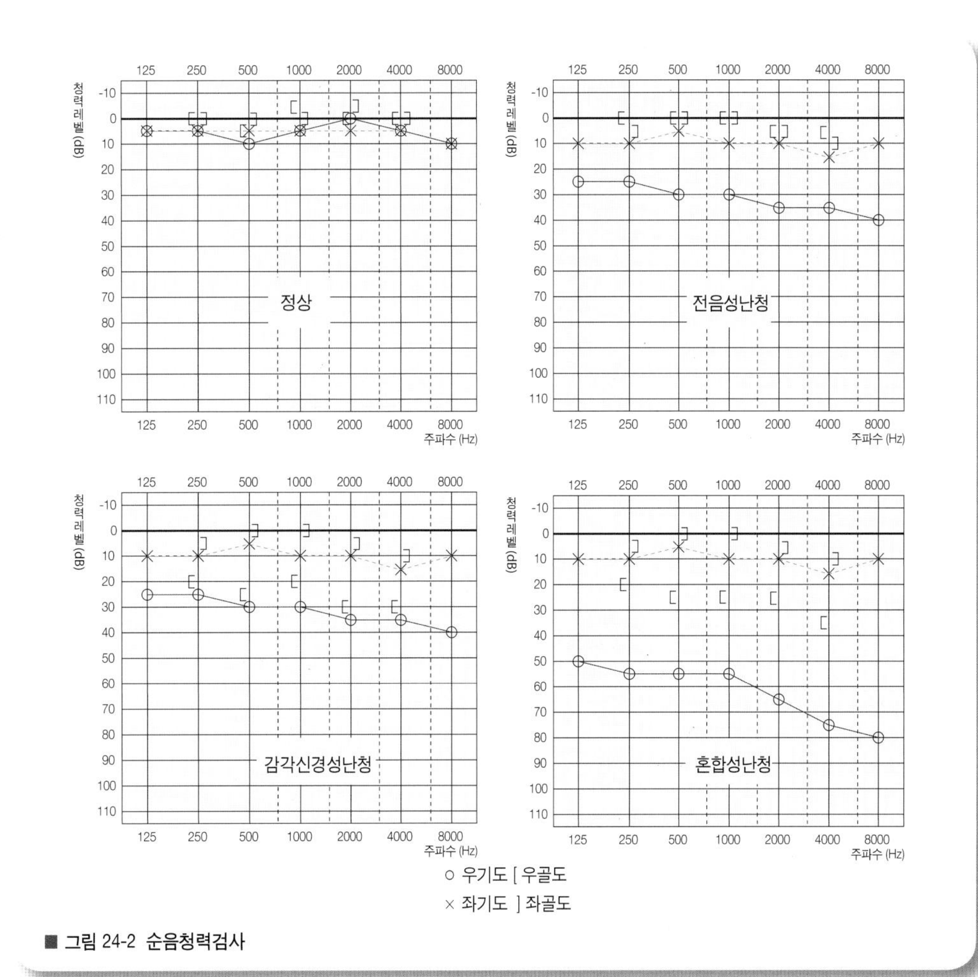

■ 그림 24-2 순음청력검사

난청 치료 map

난청의 종류나 원인질환에 따라서 약물요법, 외과적 치료를 선택한다. 청력의 회복이 어려운 경우에는 보청기나 인공내이를 적용한다.

치료방침

- 원인질환에 따라서 치료방침이 다르다. 약물요법이나 고막, 이소골의 연사슬을 형성하는 수술을 실시하면, 청력이 회복되는 수도 있다. 감각신경성난청은 약물요법이 중심이지만, 청력을 회복하기가 어려운 경우가 많다. 청력은 시간경과와 더불어 변동되므로, 경시적으로 청력의 변화를 관찰하는 것이 중요하다.

외과적 치료

- 난청에 대한 수술은 전음성난청에 행해지는 것이 대부분이다(표 24-3).

■ 표 24-3 난청에 대한 수술요법

질환	주요 치료법	질환	주요 치료법
급성중이염	고막절개	고실경화증	고실형성술
외상성고막천공	고막형성술	외림프루	외림프루폐쇄술
삼출성중이염	고막절개 · 고막튜브유치	메니에르병	내림프낭수술
이경화증	등골절개술	청신경종양	종양적출술
만성중이염	고실형성술		

보청기

- 다른 치료법 (외과적 치료 · 약물요법)으로 청력이 개선되지 않는 난청에서, 대화 등에 불편함을 느끼는 경우에는 보청기를 착용한다. 노인성난청에 사용하는 빈도가 높다.
- 가장 좋은 적응은 전음성난청이며, 소리를 증폭시킴으로써 보청효과를 얻을 수 있다. 감각신경성난청에서는 소리를 증폭시켜도 충분한 효과를 얻을 수 없다.

인공내이

- 보청기를 사용해도 그 효과를 볼 수 없는 중증 난청 환자에게 효과적이다. 언어습득에 중요한 시기인 1, 2세까지 치료하면 일반적인 수준의 언어발달이 나타나며, 이는 선천성난청에도 행해진다.

■ 표 24-4 난청의 주요 치료제

분류	일반명	주요 상품명	약효발현의 메커니즘	주요 부작용
순환개선제	아데노신3인산2나트륨수화물	아데포스, ATP, Trinosin	혈관확장에 의한 내이로의 혈행개선	얼굴이 화끈거리고 빨개짐, 두통, 소화기증상, 가려움증 등
	칼리디노게나제	칼리크레인, 카나쿨린, Circuletin, Rozagood		
	덱스트란40 · 유산링거액	저분자덱스트란L	말초순환개선에 의한 내이로의 혈행개선	약물알레르기, 소화기증상 등
비타민제	메코발라민	메치코발, Vancomin	말초신경장애의 개선	거의 없다.
부신피질호르몬제	프레드니솔론	Predonine, 프레드니솔론, Predohan	항염증작용에 의한 바이러스성내이염의 개선, 활성산소의 억제, 면역적 작용 메커니즘 등	불면, 보름달 같은 안모, 위십이지장궤양, 당뇨병, 녹내장, 감염증의 유발 · 악화
	베타메타존	Rinderon, Rinesteron		
이뇨제	이소소르비드	이소바이드, 메니렛	이뇨작용으로 내림프수종 개선	소화기증상, 두통 등
한방약	-	시령탕		간질성폐렴, 위알도스테론증 등
프로스타글란딘제	알프로스타딜	Palux, 주사용 프로스타글란딘, Liple	혈관확장에 의한 내이로의 혈류개선	약물알레르기, 혈관통, 정맥염 등
거담제	카르보시스테인	뮤코다인	장애를 받는 중이점막을 수복하여, 섬모운동을 회복시킴으로써 중이저류액의 배설을 촉진	약물알레르기, 소화기증상, 간기능장애 등
소염효소제	리조팀염산염	Neuzym, Acdeam, Leftose	부비강염의 개선으로 이관기능을 개선하여, 중이저류액의 배설을 촉진	
항진균제	비포나졸	Mycospor	살균에 의한 외이염 · 중이염의 개선	
	클로트리마졸	Empecid, Taon		
항균제 (점이)	오플록사신	타리비드		
	포스포마이신나트륨	이과용 Fosmicin S		
	세프메녹심 염산염	베스트론		

약물요법

- 난청에서 사용하는 약제의 예를 표 24-4에 나타냈다.

Px 처방례) 중이염 · 외이염. 다음 중에서 사용한다.
- Sawacillin정 (250mg) 3정 分3 ←항균제
- 후로목스정 (100mg) 3정 分3 ←항균제
- 타리비드 이과용액 0.3% (5mL) 1일 2회 점이 ←항균제

Px 처방례) 메니에르병. 다음 중에서 사용한다.
- 이소바이드액 (0.7g/mL) 90mL 分3 증상 · 연령에 따라서 적절히 증감 ←이뇨제
- 시령탕 (7.5g) 3포 分3 ←한방약

Px 처방례) 감각신경성난청. 다음 중에서 사용한다.
- 아데포스 과립 (100mg/g) 300mg 分3 ←뇌순환개선제
- 메치코발정 (0.5mg) 3정 分3 ←비타민제

Px 처방례) 급성감각신경성난청. 다음 중에서 사용한다.
- Predonine (5mg) 30mg에서 12일에 걸쳐서 점감투여 ←부신피질호르몬제
- Rinderon 주 10mg에서 10일에 걸쳐 점감점적투여 ←부신피질호르몬제

난청의 병기 · 병태 · 중증도별로 본 치료흐름도

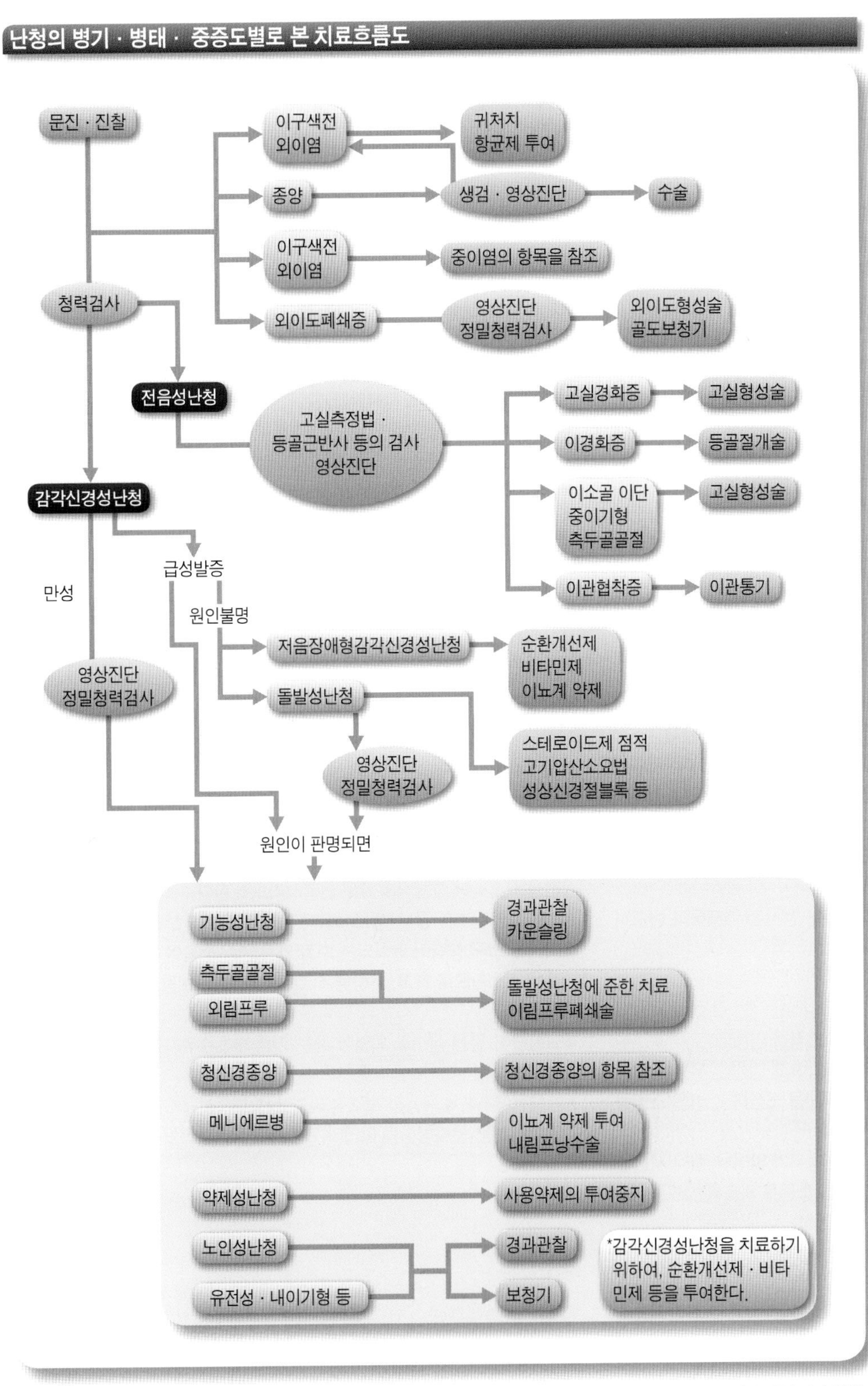

(清川佑介·喜多村健)

난청

환자케어

위험회피와 잔존기능의 유지 · 활용, 사회생활에 대한 적응 · 복귀를 목표로 케어를 전개한다.

병기·병태·중증도에 따른 케어

【급성기】 어떠한 병인에 의해서 청력이 급격히 저하되는 시기이다. 예후가 가장 좌우되는 시기이며, 수반증상에 따르는 고통과 불안이 크다. 이와 같은 상황에 있는 환자에게는 원인규명을 위해서, 신속한 검사나 치료의 수행지원, 치료효과의 관찰, 영향을 받는 생활에 대한 지지가나 정신적 측면의 지지를 제공한다.

【만성기】 적극적 치료가 종료되고, 청력이 더 이상 회복되지 않는 현실에 직면하는 시기이다. 병인인 질환과 난청이라는 현실을 직시하고, 새로운 의사소통의 수단을 획득하도록 지지한다. 또 앞으로의 생활을 예측하여, 사회복귀에 적합한 지지가 포인트가 된다.

【유지기】 잔존기능을 유지 · 활용하여, 사회생활에 적응할 수 있도록 한다. 또 가족의 지지체계의 확인 · 조정을 하며 사회자원의 유효한 활용방법을 검토한다.

케어의 포인트

검사 · 치료의 간호

- 진찰 시 문진에서는 소리에 강약을 주어 환자의 반응을 관찰함으로써 청력의 정도를 알 수 있다. 시진에서는 외이도의 이구(귀지)나 이루가 발견되어, 난청의 개선책을 생각하는데 참고된다.
- 이경검사, 순음청력검사 (오디오그램)로 소리의 크기의 역치와 잘 들리지 않는 소리의 성질을 추정할 수 있다. 어음청력검사는 일상생활에서 청력장애의 정도를 추정할 수 있으므로, 환자와의 의사소통에 활용한다.
- 염증성난청에는 항생물질을, 돌발성난청에는 안정을 취하며 부신피질호르몬제 (스테로이드제), 혈관확장제 등을 사용하므로 복용관리를 철저히 하고, 부작용에 유의한다.
- 환자가 병동 외에서 검사를 받는 경우는 그 검사에 개입하는 간호사에게 미리 환자의 청력 정도, 의사소통방법을 전달한다.
- 검사예정이나 내복제 등의 변경이 있는 경우는 용지에 기재하여 반드시 환자와 함께 서로 확인한다.

낙상 · 사고발생의 회피

- 원내방송이나 응급사태의 정보는 개별적으로 알려준다는 것을 미리 설명한다. 또 같은 병실환자에게도 이해를 구하여 협력을 얻는다.
- 이명, 두통, 현기증 등 불쾌한 수반증상을 자각하고 있는 경우는 안전한 병실환경 (침대난간, 난간, 복도, 화장실, 세면대)을 조성하고, 밝은 조명을 설치한다.
- 차소리나 사람의 발소리 등을 잘 듣지 못하는 경우가 많아서, 차나 사람을 순간적으로 피할 수 없으므로, 안전하게 보행 · 행동을 하도록 지도한다.

청력저하의 정도에 따른 의사소통의 지지

- 환자의 정면을 향해서, 입을 크게 벌리고, 천천히 명확하게 얘기한다.
- 대화는 조용하고 침착한 환경에서 느긋하게 한다.
- 언어 이외의 의사소통방법을 검토한다(필담, 제스처, 손가락글, 수화, 독화).
- 환자가 이해하기 힘든 말은 반복하지 말고, 평이한 말로 설명한다.
- 보청기를 장착한 경우는 서두르지 말고 단계적인 장착훈련을 지도한다. 훈련을 계속하기 위해서는 가족의 협력도 필요하므로, 가족도 대상이 된다.

셀프케어의 지지

- 안정요법 시에는 생활에 필요한 물품을 침대 주위에 정리해 둔다.
- 샤워를 할 수 없는 경우에는 전신을 깨끗이 닦고, 머리감기나 구강케어를 지지한다.
- 이통이 있는 경우에는 부드러운 음식을 준비한다.

환자 · 가족의 심리 · 사회적 문제에 대한 지지

- 환자 · 가족의 청력장애에 대한 생각 등을 경청하고, 환자 · 가족이 스스로 대처할 수 있도록 지지한다.
- 의사와 협조하며, 난청의 원인질환에 관해 환자 · 가족에게 알기 쉽게 설명하여, 불안을 해소하도록 지지한다.
- 사회복귀에 적합한 가정내 환경의 정비나 사회자원의 활용 등 필요한 지지를 제공한다.
- 환자모임 등을 소개하거나, 고민을 서로 얘기하며, 새로운 의사소통수단을 얻기 위한 방법을 배울 수 있는 장의 정보를 제공한다.

퇴원지도 · 요양지도

- 퇴원 후에도 정기적으로 진찰 받아야 하며, 청력검사를 통해 청력의 정도를 측정해야 할 필요성을 설명한다.
- 상기도감염을 예방하기 위해서 외출 후에 손씻기, 양치질을 장려한다.
- 새로운 의사소통수단을 활용할 수 있도록 수화모임이나 환자모임을 소개하여, 활동범위를 확대해 갈 수 있도록 지지한다.
- 사회에 복귀해 있는 환자의 체험담을 듣는 기회를 마련하고, 장애극복과정을 학습하여 사는 의욕으로 연결시키도록 한다.
- 보청기를 장착한 경우, 셀프케어에 관해 지도한다. 보청기 사용 시에는 큰 소리에 의해 청력이 악화되는 수가 있으므로, 소음이 있는 장소에서는 사용을 최소한으로 하고, 음량을 최소한도로 한다. 보청기를 정기적으로 점검한다.
- 교통량이 많은 장소로 외출할 때는 가족이나 주위사람들과 함께 하도록 지도한다.
- 청력장애자에게 유용한 보조적 기기 (전화부속기, PC통신, 실내신호장치, 알람시스템, 문자방송용 어댑터, 팩스 등)에 관한 정보를 제공한다.

(上田稚代子)

25 중이염 (otitis media)

桑波田悠子·喜多村健/上田稚代子

A. 급성중이염

병인

- 비인강의 기염균이 이관을 경유하여 감염된다.

[악화인자] 3세 이하, 집단보육, 당뇨병

병태생리

- 급성으로 발생한 중이의 감염증으로서 주로 이통, 발열, 이루를 수반한다.

증상

- 3대 증상은 이통, 발열, 이루이다.
- 이폐감, 난청, 현기증도 나타난다.

진단

- 임상증상과 고막소견으로 진단을 결정한다.
- 세균배양검사로 기염균을 동정한다.

역학

- 유소아에게 이환되는 대표적인 상기도염으로, 겨울철에 호발한다.

[예후] 적절한 치료로 2~3주 만에 치유된다.

치료

- 국소처치 (이루제거, 귀세정, 콧물흡인) 와 약물요법 (항균제)이 기본이다.

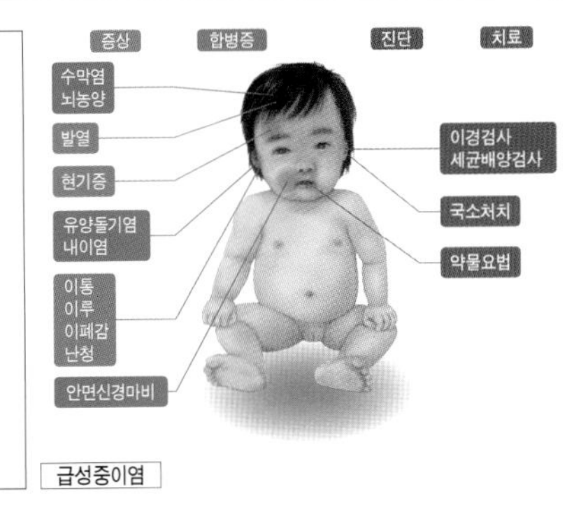

B. 삼출성중이염

병인

- 급성중이염이나 부비강염 등의 상기도감염에 속발하여 발생하는 경우가 많다.

[악화인자] 아데노이드증식증

병태생리

- 중이에 저류액은 있지만, 이통이나 발열 등의 급성감염증상이 없는 중이염이다.

증상

- 난청, 이폐감이 나타난다.
- 이통이 없으므로, 유아인 경우에는 증상을 호소하지 않는다.

진단

- 누런색을 띤 중이저류액이 투시되는 특징적인 고막소견으로 진단한다.

역학

- 유아와 고령자의 2봉성 분포를 나타낸다.
- 구개열이나 상인두종양 환자에게 높은 비율로 출현한다.

[예후] 유아의 장기이환례에서는 언어발달이 늦어진다.

치료

- 원인인 비인두질환을 우선 치료한다.
- 약물요법으로 치유되지 않으면 외과적 치료를 적용한다.

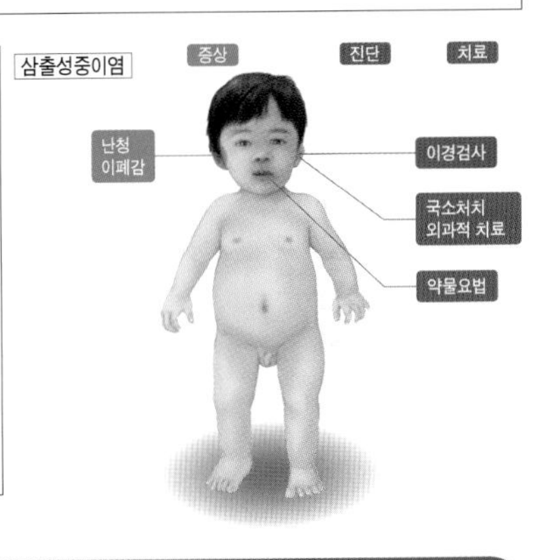

C. 만성중이염

병인

- 중이 내의 잦은 급성염증이 만성염증으로 이행되면서 발생한다.

병태생리

- 중이에 감염이 지속되어 고막에 천공이 생기고, 고실강, 유돌강에 만성 염증성변화가 생긴 상태이다.
- 유착성중이염, 고실경화증, 진주종성중이염 등의 형태를 취한다.

증상

- 난청, 반복성이루

진단

- 고막천공, 육아, 이소골결손 등의 이경소견 또는 영상소견을 통해 진단한다.

역학

- 감염이 통제되고, 병변의 정도가 가벼우면 고실형성술로 청력의 개선을 기대할 수 있다.

치료

- 귀세정 등의 국소처치, 항균제에 의한 약물요법, 외과적 치료를 실시한다.

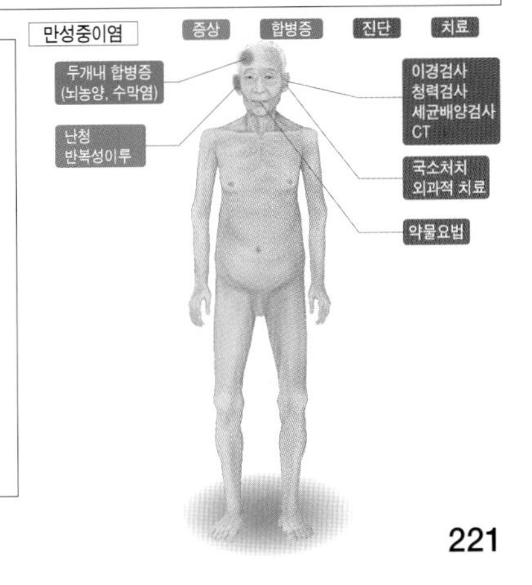

병태생리 map

급성중이염이란 급성으로 발생한 중이의 감염증이다. 삼출성중이염이란 중이에 저류액이 있지만, 이통이나 발열의 급성 감염증상이 없는 중이염이다. 만성중이염이란 중이에 감염이 지속된 결과, 고막에 천공이 생기고, 고실강, 유돌강에 만성 염증성변화가 생긴 상태이다.

A. 급성중이염

병태생리

- 주로 이통, 발열, 이루가 수반된다.

병인·악화인자

- 비인강의 기염균이 이관 (그림 25-1)을 경유하여 감염되는 수가 많으므로, 감기 등의 상기도급성 염증에 이어서 생긴다.
- 기염균으로는 인플루엔자균, 폐렴구균, 모락셀라 카타랄리스가 흔히 검출된다.
- 3세 이하의 유아, 집단보육아나 기초질환으로 당뇨병이 있는 경우는 반복되거나 중증화되기 쉽다.
- 그 밖에 특수한 경우로 결핵성중이염이나 호산구성중이염 등이 있다.

역학·예후

- 이관기능이 미성숙된 유소아에 발생하는 대표적인 상기도염으로, 겨울철에 호발한다.
- 적절한 치료로 2~3주 만에 치유되지만, 삼출성중이염으로 이행되는 수가 있다.
- 항균제 내성균의 검출이 증가하고 있어서, 문제가 되고 있다.

B. 삼출성중이염

병태생리

- 중이의 염증과 이관기능부전이 관여하며, 이관 인두구에서 정상 배액이 소실된 상태이다.

병인·악화인자

- 소아의 급성중이염이나 부비강염 등의 상기도감염에 이어서 발생하는 경우가 많다.
- 아데노이드증식증에서는 이관인두구폐쇄를 초래하고, 이관기능부전에 빠지기 쉽다.

역학·예후

- 4~8세 유아와 고령자의 2봉성 분포를 나타낸다.
- 구개열이나 상인두종양 환자인 경우에는 삼출성중이염이 높은 비율로 출현한다.
- 유아기에 오래 지속되면, 언어발달이 늦어지는 수가 있다.

C. 만성중이염

병태생리

- 중이 내의 잦은 급성염증이 만성염증으로 이행된 상태이다.

병인·악화인자

- 유착성중이염, 고실경화증, 진주종성중이염 등, 여러 가지 병태를 취한다.

역학·예후

- 감염이 통제되고, 병변의 정도가 가벼운 경우에는 고실형성술로 청력의 개선을 기대할 수 있다.

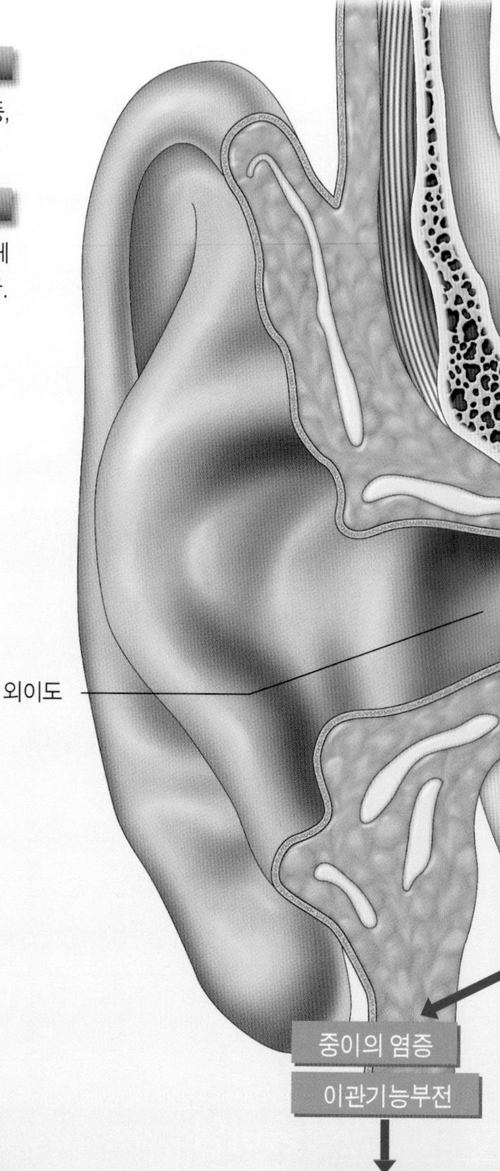

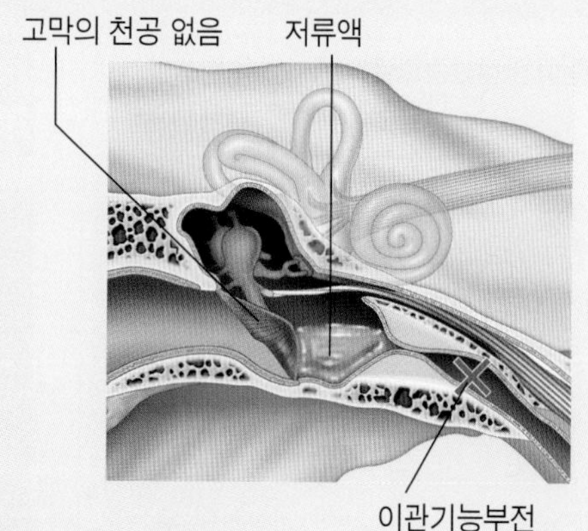

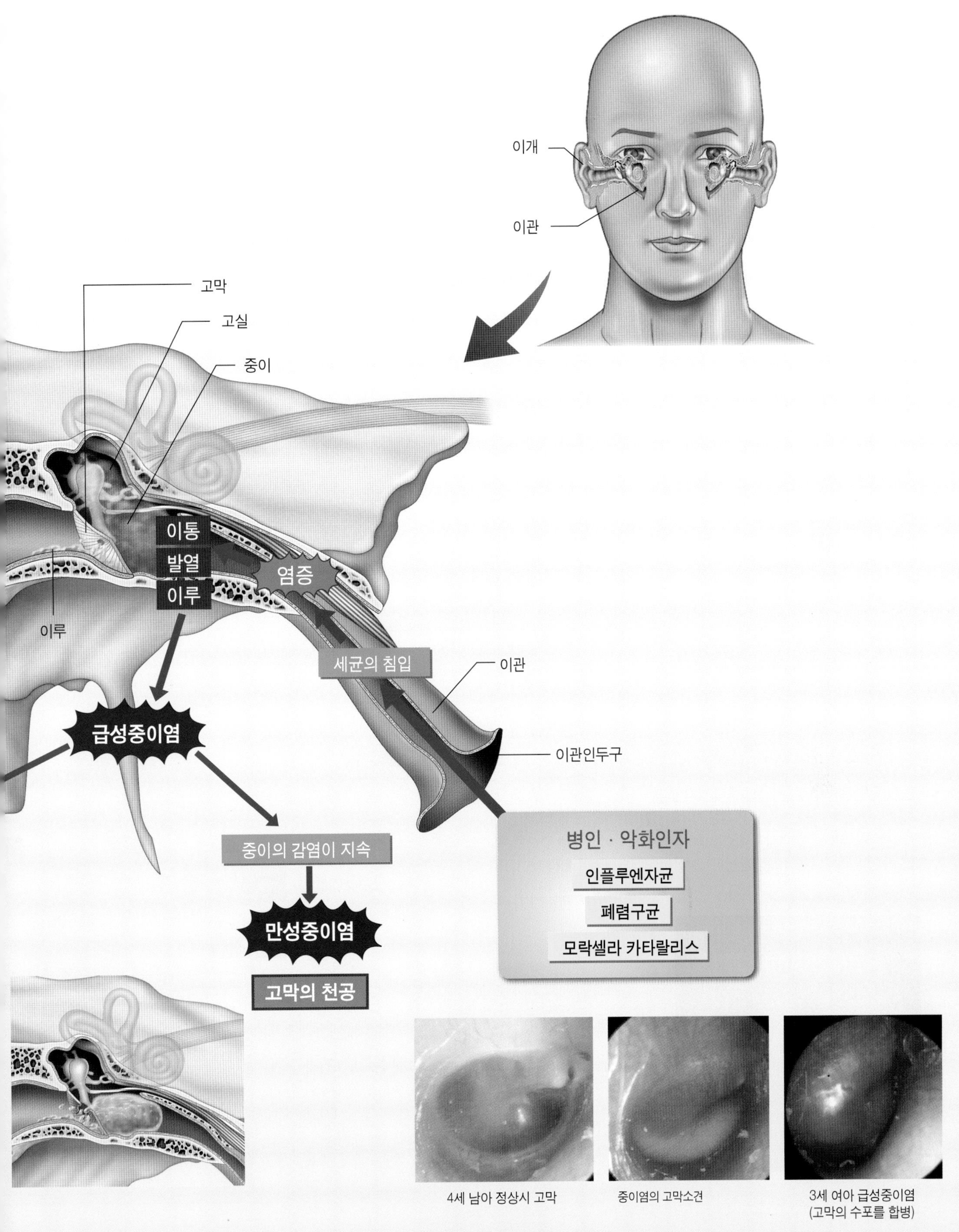

■ 그림 25-1 이관과 중이염

[生井明浩, 海野德二 : 중이질환, 小松浩子 : 계통간호학강좌 전문 18 성인간호학 14 이비인후, p.115, 의학서원, 2008 (사진제공 : 야마구치(山口)이비인후과의원 山口展正선생님)]

증상 map

급성중이염의 3대 증상은 이통, 발열, 이루이다. 삼출성중이염의 증상은 난청, 이폐감이다. 만성중이염의 증상은 난청 및 반복성이루이다.

A. 급성중이염

증상

- 3대 증상은 이통, 발열, 이루이다.
- 이폐감이나 난청, 현기증을 호소하는 경우가 있다.
- 유아인 경우는 기분이 나쁘거나, 귀를 만지는 동작 등으로 발견되기도 한다.
- 중이저류액을 배농하면, 통증이 경감되고 해열된다.

합병증

- 염증이 심하고 확대되면, 유양돌기염, 안면신경마비, 내이염, 수막염, 뇌농양 등이 합병하기도 한다.

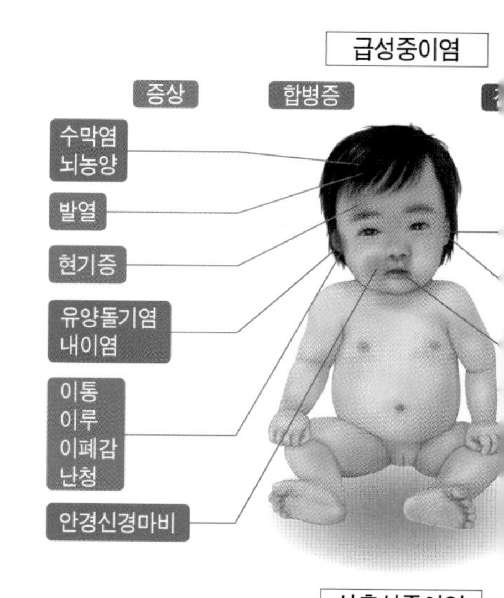

B. 삼출성중이염

증상

- 난청, 이폐감이 나타난다.
- 유아인 경우는 이통이 없어서 증상을 호소하지 않으며, TV 음량을 키우는 점 등에서 자각하는 경우가 많다.
- 합병질환은 부비강염, 급성중이염, 아데노이드증식증, 구개열, 상인두종양이다.

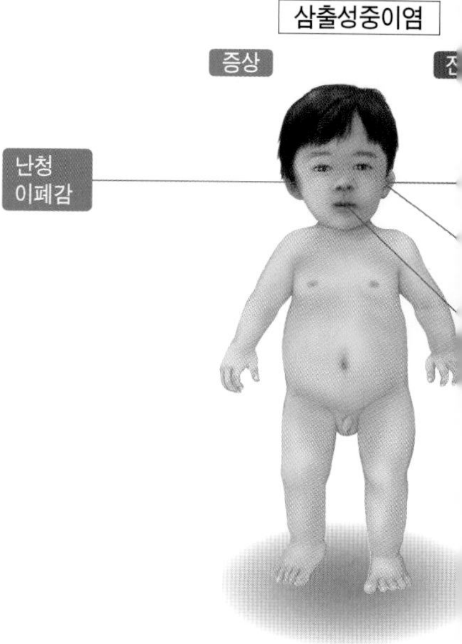

C. 만성중이염

증상

- 난청 및 반복성이루가 나타난다.

합병증

- 뇌농양, 수막염 등의 두개내 합병증이 나타난다.
- 진주종성중이염에서는 현기증, 안면신경마비 등이 합병하기도 한다.

※진주종성중이염이란 편평상피세포가 중이강에 침입하여 증식된 것으로, 주위의 뼈를 파괴하면서 서서히 커진다. 주머니상의 내강에 상피낙설물이 퇴적되어 진주처럼 보이므로, 이 명칭이 붙었다.

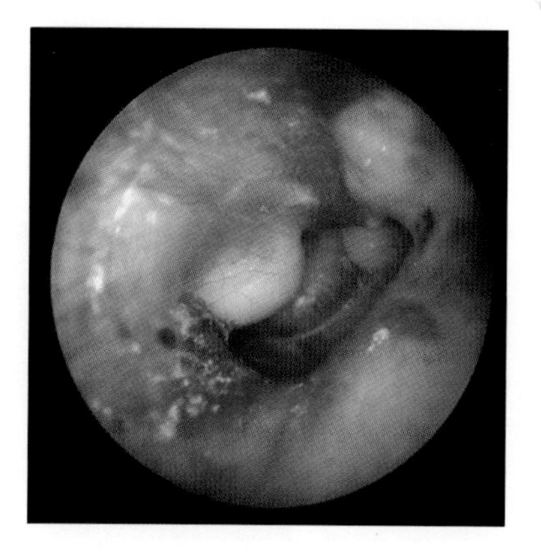

3세 남아의 오른쪽 선천성진주종증례의 고막소견. 중이 내의 진주종이 백색으로 투견된다.

■ 그림 25-2 진주종성중이염

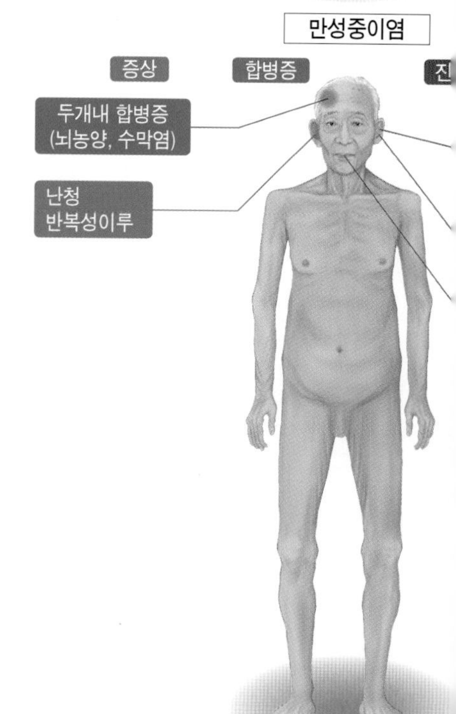

진단 map

급성중이염은 임상증상과 고막소견으로 진단을 결정한다. 삼출성중이염의 경우에는 누런색을 띤 중이저류액이 투견된다. 만성중이염은 고막천공, 육아, 이소골결손 등의 소견으로 진단한다.

이경검사
세균배양검사

국소처치

약물요법

A. 급성중이염

진단·검사치

- 임상증상과 고막소견으로 진단을 확정한다.
- 고막의 발적, 비후, 팽륭 또는 중이저류액이나 고막천공, 이루 등이 확인되면 진단을 내리고, 임상증상과 아울러 중증도가 판정된다.
- 검사치
- 이루 또는 비인강을 씻은 액을 이용하여 세균배양검사를 실시하고, 기염균을 동정한다.

이경검사

국소처치
외과적 치료

약물요법

B. 삼출성중이염

진단·검사치

- 누런색을 띤 중이저류액이 투견되는 특징적인 고막소견으로 진단한다.
- 검사치
- 경도에서 중등도의 전음성난청을 나타내고, 고막의 가동성이 저하된다.
- 성인에서는 상인두종양을 감별하기 위해서 비인강을 세밀히 관찰한다.

이경검사
청력검사
세균배양검사
CT

국소처치
외과적 치료

약물요법

C. 만성중이염

진단·검사치

- 고막천공, 육아, 이소골 결손 등의 이경소견 또는 영상소견에서 진단한다.
- 검사치
- 청력검사에서 여러 정도의 전음성난청 또는 혼합성난청을 나타낸다.
- 급성악화시에는 세균배양검사를 실시한다.
- CT를 이용하여 측두골병변을 평가한다.

치료 map

급성중이염은 국소처치와 약물요법이 기본이다. 삼출성중이염은 원인인 비인두질환을 치료한다. 만성중이염은 귀세정 등의 국소처치가 기본이다.

치료방침

- 국소처치와 약물요법을 기본으로 하며, 이루제거 등의 귀세정이나 콧물의 흡인 등이 필수적이다.

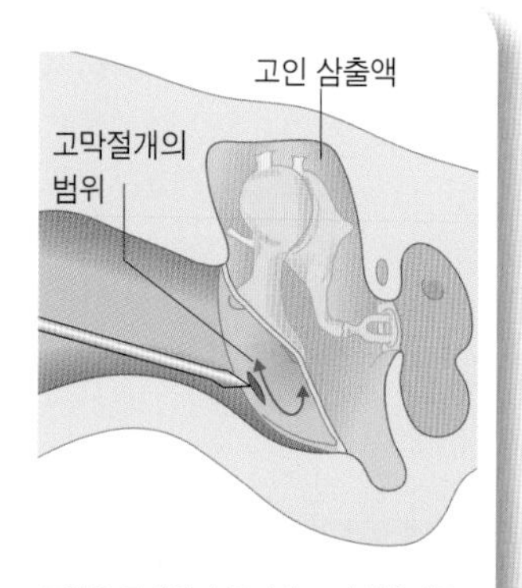

고막을 절개하여 중이에 고인 삼출액을 흡인한다. 절개한 구멍은 며칠 안에 닫힌다.

■ 그림 25-3 고막절개

A. 급성중이염

■ 표 25-1 급성중이염의 주요 치료제

분류	일반명	주요 상품명	약효발현의 메커니즘	주요 부작용
페니실린계 항균제	아목시실린 수화물(AMPC)	Sawacillin, Amolin, Pasetocin, 와이드시린	그람양성균 · 음성균의 세포벽합성을 저해	설사 · 연변, 식욕부진, 발진
β락타마제저해제배합 페니실린계 항균제	아목시실린 수화물 · 클라부란산 칼륨 (CVA/AMPC)	Clavamox	AMPC의 작용에 추가하여, β락타마제를 불가역적으로 저해	설사 · 연변, 발진
세펨계 항균제	세프트리악손나트륨수화물 (CTRX)	로세핀	세균의 세포벽의 펩티드글리칸 가교형성을 저해	호산구 증가, 과민증
	세프디토렌피복실 (CDTR-PI)	메이액트	세균의 세포벽의 합성을 저해	설사 · 연변 등의 소화기증상, 발진 등의 알레르기증상

약물요법

- 내성균의 출현을 억제하기 위해서 중증도를 고려하여 약물을 선택하는 것이 중요하다.

Px 처방례 치료흐름도를 참고로 다음을 선택한다.

- Sawacillin (AMPC) 상용량 40mg/kg, 고용량 80mg/kg ←페니실린계 항균제
- Clavamox (CVA/AMPC) 0.75mL/kg ←페니실린계 항균제
- 메이액트 (CDTR-PI) 상용량 9mg/kg, 고용량 18mg/kg ←세펨계 항균제
- 로세핀 (CTRX) 60mg/kg ←세펨계 항균제

급성중이염의 병기 · 병태 · 중증도별로 본 치료흐름도

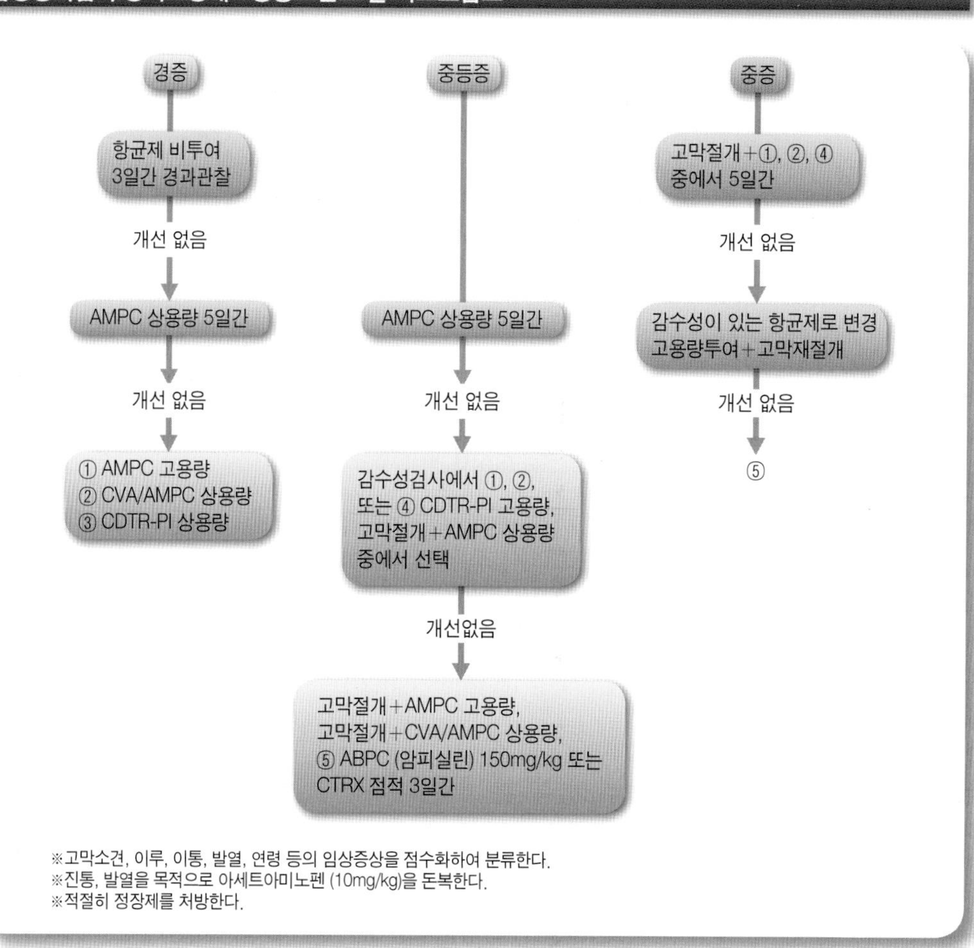

※고막소견, 이루, 이통, 발열, 연령 등의 임상증상을 점수화하여 분류한다.
※진통, 발열을 목적으로 아세트아미노펜 (10mg/kg)을 돈복한다.
※적절히 정장제를 처방한다.

치료방침

● 원인인 비인두질환을 우선 치료한다.

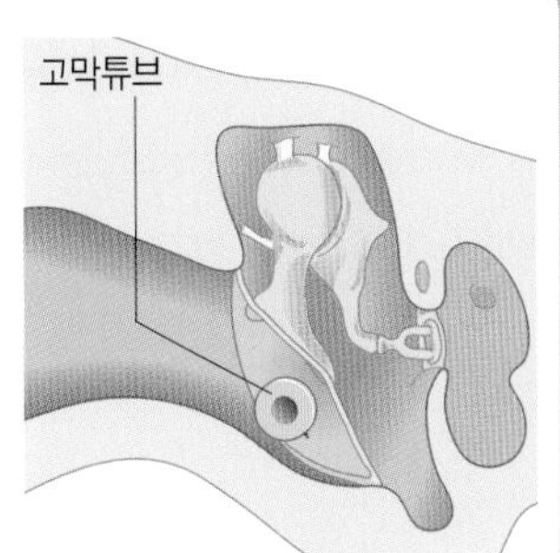

재발인 경우, 절개한 구멍에 실리콘이나 테프론 튜브를 유치하여, 배액을 촉진시킨다. 유치기간은 상태에 따르지만, 3개월~1년 6개월 정도이다.

■ 그림 25-4 고막튜브의 유치

B. 삼출성중이염

■ 표 25-2 삼출성중이염의 주요 치료제

분류	일반명	주요 상품명	약효발현의 메커니즘	주요 부작용
마크롤라이드계 항균제	클라리스로마이신	Clarith, 클래리시드	세균의 단백합성을 저해	복통 · 설사 등의 소화기증상, 간기능검사치의 이상
거담제	카보시스테인	뮤코다인	점액구성성분을 조정	식욕부진, 설사, 발진
소염효소제	세라펩타제	단젠	항염증 · 종창작용 등	항응고제작용의 증강, 발진

약물요법

Px 처방례 원인에 따라서 다음의 처방을 적절히 병용한다.

● 뮤코다인정 (500mg) 3정 分3 ←거담제

● Clarith정 (200mg) 1정 分1 ←마크롤라이드계 항균제

● 단젠정 (10mg) 3정 分3 ←소염효소제

외과적 치료

위의 치료로 치유되지 않는 경우에 다음을 시행한다.

● 고막절개 (그림 25-3) : 중이저류액을 배액한다.

● 고막튜브유치술 (그림 25-4) : 재발성인 경우에 시행한다.

● 아데노이드절제술 : 아데노이드 증식증인 경우에 시행한다.

● 상인두생검 : 상인두종양.

치료방침

● 이루를 막기 위해서, 귀의 세정 등의 국소처치가 중요하다.

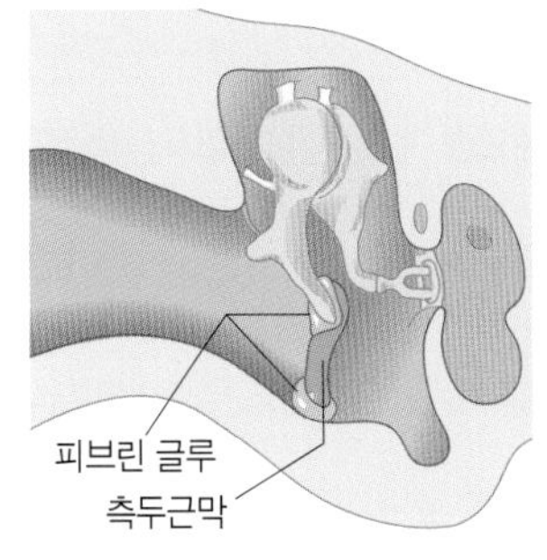

중이측에서 고막의 점막면에 측두근막 등의 폐쇄재료를 피브린 글루로 접착한다. 수술후 당일 퇴원이 가능하다.

■ 그림 25-5 고막형성술

C. 만성중이염

■ 표 25-3 만성중이염의 주요 치료제

분류	일반명	주요 상품명	약효발현의 메커니즘	주요 부작용
세펨계 항균제	세프디토렌피복실	메이액트	세균의 세포벽의 합성을 저해	설사 · 연변 등의 위장장애, 발진 등의 알레르기증상
이비과용 항균제	오플록사신	타리비드 이과용액	세균의 DNA복제를 저해	이통, 가려움

약물요법

● 내성균의 출현이 많으므로 배양 시에 약물감수성검사를 실시하고, 유효한 항균제로 변경한다.

Px 처방례

● 메이액트 MS정 (100mg) 3정 分3 ←세펨계 항균제

● 타리피드 이과용액 0.3% (5mL/병) 1일 2회 점이 ←항균제제

외과적 치료

● 고막형성술 (그림 25-5) : 청력을 개선하고 감염을 제어한다.

● 고실형성술 : 진주종성중이염 등에서 행해지며, 고실병변의 제거와 전음재건으로 청력의 개선이 기대된다.

(桑波田悠子·喜多村健)

환자케어

영유아나 아동에게 호발하는 질환이므로, 치료 · 검사, 복용관리, 감염예방, 일상생활상의 주의점 등을 가족에게 지도한다.

병기 · 병태 · 중증도에 따른 케어

【급성기】 영유아나 아동은 상기도감염 등의 원인으로 급성중이염이 반복 감염되기 쉽다. 또 이 시기의 환자는 면역상태가 불안정하여, 집단의 감염을 일으키기 쉬우며, 이에 더하여 이관이 굵고 중이강까지의 거리가 짧은 것이 요인이 되어 반복된다. 또 완전히 중이염이 치유되지 않은 동안에 만성으로 이행되는 예도 많다. 부적당한 약물의 사용으로 재발이 반복되는 동안에 만성으로 이행되는 예도 많다. 그 때문에 가족에게 질환의 올바른 지식이나 복용관리방법을 지도하고, 준수하도록 지지한다. 급성기는 갑작스런 이통을 수반하는 이루, 청력저하가 출현하므로, 환자 · 가족의 불안이 크리라 생각된다. 검사, 치료에는 납득할 수 있는 설명과 정신적 측면에서의 지지가 중요하다.

【만성기】 급성중이염의 치료기간이 3개월이 지나도 이루가 계속되는 경우는 만성중이염으로 고려한다. 환자 · 가족은 치료가 장기적이므로 치료를 포기하여 증상이 더욱 악화될 수도 있으므로, 적극적으로 치료를 유지할 수 있도록 계속적인 지원이 필요하다. 또 난청이 될 수도 있으므로 청력저하의 정도를 파악하고, 생활에 미치는 영향이 어느 정도인가, 무엇이 불편한가를 명확히 해야 한다. 언어적 의사소통에 장애가 생기는 경우에는 새로운 의사소통의 수단을 획득할 수 있도록 지지한다.

케어의 포인트

검사 · 치료에 대한 지지

- 진찰 시의 문진에서 감기나 상기도감염에 걸려 있는지를 확인한다. 콧물, 가래를 수반하는 중이염에 걸려 있는 수도 있으므로, 자세히 청취하여 앞으로 이환될 가능성이 있는 질환에 대한 원인이나 그에 수반하는 생활의 개선책을 고려하는데 참고한다.
- 이경검사에서는 고막의 발적, 팽륭이 보인다. 천공되면 이루가 배설되므로, 중이에서의 분비물의 관찰에 유의한다.
- 급성중이염에서는 30dB인 경도의 전음성난청이 확인된다. 난청이 경도여도 언어의 습득시기에 해당되면 언어지체나 구음장애를 일으킬 수도 있으므로 청력검사 결과를 파악하고, 의사소통의 방법을 강구한다.
- 약물치료에는 항생물질, 항알레르기제, 항히스타민제, 소염효소제, 점액용해제 등을 증상에 따라서 사용하므로, 정확히 관리되고 있는가를 관찰하고, 약물치료의 필요성의 이해도를 높이기 위한 지지를 제공한다.
- 삼출성중이염에서는 비인강의 관찰과 스프레이에 의한 약물분무, 콧물흡인, 폴리처이관통기법 (폴리처에어백 구멍의 끝을 비공에 대고, 연하운동을 하여 공기를 보낸다) 또는 카테터통기법 (카테터 끝을 이관의 인두구에 삽입하여, 공기를 보낸다)에 의한 이관통기법을 할 때에는 환자의 고통을 경감시키기 위하여 안락한 체위를 강구하여 지지한다.
- 만성중이염에서는 고실 내를 세정 · 흡입한 후에 점이제를 주입한다. 점이제의 사용 후에는 현기증의 발증에 주의한다. 또 처치 후에는 이루 등의 분비물의 성상, 양, 냄새 등을 관찰하여 효과의 정도를 파악한다.
- 급성중이염이나 삼출성중이염에는 고막절개술 · 환기튜브유치술을 실시하여, 중이의 저류액을 배액함으로써 중이강의 환경과 난청을 개선한다. 또 만성화농성중이염에는 염증경감과 청력개선의 목적으로, 고실형성술이 행해지므로, 환자 · 가족의 이해수준에 맞추어 수술에 관해 설명하거나 오리엔테이션을 실시한다.
- 수술 직후에는 이명, 두통, 현기증 등 불쾌한 증상을 자각하지 않는가를 확인하고, 침상안정을 취하며, 수술 받은 측을 압박하지 않도록 지지한다. 또 발열이 수술후 3일 이상 계속되는 경우에는 창부의 혈종이나 재감염을 의심하여 의사에게 연락한다.

청력저하의 정도에 따른 의사소통의 지지

- 환자의 얼굴이 보이는 위치에서 건측(健側)에 서서, 입을 크게 벌려 천천히 명확하게 얘기한다.
- 대화는 조용하고 안정된 환경에서 느긋하게 한다.
- 환자의 반응을 보면서 얘기한다.
- 내용을 이해할 수 있는가를 확인한다.

셀프케어의 지지

- 수술직후 등 안정요법을 실시할 때에는 생활에 필요한 물품을 침대 주위에 정리해 둔다.
- 샤워를 할 수 없는 경우는 이개 주위나 피부의 청결, 구강케어를 지지한다. 또 머리를 감을 때 귀 속이 오염되지 않도록 주의한다.
- 이통이 있는 경우는 부드러운 음식을 준비한다.

환자 · 가족의 심리 · 사회적 문제에 대한 지지

- 환자 · 가족의 청력장애에 대한 생각 등을 경청하고, 환자 · 가족이 스스로 대처할 수 있도록 지지한다.
- 의사와 협조하며, 중이염의 원인질환에 관해 환자 · 가족에게 알기 쉽게 설명하여, 불안을 해소하도록 지지한다. 난치성중이염에는 고막절개술, 튜브유치가 행해지는데, 환자 · 가족이 청력저하 등의 예후에 대한 불안이나 그 밖에 막연한 불안을 느끼는 수가 있으므로 수술에 대한 설명을 충분히 하여, 정신적 측면을 지지한다.

퇴원지도 · 요양지도

- 퇴원 후에도 정기적으로 진찰 받으며, 치료를 계속해야 할 필요성을 설명한다.
- 감기나 부비강염의 합병으로 재발하는 수도 있으므로, 이것을 예방하기 위해서, 외출 후의 손씻기, 양치질을 장려한다.
- 아동기에서는 콧물을 훌쩍거리거나 코를 세게 푸는 것도 악화인자가 되므로, 부드럽게 코를 풀도록 지도한다.
- 수영이나 심한 운동, 기압의 변화가 심한 장소로 가는 경우 (비행기의 이용, 등산 등) 는 의사와 반드시 상담하여 대처방법을 생각하도록 설명한다.
- 이통, 이루가 발생한 경우는 감염의 우려가 있으므로 바로 진찰 받도록 지도한다.
- 감염예방을 위해서 이구는 스스로 제거하지 말고, 의료진이 허가하기 전까지는 진찰 시에 의사가 실시한다는 점을 설명한다.

(上田稚代子)

26 알레르기성비염 (allergic rhinitis)

渡邊建介/瀧島紀子

전체 map

병인

- T세포가 Th0에서 Th1과 Th2로 분화되는 과정에서, Th2세포의 분화 · 활성이 우위가 되면 코알레르기가 발생한다.

[악화인자] 대기오염물질, 감염

역학

- 일본인의 30%는 비알레르기를 보유하며, 통년성(연중 내내) · 계절성의 합병례도 많다.

[예후] 코알레르기로 생명이 위험해지는 경우는 없다.

병태생리

- 비점막의 자극에 대한 과도한 방어반응으로 인해 유발된다.
- 부유하는 항원을 탐식하는 항원제시세포는 T세포를 활성화하여 분화를 일으킨다. Th2세포는 B세포와 반응하여, 항원특이적인 IgE항체를 생산한다.
- 감작성립 후에 다시 항원이 비강 내로 들어가면 비만세포상의 IgE와 결합하여 히스타민이 방출되고, 코알레르기 증상이 발생한다(Ⅰ형알레르기).

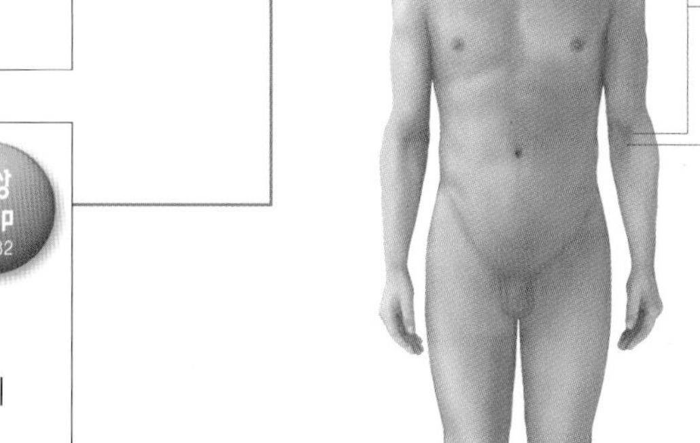

증상

- 3대 징후는 재채기, 콧물, 코막힘이다.
- 항원에 노출되고 후 15분 정도로 증상이 출현하는 즉시반응과 몇 시간 지나서 증상이 출현하는 지연반응이 있는데, 실제로는 양자가 일체가 되어 증상이 나타난다.
- 다른 Ⅰ형 알레르기질환인 아토피성피부염, 천식의 합병률이 높다.

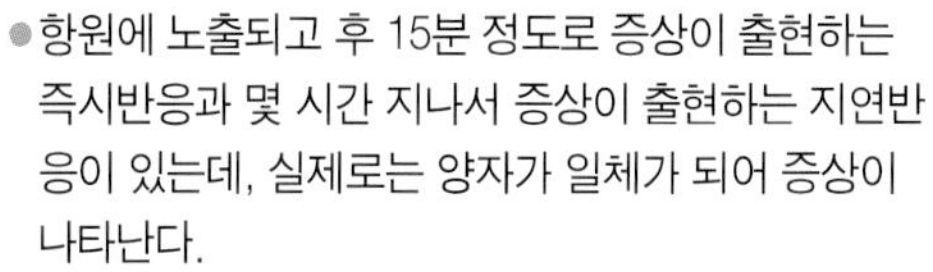

진단

- 비경검사 : 비점막이 창백한 부종상으로, 수용성 콧물을 확인한다.
- 콧물검사 : 호산구가 있으면 코알레르기, 호중구 뿐이라면 감기 또는 부비강염이다.
- 피부테스트 : 피부에 항원을 적하하고 바늘로 긁으면 15분만에 발적, 팽진이 출현한다.
- RAST : 항체량의 정량적인 수치가 나온다. RAST치 2 이상을 양성이라고 한다.
- 유발테스트 : 피부테스트나 RAST에서 양성으로 나온 경우에 실시한다.

치료

- 기본은 약물요법이다. 침습이 적은 순으로 ①항원회피, ②코세정요법, ③약물요법, ④감감작요법 (완전 치유를 기대할 수 있다), ⑤외과적 치료이다.
- 약물요법 : 항히스타민제, 항알레르기제, 알레르기성비염치료제 등을 사용한다.
- 외과적 치료 : 비폐색에 대한 비중격교정술, 점막하하갑개골 절제술 외에, 레이저소작, 고주파소작, 트리클로로초산 도포, 후비신경절단술 등도 시행한다.

병태생리 map

알레르기성비염은 비점막의 자극에 대한 과도한 방어반응으로 유발되는 질환이다. T세포가 Th0에서 Th1과 Th2로 분화되는 과정에서, Th2세포의 분화·활성화가 우위가 되면, 코알레르기가 발생한다.

- 부유하던 항원이 비점막에 흡착되면 대식세포나 수상세포 등의 항원제시세포에 탐식된다. 탐식된 항원은 펩티드로 분해된 후, 다시 자기의 세포막에 있는 MHC classⅡ분자로 표출 제시된다. 세포 표면에 제시된 펩티드가 T세포수용체(TCR)를 통해서 접촉함으로써 T세포가 활성화된다. 이 T세포는 Th0이라고 하며, Th1과 Th2라는 상반된 작용을 하는 T세포로 분화된다. Th1은 알레르기반응을 억제하는 작용이 있고, Th2는 알레르기반응을 항진하는 작용이 있다. Th2세포에서는 IL-3·4·5 등의 알레르기 반응을 항진하는 사이토카인이 분비된다. Th2세포는 동일 항원을 세포 표면에 제시하고 있는 B세포와 반응시켜서, B세포를 형질세포로 분화시킴으로써, 항원특이적인 IgE항체가 생산된다. 생산된 IgE는 조직 중의 비만세포 등 IgE·Fc수용체를 보유하는 여러 세포에 부착되고, 그것으로 감작이 성립된다. Th1세포에서 생산되는 IFN-γ 등은 Th2세포의 분화·활성화를 억제하고, 또 IgE생산도 억제한다. 따라서 Th1과 Th2의 균형이 깨져서, Th2세포의 분화·활성화가 우위가 되면 알레르기성비염이 쉽게 발생하게 된다.
- 감작성립 후에 다시 항원이 비강 내에 들어오면, 항원은 비만세포 표면상에 부착된 IgE와 결합하고, 비만세포에서 히스타민 등의 화학물질이 방출되어, 코알레르기증상인 재채기, 콧물, 코막힘이 발생한다.
- IgE가 관여하는 일련의 알레르기반응을 Ⅰ형알레르기라고 한다. 비알레르기증상 발생에는 비만세포가 관여하는 즉시상 (항원에 노출된 후 15분 만에 발생) 뿐 아니라, 호산구가 주역이라고 생각되는 지연상 (항원에 노출된 후 몇 시간이 지나서 발생)이 있다.

병인·악화인자

- 감작에 영향을 주는 인자에는 숙주 내의 것과 숙주 외의 것이 있다. 숙주내인자로는 유전적 요인이 중요하며, 숙주외인자로는 대기오염물질이나 감염 등의 환경인자와 항원인자 (항원이 가지고 있는 감작활성의 강도)가 중요하다.

역학·예후

- 일본인의 경우, 인구의 30%에게 코알레르기가 있으며, 18%가 통년성 (집먼지 등), 17%가 삼목꽃가루증, 11%가 삼목 이외의 꽃가루증이며, 통년성과 계절성이 합병되어 있는 사람도 많다. 유병률에서 지역차, 연령차가 큰 것도 특징이다.
- 개발도상국에서는 유병률이 낮다.
- 동일한 Ⅰ형알레르기천식이나 아토피성피부염과의 합병률이 높다. 단 천식과 달리, 코알레르기로 생명이 위험해지는 경우는 없다.

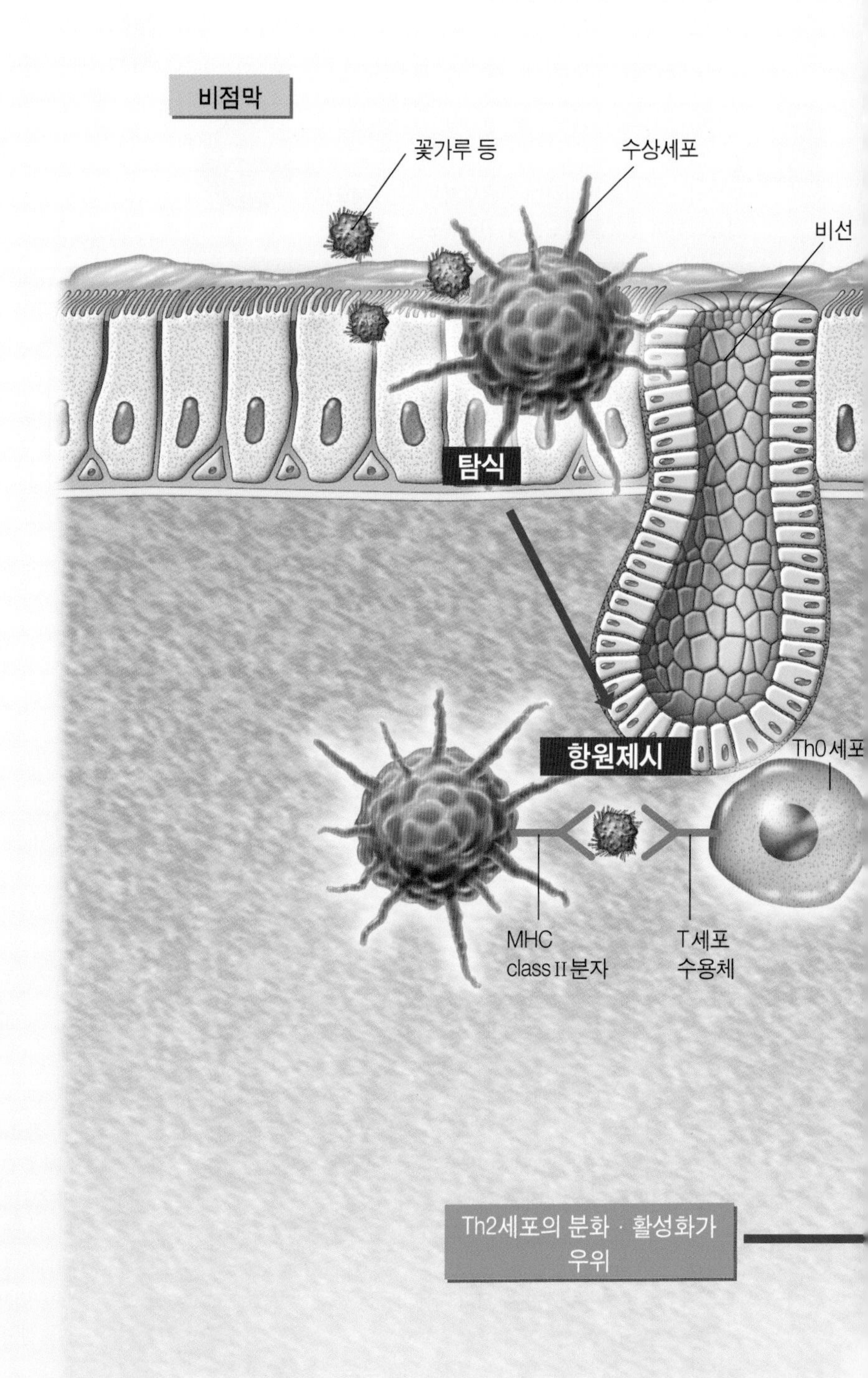

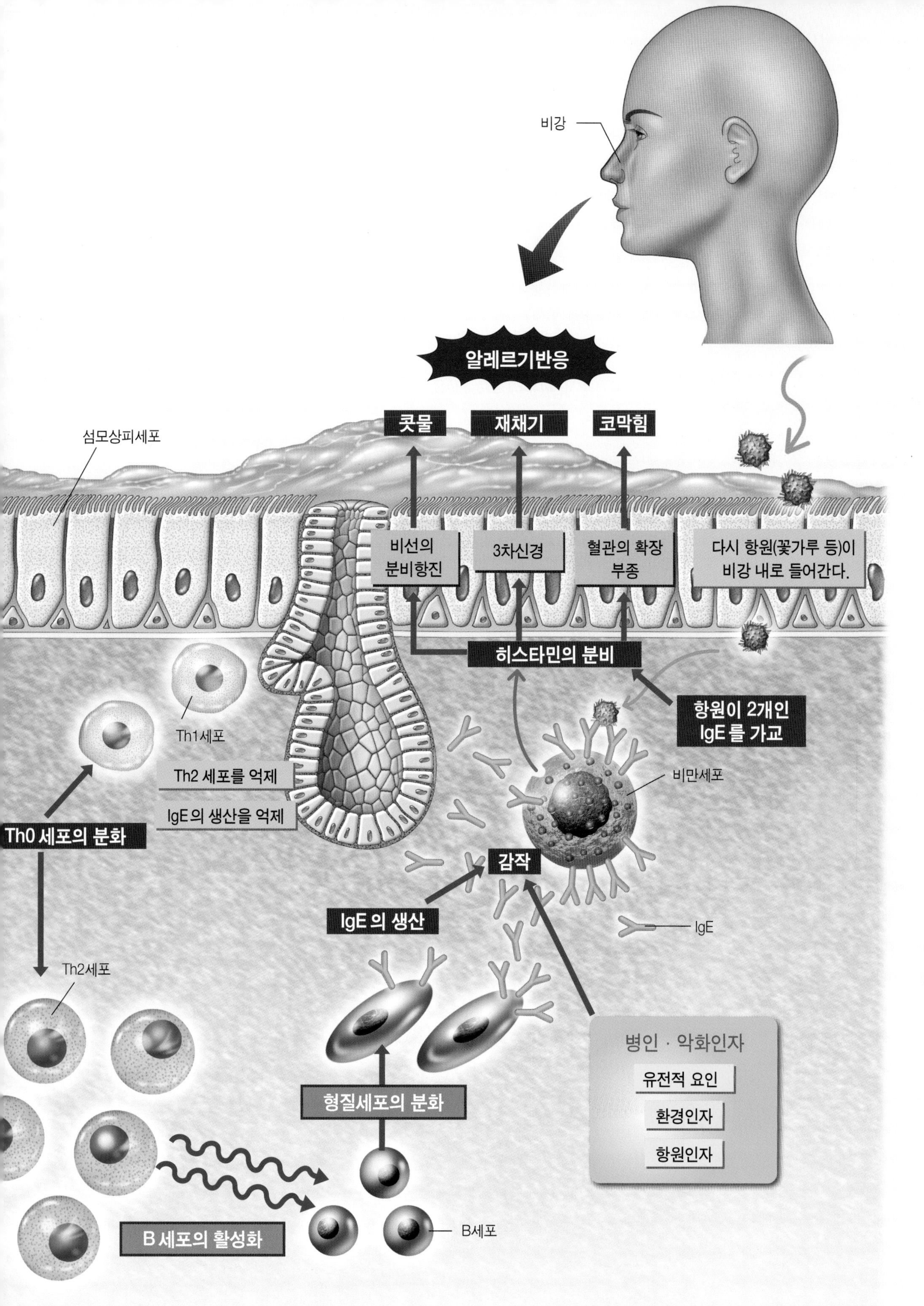
비강
알레르기반응
콧물
재채기
코막힘
섬모상피세포
비선의
분비항진
3차신경
혈관의 확장
부종
다시 항원(꽃가루 등)이
비강 내로 들어간다.
히스타민의 분비
Th1세포
항원이 2개인
IgE를 가교
Th2 세포를 억제
IgE의 생산을 억제
비만세포
Th0 세포의 분화
감작
IgE 의 생산
IgE
Th2세포
병인 · 악화인자
유전적 요인
환경인자
항원인자
형질세포의 분화
B 세포의 활성화
B세포

알레르기성비염

증상 map

3대 징후는 재채기, 콧물, 코막힘이다.

증상

- 항원에 노출된 후 15분 정도에 증상이 출현하는 즉시반응과, 몇 시간 후에 증상이 출현하는 지연반응이 있다. 그러나 실제로는 항원이 끊임없이 비강으로 침입하게 되므로, 양자가 일체되어 증상을 나타낸다.
- 항원에의 노출이 비점막상피장애 (박탈)를 일으키면, 비점막이 매우 과민한 상태가 된다. 과민한 상태가 되면, 항원 이외의 여러 가지 자극 (온도차, 후추와 같은 자극물질 등)으로 증상이 출현한다.
- 다른 I 형알레르기질환인 아토피성피부염, 천식과의 합병률이 높다.

알레르기성비염

진단 map

비경검사, 콧물검사, 피부테스트, RAST로 진단한다.

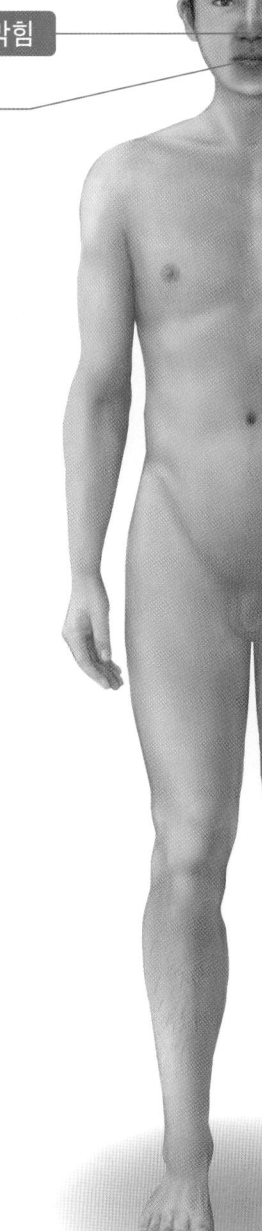

진단·검사치

- 비경검사 : 비점막 (하갑개)이 창백한 부종상이고, 수양성콧물이 확인된다. 꽃가루증과 같은 급성알레르기 증상일 때는 점막이 발적되는 경우도 있다.
- 콧물검사 : 콧물을 프레파라트(preparat)에 도포하고, 에오진스테인으로 염색하여 현미경으로 관찰한다. 호산구가 있으면 코알레르기일 가능성이, 호중구 뿐이면 감기 또는 부비강염일 가능성이 크다.
- 피부테스트 : 항원을 피부에 적하하고, 바늘로 세게 긁는다. 15분 정도 후에 피부에 발적, 팽진이 나타난다.
- RAST (radioallergosorbent test ; 방사선알레르기흡착시험) : 혈청특이적 IgE 항체량을 측정한다. 채혈에 의한 혈청을 사용한 검사이므로, 한번 채혈하면 몇 종류의 항원검사도 가능하여, 다종항원의 확인에 편리한다. 항체량의 정량적인 수치가 나온다.
- 유발테스트 : 비강 내에 항원디스크를 붙이고 15분 후에 증상이 나타나면 양성이다. 피부테스트나 RAST에서 양성이 나타난 것에 한정하여 실시한다. 항체가 있어도 증상이 없는 경우가 있으므로 중요한 검사이지만, 시간이 걸리므로 일상생활에서는 생략하는 경우가 많다.
- 검사치
- 구체적으로 수치를 얻는 검사는 RAST 정도이며, 다른 검사는 진단을 확인하는 정도인 것이다. RAST 치는 2 이상을 양성이라고 한다.

알레르기성비염의 병기 · 병태 · 중증도별로 본 치료흐름도

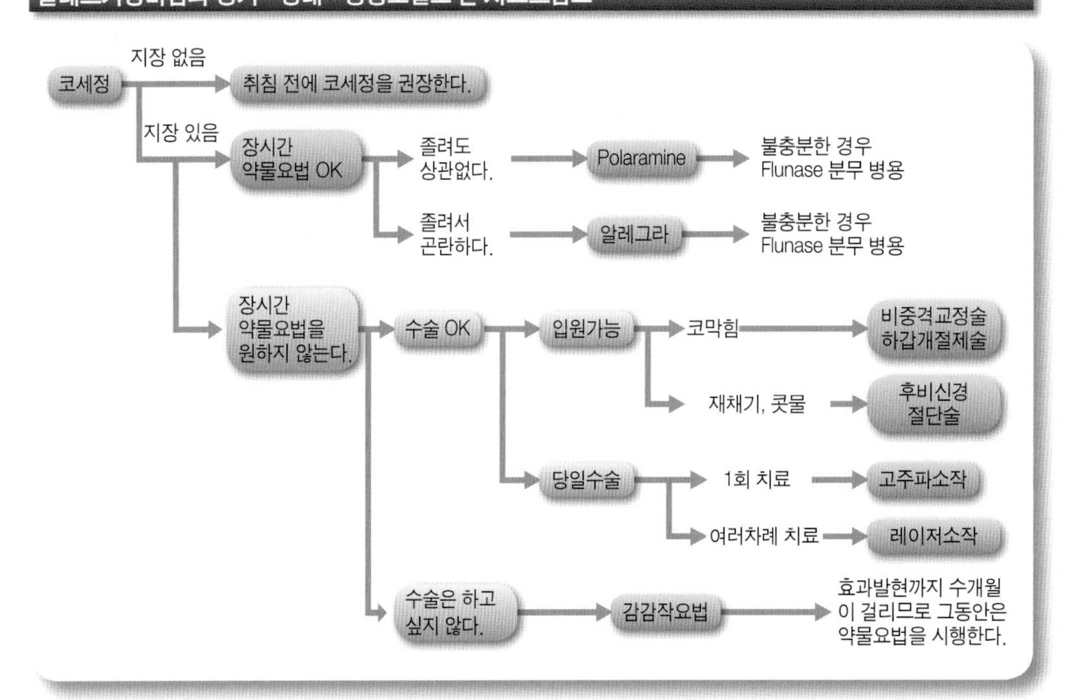

알레르기성비염

치료 map

원인물질의 제거와 항히스타민 및 알레르기성비염치료제 (점비제)를 이용하는 약물치료가 기본이며, 증상이 완화되면 휴약도 가능하다.

진단 치료

코세정요법

외과적 치료

약물요법

비경검사

알레르기검사
콧물검사
피부테스트
혈청특이 IgE
항체검사
유발테스트

감감작요법

■ 표 26-1 알레르기성비염의 주요 치료제

분류	일반명	주요 상품명	약효발현의 메커니즘	주요 부작용
제1세대 항히스타민제	클로르페니라민말레인산염	Polaramine, Neomallermin TR	히스타민수용체 길항작용	졸음 요폐(전립선비대환자)
	클레마스틴 푸마르산염	Tavegyl, Telgin G		졸음
제2세대 항히스타민제	케토티펜 푸마르산염	자디텐, Zikilion, 푸마르산케토티펜		졸음 경련
	아젤라스틴 염산염	아젭틴		졸음
	에피나스틴 염산염	알레지온		
	세티리진 염산염	지르텍		
	베포타스틴베실산염	Talion		
	올로파타딘 염산염	알레락		
	펙소페나딘 염산염	알레그라		졸음은 적다.
류코트리엔길항제	프란루카스트 수화물	오논	류코트리엔수용체 길항작용	–
트롬복산A2길항제	라마트로반	Baynas	TXA_2 수용체 길항작용, PDG_2 수용체의 하나인 $CRTH_2$ 수용체 길항작용	소화기증상
매개체유리 억제제	크로모글릭산나트륨	인탈	비만세포에서 히스타민유리를 억제	
	트라닐라스트	리자벤		방광염 같은 증상
Th2사이토카인 저해제	스프라타스트 토실산염	IPD	IL-4, 5생산을 억제하고, IgE 항체생산을 억제	소화기증상
알레르기성 비염치료제	베크로메타존프로피온산에스테	Aldecin AQ nasal, 리노코트	전신작용이 적은 국소 스테로이드제로서, 항염증작용과 항알레르기작용을 발현	스테로이드 전신 투여 시보다 스테로이드의 부작용이 적긴 하지만 여전히 주의가 필요하다.
	플루티카손 프로피온산 에스테	Flunase		

치료방침

- 알레르기성비염은 직접 생명예후에 영향을 미치지 않으므로, 중증도와 환자의 희망을 고려하여 치료방침을 세워야 한다. 기본은 약물요법이지만, 약물치료로는 질환 자체가 치유되지 않는다. 치료의 포인트는 어떻게 약물사용량을 감소시킬 수 있는가 하는 점이다. 침습이 적은 것부터 열거하면, ①항원회피, ②코세정요법, ③약물요법, ④감감작요법, ⑤외과적 치료이다. 감감작요법은 드물게 아나필락시스쇼크를 일으키지만, 완전치유를 기대할 수 있는 유일한 방법이다.

약물요법

Px 처방례 경증

- 알레그라정 (60mg) 2정 分2 (아침 · 저녁식사 후) ←제2세대 항히스타민제

Px 처방례 중등증 이상 (재채기, 비루형)

- 알레그라정 (60mg) 2정 分2 (아침 · 저녁식사 후) ←제2세대 항히스타민제
- Flunase 점비액 50 1일 2회 비강분무 ←알레르기성비염치료제

Px 처방례 중등증 이상 (비폐색형), 1)이나 2)와 함께 3)을 사용한다.

1) 오논캅셀 (112.5mg) 4캅셀 分2 (아침 · 저녁식사 후) ←류코트리엔길항제
2) Baynas정 (75mg) 2정 分2 (아침 · 저녁식사 후) ←트론복산A_2 길항제
3) Flunase 점비액 50 1일 2회 비강분무 ←알레르기성비염치료제

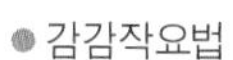

Key word

- 감감작요법

원인이 되는 항원 추출액의 농도와 양을 순차적으로 늘리면서 반복적으로 피하주사하여, 그 알레르겐에 대한 과민성을 저하시키는 방법

외과적 치료

- 비중격교정술, 점막하하비갑개골절제술 : 비강형태의 개선을 목적으로 한다. 코막힘에는 즉효성을 기대할 수 있다.
- 레이저소작, 고주파소작, 트리클로로초산의 도포 : 레이저는 3~5회 조사해야 한다. 고주파는 하갑개점막에 쌍극침을 삽입하여 소작하므로 1회로 충분하다. 트리클로로초산은 염증치료까지 1주 정도 필요하다. 모두 외래에서 당일에 적용이 가능하다.
- 부교감신경절단술 : 비디안신경절단술은 누액의 분비도 억제하므로, 최근에는 후비신경절단술이 주류가 되었다.

환자케어

원인물질에의 노출을 회피하는 대처법이나 증상 · 징후의 관리방법 등을 구체적으로 지도한다.

병기·병태·중증도에 따른 케어

계절성알레르기성비염 : 계절성에 의한 것에는 꽃가루가 대표적인 원인물질 (항원)로 알려져 있다. 알레르기성비염을 일으키는 원인물질이 비산되기 전부터 항알레르기제를 내복하도록 권장하고, 원인물질에 대한 대처법을 이해할 수 있도록 한다.
통년성알레르기성비염 : 통년성에서는 진드기, 집먼지, 애완동물 등이 원인인 경우가 많으므로, 실내를 청결히 하고, 실내환경을 정비하면서 약물요법을 실시한다. 환자 · 가족이 항알레르기제 내복의 의의를 이해하고, 내복을 계속하도록 한다. 또 원인물질에 대한 대처법을 이해할 수 있도록 지도한다.

케어의 포인트

치료에의 개입
- 지시받은 대로 약물을 사용해야 하는 필요성을 이해할 수 있도록 지도한다.
- 지시받은 약물을 적절한 방법으로 사용할 수 있도록 지도한다.
- 스테로이드 외용제나 항히스타민제의 효과 · 부작용을 충분히 알 수 있도록 사용약물에 관해 설명한다.
- 증상악화 시에는 자가판단으로 약물을 증량하지 말고, 진찰 받도록 지도한다. 증상은 아침의 기상 시에 특히 심한 것을 설명한다.

항원회피에 대한 지지
- 항원은 악화인자라는 점을 이해하고, 항원에의 노출을 삼간다. 또는 항원을 제거하여 증상이 악화되지 않도록 지도한다.
  - 실내의 청소를 철저히 한다.
  - 계절성알레르기성비염에서는 꽃가루가 날릴 때 외출해야 한다면 마스크나 안경을 착용한다. 귀가 후에는 세안이나 양치질을 하고, 눈을 씻거나 코를 풀어서 꽃가루를 제거한다.
  - 꽃가루가 많이 날릴 때는 외출을 삼가거나, 창문을 닫아서 꽃가루가 실내로 들어오지 못하도록 한다.
  - 또한 세탁물을 밖에 널지 않도록 하고, 밖에 널었을 때는 꽃가루를 털어서 제거하도록 한다.
  - 실내에 공기청정기를 설치하여 가능한 실내의 공기를 청정하게 한다.

일상생활에 대한 지지
- 과로나 수면부족은 체력을 소모하며 저항력도 저하시켜서, 증상의 악화요인이 되므로 충분히 휴식을 취할 필요가 있는 점을 설명한다.
- 스트레스로 증상이 악화되므로, 스트레스를 잘 발산시키는 방법을 함께 생각한다.
- 영양상태가 나빠지면 저항력이 저하되어서 증상도 악화되므로, 충분히 영양을 섭취해야 하는 필요성을 설명한다.
- 항히스타민제의 부작용으로 졸음이 온다는 점을 설명하고, 환자가 일상생활상의 주의점을 이해할 수 있도록 지도한다.
- 집먼지나 진드기가 원인인 경우는 이불이나 카페트 등의 청소를 철저히 하여 제거하도록 지도한다.
- 곰팡이의 증식을 억제하기 위하여 실내의 습도를 낮게 (50% 이하) 유지한다.

심리 · 사회적 측면에 대한 지지
- 치료가 장기간 지속되므로 끈기 있게 계속할 수 있도록 지지한다.
- 치료가 장기적이라는 점, 치료로 증상이 경감되는 점을 이해할 수 있도록 설명한다.

퇴원지도·요양지도

- 지시대로 약을 사용하여 증상 · 징후를 관리할 수 있는 점을 설명하고, 사용약물의 효과 · 부작용과 함께 적절한 약물의 사용방법을 지도한다.
- 항원을 삼가도록 대처법을 지도한다.
- 증상완화를 위해서 일상생활에서의 유의사항에 관하여 지도한다.

(瀧島紀子)

1. 집먼지의 제거

2. 항원 (꽃가루) 등의 회피

■ 그림 26-1 알레르겐의 제거 · 회피법

27 청신경종양 (acoustic tumor)

杉本太郎/茂野香おる

전체 map

병인

- 편측성의 병인은 불분명하다.
- 양측성은 상염색체 22번 장완에 원인유전자가 있다.

역학

- 원발성뇌종양의 약 10%를 차지한다.
- 호발연령은 40~60세이다.

[예후] 신경섬유종증 II형은 난청이 급속히 진행되어, 청각의 예후가 불량하다.

병태생리

- 청신경종양은 제8뇌신경 (이른바 청신경)의 슈반세포에서 생기는 신경초종이며, 서구에서는 전정신경초종이라고도 한다.
- 통상적으로 편측성이며, 양측성은 신경섬유종증 II형이라고 한다.
- 양성종양으로, 내이도 내에서 발생하여 완만하게 증대되다가, 서서히 소뇌교각부로 진전된다.
- 하전정신경에서 유래하는 종양이 많으며, 상전정신경 및 와우신경에서 유래하는 종양은 적다.

증상

- 초발증상으로는 와우신경 (난청, 이명, 이폐색감)이 80%, 전정증상 (현기증, 휘청거림)은 10~15% 정도이다.
- 전체 경과 중에 출현하는 증상도 와우신경 증상이 가장 많고, 다음으로 전정증상이 많다.
- 종양이 소뇌교각부로 진전되면 3차신경증상 (안면의 지각저하, 마비감)이 생긴다.

[합병증]

- 신경섬유종증 II형 : 약년성백내장, 다른 부위의 신경초종, 수막종이 합병되는 경우가 많다.

증상 | 합병증 | 진단 | 치료

현기증, 두통
난청, 이명, 이폐색감
안면지각저하, 마비
구토
실조성보행, 휘청거림

외과적 치료: 경미로법, 중두개와법, 후두하법
순음청력검사, 어음청력검사, 청성뇌간반응
평형기능검사, 두위변환안진검사, 온도안진검사
단순X선검사, 측두골CT, MRI
방사선요법 (정위방사선치료)

진단

- 진단에서는 수막종이나 유상피종과의 감별하는 것이 관건이다.
- 순음청력검사 : 편측성감각신경성난청
- 어음청력검사 : 언어변별능의 저하
- 청성뇌간반응 (ABR) : V파 잠시의 연장, I ~ V파간 잠시의 연장, V파의 소실
- 평형기능검사 : 건측(健側)용 주시안진
- 두위변환안진검사 : 수직성 · 사행성안진
- 온도안진검사 : 환측의 무반응, 반응저하
- 영상검사 : 단순MRI (CISS법), 조영 MRI가 유용하다.

치료

- 치료방침 : 청신경종양을 근치할 수 있는 약물요법이 없으므로, 수술이나 방사선치료가 행해지는데, 증례에 따라서 경과관찰하는 경우도 있다.
- 외과적 치료 : 경미로법, 중두개와법, 후두하법 (후 S상동법)을 이용하는 종양적출술을 실시한다. 모두 술중에 안면신경을 모니터링함으로써 안면신경을 온존할 수 있는 확률이 높아진다.
- 방사선요법 : 종양의 성장억제를 목적으로 감마나이프가 주축인 정위방사선치료가 행해진다.

병태생리 map

청신경종양은 제8뇌신경 (이른바 청신경)의 슈반세포에서 생기는 신경초종이다.

- 제8뇌신경은 와우신경과 전정신경으로 구성되는데, 청신경종양은 그 대부분이 전정신경에서 유래하므로, 서구에서는 전정신경초종 (vestibular schwannoma)이라고도 한다.
- 통상 편측성이며, 양측성인 것은 신경섬유종증 II형 (neurofibromatosis type II)이라고 한다. 상염색체 우성유전을 나타내는 전신질환의 한 병변이라는 것을 알 수 있다.
- 종양은 내이도 내에 발생하여 완만하게 증대되다가, 서서히 소뇌교각부 (후두개와방향)로 진전된다.
- 양성종양이지만 내이도의 뼈를 조금씩 녹여서 증대되므로, 내이도공측이 확대된 누두형, 내이도 중앙이 확대된 난형 등의 형상으로 확대되는 경우가 많다. 그러나 작은 종양에서는 내이도가 확대되지 않으며, 드물게 큰 종양에서도 내이도가 확대되지 않은 채 소뇌교각부로 진전되기도 한다.
- 청신경종양 그 자체는 후미로성 (내이에서 중추측) 병변이지만, 증례에 따라서 내이병변 (내이성난청)이 병존하는 점에도 유의해야 한다. 그 병태로는 내이도 내를 주행하는 미로동맥에 종양에 의한 혈류장애가 발생하고, 그 결과 말초의 청각기관기능이 저하된다는 메커니즘이 추정되고 있지만, 상세한 내용은 불분명하다.
- 내이도 내를 주행하는 신경의 모식도를 오른쪽 그림에 나타냈다. 전정신경은 내이도 저측에서 상전정신경과 하전정신경으로 나누고 있으며 중추측에서 합류된다. 청신경종양은 하전정신경에서 유래하는 종양이 많으며, 상전정신경에서 유래하는 종양은 적다. 또 와우신경에서 유래하는 종양은 거의 없다.
- 제7뇌신경 (안면신경)에 발생한 경우는 안면신경초종이라고 진단하며, 청신경종양과는 다른 질환이다.

병인·악화인자

- 편측성청신경종양의 병인은 아직까지 불분명하다.
- 앞에서 기술한 양측성청신경종양을 발생시키는 신경섬유종증 II형은 상염색체 22번 장완에 원인유전자가 있는 것을 알 수 있다.

역학·예후

- 청신경종양은 원발성뇌종양의 약 10%를 차지하며, 소뇌교각부 종양의 약 80%를 차지한다.
- 이전에는 인구 10만명에 약 1명의 빈도로 발생했지만, 최근에는 MRI로 소종양이 발견되는 경우도 많아서, 그보다 빈도가 높아졌으리라고 생각된다. 호발연령는 40~60대이지만, 소아를 포함하여 젊은층에게도 발생할 수 있다. 또 여성에게 다소 많지만, 성차는 적은 편이다.
- 일반적으로 증대가 완만하며 문제가 되는 증상이 없는 경우, 작은 종양에서는 치료를 하지 않고 한동안 상태를 볼 수도 있지만, 증례에 따라서 증대속도나 양상이 다르므로 주의해야 한다. 방치하여 증대되면 뇌간이나 소뇌를 압박하여 생명을 위협하는 사태가 되므로, 너무 크지 않을 때에 치료해야 한다.
- 양측성청신경종양 (신경섬유종증 II형)은 청신경종양 전체의 2~5%에서 확인되고, 편측성청신경종양에 비해서 난청이 급속하게 진행되어 청각의 예후가 불량하며, 젊은층에서의 백내장이나 다른 부위의 신경초종, 수막종 등이 합병되는 경우도 많다. 경과를 관찰하든 치료를 하든 간에, 양측난청이 큰 문제가 된다.

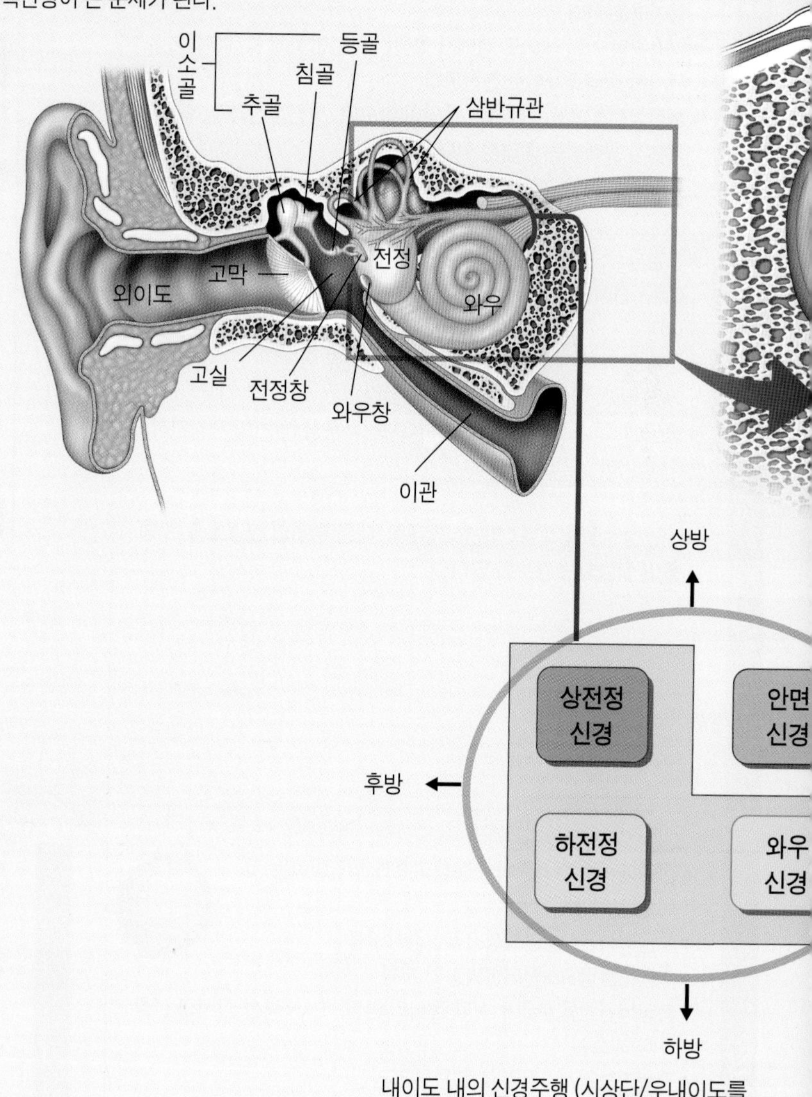

내이도 내의 신경주행 (시상단/우내이도를 외측에서 본다)

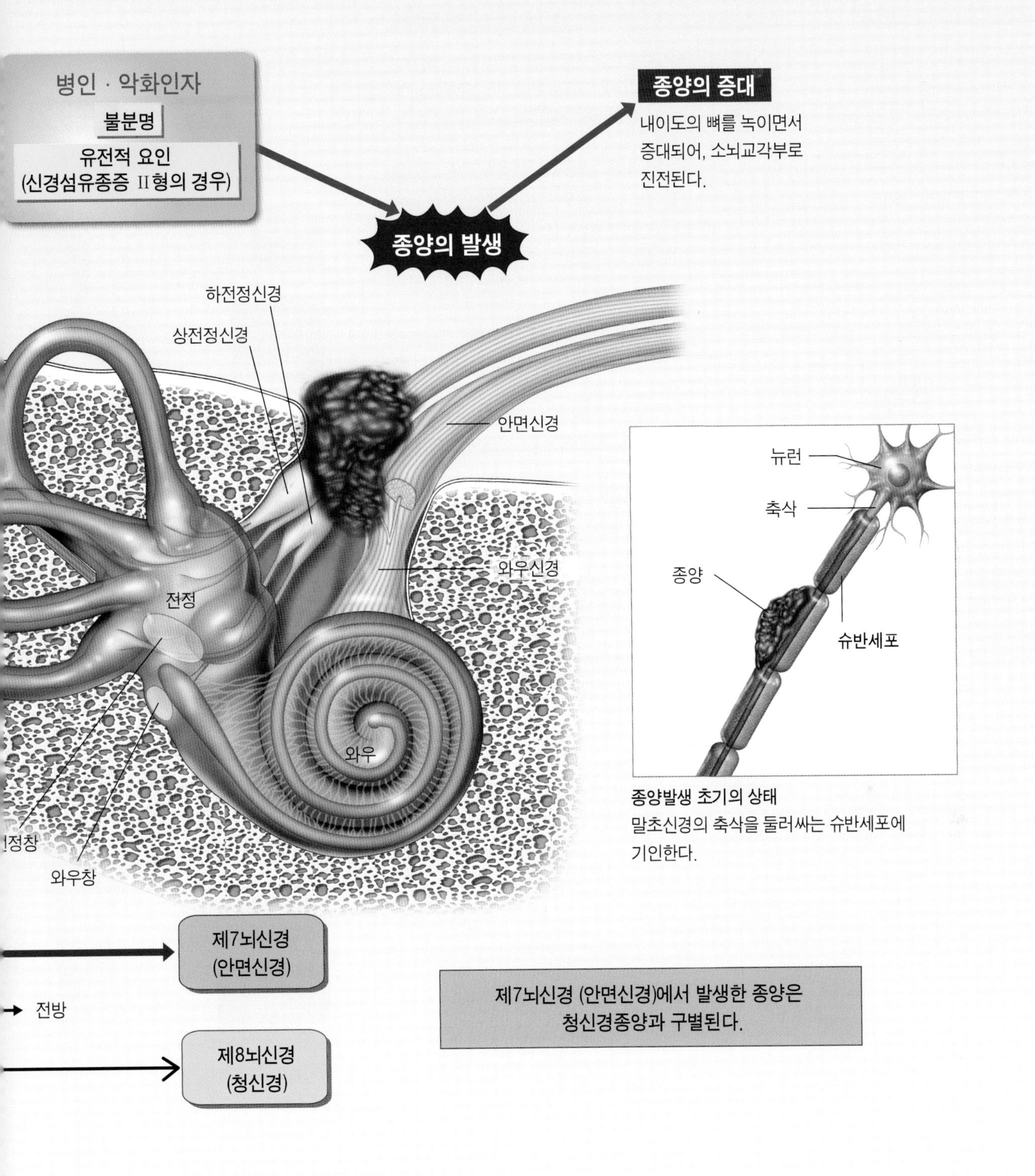

종양발생 초기의 상태
말초신경의 축삭을 둘러싸는 슈반세포에
기인한다.

증상 map

초발증상으로 가장 많은 것은 난청, 이명, 이폐색감 등이다.

증상

- 앞에서 기술한 대로, 청신경종양의 대부분은 전정신경초종이므로, 이론적으로는 현기증이나 휘청거림 등의 전정증상이 질환초기에 출현하는 경우가 많다. 그러나 실제로는 종양의 진전이 완만하여, 환측의 전정장애가 반대측의 전정기능 및 중추성으로 조금씩 대상됨으로써, 전정증상이 초발증상이 되는 예는 10~15% 정도에 불과하다.
- 초발증상으로 가장 많은 것은 대상기능이 없는 와우증상 (난청, 이명, 이폐색감 등)으로 80% 이상을 차지한다. 와우증상은 내이도 내의 한정된 공간 속에서 종양에 의해서 와우신경이 직접 압박을 받는 후미로장애와 미로동맥의 혈류장애 등으로 인한 내이장애의 쌍방에 의해서 생긴다.
- 전체 경과 중에 출현하는 증상으로는 와우증상이 가장 많이 확인되고 (전체의 95% 이상), 이어서 전정증상 (30~60%)이다. 안면신경마비가 있는 증례는 매우 적으며, 미각이상을 호소하는 경우도 드물게 있다.
- 와우증상 중에서 가장 빈도가 높은 난청은 많은 증례에서 서서히 진행되는데, 청신경종양증례의 10~20%는 돌발성난청 같은 급성감각신경성난청으로 발생한다. 급성감각신경성난청은 일반적인 돌발성난청과 달리 며칠동안 진행되거나 완전히 회복되기도 한다.
- 편측성진행성감각신경성난청이나 급성감각신경성난청을 확인하는 증례에서는 반드시 청신경종양의 존재를 염두에 두어야 한다. 반대로, 처음에는 돌발성난청으로 치료된 증례 중 1~5% 정도에는 청신경종양이 포함되어 있다는 보고도 있다.
- 전정증상에는 부동성현기증 (자신이나 밖의 경치가 흔들리는 느낌)이나 평형장애 (휘청거림)가 많으며, 회전성현기증 (자신이나 밖의 경치가 빙글빙글 돈다)은 10~20% 정도로 적은 편이다. 드물게 메니에르병과 유사한 현기증발작이나 두위성현기증을 주증상으로 하는 증례도 있어서 주의해야 한다.
- 종양이 소뇌교각부로 진전되어 증대되면, 상기 증상 이외에 안면의 지각저하나 마비감 (3차신경증상)이 생기며, 더욱 증대되면 설인 · 미주신경마비나 실조보행 등의 소뇌증상, 뇌압항진증상 (두통, 구토) 등이 생길 수 있다.
- 최근에는 영상진단의 진보나 의료환경의 정비에 따라서 종양이 작은 단계에서 발견되는 경우가 많아져서, 와우증상이나 전정증상 이외의 증상이 존재하는 증례가 줄어들고 있다.

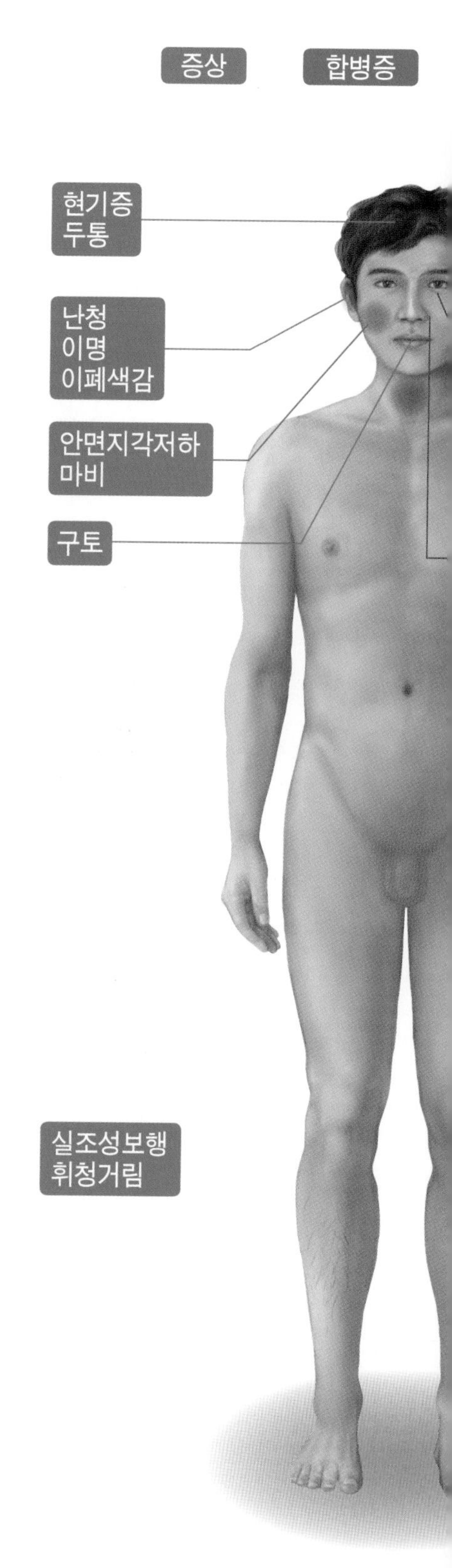

주로 수막종이나 유상피종과의 감별이 문제가 된다.

진단 | 치료

외과적 치료
경미로법
중두개와법
후두하법

순음청력검사
어음청력검사
청성뇌간반응

평형기능검사
두위변환안진검사
온도안진검사

단순X선검사
측두골CT
MRI

방사선요법
(정위방사선치료)

진단·검사치

- 순음청력검사에서는 편측성감각신경성난청을 확인하는 경우가 많다.
- 청력상 (청력검사의 형)에서 특징적인 것은 없지만, 속형 (중음역의 저하)이나 dip형 (특정한 주파수가 저하 : 특히 중음역) 청력상을 확인할 때는 청신경종양을 의심해야 한다.
- 어음청력검사에서는 어음변별능의 저하 (언어의 이해도 저하)를 확인하는 경우가 많다.
- ABR (청성뇌간반응)은 청신경종양의 스크리닝검사로서 가장 유용한 청력검사법이며, 90% 이상의 증례에서 이상소견이 확인된다. V파의 잠시 연장 (0.3msec 이상), Ⅰ-V파간의 잠시 연장 (4.4msec 이상), V파의 소실 등이 주된 이상소견이다.
- 평형기능검사에서는 건측용 주시안진을, 두위변환안진검사에서의 수직성이나 사행성안진을 확인한다.
- 온도안진검사에서는 환측의 무반응이나 반응저하 (20% 이상의 반규관마비)를 확인하는 경우가 많다. 단 온도안진검사 자체가 상전정신경의 기능검사이므로, 하전정신경에서 유래하는 종양이 많은 청신경종양에서는, 작은 종양인 경우 정상소견을 나타내어, 스크리닝검사로서는 그다지 유용하지 않다. 그러나 편측성감각신경성난청과 온도안진검사에서 반응저하를 함께 확인하는 경우는 청신경종양의 존재를 반드시 의심해야 한다.
- 영상진단으로는 단순X선검사 (안와내 내이도법, stenvers촬영법)나 측두골CT가 내이도의 확대를 확인하는 데에 참고된다(그림 27-1).
- 종양 그 자체의 진단을 위해서는 MRI가 필수적이다(그림 27-1). CISS법 등의 특수한 MRI촬영법은 내이도 내의 신경다발도 볼 수 있어서, 스크리닝검사로서 가치가 높다.
- 내이도 내의 소종양을 진단하는 데에는 조영 MRI가 유용하다.
- 조영 CT는 현재는 진단적 가치가 낮아서, 그다지 행해지지 않는다.
- 드물게 건강진단이나 뇌정밀검사 등에서 MRI를 시행하여, 청신경종양이 무증상으로 발견되기도 하지만, 이와 같은 증례에서는 순음청력검사, 평형기능검사, 온도안진검사, ABR 등에서 이상이 확인되지 않는 경우도 있다.
- 병기분류
- 명확한 병기분류는 없다.
- 그 크기에 따라서, 내이도 내에 국한된 종양 (이른바 ear tumor), 소뇌교각부로 진전된 부분의 크기가 10mm까지를 소종양, 30mm까지를 중종양, 30mm를 넘으면 대종양으로 분류하기도 한다. 그러나 종양의 크기와 증상이 반드시 엄밀한 상관 관계에 있는 것이 아니므로, 내이도내 종양에서도 난청이나 현기증 등의 증상이 생길 수 있다.
- 검사치
- 특징적인 혈액검사치의 이상은 없다.

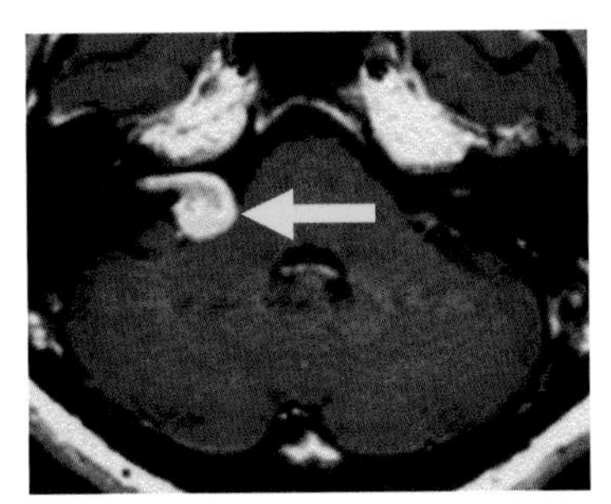

오른쪽 청신경종양의 MRI (조영 T1강조 횡단상). 노란색 화살표가 가드리늄으로 조영된 종양. 오른쪽 내이도부터 소뇌교각부에 걸쳐서 종양이 진전되어 있다. 소뇌교각부의 최대지름은 14mm이다.

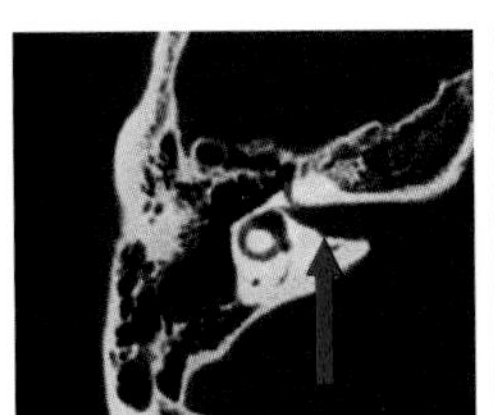

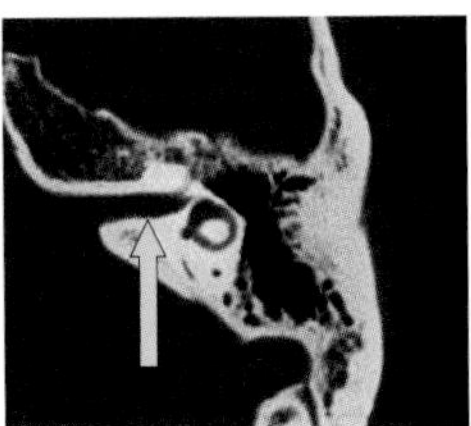

같은 증례의 측두골 단순 CT횡단상. 외측 반규관의 레벨이 슬라이스되어 있다. 빨간 화살표가 오른쪽 내이도 (환측)를, 파란 화살표가 왼쪽 내이도 (건측)를 나타낸다. 환측 내이도의 확대가 확인된다.

■ 그림 27-1 청신경종양의 내이도 확대

치료 map

종양의 크기, 부위, 증상의 유무 등에 따라서 경과관찰, 수술에 의한 종양적출, 정위방사선치료 중 하나를 적용한다.

치료방침

- 청신경종양의 치료는 수술과 방사선치료로 크게 나누어 진다. 단, 종양이 작은 단계에서 발견한 경우, 65세 이상의 고령자인 경우, 증상이 없는 경우, 전신상태가 불량한 경우 등은 치료하지 않고 반년에서 1년 간격으로 MRI로 종양 크기의 추이를 보는 방법(경과관찰/wait and scan policy)도 한 가지 중요한 선택사항이다.

【수술의 적용과 주의점】

- 수술에서는 종양의 전적출, 안면신경의 온존을 주목적으로 하며, 가능하면 청력의 온존도 시도한다.
- 안면신경은 내이도 내에서 종양으로 인해 띠모양으로 늘어나 있는 경우가 많아서, 수술할 때는 신경섬유가 손상되기 쉬우며, 수술 후에는 안면신경마비가 생길 수 있다는 점을 반드시 환자에게 설명해야 한다. 작은 종양이면 90%의 예에서 수술 후에 양호한 안면신경기능이 유지된다.
- 청력의 온존은 수술 전의 청력이 양호한 예 (평균 청력 레벨이 50dB 이내이고 최고어음명료도가 50% 이상)가 아니면 어려워서, 주로 환측 귀로 의사소통을 하는 경우나 양측성청신경종양인 경우에는 수술의 적용결정이나 시행을 신중히 해야 한다.
- 수술로 전정신경이 적출되므로, 수술 후에는 잠시 건측용 수평회선혼합성안진 (마비성안진)이 확인되고, 현기증이나 휘청거림을 호소한다.
- 1주 이내에 활동이 가능한 증례가 대부분이지만, 이상(ambulation) 후에도 약간의 간호가 필요하다.
- 수술후 합병증에는 수액루, 수막염, 경막하출혈, 기뇌증, 뇌경색 등을 들 수 있다.

【방사선치료의 적용과 주의점】

- 방사선치료로는 감마나이프를 주로 하는 정위방사선치료가 행해지며, 종양의 소실보다도 성장억제를 목적으로 실시한다.
- 고령자, 수술거부례, 종양의 후두개와로의 진전이 25~35mm 이하인 경우 등에 적용하며, 종양이 낭포변성을 주체로 하는 경우에는 적용하지 않는 것이 좋다. 안면신경기능은 약 80%, 청력은 약 50%의 증례에서 온존이 가능하다.
- 합병증인 시력저하, 안면마비, 현기증, 안면의 저림, 수두증 등은 모두 지발성 (3~6개월 후)으로 출현하며, 드물게 치료 후에 종양이 증대 또는 악성화되는 예도 보고되어 있어서 주의해야 한다.
- 장기적인 경과에 관해서는 아직 충분히 검토되어 있다고는 하기 어렵다.

약물요법

- 청신경종양 그 자체를 근치할 수 있는 약물요법은 현재 존재하지 않는다. 급성감각신경성난청으로 발생한 예에서는 돌발성난청에 준하여 치료한다(「24. 난청」의 치료흐름도를 참조).

외과적 치료

【경미로법】 (그림 27-2)

- 이후부를 절개하고, 내이를 파괴하여 내이도나 후두개와의 종양으로 접근하는 수술방식이다.
- 수술필드 준비할 때에 뇌조직을 압박할 필요는 없다. 내이도저를 쉽게 관찰할 수 있어서 종양의 외측단을 충분히 처리할 수 있다. 안면신경이 잘 손상되지 않는 이점이 있지만, 수술 받은 측의 청력이 완전히 소실되는 것이 최대 결점이다.
- 술전에 고도의 감각신경성청력이 존재하고, 후두개와로의 진전이 30mm 이하인 증례에 적용하는 것이 좋다.
- 주로 이비인후과에서 선택한다.

【중두개와법】 (그림 27-2)

- 이개의 상방에 역U형 등으로 절개하고, 측두를 개두하여 측두엽을 압박하며, 중두개와측에서 종양으로 접근하는 수술방식이다.
- 반규관을 삭개(削開)하지 않도록 주의하며 내이도 상방의 뼈를 삭개하여, 안면신경이나 와우신경을 온존하는 것이 가능하다.
- 통상적으로, 후두개와로의 진전이 10mm 이하이면서 청력의 온존을 고려하는 증례에 적용하는 것이 좋다. 특히 내이도 내의 소종양의 적출에 적합하다.
- 이비인후과, 뇌신경외과 쌍방에서 선택한다.

【후두하법 (후S상동법)】 (그림 27-2)

- 이후부에서 후두부로 절개하여, S상정맥동의 후방을 개두하고, 소뇌 외측면을 후방으로 이동시켜서 후두개와측부터 종양으로 접근하는 수술방식이다.
- 내이도 후방의 뼈를 삭개함으로써, 내이도 내의 종양을 처리할 수 있지만, 내이저측의 처치가 다소 어렵다.
- 중두개와법과 마찬가지로, 안면신경이나 와우신경을 온존할 수 있다.
- 거대한 것에서 소종양까지 여러 크기의 종양에 적용할 수 있다.
- 주로 뇌신경외과에서 선택한다.

이 수술방식을 선택했을 때, 술중에 안면신경자극장치에 의한 안면신경모니터링을 실시하면, 안면신경을 온존할 수 있는 확률이 더욱 높아진다. 또 청력의 온존을 시도하는 중두개와법과 후두하법에서는 ABR이나 와전도 등에 의한 청각모니터링을 실시하면서 수술을 진행하면, 와우신경을 온존할 수 있는 확률이 더욱 높아진다.

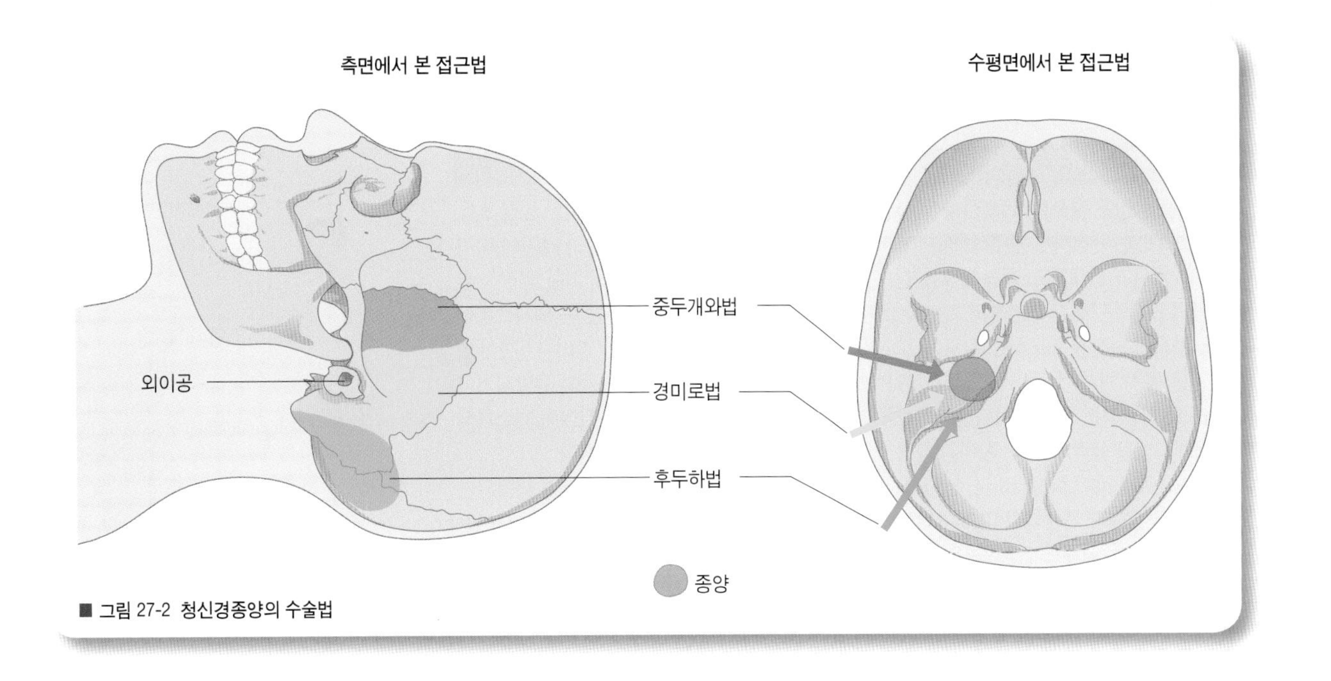

■ 그림 27-2 청신경종양의 수술법

청신경종양의 병기 · 병태 · 중증도별로 본 치료흐름도

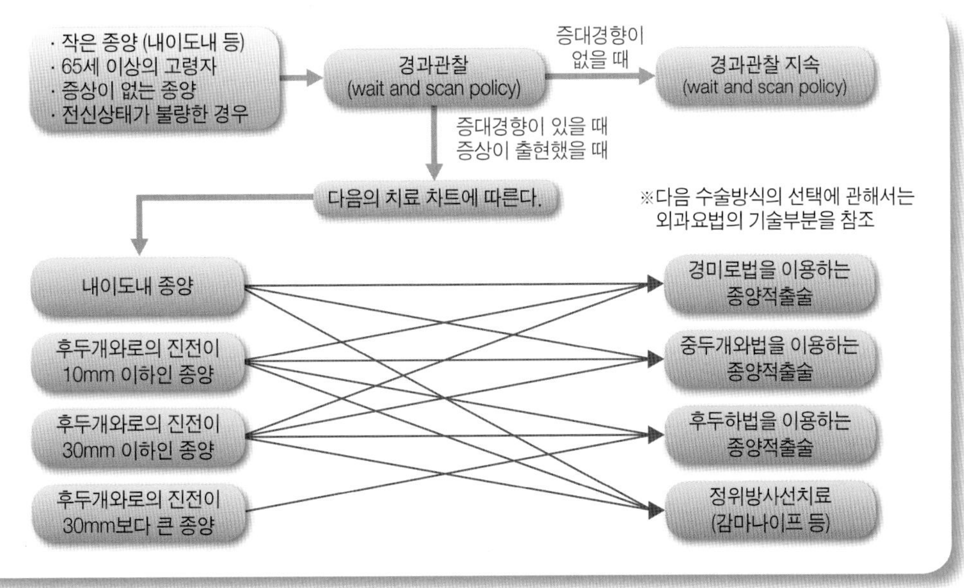

(杉本太郎)

환자케어

경과를 관찰하는 경우에는 일상생활상의 위험회피, 증상의 변화시 대처법을, 수술이나 방사선치료를 받는 환자에게는 수술후 합병증의 예방과 조기발견 · 대처법을 지도한다.

병기 · 병태 · 중증도에 따른 케어

【급성기】 가장 빈발하는 증상은 청력장애로, 전화상에서 목소리가 한쪽만 들리는 정도의 경미한 증상에서, 일상생활에 지장을 초래하는 난청까지, 질환의 진행에 따라서 정도가 여러 가지이다. 종양의 크기에 따라서 압박하는 뇌신경의 범위가 확대되고, 청력저하 (난청)가 진행되어 감각장애 (청각장애)에 의한 정신적 혼란이 생기므로, 증상의 관찰 뿐 아니라, 환자의 기분을 표현할 수 있도록 느긋하게 대화하는 등 의사소통에 관한 연구 · 지지나, 환자의 안전을 도모하는 지원이 필요하다. 또 증상이 진행되면, 안면신경이나 3차신경, 설인 · 미주신경에 영향을 미쳐서, 표정이 일그러지거나 섭식연하장애가 생기는 등, 불쾌감이 유발되거나 일상생활의 어려움으로 직결되는 증상이 나타난다. 각 증상에 대해서, 일상생활에 미치는 지장이 최소화되도록 연구하거나, 대체방법을 생각하는 등, 환자와 함께 생각하고 극복해 가는 자세가 중요하다.

【만성기】 대부분은 수술로 종양이 적출되거나, 방사선치료로 종양의 최소화가 도모되어, 청력이 회복되는 경우가 많다. 드물게 청력장애가 개선되지 않거나 악화되고, 또 수술 전에는 없었던 다른 증상이 출현하는 등, 환자로서는 수용하기 힘든 경우도 있을 수 있으므로, 증상을 주의깊게 관찰하여 조기발견 · 대처로 연결한다(그림 27-3). 그와 같은 상황에서는 치료에 대한 순응도가 저하되기 쉬우므로 심리적 케어도 충분히 배려한다.

【회복기】 청력장애 등의 증상이 장기화된 경우 생활환경 (물리적 · 심리적 · 인적 환경)을 조정하며 일상생활을 쉽게 할 수 있는 방향으로 조언 · 지지한다.

케어의 포인트

진료 · 치료시의 개입

- 치료의 선택사항 (수술, 방사선치료, 경과관찰 등)을 환자 · 가족과 함께 확인하고, 각각의 이점과 단점을 인식한 후에 치료법을 선택할 수 있도록 돕는다.
- 수술 시에는 수술후 합병증의 예방, 조기발견이 가장 중요한 포인트이다.
- 방사선치료인 경우 수십 회에 걸쳐서 계속될 것을 알리며 특히 통원치료를 선택한 경우는 계속적으로 통원할 수 있도록 환자 · 가족을 포함하여 지지한다.
- 누액분비가 저하되었을 때는 정시적 · 계속적 점안을 할 수 있도록 지지한다.

일상생활행동의 지지

- 난청으로 청각을 통한 정보수집이 어려운 점을 배려하고, 부족한 셀프케어를 지지한다.
- 언어적 의사소통 이외의 방법에 의한 정보교환의 수단을 확립한다.
- 현기증이나 보행이 어려울 때는 셀프케어를 보충하고, 증상이 안정되면 서서히 생활행동범위를 넓힌다.
- 수면장애가 있는 경우, 입면촉진 등 수면에 대한 지지를 제공한다.

영양 및 수분섭취를 위한 지지

- 연하장애가 있는 경우, 음식의 선택이나 조리법을 연구한다.
- 저작 · 연하장애의 내용 · 정도에 맞추어 지원 · 지도한다.
- 식욕이 없을 때에도 경구섭취할 수 있도록 음식의 대체나 조리법을 연구한다.

환자 · 가족의 심리 · 사회적 문제에 대한 지지

- 청력장애나 언어적 의사소통의 장애 등, 헤아릴 수 없는 불안이나 불만을 안고 있는 것을 이해하고 수용한다.
- 자택의 환경을 배려하여 일상생활상의 동작을 연구한다.
- 요양이 장기적이므로 진행방지를 위해서 작은 증상의 변화도 간과하지 말고 진찰 받을 것을 가족들도 이해하게 한다(재택요양인 경우).

퇴원지도 · 요양지도

- 가정에서 편안한 요양환경을 유지하기 위한 방법을 환자 · 가족과 함께 생각한다.
- 현기증 등으로 인해 낙상할 위험성이 있는 경우에는 자택의 구조를 고려하여 위험을 피하는 방법을 환자 · 가족과 함께 생각한다.
- 증상이 악화되거나, 지금까지 없는 증상이 출현한 경우는 바로 진찰 받도록 지도한다.
- 이용할 수 있는 사회자원에 관한 정보를 제공하고, 이용을 권장한다.
- 환자 · 가족이 각각 가정 내에서 담당하는 역할을 확인하고, 환자의 요양생활을 지원하기 위하여 인적환경을 조정한다.

(茂野香おる)

청력저하

안면마비, 안면의 저림

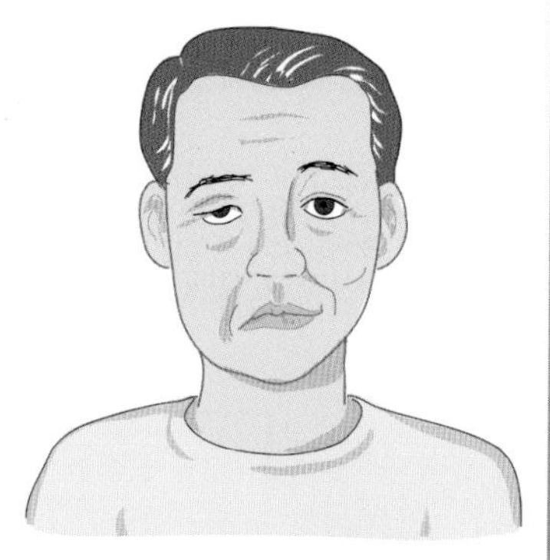

현기증, 휘청거림

■ 그림 27-3 여러 가지 증상

28 후두암 (laryngeal cancer)

杉本太郎·岸本誠司/小原　泉

전체 map

병인

- 상세한 병인은 불분명하지만, 외적요인의 관여가 크다.
- 사람유두종바이러스에 의한 발암도 있다.
- 흡연, 음주, 비위생적인 구강환경, 경부로의 방사선조사

역학

- 이환율은 인구 10만명당 3~4명이다.
- 남성에게 여성의 10배로 발생하고 50~70대에 많으며, 환자의 90% 이상이 흡연자

[예후] 두경부암 중에서는 비교적 예후가 양호하다.

병태생리

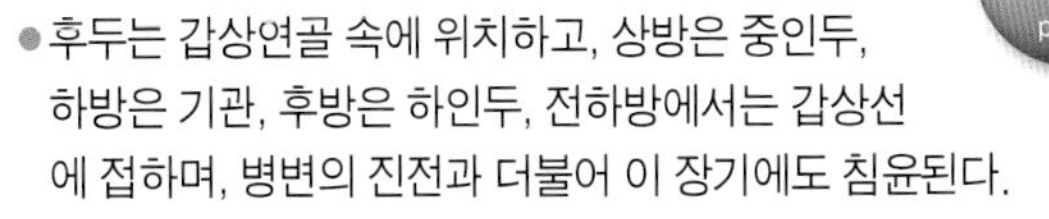

- 후두내강을 덮는 점막상피에서 발생하는 편평상피암이다.
- 후두는 갑상연골 속에 위치하고, 상방은 중인두, 하방은 기관, 후방은 하인두, 전하방에서는 갑상선에 접하며, 병변의 진전과 더불어 이 장기에도 침윤된다.
- 후두암 중 성문암은 60~70%, 성문상암은 약 30%를 차지하며 성문하암은 2% 정도이다.

병태생리 map p.214

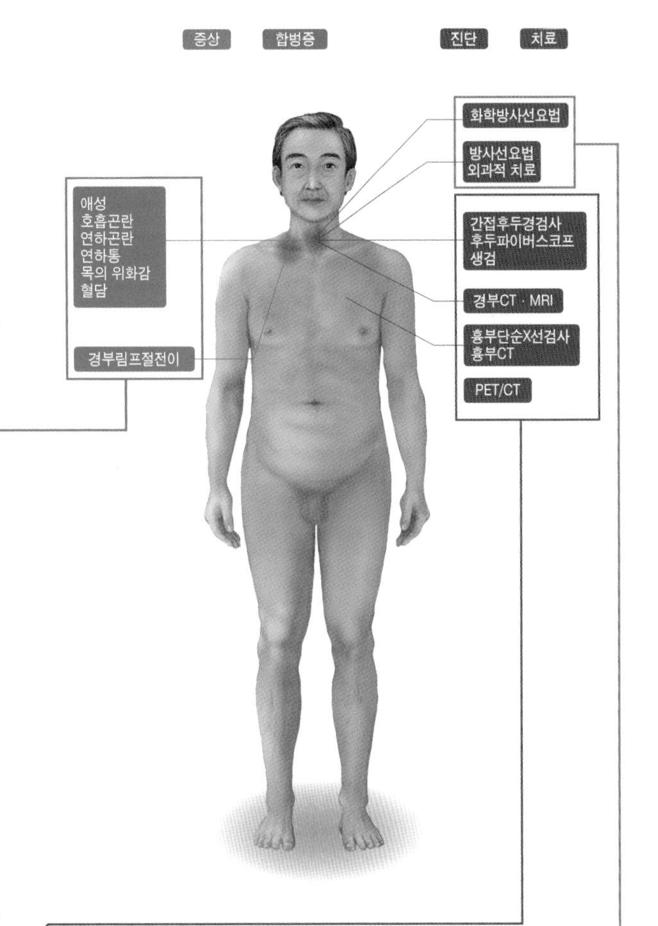

증상

증상 map p.246

- 성문암 : 애성(쉰 목소리), 진행되면 호흡곤란, 혈담.
- 성문상암, 성문하암 : 목의 위화감, 연하통, 가래가 걸린 느낌. 진행되면 애성, 호흡곤란이 나타난다.
- 성문암에 비해서 성문상암, 성문하암은 경부림프절전이의 빈도가 높다. 또 증상의 발현이 느리므로 암이 증대되고 나서 내원하며, 호흡곤란이 초발증상이 되기도 한다.

진단

진단 map p.246

- 시진 : 간접후두경이나 후두파이버스코프를 사용하여 병변의 진전범위, 후두마비의 유무를 관찰한다.
- 촉진 : 경부림프절전이의 유무 등을 확인한다.
- 병리조직검사 : 국소마취하에 병변의 일부를 채취 (생검)하고, 병리조직진단을 시행하여 진단을 확정한다.
- 영상진단 : 흉부 단순X선, 흉부 CT, PET/CT 등으로 암의 진전도를 평가하여 병기를 분류한다.
- 병기 분류 : Ⅰ~Ⅳ기로 분류된다. Ⅰ기와 Ⅱ기는 조기암, Ⅲ기와 Ⅳ기는 진행암이다.

치료

치료 map p.247

- 치료방침 : 후두암을 근치할 수 있는 약물은 존재하지 않으므로 외과적 치료나 방사선요법, 화학방사선요법을 선택한다.
- 외과적 치료 : 원발부위의 수술 (후두부분절제술, 후두아전적출술, 후두전적출술)과 경부림프절전이수술(경부곽청술)로 크게 나뉜다. 후두부분절제술에는 레이저절제술, 후두절개술, 후두수직부분절제술, 후두수평부분절제술이 있다.
- 방사선요법 : 조기암에 실시하며, 진행암에서는 수술 후에 추가하기도 한다.
- 화학방사선요법 : 항암제와 방사선요법의 동시병용은 진행암에서 후두를 온존할 수 있는 선택사항으로서 중요하다.

병태생리 map

후두암은 대부분이 점막상피에서 발생하는 편평상피암으로, 「소리를 내는 곳」에 생기는 성문암이 60~70%를 차지한다.

- 후두암은 동물에서는 거의 확인되지 않는, 인간 특유의 대표적인 악성질환이다. 고령자에게 발생빈도가 높아서, 사회의 고령화와 더불어 이환수가 점증하면서 문제가 되는 암이다.
- 후두암은 그 대부분이 후두내강을 덮는 점막상피에서 발생하며, 병리조직형은 98% 이상이 편평상피암이다. 선암, 선양낭포암 등 선조직에서 유래하는 암도 존재하지만 매우 드물다.
- 후두는 이른바 「결후(adam's apple)」를 형성하는 갑상연골 속에 위치한다. 상방은 중인두, 하방은 기관, 후방은 하인두에 각각 연결되며, 전하방에서는 갑상선에도 접하고 있어서, 병변이 진전됨에 따라서 이 장기로도 침윤되는 경우가 있다.
- 후두의 가장 중요한 기능인 발성을 담당하는 성대는 갑상연골의 중앙이나 다소 하방에 위치하며, 성문이라고도 한다. 크게 나누어 성문보다 상방을 성문상, 하방을 성문하라고 한다.
- 후두암의 일반적인 이미지는 소리를 내는 곳(성문)의 암이지만, 후두암=성문암이 아니며, 성문상암이나 성문하암은 후두암에 속한다. 그 비율은 성문암이 60~70%, 성문상암이 약 30%, 성문하암은 매우 적어서 2% 정도이며, 제각기 병태가 다르다. 상세한 내용은 증상 map에 기재하였다.

병인·악화인자

- 후두암의 상세한 병인은 불분명하지만, 외적요인의 관여가 크다. 특히 흡연은 최대의 위험인자로, 그 만성적인 자극이 발암의 유인이 된다.
- 하루 흡연대수와 흡연연수를 곱한 브링크만지수(Brinkman index)가 하나의 지표가 되며, 600 이상이 위험역이다. 또 음주나 비위생적인 구강환경도 관계되는데, 특히 성문상암과 관계가 깊다. 경부로의 방사선조사 기왕력도 발암인자가 될 수 있다(통상적인 잠복기는 20~30년으로, 일반적으로 방사선유발암이라고 한다).
- 사람유두종바이러스에 의한 발암도 알려져 있으며, 특히 흡연력이 없는 환자의 후두암 발생에 깊이 관여한다. 또 전암병변인 후두백판증의 암화에도 주의해야 한다.

역학·예후

- 후두암은 전 악성종양의 1~5%를 차지하며, 세계적으로 보면 이환율은 지역차가 크다.
- 남성은 스페인, 프랑스, 이탈리아, 브라질 등에 많고, 여성은 미국, 인도 등에 많다. 일본은 세계적으로 보면 남녀 모두 이환율이 가장 낮은 지역에 속한다.
- 일본에서의 이환율은 인구 10만명당 3~4명 정도이고, 남성은 여성의 10배정도로 발생하며 50~70대에 많다. 환자의 90% 이상은 흡연자이다.
- 애성 등의 증상이 나타나기 쉬우며, Ⅰ, Ⅱ기의 조기암 (병기분류의 상세한 내용은 후술)으로 발견되는 비율이 약 70%를 차지한다.
- 전체의 5년생존율은 70~80%로, 두경부암 중에서는 비교적 예후가 좋다. 그러나 진행암에서는 후두를 전적출하며, 생명예후가 좋아도 음성기능을 상실해 버리므로, 조기발견 · 조기치료가 중요하다.

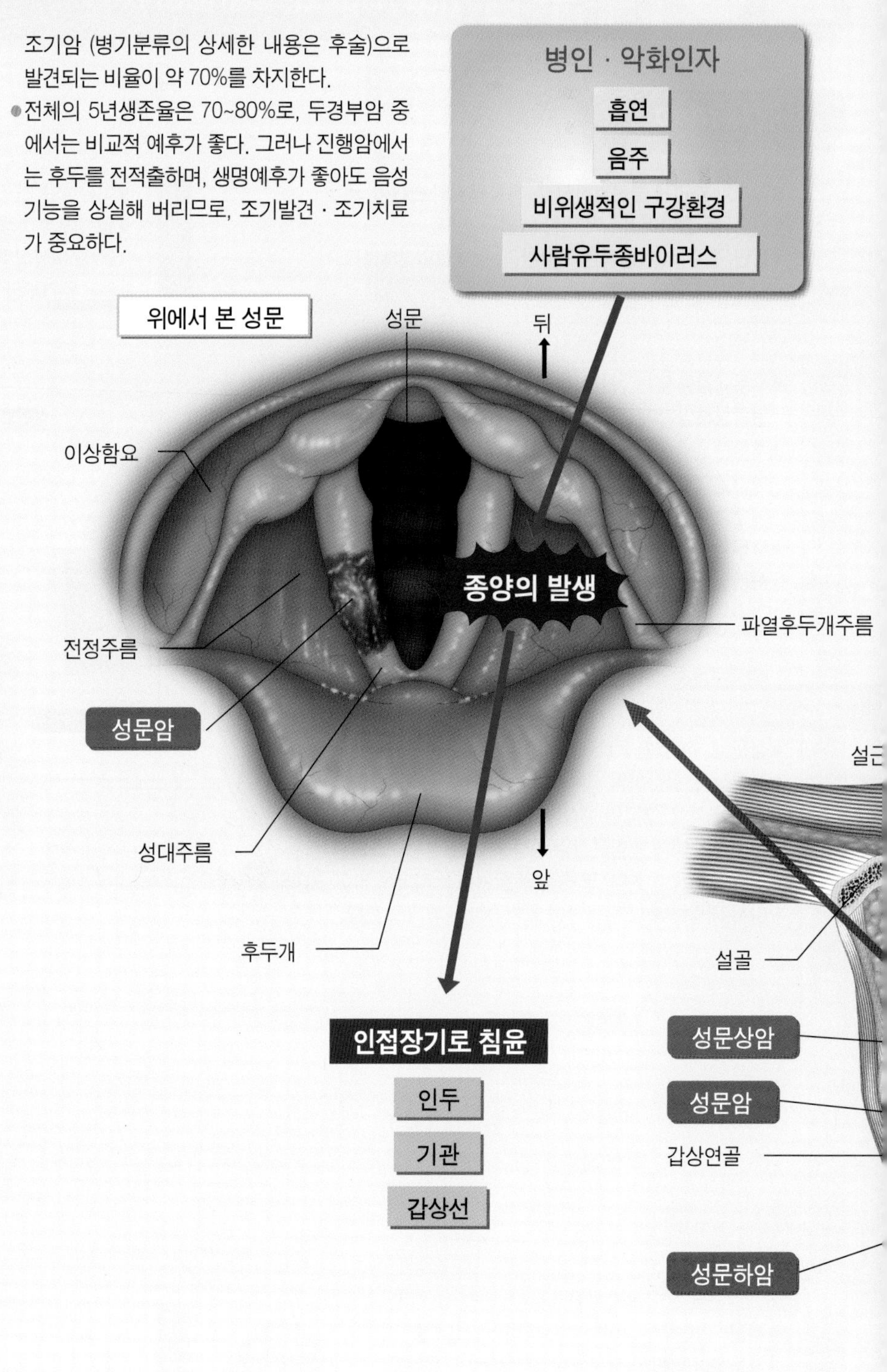

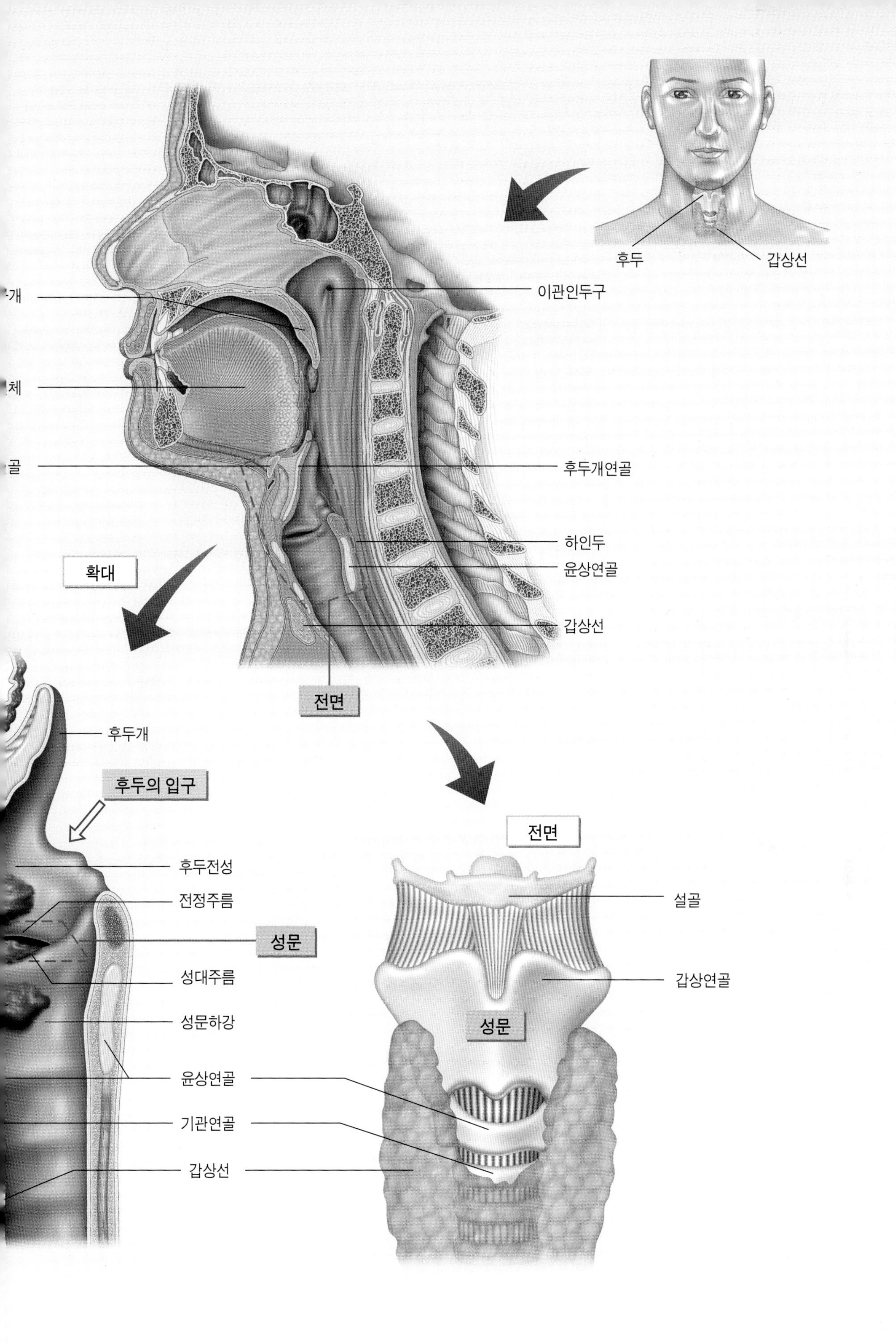
후두
갑상선
이관인두구
후두개연골
하인두
윤상연골
갑상선
확대
전면
후두개
후두의 입구
후두전성
전정주름
성문
성대주름
성문하강
윤상연골
기관연골
갑상선
전면
설골
갑상연골
성문

28 후두암

후두암

증상 map

성문암에서는 애성이, 성문상암과 성문하암에서는 목의 위화감, 연하통, 가래가 걸린 느낌 등의 증상이 나타난다. 성문하암에서는 무증상으로 경과하기도 한다.

증상

- 후두는 발성, 기도의 형성, 흡인방지 등의 기능을 담당하는데, 후두암으로 인해 이 기능에 장애가 생기게 되고, 그 결과 애성, 호흡곤란, 연하곤란 등의 증상이 나타나게 되는데, 부위별로 증상이 다르다.
- 가장 많은 성문암에서는 거의 모든 증례에서 애성이 확인된다. 암이 진행되면 애성이 악화되고, 더욱 진행되면 성문이 좁아져서 호흡곤란이 나타난다. 또 암이 증대되면 가래에 혈액이 섞이기도 한다. 경부림프절전이는 적다.
- 성문상암 · 성문하암은 초기에는 애성이 잘 확인되지 않고, 목의 위화감, 연하통, 가래가 걸린 느낌 등을 호소할 뿐이어서, 진단이 늦어지기 십상이다. 암이 성문방향으로 진전되면 애성이 출현 · 악화되고, 성문이 좁아져서 호흡곤란이 나타난다. 성문암에 비해서 경부림프절전이의 빈도가 높다. 호흡곤란이나 경부림프절전이가 초발증상이 되기도 한다.
- 성문하암에서는 무증상으로 경과하다가 갑자기 호흡곤란을 주로 호소하며 내원하고, 암을 치료하기 전에 우선 기관절개에 의한 기도확보가 필요한 경우도 있다.

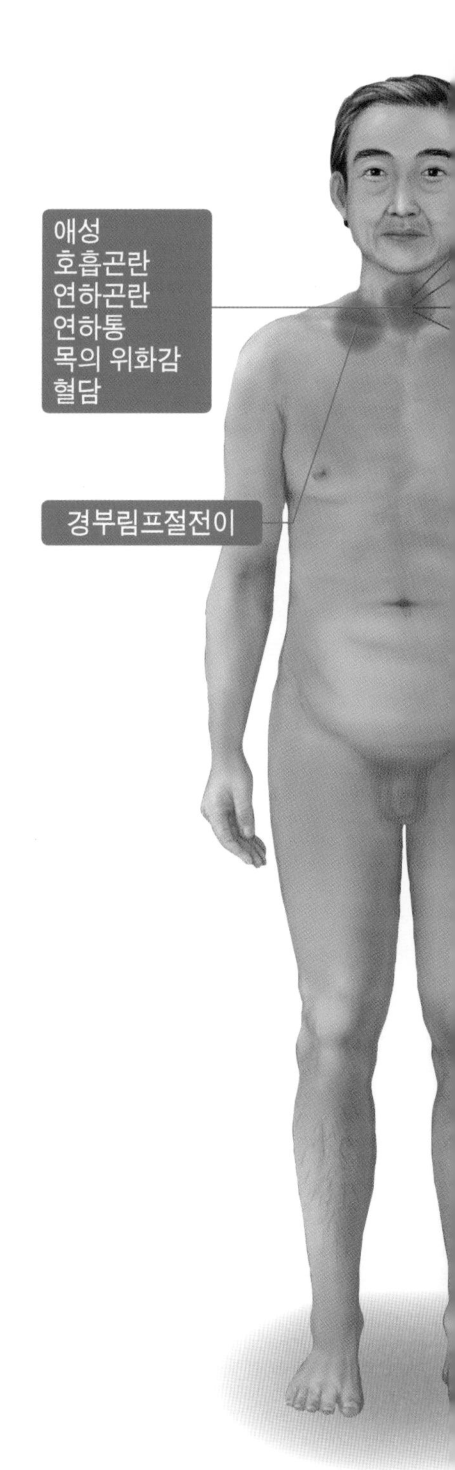

후두암

진단 map

간접후두경이나 후두파이버스코프에 의한 시진, 경부림프절의 촉진으로 진단하며, 생검으로 진단을 확정한다.

진단 · 검사치

- 후두암의 진단에는 우선 간접후두경이나 후두파이버스코프에 의한 시진과 경부림프절의 촉진이 행해진다.
- 시진에서는 병변의 진전범위, 후두마비의 유무 등을 흔히 관찰한다.
- 촉진에서는 림프절전이의 유무와 그 수 · 존재부위의 확인, 암의 후두외로의 진전의 유무를 확인한다.
- 후두암이 존재하는 경우, 객담세포진의 양성률이 높지만, 이것이 후두암 발견의 계기가 되는 경우는 적다.
- 후두에서 병변이 확인되면, 외래에서 국소마취하에 병변의 일부를 채취 (생검)하고, 병리조직진단을 실시하여 진단을 확정한다. 후두반사가 심하여 외래에서 생검하기가 어려운 경우는 전신마취하에서 생검하기도 한다.
- 후술하는 암의 병기분류는 암의 진전정도를 나타내는 것으로, 치료방침의 결정에도 관여한다. 그를 평가하기 위해서 흉부 단순X선, 흉부 CT 등의 영상진단을 실시한다. 최근에는 PET/CT에 의한 병변의 평가도 행해진다.
- 암이 성대에 있으면 그 부위의 점막진동이 결여되므로, 조기암의 진단에 후두스트로보스코피 (stroboscopy)가 유용하다.
- 병기분류
- 후두암의 병기분류는 다른 암과 마찬가지로, 원발소의 진전정도 (T분류), 경부림프절전이의 정도 (N분류), 원격전이의 유무 (M분류)의 종합평가에 따라서 결정된다.
- 원발소의 진전정도는 T1~T4의 4단계로 분류된다. T1성문암은 편측 성대에만 병변이 존재하는 T1a와 양측 성대로 병변이 확대되는 T1b로 분류된다.
- 편측 성대가 고정되어 있는 경우는 T3이 된다. T4는 추전간극 · 종격 · 경동맥 주위로 침윤되는 T4b와 거기까지는 진전되지 않지만 후두의 테두리를 넘어서 진전되는 T4a로 분류된다.
- 경부림프절전이의 정도는 크기, 개수에 따라서 N0~N3의 4단계로 분류된다(N분류).
- 원격전이의 유무는 없음의 M0과 있음의 M1로 분류된다.
- 병기를 간단히 정리하면 다음과 같다. 개요는 표 28-1에 정리하였다. 상세한 내용은 별도로 발행되어 있는 「두경부암 취급규약 2005년 10월 개정 제4판 (金原출판)」을 참조하기 바란다.

【Ⅰ기 · Ⅱ기 (조기암)】

- 경부림프절전이도 원격전이도 되어 있지 않고, 암의 원발소가 국한되어 있는 상태.
- 원발소가 후두의 1아부위 (후두 속의 더욱 상세한 분류, 예를 들어 성대 · 후두실 · 가성대는 각각 1아부위)에 머물러 있는 것을 Ⅰ기, 인접 아부위로 진전되어 있지만 후두 내에 머물러 있는 것을 Ⅱ기라고 한다.

진단 치료

화학방사선요법

방사선요법
외과적 치료

간접후두경검사
후두파이버스코프
생검

경부 CT · MRI

흉부 단순X선검사
흉부 CT

PET/CT

【Ⅲ · Ⅳ기 (진행암)】

- 암의 원발소가 크거나, 성대운동이 제한되어 있거나, 원발소가 작아도 경부림프절전이가 있는 상태이다.
- 편측 성대가 움직이지 않거나, 3cm보다 작은 경부림프절전이를 1개 확인하고, 암이 후두에 국한되어 있는 것 등을 Ⅲ기, 원발소가 후두의 테두리를 넘어서 인두나 경부로 진전된 것이나, 경부림프절전이가 1개라도 원발소의 반대측에 있는 것, 다발되어 있는 것, 6cm 이상인 거대한 것을 Ⅳ기 (ⅣA기, ⅣB기)라고 한다. 물론, 원격전이가 있는 경우는 Ⅳ기 (ⅣC기)가 된다.
- 검사치
- 특징적인 검사치 이상은 없다. 증례에 따라서 SCC항원이나 CYFRA 등의 종양표지자가 상승하기도 한다.

■ 표 28-1 후두암의 병기분류

	T분류	N분류	M분류
Ⅰ기	T1	N0	M0
Ⅱ기	T2	N0	M0
Ⅲ기	T1 or T2	N1	M0
	T3	N0 or N1	M0
ⅣA기	T1 or T2 or T3	N2	M0
	T4a	N0 or N1 or N2	M0
ⅣB기	T4b	N에 관계없이	M0
	T에 관계없이	N3	M0
ⅣC기	T, N에 관계없이		M1

(일본두경부암학회 : 두경부암 취급규약, 2005년 10월 개정 제4판, 金原출판, 2005)

후두암치료에는 방사선요법이나 외과적 치료 (레이저수술 포함), 또는 이것을 병용한 치료법을 시행해 왔는데 최근에는 화학방사선요법이 행해지고 있다.

치료방침

- 외과적 치료는 원발부위의 수술과 경부림프절전이의 수술로 크게 나뉜다.
- 원발부위의 수술은 원발부위의 주변만을 절제하는 후두부분절제술과 후두를 모두 적출하는 후두전적출술로 나뉜다(그림 28-2).
- 경부림프절전이에는 전이림프절을 주위의 지방조직과 함께 적출하는 경부곽청술이 행해진다. 편측과 양측 어느 쪽의 곽청술을 시행하는가는 증례에 따라서 결정한다.
- 조기암에서는 방사선요법 또는 외과적 치료 (주로 후두부분절제술/레이저수술 포함), 진행암에서는 외과적 치료 (주로 후두전적출술)를 하는 경우가 많다.
- 조기암 치료에서 방사선과 수술 (후두부분절제술)의 2가지 선택사항이 있는 경우는 연령, 전신상태, 직업, 환자의 희망 등을 고려하여 결정한다. 특히 젊은 층에서는 장래 방사선유발암의 발생을 고려하여, 통상적으로 외과적 치료를 선택한다.
- 진행암에서는 다발의 경부림프절전이가 있는 증례 등을 중심으로 수술후 방사선요법이 추가로 행해지기도 한다.
- 최근, 종래에는 표준치료로 후두전적출술이 행해졌던 진행암이나 절제불능암을 중심으로 항암제와 방사선요법을 동시병용하는 화학방사선요법이 흔히 행해지게 되어, 후두를 온존할 수 있는 근치치료의 선택사항으로 중요한 위치를 차지하고 있다. 그러나 화학방사선요법 후의 잔존례나 재발례에는 여전히 수술요법 (이 경우는 구제수술이라고 총칭한다)이 중요한 치료법이라는 점에는 변함이 없다. 또 화학방사선요법 후의 수술에서는, 첫회 치료로 수술을 하는 증례와 비교하여, 누공 등의 수술후 합병증이 많으므로 주의해야 한다.
- 이미 치료를 했는데도 재발하여 근치에 이르는 추가치료가 불가능한 증례 등에는 적극적인 치료는 하지 않고, 환자의 QOL을 가능한 유지할 만한, 항암제 내복 등에 의한 비교적 부작용이 적은 화학요법이 행해지기도 한다(종양휴면요법).

약물요법

- 단독으로 후두암을 근치할 수 있는 약물 (항암제)은 현재 존재하지 않는다. 외과적 치료나 방사선요법과 병용하여 사용한다.

Px 처방례

- 내복 : TS-1, 테가푸르 · 우라실 (UFT) 등
- 점적 : 시스플라틴, 탁소텔, 플루오로우라실 (5-FU) 등

외과적 치료

【후두부분절제술】

- 레이저절제술, 후두절개술에 의한 성대절제술, 후두수평부분절제술 · 후두수직부분절제술 등이 있다.
- 주로 조기암에 적용하며, 발성기능을 온존하면서 암을 후두의 일부와 함께 적출하는 수술방식이다.
- 통상적으로, 레이저절제술, 후두절개술, 후두수평부분절제술 · 후두수직부분절제술의 순으로 절제범위가 커진다.
- 절제범위가 커질수록, 수술 후에 흡인을 쉽게 일으킨다. 통상적으로는 먹는 방법의 연구 등 재활치료로 개선되지만, 아무리 해도 개선되지 않는 경우는 후두전적출술을 적용한다. 그러나 후두부분절제술의 적용은 신중히 결정해야 하며, 나중에 후두전적출술을 하면 된다고 쉽게 부분절제를 선택해서는 안된다.
- 최근 들어 방사선요법이나 화학방사선요법 후의 잔존 · 재발에 대한 구제수술로 행해지는 경우가 많아졌다.

【후두아전적출술】

- 윤상연골보다 상방인 후두조직을 갑상연골과 함께 적출하여, 설골과 윤상연골을 봉축하는 수술방식이다.
- 통상적으로 후두부분절제술보다 넓은 범위를 적출하여, 성대가 적출되지만 잔존하는 파열부 등의 조직의 진동으로 발성이 가능하다. 단, 적응이 가능한 증례는 한정되어 있다.

【후두전적출술】

- 후두를 설골이나 기관륜 상방과 함께 전적출하는 수술방식이다.
- 기관의 절제단은 흉골상연의 피부에 봉합되어, 영구기관공이 된다. 인두점막은 한꺼번에 봉합되어, 기도와는 완전히 분리되므로 흡인이 일어나지 않는다.
- 근치성이 높은 수술방식으로 그 중요성이 높지만, 후두전적으로 음성기능이 영구히 상실되어 3급의 신체장애자가 된다. 또 코를 풀지 못한다, 배에 힘을 주지 못한다, 냄새를 맡지 못한다, 등의 기능상실이나 목욕도 가슴까지만 담글 수 있는 등의 불편함도 있어서, 시행하는 경우에는 충분한 설명과 환자의 이해가 필요하다.
- 술후에 식도발성법이나 전기후두발성법, 션트발성법 등으로 연습하여 음성으로 의사소통이 가능한 경우도 있다 (그림 28-3).

(오른쪽 성문암 T1aN0M0의 방사선치료)

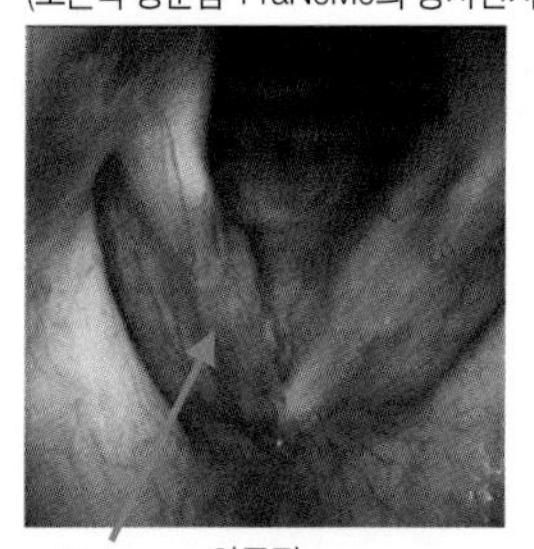

치료중

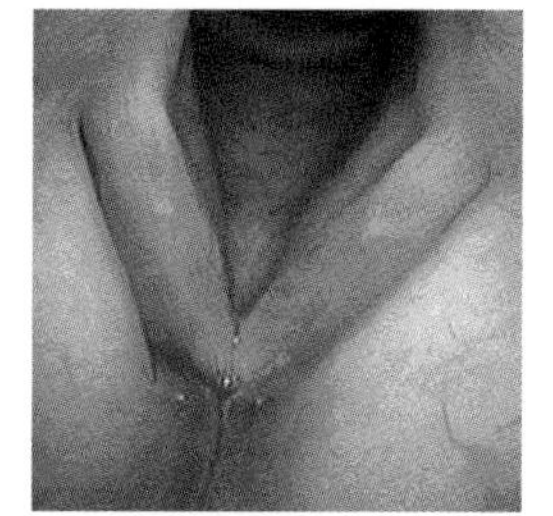

■ 그림 28-1 후두암의 치료경과

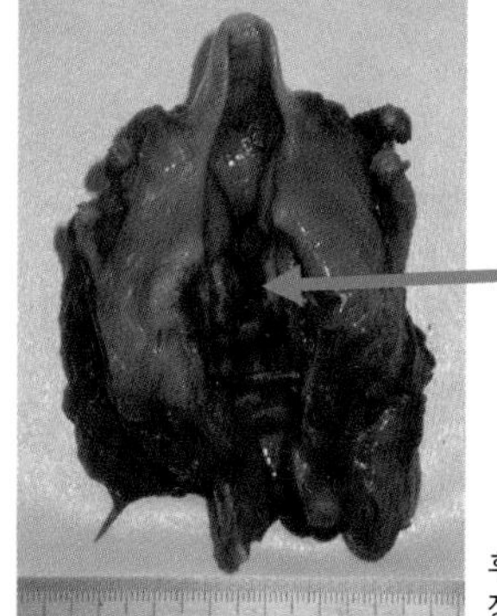

■ 그림 28-2 방사선요법 후의 재발례에 대한 후두전적출술의 적출표본

후두암의 병기 · 병태 · 중증도별로 본 치료흐름도

- 화학방사선요법의 도입 등으로, 최근 치료법의 선택사항이 다양해지고 있다. 그 균일화를 목적으로 「두경부암 진료가이드라인 2009년판」을 작성하였지만, 현 상황에서는 아직 시설간 치료법의 차이가 크다.
- 다음에 나타내는 것은 하나의 예시이다.
- 성문암, 성문상암, 성문하암으로 나누어, 각각 T분류, N분류에 따른 치료 알고리즘으로 표시하는 것이 바람직하지만, 너무 번잡하므로 여기에서는 모두 후두암으로 정리하고, T분류에 따른 원발소의 치료흐름도만을 나타냈다.
- 후두아전적출술은 생략하였다.
- 경부곽청술은 간략화를 위해서 기재를 생략하였다. 경부곽청술은 경부림프절전이가 존재할 때, 원발소의 치료와 동시에 또는 나중에 단독으로 각각 시행한다.
- 원격전이가 있을 때는 이 흐름도에서 벗어나서 완화치료를 하게 된다.

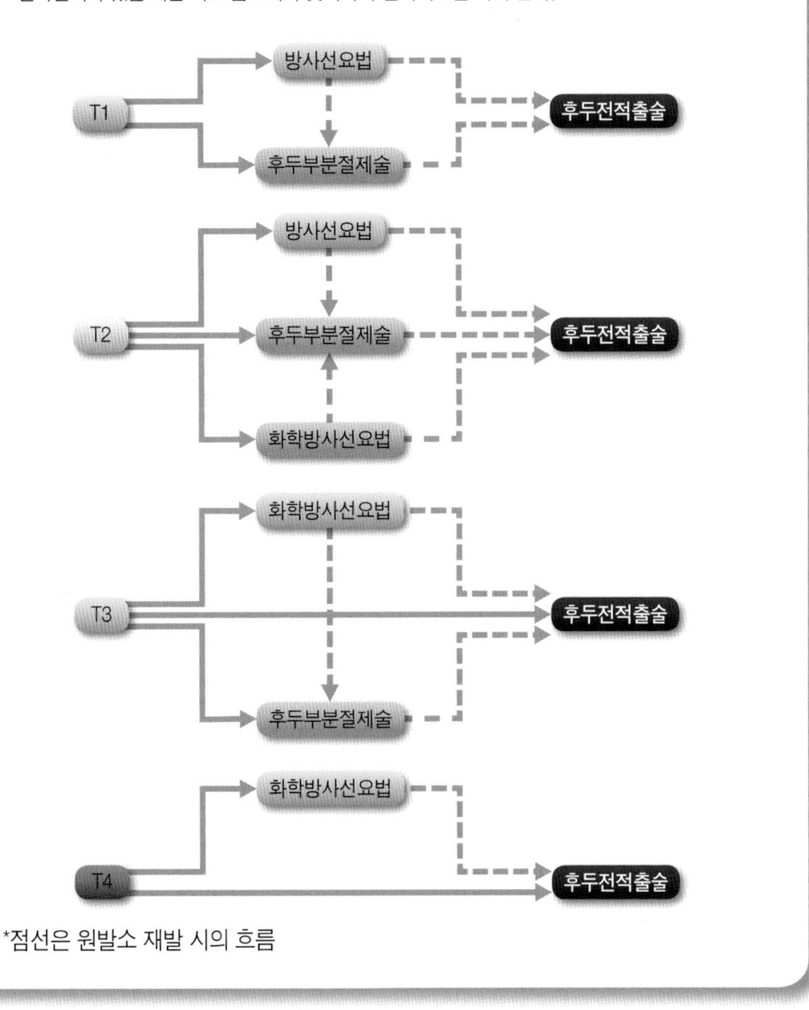

*점선은 원발소 재발 시의 흐름

(杉本太郎·岸本誠司)

1. 식도발성법

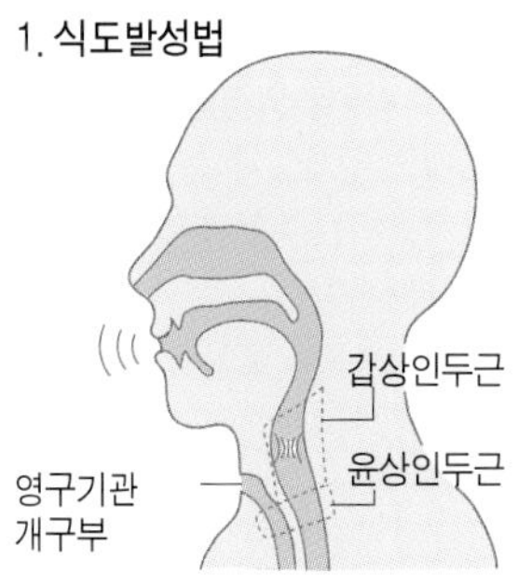

방법 : 공기를 입이나 코에서 식도 내로 들이마신 후 하인두로 역류시켜서 그 주변의 점막을 진동시킨다. 갑상인두근이나 윤상인두근 잔존부 부근이 새 성문이 된다.
장점/단점 : 도구가 불필요하다./상당한 훈련이 필요하며, 발성지속시간이 짧다.

2. 전기후두발성법

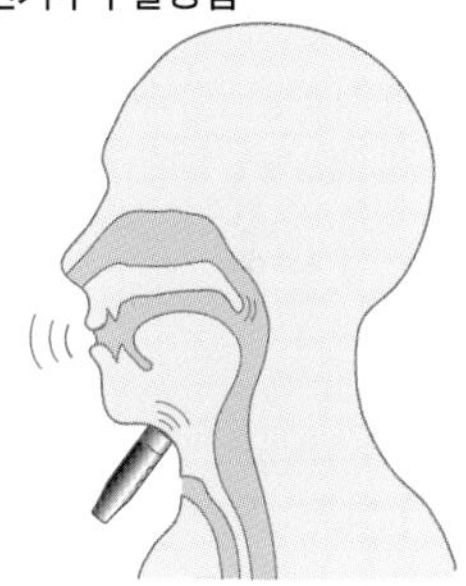

방법 : 전기후두를 경부에 대고 음원으로 하여, 구강 · 비강 내에서 공명시킴으로써 발성한다. 혀나 입 형의 소리가 난다.
장점/단점 : 특별한 훈련을 필요로 하지 않는다./기계적인 음질이다.

3. 션트발성법

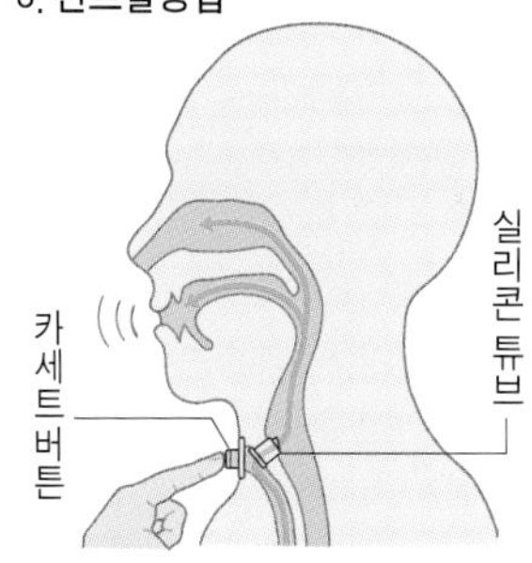

방법 : 기관과 식도 사이에 실리콘 튜브를 유치하여, 새로운 공기의 통로를 만든다. 영구기관공을 막아서 발성한다.
장점/단점 : 훈련이나 도구가 불필요하다. 기침이나 가래의 양을 억제할 수 있다. /수술이 필요하다.

■ 그림 28-3 발성방법의 특징

환자케어

질환, 수술이나 수술 후의 변화에 대한 수용, 수술후 합병증의 예방・조기발견, 의사소통장애, 경부외관의 변용, 생활의 재구축에 대한 케어를 실시한다.

병기・병태・중증도에 따른 케어

【진단기・수술전】 암진단을 수용하고, 기능형태장애를 수반하는 수술을 받는 것을 스스로 결정할 수 있도록 지지한다. 동시에 수술 후의 합병증 예방과 기능장애에 대한 신체적・심리적 준비를 촉구한다.
【수술후 급성기】 수술 후의 합병증 예방과 조기발견・회복을 위하여 간호한다. 실성(失聲)으로 인한 의사소통장애를 해결해야 수술후 환자의 요구를 파악할 수 있다. 수술 전부터 준비했어도 실제로 목소리를 잃고 영구기관개구부 조설로 경부의 외관이 변하면, 그 장애는 심각한 고통을 가져오므로, 환자의 심리상태를 배려한다.
【수술후 재활치료기】 대용음성 획득을 비롯하여 기능훈련을 실시하면서, 가정・사회로 복귀하여 생활을 재구축할 수 있도록 지지한다.

케어의 포인트

암진단 시의 간호
- 암진단으로 인한 환자・가족의 심리적 충격을 이해하고, 암에 효과적으로 대처해 갈 수 있도록 지지한다.
- 환자・가족이 있는 그대로 기분을 표출할 수 있도록 관계를 형성한다.

술전의 간호
- 선택할 수 있는 치료법에 관하여 충분히 정보를 제공하고, 납득한 상태로 치료에 임하도록 지지한다.
- 수술 후의 기능형태장애에 대처하기 위하여 심신을 추스린다.

의사소통장애에 대한 대응
- 필담이나 글자판을 사용할 때에는 환자가 침착하게 의사를 표시할 수 있는 분위기를 만든다.
- 비언어적인 의사소통방법도 활용한다.
- 대용음성 훈련에 적극적으로 임하도록 동기를 부여한다.
- 환자의 자존심이나 자기가치를 저하시키지 않는다.
- 가족이나 직장의 이해와 협력도 요청한다.

셀프케어의 지지
- 환자가 스스로 할 수 있는 일과 할 수 없는 일을 분별하도록 지지한다.
- 기능장애의 원인이나 앞으로의 전망을 환자・가족에게 정보를 제공하여, 불안을 완화한다.
- 할 수 있게 된 것을 확인하고, 셀프케어 확대에 대한 의욕을 높여서 생활의 재구축으로 연결한다.

환자・가족의 심리・사회적 문제에 대한 지지
- 술후의 기능형태장애에 대한 대처법을 설명하여, 환자・가족의 불안을 완화한다.
- 사람과의 교제나 직장으로의 복귀 등, 사회성이 회복되고 있는지 확인한다.
- 장애를 가진 채 생활에 적응할 수 있을 때까지 계속 간호한다.

퇴원지도・요양지도

- 환자・가족이 퇴원 후의 생활에 관하여 걱정하는 점, 불안하게 느끼는 점을 파악하고, 해결방법을 설명한다.
- 대용음성 훈련을 위하여 환자모임에 관한 정보를 수집해 둔다(주소지나 훈련스케줄 등). 수술전 또는 퇴원전에 견학하면 유용하다.
- 대용음성 습득에는 몇 개월~1년 정도 걸린다는 점을 전달하고, 끈기있게 훈련하도록 격려한다.
- 외출이나 사람과의 교제, 직장복귀 등, 사회생활의 범위를 적극적으로 확대하도록 촉구한다.
- 호흡곤란 등 긴급 시의 의료기관 연락처나 외래에서의 상담창구에 관한 정보를 제공한다.

(小原 泉)

29 설암 (tongue cancer)

角　卓郞·岸本誠司/小原　泉

전체 map

병인

- 병인으로 충치나 불량치아, 부적합의치 등의 혀에 대한 만성자극이 관여하고 있다.
- 전암병변으로 백판증, 홍판증이 있다.
- 흡연, 음주, 불결한 구강내도 관련이 깊다.

역학

- 남녀비는 2 : 1이며, 50대 이상에 많다.
- 연간 신규환자수는 약 3,000명이다.

[예후] Ⅲ기, Ⅳ기의 5년생존율은 30~50% 이다.

병태생리

병태생리 map p.252

- 혀에 발생하는 악성종양으로, 구강암 중에서 설암이 50%로 빈도가 가장 높다.

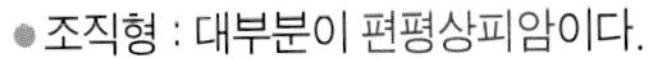

- 조직형 : 대부분이 편평상피암이다.

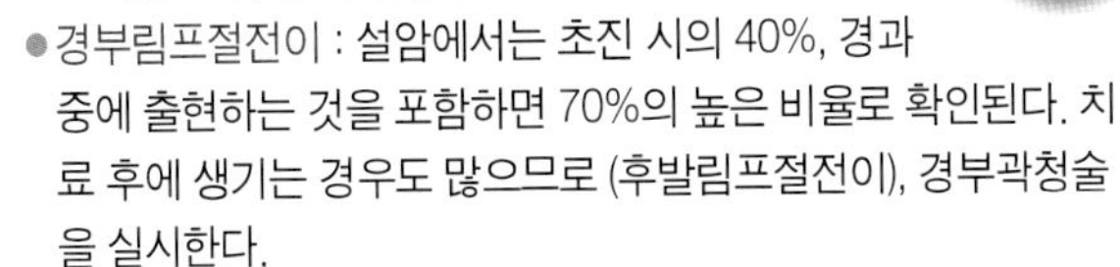

- 경부림프절전이 : 설암에서는 초진 시의 40%, 경과 중에 출현하는 것을 포함하면 70%의 높은 비율로 확인된다. 치료 후에 생기는 경우도 많으므로 (후발림프절전이), 경부곽청술을 실시한다.

증상

증상 map p.254

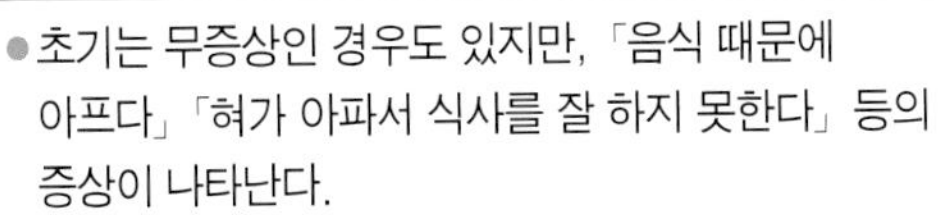

- 초기는 무증상인 경우도 있지만, 「음식 때문에 아프다」「혀가 아파서 식사를 잘 하지 못한다」 등의 증상이 나타난다.
- 진행되면 「얘기하기가 힘들다」「의치가 맞지 않는다」「출혈이 있다」 등의 증상이 나타난다.
- 경부림프절전이가 생기면 경부에 종괴가 확인된다.

[합병증]

- 연하장애, 구음장애, 개구장애
- 통증
- 출혈
- 경부림프절전이, 원격전이

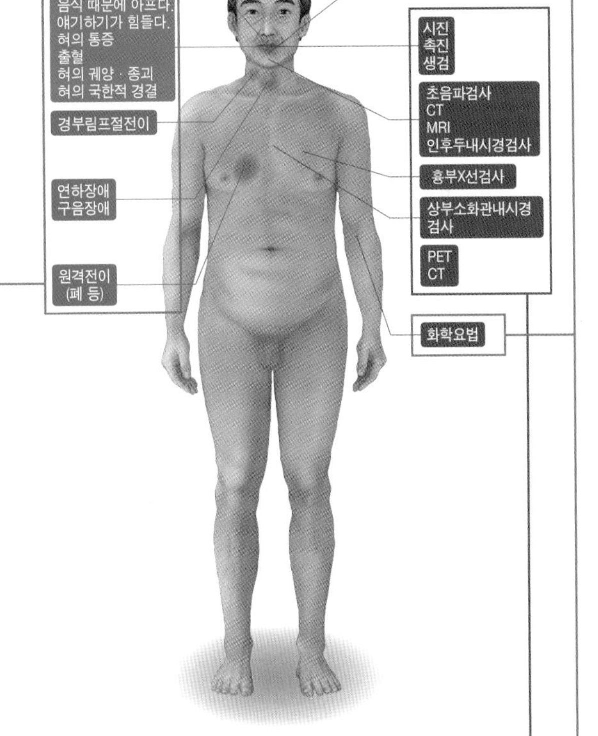

진단

진단 map p.254

- 시진 · 촉진 : 통증이 있으며, 경결이 수반되고 출혈성이 증가하는 종괴가 전형적이며, 표면에 괴사나 궤양을 수반하기도 한다. 혀의 측연에 발생하는 경우가 많다.
- 병리조직검사 : 진단의 결정은 생검으로, 확정은 생검에 의한 병리조직진단으로 한다.
- 영상검사 : 원발종양의 크기와 경부림프절전이의 유무는 초음파검사, CT, MRI로, 원격전이의 유무는 흉부 X선검사, 흉부 CT검사, PET/CT로 검사하여 병기를 결정한다.
- 인후두내시경, 상부 소화관내시경검사 : 다른 두경부암의 합병, 식도~위의 중복암의 유무를 검사한다.

치료

치료 map p.255

- 치료방침 : 외과적 치료가 기본이다.
- 외과적 치료 : 혀의 절제 [설부분절제술, 설가동부 반측절제술, 설가동부 (아) 전적출술, 설반측절제술, 설 (아) 전적출술] +재건술을 시행하는데, 경부림프절전이에는 경부곽청술을 적용한다.
- 방사선요법 : 조직내조사와 외조사가 있다.
- 화학요법 : 술전 · 술후의 보조치료나 재발시, 원격전이에 이용한다.
- 보조요법 : 통증에는 진통제를 투여하고, 경구섭취가 불가능한 경우에는 경관영양을 실시한다.

설암

병태생리 map

혀에 발생하는 악성종양이다. 3대 위험인자는 흡연 · 음주 · 혀에 대한 만성자극이다.

- 설암은 구강암 중에서 발생빈도가 가장 높으며, 조직형은 대부분이 편평상피암이다.

병인·악화인자

- 구강암의 위험인자로는 흡연과 음주를 들 수 있다. 또 의치나 충치의 혀에 대한 만성자극이나 불결한 구강내 등으로 인한 만성염증이 발생과 관련이 있다.
- 전암병변으로 백판증이나 홍판증이 있다.
- 최근에는 사람유두종바이러스 (HPV) 감염이 관여하고 있다.

역학·예후

- 구강암의 아부위별 빈도를 오른쪽 그림에 나타냈는데, 약 반수가 설암이다.
- 남녀비는 2 : 1이며, 50대 이상부터 고령자에게 호발하지만, 최근에는 50대 미만의 젊은층에게서도 증가하고 있다.
- 사회의 고령화와 더불어 환자실수가 증가하고 있으며, 설암의 연간 신규환자수는 약 3,000명이다.
- 예후는 병기에 따라서 다르다(진단map의 표 29-1, 2). Ⅰ기 · Ⅱ기의 5년생존율은 80% 정도로 비교적 예후가 양호하지만, Ⅲ기, Ⅳ기는 30~50% 정도로 저하된다.
- 설암에서는 경부림프절전이가 높은 비율로 확인된다. 초진 시에 이미 40%에서 확인되고, 경과 중에 출현하는 것을 포함하면 70%에 달한다. Ⅰ기 · Ⅱ기에서도 혀의 치료 후에 경부림프절전이가 생기는 경우가 많으며, 이것을 후발림프절전이라고 한다. 이 림프절전이에는 수술(경부곽청술)을 적용한다.
- 설암을 포함한 두경부암은 다른 두경부영역 (구강, 인두, 후두 등), 식도나 위, 폐에 새로운 암(중복암)이 합병되는 수가 많다. 그 때문에 이 중복암들의 조기발견도 예후의 개선에 중요하다.

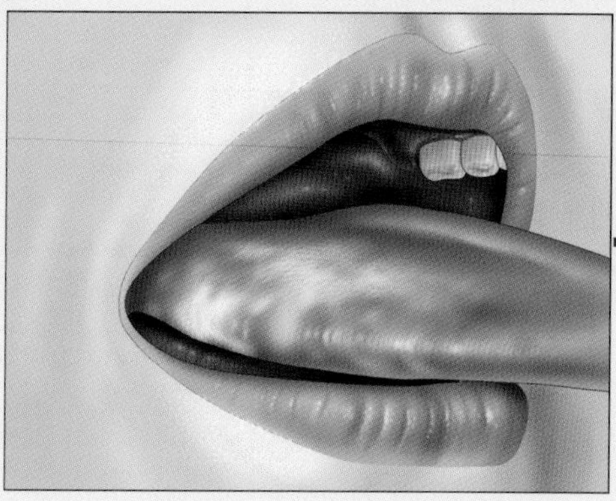
백판증 (전암병변)

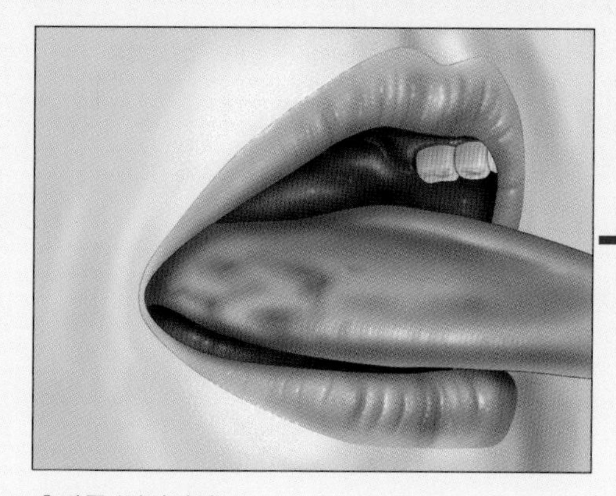
홍판증 (전암병변)

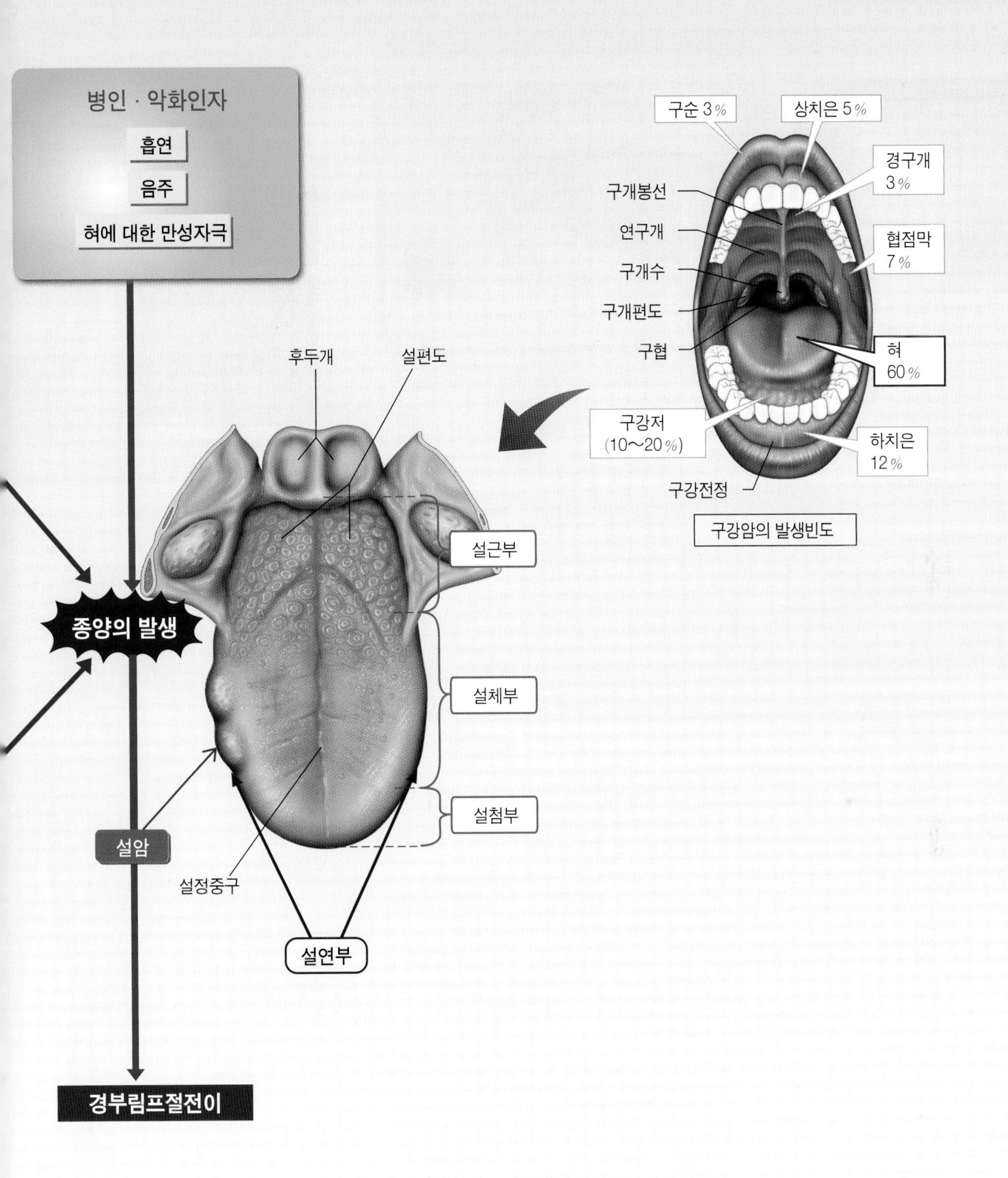
병인 · 악화인자
흡연
음주
혀에 대한 만성자극
종양의 발생
경부림프절전이
설암
후두개
설편도
설근부
설체부
설첨부
설정중구
설연부
구순 3%
상치은 5%
경구개 3%
구개봉선
연구개
협점막 7%
구개수
구개편도
구협
혀 60%
구강저 (10〜20%)
하치은 12%
구강전정
구강암의 발생빈도

설암

증상 map

식사할 때 혀가 아리고 음식 때문에 아프다고 느끼거나, 혀가 잘 움직이지 않는 등의 자각증상이 확인된다.

증상

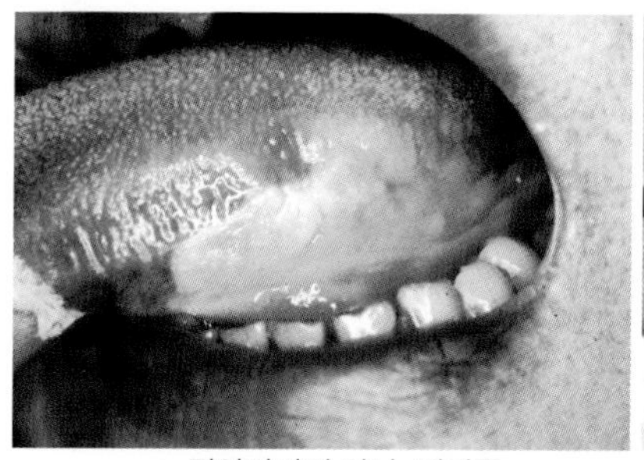

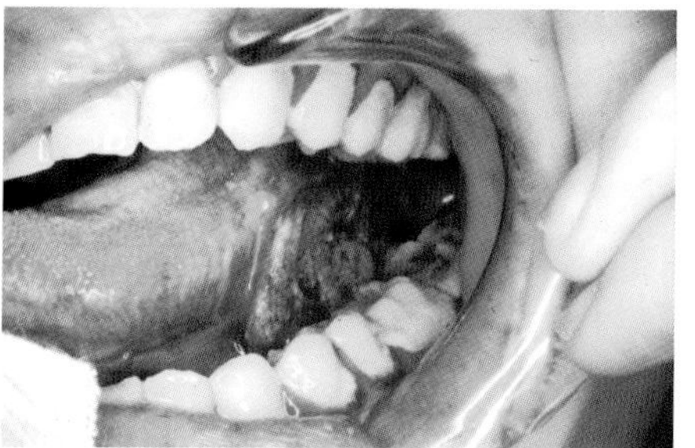

a. 전암병변의 하나, 백판증　　b. 설암의 국소사진

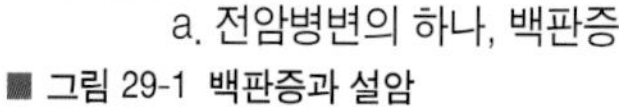

■ 그림 29-1 백판증과 설암

- 자각증상은 음식 때문에 아프거나 혀가 아파서 식사하기가 힘들다는 등으로 나타난다. 초기에는 무증상인 경우도 있다.
- 진행되면 혀가 잘 움직이지 않아서, 얘기하기가 힘들거나 의치가 맞지 않고, 출혈 등의 증상이 나타난다.
- 경부림프절전이가 생기면, 경부의 종괴로 자각하기도 한다.

합병증

- 연하장애, 구음장애, 개구장애, 통증, 출혈, 경부림프절전이, 원격전이 (폐 등)

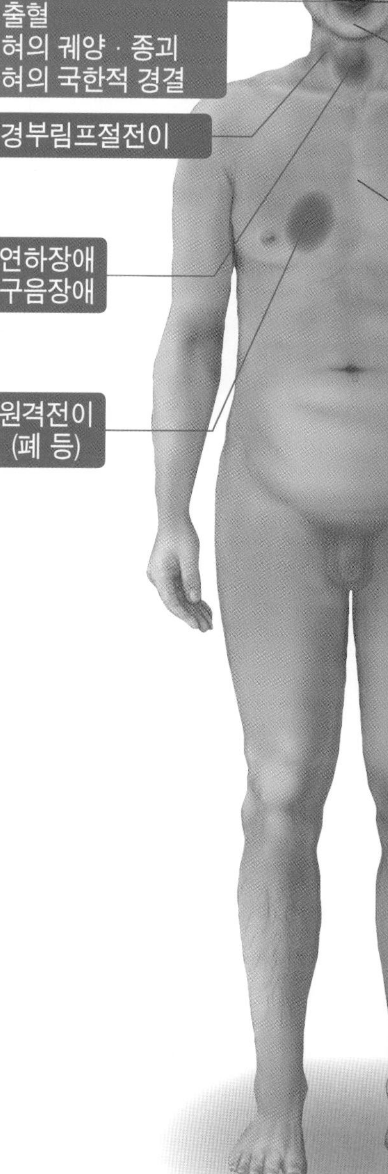

설암

진단 map

진단의 결정은 생검이다.

진단·검사치

- 시진은 여러 가지 형태를 취한다. 지속되는 궤양이나 종괴를 확인하면 설암을 의심한다. 촉진상 경결을 확인하는 경우가 많다.
- 통증이 있으며, 경결이 수반되고 출혈성이 증가하는 종양이 전형적이다. 또 표면에 괴사나 궤양을 수반하기도 한다.
- 혀의 측연에 발생하는 경우가 많다.
- 진단확정은 생검에 의한 병리조직진단으로 한다.
- 원발종양의 크기·경부림프절전이의 유무를 시진 · 촉진 및 영상검사 (초음파검사·CT·MRI 등)로 평가한다.
- 흉부 X선검사나 흉부 CT, PRT/CT로 원격전이 (폐전이)의 유무를 검사하고, 표 29-1, 표 29-2에 따라서 병기를 결정한다.
- 인후두내시경으로 인후두를 정밀검사하여, 다른 두경부암의 합병이 없는가를 검사한다.
- 상부소화관내시경검사로 식도~위의 중복암 유무를 확인한다.

■ 표 29-1 설암의 TNM분류

T분류 (원발종양의 크기)
T1 : 2cm 이하 T2 : 2cm 이상 4cm 이하 T3 : 4cm가 넘는다. T4a : 골수질, 외설근, 상악동, 안면피부로 침윤 T4b : 저작근간극, 익상돌기, 두개저로 침윤, 내경동맥을 원형으로 둘러쌈
N분류 (경부림프절전이의 수, 크기)
N0 : 림프절전이 없음 N1 : 환측 단발, 3cm 이하 N2a : 환측 단발, 3cm 이상 6cm 이하 N2b : 환측 다발, 6cm 이하 N2c : 건측 또는 양측, 6cm 이하 N3 : 6cm가 넘는다.
M분류 (원격전이의 유무)
M0 : 원격전이 없음 M1 : 원격전이 있음

■ 표 29-2 설암의 병기분류

병기	분류
Ⅰ기	T1N0M0
Ⅱ기	T2N0M0
Ⅲ기	T3N0/N1M0, T1/T2/N1M0
ⅣA기	T4aN0/N1/N2M0, T에 관계없이 〈N2M0
ⅣB기	T4bN1/N2/N3/M0, T에 관계없이 〈N3M0
ⅣC기	T, N에 관계없이 M1

치료 map

병변부를 절제하는 외과적 치료가 기본이며, 병기에 따라서 방사선조직내조사, 림프절곽청술, 화학요법, 재건술 등을 선택・추가한다.

진단 치료

외과적치료
방사선요법

시진
촉진
생검

초음파검사
CT
MRI
인후두내시경검사

흉부X선검사

상부소화관
내시경검사

PET
CT

화학요법

치료방침

- 외과적 치료가 기본이다. Ⅰ기・Ⅱ기의 조기암인 경우에는 방사선조직내조사치료도 적용한다. 구강은 발음, 저작, 연하 등의 중요한 기능을 담당하며 QOL에 깊이 관여하고 있으므로, 암의 치유 뿐 아니라, 치료 후의 기능온존도 중요하다. 치료법에 선택사항이 있는 경우에는 각 치료법의 장점・단점에 관하여 충분히 설명하여, 환자 본인의 선택을 우선하도록 한다.

외과적 치료

- 원발(설)에 대한 수술 : 혀를 절제하는 범위에 따라서 ①설부분절제술, ②설가동부반측절제술, ③설가동부(아)전적출술, ④설반측절제술, ⑤설(아)전적출술로 분류된다(그림 29-2). 절제범위가 커지면, 수술 후의 연하・발음 등의 기능에 장애가 생긴다.
- 경부림프절전이에 대한 수술 (경부곽청술) : 경부림프절전이에 행해진다. 합병증으로 경동맥・경정맥에서의 출혈, 설하신경・안면신경 하악연지・미주신경・부신경・횡격신경・교감신경 등의 마비 가능성이 있다.
- 재건술 : 절제후 결손부위를 폐쇄할 수 없는 경우에는 재건술을 동시에 실시하여 창부를 폐쇄한다. 결손부위의 크기에 따라서 피부이식・인공피복재나 전완피판・전외측 대퇴피판・복직근피판 등을 이용한다(그림 29-3). 하악골을 합병 절제한 경우에는 유리비골피판이나 티탄플레이트로 재건한다. 재건으로 수술 후의 연하나 발음기능을 유지할 수 있다.

■ 표 29-3 설암의 병기별 치료법

수술방식	방법
Ⅰ기	절제 또는 조직내조사
Ⅱ기	절제 또는 조직내조사, 경우에 따라서 환측에 예방적으로 경부곽청술을 실시
Ⅲ기	원발종양이 T1-2인 경우 : 원발은 절제 또는 조직내조사, 및 환측의 경부곽청술 원발종양이 T3인 경우 : 절제술+구강내재건술+환측의 경부곽청술
ⅣA・ⅣB기	종양절제술+구강내 재건술+양측의 경부곽청술
ⅣC기	화학요법 또는 완화치료

※수술후, 필요에 따라서 방사선치료를 추가한다.

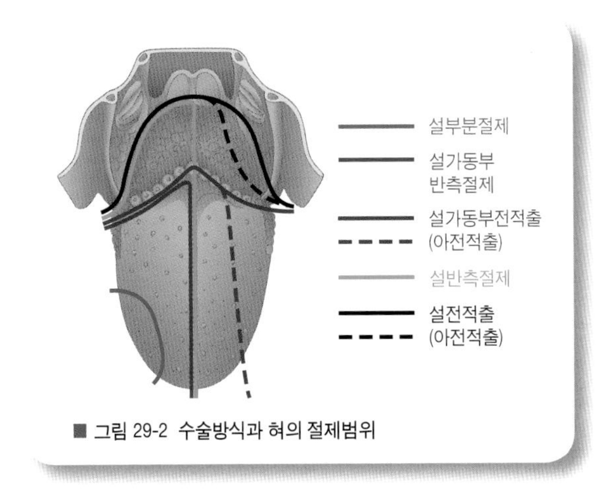

■ 그림 29-2 수술방식과 혀의 절제범위

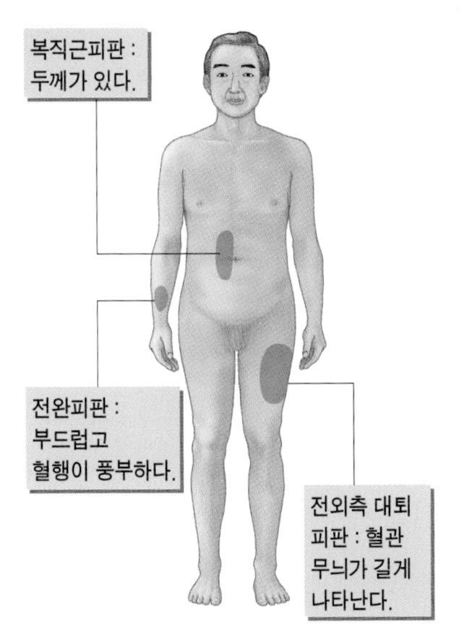

■ 그림 29-3 재건술에 이용되는 유리피판

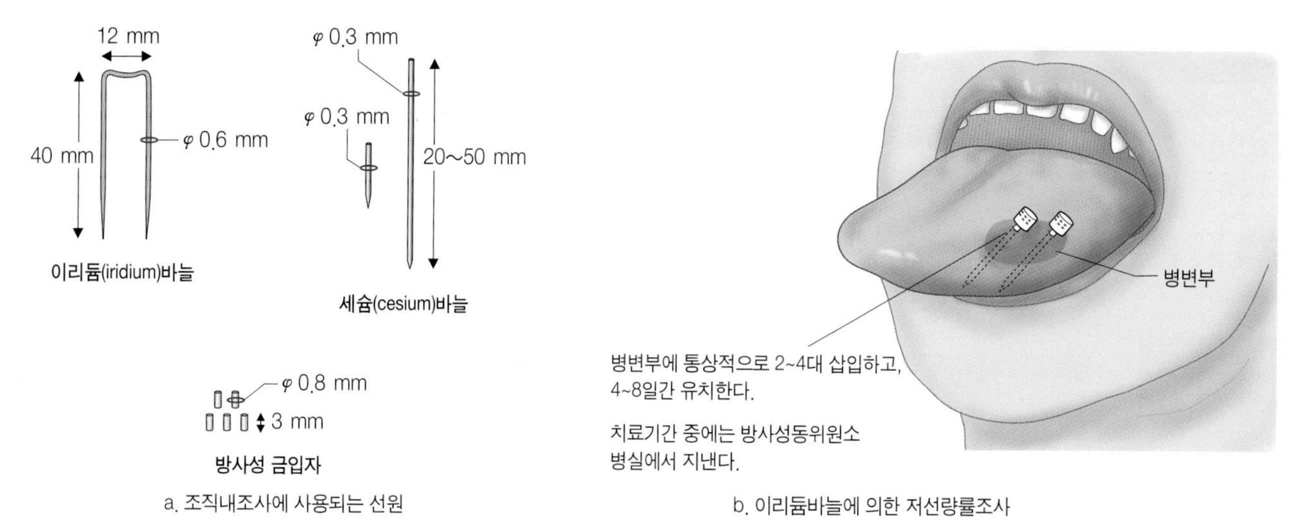

■ 그림 29-4 조직내조사

방사선요법

- 조직내조사 : 통상적인 외부에서의 방사선조사와 달리, 환부에 직접 방사성 금속을 묻어서 암조직을 파괴하는 방법으로, 설암이나 전립선암, 자궁암에서 사용한다. Ⅰ기 · Ⅱ기 (Ⅲ기의 일부에서도 행해진다)의 설암에 적용된다. 치료성적은 수술과 동등하다. 문제점으로는 구내염, 하악골골수염, 만발성방사선유발암의 가능성이 있다. 또 특수한 설비가 필요하기 때문에, 할 수 있는 시설이 한정되어 있다는 점도 단점이다. 실제로는 국소마취하에서 세슘바늘이나 이리듐선원, 방사성 금입자를 삽입한다(그림 29-4). 주위로의 피폭을 방지하기 위해서 환자의 격리가 필요하다.
- 외조사 : 수술의 보조치료로 추가되기도 한다. 수술소견에 따라서 계 50Gy (약 5주간) 조사하는 경우가 많다.

화학요법

- 수술 전후의 보조치료, 재발 시나 원격전이가 있을 때에 사용한다. 시스플라틴 (Randa), 플루오로우라실 (5-FU), 도세탁셀수화물 (탁소텔), 테가푸르 · 기메라실 · 오테라실칼륨배합제 (TS-1) 등을 사용한다.

보조요법

- 암으로 인한 통증에 진통제를 적절히 사용한다. 경구섭취가 불가능한 경우에는 경비위관이나 위루에서 경관영양을 실시한다.

설암의 병기 · 병태 · 중증도별로 본 치료흐름도

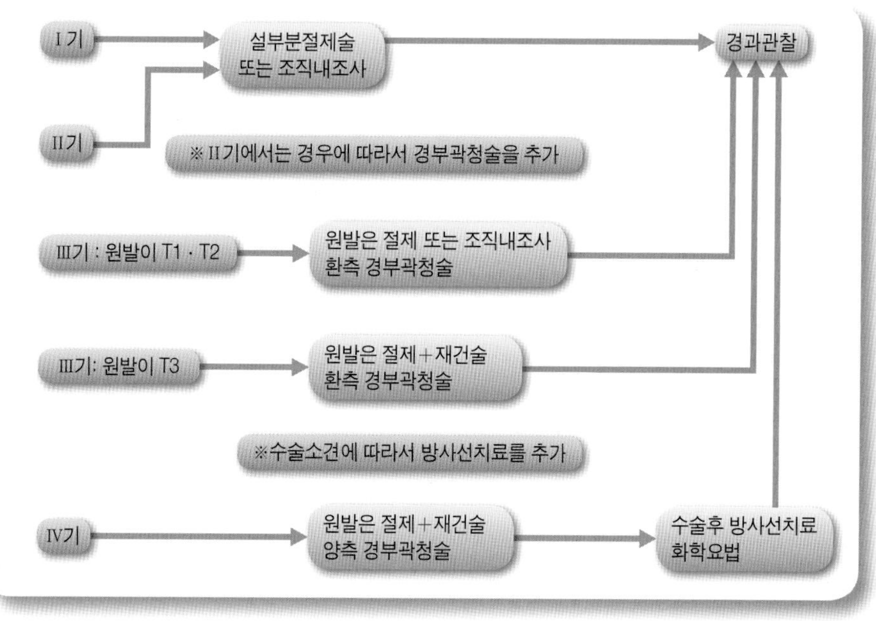

(角 卓郎·岸本誠司)

환자케어

질환, 수술이나 수술 후의 변화에 대한 수용, 재건술에 의한 이식부의 합병증이나 수술후 섬망의 예방과 조기발견, 연하장애나 구음장애 등의 기능장애, 생활의 재구축에 대한 케어를 실시한다.

병기·병태·중증도에 따른 케어

【진단기 · 수술전】 암진단을 받아들이고, 기능형태장애를 수반하는 수술에 관해서 설명을 충분히 듣고, 스스로 결정할 수 있도록 지지한다. 동시에 수술후 합병증의 예방과 기능장애에 대한 신체적 · 심리적 준비를 촉구한다.
【수술후 급성기】 술후 합병증의 예방과 조기발견 · 회복에 대한 간호를 제공한다. 특히 유리조직이식부의 합병증이나 수술후 섬망의 발현에 주의한다. 기관절개가 행해진 경우나 설절제로 인한 구음장애는 의사소통에 장애를 초래하여 수술후 섬망의 요인이 되므로, 환자의 고통을 배려한다.
【수술후 재활치료기】 연하장애나 구음장애에 대한 기능훈련을 실시하면서, 가정 · 사회로 복귀하여 생활을 재구축할 수 있도록 지지한다.

케어의 포인트

암진단 시의 간호
- 암진단으로 인한 환자 · 가족의 심리적 충격을 이해하고, 암에 효과적으로 대처할 수 있도록 지지한다.
- 환자 · 가족이 있는 그대로의 기분을 표출할 수 있는 관계를 형성한다.

수술 전후의 간호
- 선택할 수 있는 치료법에 관하여 충분히 정보를 제공하고, 납득하여 치료에 임할 수 있도록 지지한다.
- 수술 전부터 수술 후의 기능장애에 대처하기 위하여 심신을 추스린다.
- 수술 후에는 특히 섬망이나 유리피부이식부위의 괴사에 주의한다.

연하장애나 의사소통장애에 대한 대응
- 연하장애나 구음장애에 대한 기능훈련에 적극적으로 임하도록 지지한다.
- 환자의 자존심이나 자기가치감을 저하시키지 않는다.
- 가족이나 직장의 이해와 협력을 얻어서, 사회성이 저하되지 않도록 지지한다.

환자 · 가족의 심리 · 사회적 문제에 대한 지지
- 수술후 기능장애의 대처법을 설명하여, 환자 · 가족의 불안을 완화한다.
- 사람들과의 교제나 직장으로의 복귀 등 사회성이 회복되고 있는가 확인한다.
- 장애를 가진 채 생활에 적응할 때까지 계속 간호한다.

퇴원지도·요양지도

- 환자 · 가족이 퇴원 후의 생활에 관하여 걱정하는 점, 불안하게 느끼는 점을 파악하여, 해결방법을 설명한다.
- 연하장애나 구음장애는 수술후 1년 정도면 개선될 수 있다는 점을 전달하고, 끈기있게 훈련하도록 격려한다.
- 흡인 시 자택에서의 대응방법, 응급 시 의료기관의 연락처나 외래에서의 상담창구에 관한 정보를 제공한다.

(小原 泉)

1~3과 같은 훈련을 언어청각사 등이 주도하여 실시하므로, 훈련상황을 파악하여 실제 식사섭취에 활용한다.

1. 얼음마사지

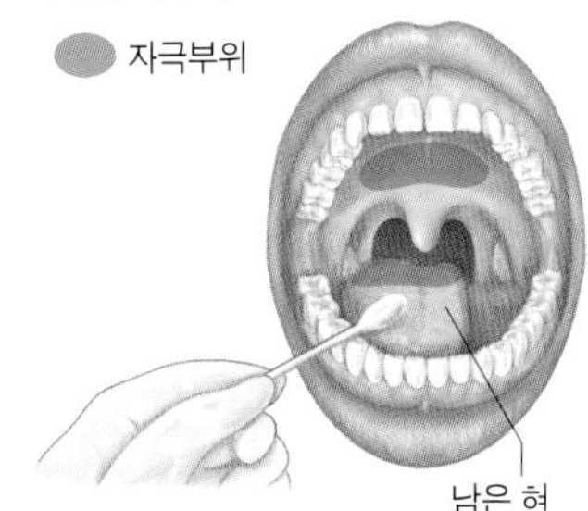

목적 : 연하반사부위에 한냉자극과 압자극을 줌으로써, 연하반사를 유발한다.
방법 : 얼린 면봉에 소량의 물을 묻혀서, 혀 속, 연구개, 인두후벽을 좌우 여러 차례 자극한다.

2. 혀의 운동훈련 (돌출, 후퇴, 측방, 거상 · 하강)

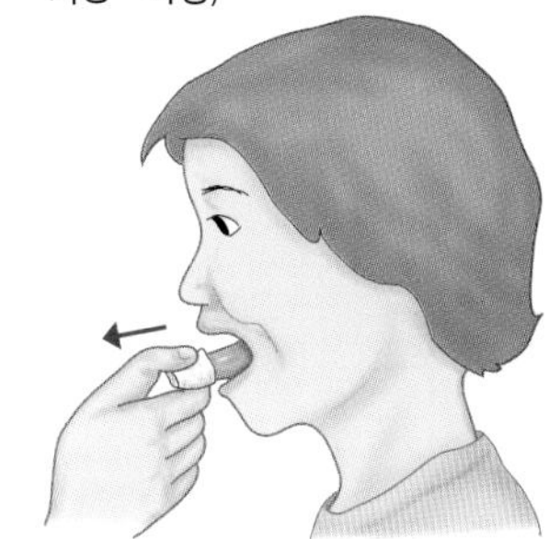

목적 : 남은 혀의 근력을 증강하여, 음식물을 인두로 보낸다.
방법 : 타동운동에서 시작한다. 보조자가 거즈로 혀끝을 잡고 당긴다. 그 상태에서 혀를 상하, 좌우, 전후로 움직인다.

3. 성문상 (숨참기) 연하훈련

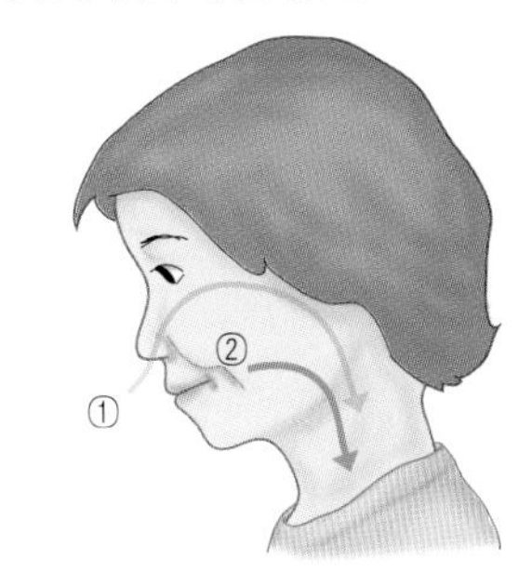

목적 : 기도에 음식덩어리가 유입될 위험을 경감시킨다.
방법 : 코로 크게 숨을 들이마시고 (①) 숨을 멈춘 후, 타액이나 소량의 물을 삼킨다(②). 그 후에 숨을 힘차게 토해낸다.

■ 그림 29-5 수술 후의 기능회복훈련

Memo

색인

ㄴ

ㄷ

ㄹ

ㅁ

ㅂ

ㅅ

ㅇ

ㅈ

ㅊ